GOGOL

HENRI TROYAT
de l'Académie française

GOGOL

FLAMMARION, ÉDITEUR
26, rue Racine, Paris

Il a été tiré de cet ouvrage :

Cinquante-cinq exemplaires sur pur fil
des Papeteries d'Arches
dont cinquante exemplaires numérotés de 1 à 50,
et cinq exemplaires, hors commerce, numérotés de I à V ;
deux cent vingt exemplaires sur Vélin chiffon
des Papeteries de Lana
dont deux cents exemplaires numérotés de 51 à 250,
et vingt exemplaires, hors commerce, numérotés de VI à XXV.

Il a été tiré en outre :

Quinze exemplaires sur pur fil
des Papeteries d'Arches
numérotés H.L. 1 à H.L. 15 ;
et dix exemplaires sur Vélin chiffon
des Papeteries de Lana
numérotés H.L. 16 à H.L. 25,
réservés à la Librairie « Henri Lefebvre ».

Vingt exemplaires sur pur fil
des Papeteries d'Arches
numérotés C.F. 1 à C.F. 20,
réservés à la Librairie « Coulet et Faure ».

Cinquante-cinq exemplaires sur Vélin Alfa
numérotés S.L. 1 à S.L. 55,
réservés aux bibliophiles des Sélections Lardanchet.

LE TOUT CONSTITUANT L'ÉDITION ORIGINALE.

PREMIÈRE PARTIE

I

ENFANCE

Quand Marie Ivanovna Gogol-Ianovsky constata qu'elle était de nouveau enceinte, une crainte prémonitoire assombrit sa joie. Après deux couches malheureuses, qui avaient failli lui coûter la vie, n'allait-elle pas mettre au monde, pour la troisième fois, un enfant mort-né ? Aussi inquiet qu'elle, son mari, Vassili Afanassiévitch, l'entourait d'une adoration tremblante. Pour conjurer le mauvais sort, ils décidèrent que, s'il leur naissait un fils, ils l'appelleraient Nicolas, en hommage à l'icône miraculeuse de saint Nicolas, vénérée dans le village voisin de Dikanka. Le prêtre de Dikanka fut invité à prier chaque jour pour une issue heureuse. L'icône reçut une forêt de cierges propitiatoires. Et, dès le déclin de ce brûlant été de l'année 1808, l'attente commença pour les deux époux, interminable, torturante, avec son train de projets et d'oraisons.

Ce ménage uni, discret et sage vivait retiré dans le domaine de Vassilievka (gouvernement de Poltava), au cœur de l'Ukraine. Une maison basse, en bois, avec des colonnettes sur le devant, un jardin, un étang, une cour où cacardent les oies, des chapelets de pommes et de poires coupées en fines tranches et séchant au soleil sur une palissade, des communs abritant des domestiques paresseux et aimables, mille déciatines de terre et quelque deux cents serfs travaillant aux champs, en faut-il plus pour être heureux quand on ne trouve nul attrait aux lumières de la ville ?

Vassili Afanassiévitch Gogol-Ianovsky descendait d'une vieille famille ukrainienne, anoblie sous allégeance polonaise au XVIIe siècle. Un de ses ancêtres, Ostap Gogol, s'était illustré, vers 1655, en combattant, comme colonel des cosaques, aux côtés de l'« hetman » Pierre Dorochenko. Son grand-père, Démian, avait été prêtre. Son père, Afanassi Démianovitch, avait reçu une instruction religieuse au séminaire de Poltava, puis à l'Académie ecclésiastique de Kiev. Ayant finalement renoncé au service de l'Eglise, il s'était fixé avec sa femme, une demoiselle Lisogoub — de très ancienne et très honorable ascendance cosaque — dans le petit domaine de Vassilievka qu'elle lui avait apporté en dot (1). C'était là que Vassili Afanassiévitch Gogol-Ianovsky avait vu le jour, en 1777. Fils unique, il avait, lui aussi, selon la tradition familiale, fait ses études au séminaire de Poltava. Puis, optant pour « une carrière civile », il avait accepté, dans l'administration des postes, un emploi qui ne l'obligeait à aucune présence effective. Quelques années plus tard, il démissionnait avec le grade d'assesseur de collège, pour se retirer à la campagne et aider ses parents dans l'exploitation de leurs terres.

En vérité, il avait si peu de sens pratique, qu'il leur fut d'un maigre secours. Honnêtement cultivé, il savait le latin, appréciait la musique, lisait beaucoup, racontait bien les histoires et écrivait même des vers de circonstance et des comédies en petit-russien. Ces comédies témoignaient d'une authentique connaissance des mœurs populaires de l'Ukraine. On eût pu croire que leur auteur était un joyeux drille, amateur de farces et de festins. Mais le fond de son caractère était rêveur, délicat, nonchalant. De complexion chétive et de volonté intermittente, il se laissait porter par les vagues de l'existence sans tenter d'imposer une direction à ses idées et à ses actes. Amoureux de la nature, il avait aménagé dans le jardin de petits kiosques, des grottes artificielles et donné

_____

(1) Le domaine ne fut appelé Vassilievka qu'après la naissance du fils d'Afanassi Démianovitch, Vassili. Autrefois, il s'appelait Ianovchtchina.

des noms poétiques aux allées. Il y avait, à Vassilievka, un
« vallon de la Tranquillité » ; les oiseaux qui hantaient le
domaine avaient droit à des égards exceptionnels ; il était
interdit aux blanchisseuses de laver leur linge dans l'étang,
par crainte que le bruit des battoirs n'effarouchât les colom-
bes et les rossignols du voisinage.

Ces dispositions romantiques avaient trouvé leur épanouissement lorsque Vassili Afanassiévitch s'était épris de Marie
Ivanovna. A en croire cette dernière, tout avait commencé
très tôt, par un rêve. Une nuit, la Sainte Vierge était apparue
à Vassili Afanassiévitch, alors âgé de treize ans, et, lui désignant un bébé inconnu qui jouait auprès d'elle, avait dit
d'une voix mélodieuse : « Tu te marieras, et voici celle qui
sera ta femme ». A quelque temps de là, invité avec ses
parents chez des voisins, Vassili Afanassiévitch avait vu, sur
les bras d'une nourrice enrubannée, une fillette de sept mois,
semblable, trait pour trait, à celle qu'il avait admirée en
songe. Dès cet instant, il avait su que son destin était tracé
et qu'il suffisait d'attendre que l'intéressée fût en âge de
répondre à ses sentiments. Fille du propriétaire foncier Kossiarovsky, elle se prénommait Marie et était élevée par sa
tante Anna Matvéievna Trochtchinsky.

Pendant une bonne dizaine d'années, Vassili Afanassiévitch
avait vécu, heureux, avec son secret, tout en surveillant les
progrès en grâce et en intelligence de sa future fiancée. Il
lui rendait fréquemment visite, écoutait avec ravissement ses
bavardages puérils, la comblait de menus cadeaux, lui apprenait à construire des châteaux de cartes, jouait avec elle à
la poupée, et la brave tante s'émerveillait qu'un jeune homme
si sérieux trouvât tant de plaisir à la compagnie d'une enfant.
« J'éprouvais un sentiment particulier à son égard, mais je
restais calme, écrira Marie Ivanovna. Il me demandait parfois
si je ne m'ennuyais pas avec lui, si je pouvais le supporter
sans peine. Je lui répondais que sa compagnie m'était agréable,
et, en effet, il était toujours plein de gentillesse et de prévenance envers moi, depuis mon plus jeune âge (1). »

_____

(1) Marie Ivanovna Gogol — *Souvenirs*, Chenrok, *Matériaux*.

Un jour, comme Marie Ivanovna se promenait, escortée de quelques servantes, au bord de la rivière Psel, elle avait entendu, venant de l'autre rive, les accords harmonieux d'un orchestre d'instruments à vent. Seuls, les Gogol en possédaient un dans le voisinage. Mais comment se trouvait-il là, juste à temps pour donner une aubade ? Cachés derrière les arbres, les musiciens jouaient des airs de plus en plus langoureux, et le cœur de Marie Ivanovna fondait d'un coupable bonheur. Elle ne pouvait se décider à quitter sa place. Enfin ses servantes l'avaient entraînée, car il se faisait tard. Mais les musiciens l'avaient accompagnée jusqu'à la maison, en se dissimulant dans les bosquets. La mélodie s'approchait d'elle, s'éloignait, courait, sautait, la baignait tout entière. Quand elle avait raconté l'aventure à sa tante, celle-ci lui avait dit avec un sourire : « Quel heureux hasard que tu sois allée te promener à l'heure où lui-même, qui aime tant la nature et la musique, sortait pour profiter du beau temps ! Mais dorénavant ne t'éloigne pas tant de la maison. »

Elle allait avoir quatorze ans, lorsque Vassili Afanassiévitch, alors âgé de vingt-sept ans et définitivement installé à Vassilievka, s'était enhardi à lui demander si elle l'aimait. Affolée, elle lui avait répondu, sans trop savoir pourquoi : « Je vous aime comme j'aime tout le monde. » Et, le laissant penaud, elle s'était précipitée hors du salon. Mortifié, Vassili Afanassiévitch s'était ouvert à la tante Anna Matvéievna de ses projets et de sa déception. Immédiatement, cette femme énergique avait promis de prendre l'affaire en main. Elle était sûre, disait-elle, que Marie aimait son charmant voisin ; d'ailleurs, dès qu'il s'éloignait, la pauvrette cédait à la mélancolie ; elle était si jeune ; elle avait peur des hommes ; elle ferait une excellente épouse !

Quand il était parti, rasséréné, Anna Matvéievna avait entrepris de confesser sa nièce. Tout ce que la fillette avait trouvé à dire pour sa défense, c'était que, si elle se mariait, ses petites amies se moqueraient d'elle. Objection ridicule que la tante avait, en trois mots, réduite à néant. Bousculée, congratulée, embrassée, Marie s'était soudain réveillée avec un fiancé dans le cœur. Les parents, avertis de la chose, avaient aussitôt donné leur bénédiction. Et Marie était retournée chez eux pour la préparation du trousseau. « Mon fiancé venait souvent, écrira Marie Ivanovna. Quand il en était empêché, il m'écrivait. Sans décacheter ses lettres, je les remettais à mon père. Les ayant lues, il disait en souriant : « On voit qu'il a lu beaucoup de romans ! » En effet, les lettres étaient pleines de phrases les plus tendres. Mon père me dictait les réponses. Je portais toujours sur moi les missives de mon fiancé. »

Le mariage avait eu lieu à Jaresky, dans la maison de la tante, mais, après une journée passée à festoyer, le mari était reparti chez lui, car, de l'avis unanime, Marie Ivanovna était encore trop jeune pour partager l'existence d'un homme. On verrait dans un an... L'épouse avait accepté la séparation avec sagesse, l'époux avec désespoir. Au bout d'un mois, ils étaient si malheureux l'un et l'autre, que les parents, émus, avaient consenti à revenir sur leur décision. Parmi les larmes, les bénédictions, les recommandations, Marie Ivanovna montait en voiture pour se rendre à Vassilievka.

Une heure plus tard, elle était dans sa nouvelle maison. Le père et la mère de Vassili Afanassiévitch attendaient leur bru sur le seuil, avec le pain et le sel de l'hospitalité. « Ils me reçurent comme leur propre enfant, dira-t-elle. Ma belle-mère m'habillait à son goût, avec de vieilles robes datant de sa jeunesse... Mon mari ne voulait pas que je reprisse mes études. Il ne parlait aucune langue étrangère, sauf le latin, et ne tenait pas à ce que je fusse plus savante que lui. Aussi ne lisions-nous que des livres russes, toujours ensemble, quand nous avions un moment de loisir et restions seuls, ce qui n'arrivait pas souvent... Je n'allais jamais aux réunions, aux bals, trouvant mon bonheur au sein de ma famille. Nous ne nous séparions jamais, même pour un jour, et, quand il allait faire une tournée d'inspection dans les champs, il m'emmenait avec lui, dans sa calèche. Si j'étais obligée de rester à la maison, j'avais peur pour lui, il me semblait que je ne le reverrais plus jamais (1)... »

Pour éviter à sa femme les affres de l'attente, Vassili Afanassiévitch s'ingéniait d'habitude à rentrer avant l'heure prévue.

_____

(1) Marie Ivanovna Gogol. _Notes autobiographiques_.

La seule fois où il était revenu avec un léger retard, elle était
tombée malade et avait dû garder le lit, plusieurs jours,
secouée par la fièvre. Ces angoisses irraisonnées se doublaient
de soucis plus évidents. Le domaine de Vassilievka, bien que
riche en bonne terre, ne suffisait pas à nourrir son monde.
Les arbres du verger ployaient sous le poids des poires, des
prunes, des cerises ; les champs donnaient une large moisson
de blé dru et doré ; de lourdes vaches paissaient dans le
pré à l'herbe grasse. Mais, en faisant ses comptes, Vassili
Afanassiévitch découvrait que les dépenses excédaient tragiquement les recettes. Alors, dans l'affolement, on organisait
une foire à Vassilievka, on installait une petite distillerie avec
l'espoir de faire fortune en vendant de l'alcool, ou, plus simplement, on empruntait de l'argent à quelque voisin débonnaire pour préparer la prochaine saison.

Marie Ivanovna qui, hier encore, jouait à la poupée, veillait
maintenant aux soins du ménage, gourmandait les servantes
et éblouissait son mari par sa fraîcheur et son autorité. Très
vite, de la fillette aimable et empruntée, s'était dégagée une
jeune femme blanche de peau, noire de regard, aux sourcils
épais et arqués, aux traits nets, à la bouche fermement dessi-
née et aux gestes résolus. D'avoir accouché, coup sur coup,
de deux enfants morts, dans les premières années de son
mariage, avait fortement ébranlé ses nerfs. De nouveau
enceinte, elle interprétait avec anxiété ses moindres malaises.

Cette fois, elle ne voulut pas accoucher à la maison. Il fut
décidé, en famille, qu'elle se rendrait à Sorotchintsy, petite
bourgade proche où opérait Trakhimovsky, un médecin réputé
dans toute la région. Ce fut là, dans une chambrette au sol
de terre battue, qu'elle mit au monde, le 20 mars 1809, un
garçon, Nicolas. Le registre de la paroisse de Sorotchintsy
porte, sous le numéro 25, la mention de la naissance et du
baptême (1).

Rentrée chez elle, Marie Ivanovna, qui avait craint d'abord
pour l'issue de ses couches, se mit à craindre pour la santé
de son fils. Il était malingre, pâlot, souffreteux. A tout mo-

---

(1) Nicolas Gogol, quant à lui, devait toujours fêter son anniver-
saire le 19 mars.

ment, elle avait peur de le perdre. Cette menace diffuse le lui rendait deux fois plus cher. Tantôt elle le voyait mort, et tantôt elle l'imaginait étonnant le monde par son génie. Pour mettre toutes les chances de son côté, elle décida de faire bâtir une église à Vassilievka. Tant pis pour la dépense ! L'entrepreneur accepta des délais de paiement. On vendit la vieille argenterie familiale pour acheter les objets du culte. On commanda une nappe d'autel richement brodée. Mais la santé du petit Nicolas ne se rétablissait pas. Il avait des étouffements, des langueurs, des crises de nerfs, que le médecin attribuait à la scrofule. Son teint blafard se colorait à peine au soleil ou dans le jeu. Ses oreilles suppuraient. Cent fois par jour, sa mère le palpait pour voir s'il n'avait pas trop chaud ou trop froid, le découvrait, l'emmitouflait, l'embrassait, esquissait un signe de croix au-dessus de sa tête, et lui, dans cette atmosphère d'adoration balbutiante, finissait par se considérer comme une idole domestique. La notion de sa supériorité ne fut pas affectée par la naissance de sa sœur Marie (1811) et de son frère Ivan (1812). Il était l'aîné, son règne avait des assises sacrées. Tout tournait autour de lui dans la maison et, par conséquent, dans le monde. « Je n'éprouvais point de sentiments profonds et considérais tout ce qui m'entourait comme des objets disposés là pour mon plaisir et mon confort, écrira-t-il plus tard à sa mère. Je n'avais d'affection particulière pour personne, sauf pour vous, et uniquement parce que la nature me dictait ce sentiment (1). »

Incontestablement, de tout le petit groupe qui formait son univers, sa mère se détachait, plus vivante, plus active, plus inquiète et plus inquiétante que les autres. Elle imposait sa piété à la maisonnée. Pour un oui, pour un non, elle tombait à genoux devant les icônes. Très tôt, elle emmena son fils Nicolas à l'église. Au début, il n'y éprouva que de l'ennui, étouffé entre les grandes personnes, écœuré par l'odeur de l'encens, assourdi par « les clameurs horribles du sacristain (2) ». Il se signait pour faire comme tout le monde et

_____

(1) Lettre du 2 octobre 1833.
(2) Ibid.

laissait son esprit flotter mollement au niveau des images saintes. Mais un jour il s'avisa de demander à sa mère quelques éclaircissements sur le jugement dernier, et celle-ci, subitement inspirée, lui fit un tel tableau de la vie future au paradis et en enfer, qu'il en eut des cauchemars la nuit suivante et s'éveilla plusieurs fois, couvert de sueurs froides et hurlant de peur. La vision des flammes éternelles devait le poursuivre longtemps. Il suffisait qu'il y pensât pour se mettre à trembler. « Vous me fîtes une peinture si parfaite, si compréhensible, si émouvante des félicités qui attendent ceux qui ont bien vécu, et un tableau si frappant, si effrayant des éternels tourments des pécheurs, que cela me bouleversa, éveilla toute ma sensibilité, et fit tomber en moi, et germer plus tard, les plus hautes pensées », écrira-t-il (1). A dater de ce récit, le petit Nicolas fréquenta l'église, chaque dimanche, avec un double sentiment d'adoration et de terreur.

En revanche, tout lui semblait simple et joyeux, lorsque son père l'emmenait, en voiture, avec son frère Ivan, surveiller les travaux des champs : l'éclat des faux dans la masse jaune des blés, le visage hâlé des moissonneurs, les chants des filles liant les gerbes... Au long de son existence, il se souviendra avec gratitude des belles journées d'été en Petite Russie. « Pas un nuage au ciel, écrira-t-il dans *la Foire de Sorotchintsy*. Pas un bruit dans les champs. Tout paraît mort. Seule, là-haut, dans l'abîme céleste, frémit une alouette, et sa chanson argentine descend le long des degrés aériens vers la terre énamourée... Mille insectes, pareils à des émeraudes, à des topazes, à des rubis, pleuvent sur les potagers bariolés qu'ombragent de hauts tournesols. Des meules de foin aux reflets gris et des gerbes de blé doré sont disposées comme un campement dans la plaine infinie. Les fruits font ployer les branches des cerisiers, des pruniers, des pommiers, des poiriers... Quelle volupté et quelle indolence dans ces étés de Petite Russie ! »

Au retour de ses promenades, il racontait ce qu'il avait vu, et la famille l'écoutait, émerveillée par la précocité de son observation et la richesse de son vocabulaire. Son père,

---

(1) Ibid.

parfois, ajoutait quelque remarque, rapportait une conversation qu'il avait eue avec des paysans... C'était un petit homme
rondouillard, souriant et tendre. Il parlait aussi bien le russe
que l'ukrainien, mais utilisait de préférence la première langue
pour les questions sérieuses et la seconde pour les propos
plaisants.

Le troisième haut personnage du groupe était la grand-
mère Tatiana Semionovna, née Lisogoub. Elle avait perdu
son mari peu après le mariage de Vassili Afanassiévitch et
logeait dans un pavillon de deux pièces, attenant à la maison.
Nicolas aimait lui rendre visite dans son domaine encombré
de boîtes, de chiffons et de souvenirs. Elle avait un visage
ramassé et piqueté comme une éponge. Sans doute parlait-
elle à son petit-fils des temps glorieux où les Cosaques « zaporogues » formaient une confrérie indépendante, la « siètch »,
élisaient leurs propres chefs et tenaient tête à la Pologne. L'un
des derniers héros de cette épopée avait été Ostap Gogol,
l'aïeul farouche qui avait donné son nom à la lignée. Après
la soumission des « zaporogues » à la Russie et l'édit de
Catherine II, la « siètch » avait été dispersée, le dernier
« hetman » avait renoncé à sa charge, l'histoire avait succédé
à la légende. Tatiana Semionovna savait aussi des chansons
et des contes populaires terrifiants, que Nicolas ne se lassait
pas d'entendre. Ce goût du mystère, cette disposition à l'effroi,
se manifestaient subitement, alors qu'il se croyait à l'abri de
toute menace, dans un parfait équilibre de pensée. Un jour,
à l'âge de cinq ans, son père et sa mère étant sortis, il
éprouva de l'angoisse à voir le crépuscule assombrir la fenêtre. « Je me pelotonnai dans l'angle du divan, dira-t-il, et,
au milieu du silence absolu, écoutai le battement du long
balancier de la pendule murale... Soudain le faible miaule-
ment d'un chat rompit le calme qui m'oppressait. Je vis l'animal qui, tout en miaulant, rampait doucement vers moi.
Jamais je n'oublierai sa démarche, son étirement, ses pattes
molles dont les griffes crissaient sur le sol, et ses yeux verts,
étincelants d'une lumière malveillante. J'eus peur. J'escaladai
le divan et me collai contre le mur. « Minet, minet ! » mur-
murai-je pour m'enhardir ; puis je sautai à terre, saisis le
chat, qui ne m'opposa pas de résistance, courus dans le jardin

et jetai la bête dans l'étang. A plusieurs reprises, comme le chat nageait et cherchait à remonter sur la berge, je le repoussai dans l'eau avec un bâton. J'étais terrifié, je tremblais et, en même temps, j'éprouvais une sorte de satisfaction, peut-être parce que je me vengeais de la peur qu'il m'avait causée. Mais, quand il se fut noyé et que les derniers ronds se furent effacés dans l'eau, j'eus tout à coup pitié de lui. Des remords m'assaillirent. Il me sembla que j'avais noyé un être humain (1)... »

Il lui arrivait aussi d'entendre, au milieu du silence, des voix d'outre-tombe, dont l'appel le glaçait. « Sans doute avez-vous eu déjà l'occasion d'entendre une voix vous appeler par votre nom, écrira-t-il dans *un Ménage d'autrefois*. A en croire les gens simples, c'est une âme qui se languit de vous et vous annonce votre mort prochaine. J'ai toujours redouté, je l'avoue, ces appels mystérieux. Je les ai entendus souvent dans mon enfance. Subitement quelqu'un, derrière moi, prononçait distinctement mon nom. Cela se passait d'ordinaire par une belle journée de soleil : pas une feuille ne frémissait sur les branches, un silence de mort planait, les grillons même avaient cessé leur chant, il n'y avait pas âme qui vive dans le jardin. Je vous confesse que la nuit la plus sinistre et la plus orageuse, toute la furie des éléments déchaînés me surprenant dans une forêt impraticable m'auraient moins effrayé que cet horrible silence, sous un ciel sans nuages. Alors, d'habitude, je courais à toutes jambes, hors d'haleine, épouvanté, et ne me tranquillisais qu'en rencontrant un être humain, dont la vue dissipait l'atroce sensation de vide qui étreignait mon cœur. »

Heureusement cette « atroce sensation de vide » était aussi rapidement oubliée que violemment perçue. Après les hallucinations, le désir de jouer revenait plus vif. Nicolas s'amusait sans arrière-pensée avec son frère Ivan et sa sœur Marie. Mais son occupation favorite était encore le jardinage. « Le printemps approche, écrira-t-il à sa mère en 1827, la saison la plus gaie pour quiconque sait la passer dans la joie. Cela me

_____

(1) Récit de Nicolas Gogol à Mme Smirnov.

rappelle mon enfance et ma passion de l'horticulture. Le printemps, vous en souvient-il ? marquait pour moi un vif regain
d'activité, je me trouvais dans mon élément. Je me revois
encore, pensif, au bord d'un sentier sinueux, une pelle à la
main... »

La maison était toujours animée, accueillante et chaude.
Parents et amis l'emplissaient en toute saison. De petites
chambres basses, avec des poêles montant à hauteur de plafond, une multitude de coffres, des portes grinçantes, de
grands meubles massifs, un essaim de filles en jupons rayés
bourdonnant dans la salle des servantes, toute l'abondance,
la douceur et la rusticité de la vie des propriétaires fonciers
d'autrefois... Les serfs de Vassilievka étaient traités de façon
débonnaire et ne souhaitaient même pas obtenir leur émancipation. Personne parmi eux ni parmi les maîtres ne songeait
à nier la nécessité du servage. Il était normal que certains
individus naquissent libres et d'autres esclaves, comme il était
normal qu'il y eût, entre les hommes, des grands et des
petits, des bruns et des blonds. Dieu n'ayant pas voulu l'égalité dans la nature, un chrétien n'avait pas à s'insurger contre
l'inégalité sociale. Marie Ivanovna régnait sur la domesticité,
son trousseau de clefs à la ceinture. Il fallait, à tout bout
de champ, ouvrir ou fermer le cellier. Les soucis de la nourriture tenaient une place capitale dans l'existence de la famille.
Constamment on cuisait, on salait ou on séchait des fruits
et des légumes à la cuisine. Le garde-manger était plein à
craquer de conserves succulentes, comme pour soutenir un
siège de plusieurs mois. « Là, écrira Nicolas Gogol dans *un
Ménage d'autrefois,* nul désir ne dépasse la palissade de la
courette, la haie de la pommeraie, les isbas du village, plan-
tées de guingois et perdues parmi les saules, les sureaux, les
poiriers. La vie de ces modestes propriétaires s'écoule si
quiète, si paisible, que, dans une minute d'oubli, on se surprend à mettre en doute l'existence des passions, des désirs,
des vaines agitations qu'engendre l'esprit du mal pour troubler le monde : tout cela, croit-on, n'est que le produit d'un
rêve, qu'une étincelante fantasmagorie. »

Parfois les Gogol, abandonnant leur retraite de Vassilievka,
se rendaient pour un bref séjour chez quelque propriétaire

foncier des environs. Le plus important d'entre eux, et celui auquel ils faisaient le plus volontiers visite, était un lointain cousin de Marie Ivanovna, le « bienfaiteur », le « protecteur » de la famille, Dmitri Prokofiévitch Trochtchinsky, installé en roitelet dans son domaine de Kibintsy. Ce personnage, « parti de rien », s'était hissé jusqu'au rang de secrétaire d'Etat, sous Catherine II, avait été écarté du pouvoir peu après l'avènement de Paul 1ᵉʳ, mais était revenu en grâce sous Alexandre 1ᵉʳ qui s'était jeté dans ses bras en lui disant : « Sois mon guide. » Nommé ministre par le jeune empereur, il l'avait servi quelques années, puis, prétextant l'âge et la fatigue, s'était retiré dans ses terres. Une fois éloigné de la capitale, il avait accepté les fonctions de maréchal de la noblesse du gouvernement de Poltava. Riche, oisif, considéré, Trochtchinsky ne pouvait supporter la solitude. Aux dires des contemporains, sa maison, toujours pleine, ressemblait à un gigantesque caravansérail traversé, d'un bout à l'autre de l'année, par le flux et le reflux des arrivants et des partants. Il n'y avait jamais assez de convives à sa table. Chaque jour, il fallait qu'on lui offrît une distraction nouvelle. Il possédait une troupe de comédiens recrutés parmi les serfs, un orchestre, des bouffons. On racontait qu'un officier d'artillerie, inconnu de tous, s'était présenté, un matin, à Kibintsy et avait eu l'idée d'y organiser un feu d'artifice. Trochtchinsky, enchanté, l'avait gardé trois ans auprès de lui. Les Gogol se rendaient à ses invitations en famille. Ce voyage, de plus de quarante verstes (1), enthousiasmait le petit Nicolas.

A peine la calèche s'engageait-elle dans l'allée de Kibintsy, que parvenaient de loin les sons mélodieux de l'orchestre composé de musiciens serfs. Puis, entre deux rideaux d'arbres, surgissait la maison en bois, à deux étages, aux proportions de palais. A l'intérieur, une richesse à vous couper le souffle : partout des tableaux, des meubles rares, des statuettes de bronze et de porcelaine, des canapés profonds, des armes anciennes, des collections de monnaies et de tabatières, des tapis si moelleux qu'on hésitait à marcher dessus. La vale-

_____
(1) La verste vaut 1 067 mètres.

taille, innombrable, se pressait dans l'antichambre. Il y avait,
dispersés dans le jardin, quelques pavillons pour les visiteurs
de marque. Les Gogol s'installaient dans l'un d'eux et chan-
geaient de vêtements, en hâte. Trochtchinsky avait mis à leur
service des domestiques, un équipage et un médecin. Bien
avant l'heure du dîner, la foule des invités se rassemblait,
intimidée, dans le salon. On attendait, en silence, l'apparition
du maître de céans. Il se montrait enfin, en uniforme de
parade, avec tous ses cordons et toutes ses décorations. Vieux,
cassé, le nez en bec d'aigle, le regard dur, il avait un air
d'ennui et de dédain sur le visage. Pendant le repas, pour
distraire leur hôte, les convives imaginaient des charades, des
devinettes, des mascarades, qui se joueraient en sortant de
table. Plus importante était la préparation des spectacles proprement dits, dont Trochtchinsky était friand. Il avait fait
bâtir un théâtre dans le parc. C'était à Vassili Afanassiévitch
Gogol que revenait l'honneur de monter les pièces en petit-
russien. Il les écrivait lui-même parfois, sur commande. Les
interprètes en étaient soit les invités, soit les acteurs serfs
du domaine. Vassili Afanassiévitch et son épouse faisaient
souvent partie de la distribution. Avec quelle joie avide, le
petit Nicolas assistait aux répétitions ! Comme il admirait son
père d'inventer les phrases que d'autres prononçaient sur
scène ! Qu'il riait de bon cœur à ces histoires de femmes
rusées et de paysans balourds (1) ! Assis au premier rang du
public, Trochtchinsky suivait le spectacle à travers une jumelle.
Quand il daignait sourire, acteurs et spectateurs en éprou-
vaient un soulagement voisin de la gratitude.

En dehors des représentations théâtrales, le meilleur moyen
de dérider le vieillard, c'était encore de taquiner devant lui
ses bouffons, Roman Ivanovitch et Bartholomée. Ce dernier,
un prêtre défroqué, était tellement sale de sa personne, qu'on
le faisait manger à l'écart, derrière un paravent. Quand il
avait fini, on lui collait la barbe à la table avec de la cire
à cacheter ; toute l'assistance s'amusait à le voir arracher

---

(1) Comédie de Vassili Afanassiévitch Gogol intitulée : *l'Innocent
ou la Femme rusée roulée par un Soldat*.

ses poils, un à un, en grimaçant. Un autre divertissement, couramment pratiqué à Kibintsy, était le jeu du tonneau. Ayant fait remplir d'eau une grande barrique, le maître de maison y lançait négligemment une poignée de pièces d'or et conviait les amateurs à plonger pour les rechercher au fond. Si quelqu'un parvenait à ramasser toutes les pièces en une seule fois, il pouvait les garder. S'il n'en rapportait que quelques-unes, il devait les rejeter à l'eau et céder son tour au suivant. A ce concours, certains invités n'étaient pas moins acharnés que les bouffons. Trempés et hilares, ils bénéficiaient, en fin de partie, d'une moue condescendante de l'ancien ministre, qui observait le spectacle du haut de la véranda (1).

En général, Trochtchinsky était peu aimable avec ses hôtes, leur adressait la parole du bout des lèvres et les quittait, tout à trac, pour étaler des patiences. Mais les Gogol avaient droit, de sa part, à des égards particuliers. Il appréciait la bonhomie, la gaieté rêveuse, l'honnêteté de Vassili Afanassié vitch et avait fréquemment recours à lui pour surveiller la gestion de son immense domaine. Traité en homme de confiance, tant pour le choix des divertissements que pour l'examen des livres de comptes, Vassili Afanassiévitch savait, de son côté, qu'il pouvait toujours s'appuyer sur Trochtchinsky dans les moments difficiles. Manquait-on d'argent dans le ménage, avait-on besoin d'une recommandation auprès du gouverneur ? — et, aussitôt, c'était vers Kibintsy que se tournaient tous les regards. « Mon mari et moi, écrira Marie Ivanovna, faisions de longs séjours chez Trochtchinsky, et il était difficile de le décider à nous laisser partir ; les derniers temps, il se fâchait jusqu'à en tomber malade, quand il apprenait que nous voulions retourner chez nous. En général, les invités avaient du mal à prendre congé de lui sans le mettre en colère. Il était toujours de mauvaise humeur, lorsqu'il s'agissait de raccompagner quelqu'un. Mais il était rare que sa maison restât longtemps sans un grand concours de monde. Très vite, de nouveau, il y avait foule dans ses murs... Les

_____

(1) Pour les détails sur la vie à Kibintsy, cf. Chenrok, *Matériaux* (Tome I), Pachtchenko, et Marie Ivanovna Gogol dans sa communication à Aksakov (*Le Contemporain*, 1913).

portes s'ouvraient à deux battants, en enfilade, et un orchestre jouait, ou un quatuor (1)... »

En quittant le vieux seigneur atrabilaire et fantastique, le petit Nicolas emportait la vision d'un univers enchanté, plein de farces, de musiques, de rires, de lumières et de courbettes. Le décor de Vassilievka, par contraste, lui paraissait plus simple, plus délabré, plus tendrement familier aussi, qu'avant son voyage. Rendu à sa vie d'enfant, il rêvait du théâtre de Trochtchinsky et regrettait d'être trop jeune pour monter lui-même sur les planches. Par esprit d'imitation, il essayait de composer des vers et les lisait, avec fierté, en famille. Il dessinait aussi et exigeait que l'on encadrât ses œuvres. Un séminariste, engagé comme précepteur, tenta d'inculquer à Nicolas et à son frère Ivan le peu de science qu'il possédait lui-même. Mais le résultat de ces leçons fut si décevant, que les parents décidèrent d'envoyer leurs deux fils au gymnase de Poltava.

En 1819, à l'âge de dix ans, Nicolas se trouva subitement plongé au milieu d'une foule d'enfants inconnus. Lui qui, à la maison, était le centre de l'attention et des prévenances, voici qu'il disparaissait dans la masse des élèves et que nul ne s'avisait plus de sa santé chancelante ni de ses dons éclatants. Comment se faisait-il que, malgré ses efforts, il ne fût pas le premier en classe ? Avait-il moins de génie qu'il ne le supposait ? Les professeurs étaient-ils aveugles ?

« Les vacances approchent, écrivait-il à ses parents ; je n'ai pu encore tout terminer... J'aurais besoin d'un répétiteur de mathématiques. Si vous passez bientôt par Poltava, je suis sûr que vous arrangerez tout pour mon bien. Je baise vos mains inestimables et j'ai l'honneur d'être, avec mon respect filial, votre fils obéissant. »

« Nicolas Gogol-Ianovsky (2). »

Nicolas escomptait des vacances joyeuses ; ce furent des vacances de deuil. Son frère Ivan mourut après une courte maladie. Le désespoir de ses parents fut immense. Lui-même

---

(1) Marie Ivanovna Gogol. Lettre à Aksakov, 3 avril 1856. (*Le Contemporain*, 1913).
(2) Lettre de Gogol à ses parents, 1820.

fut si ébranlé par le chagrin, qu'on le retira du gymnase.

Installé à Vassilicvka, il espérait secrètement ne plus jamais retourner en classe. Mais son père et sa mère, après de longs conciliabules, décidèrent, le cœur serré, qu'on ne pouvait lui donner, à domicile, une instruction convenable et qu'il fallait le placer dans un établissement scolaire de premier ordre. Justement, à Niéjine, venait de s'ouvrir un « gymnase des Hautes Etudes », fondé par le prince Bezborodko. Le programme en paraissait tout à fait sérieux. Rien de commun avec le minable gymnase de Poltava. Malheureusement, les frais de scolarité et de pension étaient de mille roubles par an (1). Cette somme dépassait les moyens des Gogol. Ils s'adressèrent au providentiel Trochtchinsky. Celui-ci promit d'obtenir une bourse.

---

(1) Dans la première moitié du XIXᵉ siècle, le rouble argent était coté à 3,90 F et le rouble assignat (papier-monnaie), plus couramment employé, à 1,13 F. La valeur du franc ayant diminué de 390 à 400 fois depuis cette époque, un rouble assignat du temps de Gogol représenterait environ 452 francs 1962, soit 4,52 de nos francs actuels. Il y aura donc lieu, tout au long de cet ouvrage, de multiplier les sommes en roubles par 4,52 pour obtenir leur équivalent très approximatif en francs de nos jours.

II

LE LYCÉE DE NIÉJINE

Une lourde calèche jaune, attelée de six chevaux, s'arrêta devant le perron du « gymnase des Hautes Etudes », et les élèves, accourus au bruit des clochettes, virent descendre de voiture « le nouveau ». Etait-ce un être humain ou un oiseau nocturne ? Frileux, malingre, ratatiné, il était habillé trop chaudement pour la saison. Son visage, petit et pointu, émergeait de ses vêtements comme d'un plumage. Son père et un serviteur l'encadraient. Une mauviette, à coup sûr. On chuchotait son nom autour de lui, Gogol-Ianovsky, on se poussait du coude, on pouffait de rire. Et il lançait de droite et de gauche des regards peureux. « Il était non seulement emmitouflé dans des châles, des pelisses et des couvertures, mais comme enfermé, bouché hermétiquement, écrira un de ses condisciples, Lioubitch-Romanovitch. Quand on commença à le dévêtir, il fallut un long temps avant de mettre à jour un garçon débile, fort laid et même défiguré par la scrofule... Ses yeux étaient bordés de rouge, ses joues et son nez, couverts de taches roses et ses oreilles suppuraient goutte à goutte... » D'emblée Nicolas Gogol se sentit perdu au milieu d'un univers plus hostile encore que celui du gymnase de Poltava. Etait-il possible qu'il lui fallût rester seul parmi tous ces ennemis — élèves, surveillants, professeurs ?

Ayant passé de justesse son examen d'entrée, il rallia immédiatement le clan des paresseux qui se prélassent sur les derniers bancs, écoutent les cours d'une oreille distraite et gribouillent des dessins pour tuer le temps. Incontestablement personne ne l'aimait à Niéjine. Après le départ de son père, il eut un moment de terreur, comme si le sort l'eût désigné pour être livré aux fauves. Certes son vieux serviteur Simon était resté auprès de lui pour le consoler. Mais le meilleur des moujiks ne saurait soulager la détresse d'un barine. Heureusement les grandes vacances étaient proches. On était au printemps 1821. Nicolas Gogol décida de serrer les dents et de tenir jusqu'à la date de sa libération.

Quelques semaines merveilleuses à Vassilievka, et, à son retour en classe, au mois d'août, le désespoir le ressaisit de plus belle. La maison, la famille lui manquaient comme l'eau à un assoiffé. Que faire pour décider ses parents à le reprendre ? S'il leur disait qu'il s'ennuyait à Niéjine et que les études ne l'intéressaient pas, il obtiendrait d'eux, tout au plus, des conseils de zèle et de patience. Le seul moyen de les apitoyer, c'était de leur représenter la mauvaise santé de leur fils et les dangers qu'il courait loin d'eux. Il lui était difficile de supporter que sa mère vécût dans l'insouciance, alors qu'il subissait l'amère discipline de l'école. Puisqu'il n'était pas heureux, elle n'avait pas le droit de l'être. Avec un mélange de sincérité et d'astuce, d'attendrissement et de calcul, Nicolas Gogol, âgé de douze ans, écrivit, le 14 août 1821 :

« O, mes très chers parents, si vous veniez ici à l'heure où je vous écris, vous verriez ce que devient votre enfant !... Depuis les vacances, je me sens si triste, que chaque jour mes larmes coulent, malgré moi, et, quand je songe à vous, elles inondent mon visage comme un torrent. En outre ma poitrine me fait tellement mal, que j'éprouve de la peine à écrire longtemps... Adieu, mes très chers parents, les larmes m'empêchent de vous en écrire plus long. Mon brave Simon a tant de sollicitude pour moi, qu'il ne se passe pas de nuit qu'il ne vienne m'exhorter à ne plus pleurer à cause de ma séparation avec vous. Souvent il est resté des nuits entières à mon chevet. Je lui disais d'aller dormir, mais ne pouvais l'y obliger...

P.S. Jusqu'à présent à peine la moitié des élèves sont arrivés ici ! »

Par cette dernière remarque, Nicolas Gogol suggérait à ses parents qu'ils avaient eu tort de lui faire réintégrer si tôt le gymnase. Affolés par la description de son indisposition, ils répondirent en posant mille questions. Peut-être même écrivirent-ils au directeur de l'école pour exiger un examen médical. Craignant d'être allé trop loin dans la supercherie, Nicolas Gogol rectifia immédiatement le tir :

« Le lendemain de mon arrivée à Niéjine, j'éprouvai une douleur dans la poitrine. La nuit, elle me fit tellement mal, que j'eus de la peine à respirer. Le matin, je me sentis mieux, mais ma poitrine était encore sensible. C'est ce qui explique mon inquiétude. En outre, j'étais très triste d'être séparé de vous. Mais maintenant, grâce à Dieu, c'est passé, je suis guéri et joyeux (1)... »

Les parents se rassurèrent en attendant la prochaine alerte. Ils savaient leur fils porté à l'exagération, mais n'en étaient pas moins anxieux de le sentir exposé, loin d'eux, à toutes sortes d'influences et de maladies.

Nicolas Gogol cependant s'habituait à sa nouvelle existence de « reclus ». Le gymnase du prince Bezborodko — un bâtiment flambant neuf, à la façade ornée de colonnes — s'élevait dans un vaste parc traversé par une rivière. Mille oiseaux nichaient dans les roseaux des bords. Leurs chants éveillaient les pensionnaires, à l'aube. On se levait à cinq heures et demie. Encore engourdis, les élèves se débarbouillaient en hâte et se rendaient, en rangs, à l'église, pour la prière, puis au réfectoire, pour le thé. Les cours se succédaient de neuf heures à midi et reprenaient après le déjeuner, jusqu'à cinq heures. A huit heures, le dîner. A neuf heures, après la prière du soir, l'extinction des feux. Le meilleur de leur temps, les pensionnaires le passaient dans le parc. Souvent même, à la belle saison, ils s'asseyaient à l'ombre des arbres pour étudier leurs leçons et rédiger leurs devoirs.

L'enseignement, bien entendu, se dispensait en russe, qui était la langue officielle en Ukraine, comme dans les autres gouvernements de l'empire. Le petit-russien était considéré

_____

(1) Lettre du 6 septembre 1821.

comme un patois et les élèves ne l'utilisaient entre eux qu'occasionnellement et par plaisanterie. Nicolas Gogol aimait les locutions de terroir, juteuses, intraduisibles, les coutumes, les chants, les danses, les contes terrifiants ou cocasses dont se composait le folklore de sa province natale. Souvent il se faisait reprendre par un professeur pour quelque expression ukrainienne, voire polonaise, glissée dans une copie ou pour la prononciation défectueuse d'un mot russe (1). Ne pouvait-on être Russe sans oublier qu'on était Ukrainien ?

Fondé en hâte, par la volonté du prince Bezborodko, le « gymnase des Hautes Etudes » se présentait comme une institution prétentieuse, au programme lourd, désordonné, incomplet. Les classes s'appelaient des « musées ». Le cycle des études, réparti sur neuf ans, comprenait des cours d'instruction religieuse, de langue et de littérature russe, de latin, de grec, d'allemand, de français, de physique, de mathématiques, de sciences politiques, de géographie, d'histoire, d'art militaire, de dessin, de danse... Les professeurs formaient une compagnie hétéroclite où la pédanterie la plus obtuse côtoyait un libéralisme prudent. Les élèves aussi étaient très divers de caractère et d'origine. Ceux du « clan aristocratique » jugeaient avec dédain ceux qui appartenaient à des familles plus humbles. « Nous nous moquions d'autant plus de Gogol, écrira Lioubitch-Romanovitch, qu'il se posait en démocrate parmi nous qui étions des fils d'aristocrates. Il se lavait rarement les mains et la figure le matin, portait du linge sale, des vêtements maculés. Les poches de ses pantalons étaient pleines de toutes sortes de friandises : bonbons et pain d'épice. Il les extirpait et les mâchait à tout moment, même en classe, pendant les cours. »

Lioubitch-Romanovitch était un ennemi déclaré de Nicolas Gogol. Moins sévères que lui, les autres pensionnaires de Niéjine tournaient autour de leur condisciple comme autour d'une bête curieuse, essayaient de le comprendre, hésitaient entre la répulsion, l'inquiétude, l'amusement et la sympathie.

----

(1) La domination polonaise en Ukraine et les contacts multiples et prolongés entre Ukrainiens et Polonais ont introduit dans la langue ukrainienne des mots polonais légèrement déformés.

Au vrai, Nicolas Gogol, avec son aspect rachitique et son tempérament renfermé, laissait peu de prise à l'amitié. Dès qu'on l'interrogeait sur lui-même, il éludait la question ou répondait par un mensonge. Souvent ses interlocuteurs étonnés découvraient que, derrière l'histoire à dormir debout qu'il leur avait contée, se cachait une vérité toute simple. On eût dit qu'il s'efforçait, par tous les moyens, de préserver autour de lui une zone d'ombre. Il ne se sentait libre que dans la mesure où une part de son existence échappait aux autres. Privé de tout secret, il eût manqué du ressort nécessaire à sa vie. Ses camarades l'avaient surnommé « le nain mystérieux ». Il leur en imposait non seulement par son attitude distante, mais aussi par ses dons d'observation et de moquerie. Car ce blondin étriqué, au long nez plongeant et à la poitrine creuse savait, comme pas un, tourner en ridicule maîtres et élèves. Malheur à qui tombait sous sa dent. Il imitait les tics de l'un, affublait l'autre d'un sobriquet comique, composait des vers satiriques sur un troisième. Le professeur d'allemand Zeldner, grand échalas à la face adipeuse et au regard stupide, entendait soudain dans les rangs des pensionnaires une chansonnette, due sans doute à Nicolas Gogol, le comparant à un pourceau monté sur des pattes de grue. L'élève Borozdine s'attirait une épigramme mordante de Nicolas Gogol, parce qu'il avait les cheveux coupés en brosse. L'élève Ritter pleurait d'énervement, parce que Nicolas Gogol lui répétait, jour après jour, avec un air de conviction profonde : « Je t'assure que tu as des yeux de bœuf. »

Ce goût de la plaisanterie, joint à une négligence persistante dans les études, incitait certains professeurs à noter sévèrement « le nain mystérieux ». Le journal du surveillant des pensionnaires porte la trace des nombreuses sanctions qui furent infligées à Gogol-Ianovsky. « Le 13 décembre, au coin pour mauvaise conduite ; le 19 décembre, privé de dîner pour paresse et cela jusqu'à ce qu'il ait appris ses leçons ; même date, privé de thé pour paresse ; 20 décembre, réduit au pain et à l'eau pendant le dîner ; même date, privé de thé parce qu'il s'est amusé pendant le cours d'instruction religieuse... »

« Il est dommage, écrivait le directeur du gymnase aux parents de Nicolas Gogol, que votre fils soit si paresseux, car, quand il consent à travailler, il peut égaler les autres, ce qui prouve ses excellentes capacités. »

Les mois passaient rapidement, avec leur charge monotone de leçons, de devoirs, de punitions et de rires. L'enfant grandissait. Il fallait rallonger les manches de son uniforme. Il avait quatorze ans, quinze ans... Un jour, menacé d'être fouetté pour inconduite (ce qui constituait une sanction exceptionnelle), il simula une crise d'hystérie. Hurlant, bavant et trépignant, il affola tellement le directeur, que celui-ci le fit transporter à l'infirmerie par quatre invalides attachés à l'établissement en qualité de gardiens. On ne parla plus de la punition. Et Nicolas Gogol « se rétablit » en quelques semaines. En fait, cette maladie n'était peut-être qu'à moitié feinte. Prompt à s'émouvoir, Nicolas Gogol s'était laissé prendre à son propre jeu. Commencée en comédie, sa réaction première avait dégénéré en un véritable ébranlement nerveux. Puis, devant ses camarades, il s'était vanté d'avoir berné tout le monde. Toujours, chez lui, une mélancolie lourde alternait avec de brusques besoins de rire.

« Vous savez combien j'aime tout ce qui est joyeux, écrira t-il à sa mère. Vous seule vous êtes aperçue que, sous un dehors que d'aucuns jugeraient froid, morose, je cachais une envie folle de m'amuser (sans faire d'excès, bien entendu) (1). » Et, à un ami : « J'ai commencé par des jérémiades, et à présent je me sens gai (2). » Renversements d'humeur, passages du noir au rose, sautes de sentiments — Nicolas Gogol s'adonnait à cette jonglerie avec la passion d'un maniaque. Il n'avait pas besoin de motifs précis pour glisser de l'optimisme au désespoir. Et, lorsqu'il avait une véritable raison de se désoler, il lui arrivait de conserver un étrange sang-froid. Depuis quatre ans déjà, son père se prétendait souffrant D'humeur hypocondriaque, il se voyait au bord de l'agonie. Pourtant, au début de l'année 1825, il tomba sérieusement malade, cracha du sang et partit pour Kibintsy, afin de se faire soigner par le médecin de Trochtchinsky. Marie Ivanovna, qui était sur le point d'accoucher, ne put le suivre dans son

_____

(1) Lettre de Gogol à sa mère du 26 février 1827.
(2) Lettre de Gogol à Vyssotsky du 26 juin 1827.

voyage. Elle attendait son retour d'un jour à l'autre. Il ne revint jamais. En apprenant qu'il était mort loin d'elle, Marie Ivanovna éprouva un tel choc, qu'elle faillit perdre la raison. Il fallut la nourrir de force. Incapable d'écrire à son fils, elle chargea le directeur du gymnase de le préparer à l'horrible nouvelle. Brisé de chagrin, Nicolas Gogol voulut d'abord se jeter par la fenêtre.

N'était-ce point suffisant d'avoir perdu un frère tendrement chéri ? Voici maintenant que Dieu le privait de son père. Pourquoi les autres enfants, autour de lui, n'étaient-ils pas soumis aux mêmes épreuves ? L'idée de la mort — trou noir et froid — l'épouvantait. Puis il se domina. Le sentiment d'être désormais, à seize ans, le seul homme de la famille lui rendit la notion de ses responsabilités et le gonfla d'une agréable importance. Son principal souci à présent était de consoler sa mère, dont l'affliction pouvait attaquer la santé. Pour lui rendre le goût de vivre, il ne disposait que de sa plume. Il fallait donc lui adresser une lettre à la fois pathétique et bien agencée, dont chaque phrase la toucherait au cœur. En outre, afin de la mieux détourner de son deuil, il l'apitoierait sur lui-même. Ah ! que n'était-il un véritable écrivain pour exprimer en un style soutenu toutes les idées qui grouillaient dans sa tête. A mesure qu'il se préparait à sa tâche, le calme revenait en lui. La littérature magnifiait la vie. Dans la recherche des adjectifs, la tristesse peu à peu se perdait. Le 23 avril 1825, il écrivit à sa mère :

« Ne vous inquiétez pas, très chère maman. J'ai supporté ce coup avec la fermeté d'un vrai chrétien. Certes, tout d'abord je fus terriblement frappé par la nouvelle ; cependant je ne laissai voir à personne combien j'étais triste. Mais, resté seul, je me livrai à toute la violence de mon désespoir. Je voulus même attenter à ma vie, mais Dieu m'en empêcha et, vers le soir, je n'observai plus en moi qu'une tristesse dénuée d'agitation qui se transforma finalement en une mélancolie légère, à peine perceptible, jointe à un sentiment de vénération envers le Très-Haut. Je te bénis, ô foi sacrée ! En toi seule ma douleur trouve une source de consolation et de satisfaction. Ainsi, très chère maman, je suis calme à présent, bien que je ne puisse être heureux, ayant perdu le meilleur des pères, le

plus fidèle des amis, tout ce qui était cher à mon cœur. Mais
ne me reste-t-il pas une mère sensible, tendre, vertueuse,
capable de remplacer le père, l'ami, tout ce qu'il y a de plus
aimable et de plus cher ? Oui, je vous ai toujours, et le
sort ne m'a donc pas abandonné... Ah ! ce qui m'inquiète
par-dessus tout, c'est votre douleur. Soyez courageuse,
réduisez-la autant que possible, comme j'ai fait pour la
mienne. Recourez, comme moi, au Tout-Puissant... Dans
six semaines commenceront les vacances, et je serai avec
vous. Jusque-là apaisez, ne fût-ce qu'un peu, votre tristesse.
N'oubliez pas que de votre état dépend celui de votre fils
respectueux et qui vous aime tendrement... »

Le lendemain, 24 avril, nouvelle supplication : « Je vous
en prie, chère maman, ne vous désespérez pas ; ayez pitié
de nous, pauvres orphelins, dont le bonheur dépend de vous.
Ayez pitié de nous, je le répète, ne détruisez pas notre dernière
chance de félicité. »

Quelques semaines plus tard, la réponse de sa mère tardant
à lui parvenir, Nicolas Gogol eut recours à son moyen de
pression habituel : la menace de se porter à quelque extrémité
redoutable.

« Si je ne reçois pas de réponse à cette lettre, votre silence
sera pour moi un indice fatal ; alors je m'abandonnerai sans
réserve au désespoir et saurai mettre fin à cette cruelle incertitude. Comme vous le voyez, mon bonheur ou ma détresse
ne dépendent que d'un mot de vous (1)... »

Le « mot » arriva enfin et Nicolas Gogol reprit confiance.
Puisque le contact était rétabli entre sa mère et lui, elle
était sauvée. Il suffisait de la convaincre qu'en perdant un
mari elle avait gagné un fils. Aux prochaines vacances, elle
serait émerveillée de voir combien il avait mûri dans le chagrin et quelle belle âme il lui apportait en cadeau. Persuadé
de cette profonde transformation, il portait son deuil maintenant avec une sorte de gratitude.

« Je vous verrai bientôt, écrivait-il à sa mère, et cette pensée
me réjouit chaque jour. Déjà je songe à vous apporter quelque

_____

(1) Lettre du 26 mai 1825.

cadeau. Mais je sais que je ne puis vous en faire un meilleur qu'en vous offrant un cœur bon, enflammé du plus tendre amour à votre égard... J'ose dire que j'ai acquis un grand nombre de qualités que vous remarquerez, je pense ; j'ai perfectionné ma compréhension des choses, qui s'est faite plus pénétrante, plus profonde (1)... »

Il y avait une part de vérité derrière ces grandes tirades rhétoriques. L'âge, le chagrin, la vie en communauté avaient effectivement aguerri Nicolas Gogol.

Pendant les mois d'été, à Vassilievka, il eut la joie de revoir sa mère, sa grand-mère, ses sœurs, et de mesurer son pouvoir sur elles. A son retour de vacances, il retrouva le gymnase — que l'on appelait à présent le « lycée » — avec moins d'appréhension que par le passé. Sa mère avait finalement surmonté son chagrin et mis au monde, sans complication, une petite fille, Olga. Il était donc toujours fils unique. Entouré de « femmes ». Cela redoublait son énergie. D'autre part, malgré son caractère insociable, il avait su se lier avec quelques élèves, épris comme lui de littérature. Ses meilleurs amis étaient Alexandre Danilevsky, qu'il avait connu d'abord au gymnase de Poltava et Guérassime Vyssotsky, plus âgé que lui de deux ans, esprit cultivé, réfléchi et ironique. Au même groupe appartenaient Nestor Koukolnik (2), le premier de la classe, Eugène Grébenka (3), Constantin Bazili (4), Prokopovitch (5), Lioubitch-Romanovitch (6)... Assoiffés de lecture, ces adolescents ne pouvaient se contenter de la maigre bibliothèque du lycée. Le « bienfaiteur » Trochtchinsky consentit à prêter quelques volumes de sa bibliothèque personnelle, qui était surtout riche en auteurs français. Parfois Nicolas Gogol achetait des livres avec son argent de poche.

« Je me refuse le strict nécessaire, écrivait-il à sa mère,

---

(1) Lettre du 3 juin 1825.
(2) Plus tard auteur de tragédies patriotiques.
(3) Plus tard auteur de poésies en petit-russien.
(4) Il devait faire une carrière diplomatique. Auteur d'ouvrages sur la Turquie et la Grèce.
(5) Plus tard pédagogue et poète.
(6) Plus tard poète et historien, traducteur de Mickiewicz et de Byron.

de façon à m'entretenir dans l'état où je me trouve actuellement et à satisfaire en même temps ma soif de voir et
de sentir *le beau*. A cela je consacre très péniblement tout
l'argent que je reçois dans l'année, n'en réservant qu'une
partie infime pour assurer ma subsistance. Le Schiller, que
j'ai fait venir de Lemberg, m'a coûté 40 roubles, somme considérable dans ma condition ; mais je suis récompensé au delà
de mes sacrifices et passe maintenant quelques heures, chaque
jour, dans la joie la plus grande. Je n'oublie pas pour autant
les Russes et commande immédiatement ce qui se publie de
meilleur... Parfois je lis dans un journal l'annonce de la sortie
en librairie d'une œuvre admirable. Mon cœur bat très fort, et,
avec un soupir, je laisse retomber la feuille, me rappelant
qu'il m'est impossible d'acquérir ce livre. Le rêve de pouvoir
me le procurer trouble mon sommeil et, lorsque je reçois de
l'argent, je me réjouis comme le dernier des ladres (1). »
    Peu à peu, les jeunes gens prirent l'habitude de se cotiser
pour acheter des livres et des revues. Leur entreprise prospé-
rant, il leur fallut un bibliothécaire. A l'unanimité, ils choi-
sirent Nicolas Gogol. Il s'acquittait de ses fonctions avec une
gravité sacerdotale, exigeait que l'ouvrage prêté fût lu en sa
présence et, pour éviter que l'élève ne salît les pages en les
tournant, lui coiffait préalablement l'index avec un capuchon
de papier. Tant de soin surprenait de la part d'un garçon
si négligé de sa personne. C'est que la chose littéraire était
sacrée à ses yeux. Malpropre sur lui-même, il souffrait d'une
marge tachée, d'une reliure en mauvais état. Son poste de
bibliothécaire lui permettait d'être servi avant les autres. Il
voulait tout savoir des auteurs contemporains qui, comme de
juste, ne figuraient pas au programme. Le professeur de littérature, un imbécile empesé, nommé Nicolsky, tenait en haute
estime les écrivains du siècle précédent et dénigrait les nouveaux venus, qui avaient nom Pouchkine, Joukovsky, Batiouchkov. Or c'était vers ceux-ci qu'allait l'admiration des élèves.
Pouchkine, à cette époque-là, publiait les premiers chapitres
de son roman en vers, *Eugène Onéguine*, et le succès de

---

(1) Lettre du 6 avril 1827.

l'œuvre ébranlait jusqu'aux plus lointaines provinces. Enthousiasmé par cette langue musicale, dont la perfection défiait l'analyse, Nicolas Gogol recopiait dans un cahier *les Tziganes, Poltava, les Frères Brigands,* et des passages d'*Eugène Onéguine.* Pour confondre Nicolsky, il imagina même de lui montrer, comme étant de lui, l'une des plus belles poésies de son idole, *le Prophète.* L'ayant lue, Nicolsky fit la grimace et critiqua chaque vers, jusqu'au moment où Nicolas Gogol, exaspéré, lui avoua sa supercherie. Sans se démonter, l'autre déclara du haut de sa chaire : « Crois-tu donc que Pouchkine ne puisse écrire d'une manière incorrecte ? Voilà la preuve de ce que j'avance (1) ! » Et il continua de reprocher à Pouchkine son « manque d'élévation » dans la pensée et sa « trivialité » de langage. Ces attaques ne servirent qu'à renforcer l'engouement de Nicolas Gogol pour son poète favori. Jusquelà, il se croyait exclusivement doué pour la peinture ; il se demanda s'il ne l'était pas aussi pour la littérature. Lui qui, pendant les heures de cours, griffonnait des dessins derrière le dos de ses camarades, se mit à griffonner des vers. Dans ses lettres à sa mère, il fut de moins en moins question des tableaux qu'il envisageait de peindre, et de plus en plus des poèmes qu'il était en train d'écrire.

« Je comptais envoyer à papa quelques-unes de mes poésies et des dessins, mais... le ciel n'a pas voulu qu'il les voie », écrivait-il le 24 avril 1825.

Et, le 10 septembre de l'année suivante : « Vous me demandez de vous apporter pour Noël mes dernières poésies. Ce temps est encore loin, mais je tâcherai de préparer quelque chose. »

Le 23 novembre 1826, il annonçait fièrement à sa mère : « Je crois que vous serez surprise par les progrès dont je vous apporterai les preuves. Vous ne reconnaîtrez plus mes œuvres littéraires, il s'y est opéré une radicale transformation. Elles sont d'un genre totalement différent. »

Sa tête bouillonnait d'idées ; tous les styles lui étaient bons ; il écrivit, coup sur coup, un poème épique : *la Russie sous*

---

(1) *Le Messager historique.* 1892. N° 12.

le Joug des Tartares, un drame romantique, imité de Schiller :
les Brigands, une satire sur les habitants de Niéjine : *Quelques
mots sur Niéjine ou la Loi n'est pas faite pour les sots,*
ouvrage en cinq parties : « 1) inauguration d'une chapelle
au cimetière grec ; 2) élection d'un magistrat grec ; 3) une
foire de goinfres ; 4) dîner chez le maréchal de la noblesse ;
5) une réunion d'étudiants. » A cela s'ajoutaient des poésies
de circonstance moquant les élèves et les professeurs. Mais,
de plus en plus, Nicolas Gogol et ses camarades du « cercle »
se tournaient vers le genre sentimental.

« Toutes mes premières tentatives littéraires, tous mes premiers exercices de composition, où j'ai acquis quelque maîtrise pendant mes dernières années de lycée, ont été d'un
genre lyrique et sérieux, notera Nicolas Gogol dans sa *Confession d'un Auteur.* Ni moi ni aucun de mes camarades, qui
essayaient comme moi d'écrire, ne croyions que je deviendrais
un jour un auteur comique et satirique. Pourtant, malgré mon
caractère naturellement mélancolique, j'avais souvent des en-
vies de plaisanter et même je tourmentais mes voisins par
mes sarcasmes... On disait de moi que je savais non point
tant railler mon prochain que deviner ce qu'il dirait dans telle
ou telle circonstance, en imitant le tour de ses pensées et
le ton de ses propos. »

Enflammés par l'émulation, les jeunes gens rimaient à longueur de journée et se réunissaient, le dimanche, pour comparer leurs productions. Critiques et louanges étaient également
péremptoires. Gogol s'étant essayé à la prose dans une « nouvelle slave » intitulée *les Frères Tverdoslavitch,* le cercle de
ses confrères l'éreinta sans pitié. Il fut même décidé, en comité,
que l'œuvre méritait d'être détruite. « Gogol ne protesta pas,
ne résista pas, écrira Lioubitch-Romanovitch. Très calmement,
il prit son manuscrit, le déchira en menus morceaux et jeta
le tout dans le poêle allumé. « Tu devrais ne faire que des
vers, lui conseilla amicalement Bazili. N'écris pas en prose.
Cela ne te réussit pas du tout. D'ailleurs on voit immédiatement que tu ne seras jamais un écrivain (1). »

_____

(1) Récit de Lioubitch-Romanovitch. *Le Messager historique.* 1892.

Malgré cette prophétie, Nicolas Gogol s'obstina à écrire (1). Ses camarades en faisant autant, il fallut un exutoire à ce flot. On créa des journaux manuscrits pour recevoir la production littéraire du lycée : *l'Etoile, l'Aube du Nord, le Météore de la Littérature, le Fumier du Parnasse*. Certaines de ces publications, au tirage limité à un exemplaire, eurent Nicolas Gogol comme rédacteur en chef. Il les inondait de ses vers, de sa prose, et les illustrait de ses dessins. La clientèle était constituée par le reste de la classe. On se prêtait le journal, qui circulait de main en main, on en lisait des passages à haute voix...

Le succès de ces lectures était moindre, bien entendu, que celui des représentations organisées par le même groupe d'élèves. Dès sa plus tendre enfance, Nicolas Gogol avait eu la passion du théâtre. Arrivé à Niéjine, il s'était souvenu des comédies montées par son père à Kibintsy. Il y avait au lycée un public tout trouvé, qui ne demandait qu'à applaudir, et des têtes pour tous les emplois. Après quelques hésitations, le directeur, bonasse, avait fini par autoriser les spectacles dans l'enceinte de son établissement. Et Nicolas Gogol, au comble de l'exaltation, s'était transformé en acteur, en metteur en scène, en décorateur. C'étaient les élèves eux-mêmes qui confectionnaient les costumes et brossaient les décors, sous sa direction. Pour le tissu et les accessoires, on s'adressait aux familles : « Envoyez-moi du tissu et des accessoires pour le théâtre... Si vous pouviez confectionner et expédier quelques costumes, ou même un seul, ce serait parfait (2). »

Dans la salle de récréation aménagée en salle de théâtre, avec des tréteaux, un rideau, des rangées de chaises et de bancs, s'assemblait un public nombreux. On y voyait, en plus des lycéens alignés côte à côte dans leurs uniformes gris, quelques propriétaires fonciers du voisinage, des fonctionnaires locaux, des parents et des militaires en garnison à Niéjine. Ainsi furent joués l'*Œdipe à Athènes* d'Ozérov, *le Dadais* de

----

(1) Il n'est rien resté de toutes les œuvres de jeunesse mentionnées plus haut et dont les titres nous sont parvenus grâce aux mémoires des contemporains.

(2) Lettre de Nicolas Gogol à sa mère, en date du 22 janvier 1824.

Fonvizine, *la Leçon aux Filles* de Krylov, des comédies du père de Gogol, quelques pièces traduites du français...

Chaque fois qu'il se montrait sur la scène, Nicolas Gogol déchaînait les rires. Il était surtout incomparable dans les rôles de composition. Ses camarades se tenaient les côtes quand ils le voyaient paraître en vieillard cassé, édenté et grognant, ou en commère criarde. « J'ai vu *le Dadais* de Fonvizine à Moscou et à Saint-Pétersbourg, écrira Bazili, mais j'ai toujours gardé la conviction qu'aucune actrice n'a su interpréter le rôle de Madame Prostakov avec autant de talent que Gogol, alors âgé de seize ans. » Un autre de ses camarades, Pachtchenko, dira de même : « Tous, nous pensions alors que Gogol deviendrait acteur, car il avait un immense talent de comédien : la mimique, l'art du maquillage, le changement de voix, la possibilité de s'incarner dans les personnages qu'il interprétait... » En vérité, ce jeu qui consistait à changer de peau, à brouiller les pistes, à se perdre dans un autre, correspondait si bien à la nature intime de Nicolas Gogol, que lui, le timide, prenait de l'assurance sur une scène, à la lumière des quinquets. Déguisé, il ne craignait plus personne. Les applaudissements qu'il recueillait, il les savourait doublement parce qu'ils s'adressaient à une fausse apparence de lui-même.

La saison la plus réussie fut incontestablement celle des jours gras, en 1827. Le 1er février, Nicolas Gogol, âgé de dix-huit ans, écrivait à sa mère : « Je n'ai jamais aussi agréablement passé le temps ! Je regrette même que les heures s'écoulent si vite... Notre théâtre est prêt. Quelle source de plaisir ! »

Et, après les fêtes, il expédiait ce bulletin de victoire à son ami Vyssotsky : « Quatre jours de suite, nous avons organisé des représentations théâtrales. Tous ont joué remarquablement. Nos spectateurs, des connaisseurs pour la plupart, ont reconnu que jamais ils n'avaient vu un aussi beau spectacle sur une scène de province. Nos décors (il y a eu quatre changements) étaient admirablement brossés. Le paysage de la toile de fond était une perfection ; l'éclairage, splendide ; la musique, on ne peut plus réussie. Nous avions constitué un orchestre de dix musiciens, mais ils étaient placés à l'endroit le plus favorable du point de vue de l'acoustique et pouvaient aisément rivaliser avec un grand orchestre. Ils ont joué quatre ouvertures de Rossini, deux de Mozart, une de Weber, une de Sévriouguine (1). Les pièces que nous avons représentées étaient les suivantes : *le Dadais* de Fonvizine, *le maladroit Conciliateur*, comédie de Kniajnine, *le Droit riverain* de Kotzebue et une pièce de Florian... Et ce n'est pas fini : pour Pâques, nous préparons une série d'autres spectacles (2).... »

Cette passion effrénée pour le théâtre et la poésie n'était pas du goût de tous les professeurs. Si certains, tels le directeur Chapolinsky et le jeune inspecteur Biélooussov, chargé des cours de « droit naturel », étaient favorables à ce genre d'occupations, d'autres, tel le professeur de sciences politiques Biliévitch, y voyaient une menace pour la discipline du lycée et pour la formation morale des enfants. N'ayant pu réussir à faire interdire les représentations théâtrales, Biliévitch avait considéré cette fin de non-recevoir comme un échec personnel et s'était érigé en gardien des traditions, face à des maîtres trop faibles, « débordés par les exigences de leurs élèves ».

La récente révolte des décembristes, fomentée par quelques officiers libéraux et écrasée dans le sang, le 14 décembre 1825, sur la place du Sénat, à Saint-Pétersbourg, avait ébranlé tous les esprits, en Russie. Tandis que les meneurs, parmi lesquels figuraient les plus grands noms de l'aristocratie russe, étaient pendus ou prenaient le chemin de la Sibérie, le nouveau tsar, Nicolas Ier, renforçait son pouvoir et exigeait de ses sujets la dénonciation de toute velléité subversive, comme preuve de leur fidélité au trône. Si les élèves du lycée de Niéjine ne parlaient guère entre eux de ces lointains événements politiques, les professeurs ne pouvaient manquer de les ressentir chacun à sa façon. Farouchement réactionnaire, Biliévitch flairait en son collègue Biélooussov un libéral camouflé. Battu dans l'affaire des représentations théâtrales, il voulait prendre sa revanche sur un autre terrain. Rédigeant rapport sur rapport, il accusa quelques élèves, parmi lesquels Gogol-Ianovsky,

---

(1) Professeur de chant au lycée de Niéjine.
(2) Lettre du 19 mars 1827.

de se conduire avec insolence et de composer des poèmes d'inspiration séditieuse. « Certains de nos pensionnaires, écrira-t-il le 25 octobre 1826, agissant à l'insu de la direction, rédigent des vers peu convenables, lisent des livres qui ne sont pas de leur âge et conservent même par-devers eux des ouvrages d'Alexandre Pouchkine et autres écrivains du même acabit. » Une seule explication à ce désordre, disait-il : les enfants avaient été pervertis par l'enseignement du professeur de droit naturel, Biélooussov. Face au conseil des professeurs, il accusa ce dernier de lire ses cours d'après des notes personnelles « inspirées par la dangereuse philosophie de Kant ». Biélooussov n'affirmait-il pas que l'homme naissait libre, qu'il avait non seulement des devoirs, mais aussi des droits ? Que devenait, dans ces conditions, la pratique ancestrale du servage ? Pouvait-on prétendre servir l'empereur en prêchant l'indépendance de l'esprit humain ? Où irait la Russie, où irait le monde, si l'on continuait à semer cette graine de révolte dans les jeunes têtes ?

Le directeur Chapolinsky tenta d'étouffer l'affaire, mais Biliévitch, enragé, refusait de lâcher prise. Après un an de tergiversations, un nouveau directeur, Iarnovsky, remplaça Chapolinsky et prit parti contre le professeur de droit naturel. Une enquête administrative fut ordonnée sur « l'affaire de la libre pensée », à Niéjine. Le conseil des professeurs éplucha un à un tous les cahiers de classe. Celui de Nicolas Gogol, entre autres, servit de pièce à conviction. On y releva des phrases inquiétantes. Nicolas Gogol fut convoqué et interrogé comme témoin. Il tenta de sauver Biélooussov en minimisant la portée de son enseignement. Mais la sympathie même que les élèves témoignaient à leur maître paraissait suspecte. Derrière ces lycéens désorientés, les enquêteurs voyaient s'agiter l'épouvantail de la Révolution française. Il y avait sûrement des pamphlets contre le régime dans leurs tiroirs, ou du moins dans leurs têtes. N'était-ce pas ainsi que naissaient les sociétés secrètes, en Russie ? Sans attendre, il fallait démanteler l'organisation. Le directeur Chapolinsky et les professeurs Landrajin et Zinger ayant manifesté ouvertement leur appui à Biélooussov furent dénoncés par Biliévitch comme ayant, eux aussi, une influence néfaste sur la jeunesse. Un rapport en ce sens fut expédié au ministre de l'Instruction publique (1).

Tandis que cette tempête agitait le clan des professeurs, les élèves retournaient avec moins de goût encore à leurs études. Nicolas Gogol apprenait ses leçons sans entrain et sans discernement. Même la grammaire, la syntaxe russes le rebutaient. Il écrivait d'instinct, avec des fautes impardonnables, en imitant le ton apprêté de certains prosateurs contemporains. Tout le pathos sentimental, mis à la mode par *la Pauvre Lise* de Karamzine, se déversait dans ses lettres et dans ses devoirs. Dès qu'il voulait être sincère, son style se gonflait en même temps que son cœur. Mais cette maladresse à manier les phrases s'alliait chez lui à l'amour du mot rare, de l'adjectif surprenant.

« Je le revois encore, ce garçon blond, en uniforme de drap gris, avec des cheveux longs, un maintien silencieux, comme renfermé sur un secret, un regard paresseux, une démarche gauche, écrira son professeur de latin Kouljinsky. Il ne savait jamais sa leçon. Je l'ai eu comme élève pendant trois ans et n'ai rien pu lui apprendre, sinon à traduire le premier paragraphe de la chrestomathie, jointe à la grammaire de Kochansky : *Universus mundus plerumque distribuitur in duas partes, cœlum et terram...* » Pendant le cours, il avait l'habitude de tenir un livre ouvert sur ses genoux, sous le pupitre, sans se préoccuper, bien sûr, ni de *cœlum* ni de *terram...* Je lui donnai des « zéros » et des « uns » pendant trois ans... D'ailleurs il n'a pas plus appris chez mes collègues que chez moi. De son passage au lycée, il n'a retenu qu'une teinture de discipline formelle et la notion du développement successif des connaissances et des idées. Il ne nous doit rien de plus. C'était un talent méconnu à l'école et ne faisant rien, de son côté, pour se révéler. Pourtant certains de ses maîtres auraient pu encourager et approfondir ses dons, s'il avait accepté de s'ouvrir à eux. Gogol était considéré comme

---

(1) Chapolinsky, Landrajin, Zinger et Biélooussov devaient être finalement exclus du lycée. Une décision de Nicolas Ier, en date du 6 octobre 1830, porte que, parmi les professeurs inculpés, les russes seront assignés à résidence surveillée au lieu de leur naissance, et les non russes renvoyés dans leur pays d'origine.

un garçon relativement doué, mais paresseux ; à telle enseigne qu'il n'avait même pas voulu apprendre à écrire correctement le russe. Dommage que nous ne l'ayons pas deviné. Et puis, qui sait ? peut-être est-ce mieux ainsi (1)... » Et le même Kouljinsky ajoutait : « C'était une *terra rudis et inculta.* En ce qui concerne les connaissances grammaticales de Gogol à sa sortie du gymnase, je puis dire, sans me tromper, qu'il ne savait conjuguer ses verbes en aucune langue (2). »

Quoi qu'il en soit, à mesure qu'il avançait dans ses études, Nicolas Gogol songeait de moins en moins aux divertissements scolaires et de plus en plus à la vie d'homme qui l'attendait derrière les portes du lycée. Depuis la mort de son père, il se posait volontiers en protecteur et en conseiller de la famille. D'une lettre à l'autre, il insistait pour que sa mère le tînt au courant de ses moindres affaires et il la mettait en garde contre la malignité des gens à qui elle confiait la défense de ses intérêts.

« Je vous prie de m'informer de tout ce que vous comptez entreprendre et de ce que vous faites relativement à la gestion de la propriété, écrivait-il. Parlez-moi tout spécialement des constructions et entreprises nouvelles... S'il faut un projet de façade et un plan, avertissez-moi aussitôt. Façade et plan seront soigneusement dessinés et envoyés par le prochain courrier. La façade sera sûrement belle et les dépenses réduites (3). »

Et encore :

« Faites-moi savoir quand vous commencerez à fabriquer de la vodka et combien coûtera le seau, d'après les tarifs en cours. La distillation est-elle en bonne voie chez nous et rapportera-t-elle suffisamment d'argent (4) ? »

Ou bien :

« Avez-vous fait installer le moulin à vent, comme vous le désiriez (5) ? »

Nicolas Gogol n'ignorait pas les difficultés financières de

---

(1) Kouljinsky. *Souvenirs d'un professeur.* « Le Moscovite » 1854.
(2) Kouljinsky : *Autobiographie.*
(3) Lettre du 20 août 1826.
(4) Lettre du 10 septembre 1826.
(5) Lettre du 15 octobre 1826.

sa mère. Il souffrait, par moments, de lui être à charge, et
espérait l'étonner par ses succès à venir.

« Je suis maintenant entièrement plongé dans mes études,
lui écrivait-il le 15 décembre 1827. Tous les jours, du matin
au soir, pas le moindre loisir ne coupe mes profondes occupations. Ne regrettons point le passé. Il s'agit à présent de
rattraper le temps perdu. Dans les brefs six mois à venir, je
veux faire beaucoup plus que pendant tous les six ans de mon
séjour ici. Je le veux et j'y réussirai, car je suis toujours parvenu à mes fins. Certes les circonstances me sont défavorables,
et surtout notre manque d'argent. A la première occasion,
il faudrait que vous m'expédiiez au moins 60 roubles avant
le nouvel an, afin que je puisse acquérir les livres nécessaires
à mes études. Il m'en faudrait d'autres encore, mais avec
ceux-là, et grâce à ma patience de fer, j'espère pouvoir poser
déjà les assises de l'édifice immense auquel je rêve et que
rien ne pourra ébranler. Actuellement j'étudie les langues.
Dieu merci, le succès couronne mes efforts. Mais tout cela
n'est rien à côté de mes intentions : en six mois, je veux
apprendre trois langues à la perfection. »

Toujours cette projection dans l'avenir ! Plus il jugeait sévèrement son indolence et son ignorance passées, plus il était
convaincu de sa réussite future. Ses erreurs, ses faiblesses
lui paraissaient même autant de gages d'un destin exceptionnel. Ne fallait-il pas prendre son point d'appui le plus bas
possible pour remonter la pente d'un seul élan ? Ainsi son
humilité n'était qu'un aspect de sa suffisance, sa modestie
nourrissait son orgueil. Il piétinait dans la vallée, mais se
voyait déjà au sommet de la montagne. Comment s'accomplirait cette glorieuse ascension ? Il ne le savait pas encore et
s'en inquiétait à peine. Dieu pourvoirait à le tirer de l'ombre.
En attendant, les contradictions de son caractère devaient,
pensait-il, le rendre incompréhensible à ses proches. Il était
fier de représenter un problème vivant à leurs yeux et plus
particulièrement aux yeux de sa mère.

« J'ai perdu six ans ! lui écrivait-il encore le 1er mars 1828.
Il faut s'étonner que, dans ce stupide établissement, j'aie
quand même pu tant apprendre... Si je sais quelque chose,
je le dois absolument à moi-même... Mais j'ai tout mon temps

devant moi. Je possède les forces et l'application nécessaires...
J'ai plus souffert de tristesse et de pénurie que vous ne le
supposez... Je doute que quiconque ait jamais pâti autant que
moi de l'ingratitude des hommes, de leur injustice, de leurs
exactions les plus imbéciles, de leur froid mépris, etc. J'ai
tout enduré sans reproches ni murmures ; personne ne m'a
entendu me plaindre. Mieux encore, j'ai loué ceux qui étaient
cause de mon malheur. Il est vrai que je suis pour tous une
énigme. Personne ne m'a deviné. Chez vous, l'on me considère
comme un être fantasque, un insupportable pédant qui s'imagine qu'il est plus intelligent que tous les autres, qu'il est
fait autrement que tous les autres. Me croirez-vous si je vous
dis qu'intérieurement je me suis joint à vous pour me moquer
de moi-même ? Pour les gens d'ici, je suis un idéal de modestie,
de douceur, de patience. En tel endroit, je passe pour l'être
le plus pacifique, le plus effacé, le plus poli ; en tel autre,
pour l'être le plus sombre, le plus renfermé, le plus sauvage ;
en tel autre encore, pour l'être le plus bavard, le plus ennuyeux.
Pour les uns, je suis intelligent, pour les autres, sot. Jugez-moi
comme vous voudrez, mais vous ne connaîtrez mon caractère
véritable que lorsque je me serai engagé dans ma véritable
voie. Croyez bien, en tout cas, que mon cœur est toujours
plein des sentiments les plus nobles, qu'intérieurement je ne
me suis jamais abaissé, et que j'ai voué toute mon existence
au bien. Vous dites que je suis un rêveur, sans esprit de suite,
comme si je ne me moquais pas moi-même de mes rêves ! Non,
je connais trop bien les hommes pour être un rêveur. Les
leçons que j'ai reçues d'eux ne s'effaceront jamais et seront
les garanties de mon bonheur. Vous verrez qu'avec le temps
j'aurai la possibilité de leur rendre en bienfaits tout le mal
qu'ils m'ont causé ; car en moi ce mal, venant d'eux, s'est
mué en bien. C'est une vérité indéniable que celui qui a été
éprouvé par la vie et qui a constamment supporté le joug
du malheur, celui-là sera le plus heureux des hommes. »

Sans doute, en écrivant ces lignes, à la veille de ses dix-neuf
ans, Nicolas Gogol était-il fermement convaincu d'avoir beaucoup vécu et beaucoup souffert. Son tempérament excessif
et la lecture des poètes le portaient à l'emphase. Il ne lui
venait pas à l'esprit que le lycée était l'antichambre du monde

et que ses prétendues épreuves étaient peu de chose auprès
de celles qui l'attendaient de l'autre côté du mur. Toutes
les perfidies des hommes et toutes les traverses du sort, il
les avait déjà, croyait-il, ressenties dans sa chair. Elles étaient
autant de preuves de l'attention particulière du Tout-Puissant
à son égard. Plus il gémissait, plus il était sûr d'être l'élu
de Dieu. Au reste, derrière cette attitude littéraire, il y avait
une part de sincérité. Maladivement sensible, il avait dû être
souvent blessé par les plaisanteries de ses camarades et les
punitions de ses professeurs. Telle moquerie, qu'un garçon
normal eût oubliée sur-le-champ, le torturait des nuits entières. Il savait que certains le jugeaient laid, petit, maigrichon,
contrefait, dépeigné, malpropre. La conscience de sa pauvreté
l'humiliait et lui donnait envie de s'élever dans la fortune et
les honneurs. En même temps, une acuité de regard peu
commune lui permettait de déceler des traits ridicules ou
mesquins dans son entourage. On eût dit qu'une loupe s'inter-
posait entre son œil et l'objet de son attention. Les visages
se déformaient, les nez s'allongeaient, les verrues prenaient
des proportions de planètes. Tout à coup tel professeur avait
un groin de porc, tel élève un museau de belette. Sans l'avoir
voulu, Nicolas Gogol se retrouvait au centre d'une ménagerie.
Et il se vengeait, par un rire intérieur, de ceux qui l'avaient
offensé.

Ses deux meilleurs amis, Danilevsky et Vyssotsky, avaient
quitté le lycée. Vyssotsky, à la fin de ses études, en 1826,
était même entré au ministère de l'Intérieur, à Saint-Pétersbourg. Nicolas Gogol rêvait de se glisser à son tour dans la
hiérarchie administrative. Sans renoncer tout à fait à être un
grand écrivain ou un grand peintre, il voulait maintenant
devenir un grand homme d'Etat. N'était-ce pas le meilleur
moyen de travailler au bonheur de l'humanité ? Quand il
fermait les yeux, il se voyait au sommet de la gloire, sénateur,
ministre, une sorte de Trochtchinsky, entouré de solliciteurs
et rayonnant de bienveillance.

Si les gens de Niéjine étaient insignifiants, il n'en allait
pas de même dans le reste de la Russie. A Saint-Pétersbourg,
notamment, devait se presser une population d'élite. Vivre
là-bas, c'était, à coup sûr, deux fois vivre. Pour justifier son

désir de se fixer dans la capitale, Nicolas Gogol, à son habitude, en appelait à la volonté de Dieu. Une force surnaturelle le poussait dans le dos, les mânes de son père lui montraient la voie. Il écrivait à sa mère, le 24 mars 1827 :

« Mon père..., cet être pur et noble, me soutient et m'anime sur ma route difficile ; il me donne la possibilité de me connaître moi-même. Souvent, dans les moments de détresse, il entre en moi, pareil à une flamme céleste, et illumine les pensées qui m'envahissent... Et je me rends compte alors de mes forces, que j'emploierai pour une œuvre grande et noble, pour le bien de ma patrie, pour le bonheur de mes concitoyens, pour la joie de mes semblables. D'ordinaire hésitant et enclin à douter de moi-même, je me sens soudain embrasé par la conscience orgueilleuse de mes forces, et mon âme croit apercevoir cet ange qui me désigne d'une main ferme, implacable, le but de mes recherches avides... Dans un an, j'entrerai au service de l'Etat !... Ma bougie se consume. Il est près de minuit... »

Ayant ainsi préparé sa mère à l'idée qu'il pourrait bientôt la quitter, Nicolas Gogol chercha un allié à sa cause en la personne de son oncle Pierre Pétrovitch Kossiarovsky. Devant les réticences probables de Marie Ivanovna, il importait de convaincre le plus grand nombre de personnes possible dans la famille, que le salut, pour un jeune homme ambitieux, n'était pas à Vassilievka, sur la terre de ses ancêtres, mais à Saint-Pétersbourg, dans un ministère.

« Oui, écrivait-il à son oncle Kossiarovsky le 3 octobre 1827, il se peut que je passe le reste de mon existence à Saint-Pétersbourg ; en tout cas, tel est le but que je me suis fixé depuis longtemps. Dès mon enfance, à l'époque où j'avais à peine pris conscience de moi-même, je brûlais du désir inextinguible de consacrer ma vie au bien de l'Etat et de me rendre, de quelque façon, utile. La pensée que j'en serais peut-être incapable, qu'on dresserait des obstacles sur ma route, qu'on m'empêcherait de me dévouer à mes semblables, me plongeait dans un profond désespoir. Une sueur froide couvrait mon visage à l'idée que j'étais peut-être destiné à me dissoudre en poussière sans avoir pu attacher mon nom à quelque action admirable. Passer dans le monde sans laisser de trace de mon existence, cela me paraissait terrifiant. J'examinai en moi-même toutes les situations, toutes les fonctions que je pouvais remplir dans l'Etat et m'arrêtai finalement aux fonctions judiciaires. Je vis que c'était dans ce domaine que je trouverais le plus de travail, que c'était là seulement que je pourrais faire du bien et me rendre vraiment utile à l'humanité. L'injustice, la pire des choses qui soit au monde, a toujours déchiré mon cœur. Je fis alors le serment de ne plus perdre un instant de ma courte existence sans faire le bien. Pendant deux ans, je m'occupai spécialement de l'étude du droit des différents peuples et principalement du droit naturel, fondement de toute législation. Maintenant j'étudie le droit de notre pays. Mes nobles desseins se réaliseront-ils ? Ou bien demeureront-ils ignorés et sombrerai-je dans l'obscurité ?... Je ne me suis confié à personne, pas même à mes camarades, bien que nombre d'entre eux soient dignes d'estime. Je ne sais pourquoi je vous parle maintenant si franchement. Est-ce parce que vous m'avez témoigné plus d'intérêt que les autres, ou à cause de nos liens de parenté ? Je l'ignore. Un sentiment incompréhensible poussait ma plume, une force inconnue me faisait agir, et j'eus soudain, dans ma poitrine, l'intuition que vous ne prendriez pas pour un rêveur insignifiant celui qui, depuis trois ans, envisage le même but... »

Au moment où il écrivait ces lignes, Nicolas Gogol se croyait sincèrement passionné de questions juridiques. En fait, ses connaissances de droit étaient à peu près nulles et il ne se souciait guère de les compléter. Mais, passant en revue les différentes carrières possibles, il était tombé sur celle de magistrat et avait constaté, tout à coup, qu'elle lui allait comme un gant. Aussitôt, selon un processus mental qui lui était familier, il avait décidé qu'il se destinait depuis longtemps à ces nobles fonctions et qu'il avait déjà lu de nombreux ouvrages pour s'y préparer. Ce faisant, il n'avait pas l'impression de mentir à son oncle. Ni de se mentir à lui-même. La plume à la main, il s'imaginait, de bonne foi, dans la peau d'un juge. A peine la lettre cachetée, le rêve s'envola. Plus jamais il ne fit allusion à son désir de servir la justice officielle de son pays. Il péchait également contre la vérité, lorsqu'il affirmait ne s'être ouvert à personne de son envie d'être fonctionnaire. Non seulement il en avait informé sa mère, mais encore il en discutait quotidiennement avec ses camarades de lycée. C'était son ami Vyssotsky qui était le principal confident de ses aspirations administratives.

« Mes pensées volent vers Saint-Pétersbourg, lui écrivait-il dès le 19 mars 1827. Je suis assis auprès de toi, dans ta chambre, je me promène avec toi sur les boulevards, j'admire la Néva, la mer. Bref, je deviens *toi*... Je ne pense plus maintenant qu'à une chose, je ne demande à Dieu qu'une seule chose : que nous soyons réunis au plus vite. A propos, tu ne m'as pas encore donné beaucoup de renseignements sur la vie à Saint-Pétersbourg. Quels sont les prix ? Qu'est-ce qui coûte particulièrement cher ?... Comment y sont les logements ? Que doit-on payer par an pour deux ou trois gentilles pièces ? Quels sont les quartiers les plus chers ? Et les moins chers ? Combien faut-il compter par an pour le chauffage, etc. ? Ah ! Et puis j'allais oublier de te demander quel est le taux des salaires et combien tu touches ? Combien d'heures passes-tu à ton bureau ? Quand rentres-tu chez toi ? »

Vyssotsky tenta en vain d'assagir l'enthousiasme de Nicolas Gogol en lui représentant les difficultés de la vie à Saint-Pétersbourg : celui-ci ne voulait rien entendre. En comparaison de Niéjine, la capitale lointaine brillait, à ses yeux, des lumières de l'intelligence, de la richesse et du pouvoir. Destiné de toute évidence à étonner le monde par ses vertus et ses travaux, il ne pouvait se contenter plus longtemps d'un milieu provincial médiocre. Il rêvait de feu et de glace devant le morne potage de tous les jours.

« Vivant ici complètement isolé, écrira-t-il encore à Vyssotsky le 26 juin 1827, ne trouvant personne avec qui je puisse partager mes pensées, je suis comme un orphelin, comme un étranger, dans cette ville déserte qu'est Niéjine... Avec quelle émotion j'attends la fin de mes études et la bienheureuse liberté qu'elle m'apportera ! Je ne sais comment il me sera possible de supporter le même état pendant un an encore. Quelle chose terrible que d'être enterré dans la mort et le silence, parmi de basses créatures condamnées à un sort obscur. Tu connais tous ces gens de Niéjine, ces misérables qui se contentent d'exister. Ils ont écrasé la haute destinée de l'homme sous la croûte de leur nature terrestre et de leur basse satisfaction. Et c'est parmi ces êtres-là que je suis obligé de ramper. Je compte parmi eux certains de nos chers professeurs... Il me semble parfois que l'on m'attend là-bas (à Saint-Pétersbourg)... D'autant plus que je fais, en quelque sorte, partie de votre cercle. Je suppose que, de temps à autre, vous prononcez mon nom parmi vous... Je m'imagine déjà à Saint-Pétersbourg, dans une petite chambre riante avec vue sur la Néva, car j'ai toujours espéré me trouver quelque appartement dans ce genre. J'ignore si mes espoirs se réaliseront, si je vivrai effectivement dans ce lieu paradisiaque, ou si le fuseau implacable des Parques ne me précipitera pas, avec la plèbe satisfaite d'elle-même (pensée horrible !), dans les profondeurs du néant et ne me réservera pas, dans l'univers, la noire destinée des inconnus... Je ne sais si quelque chose pourra me retenir d'aller à Saint-Pétersbourg, bien que tu m'aies, avec juste raison, mis en garde contre la cherté de la vie, surtout en ce qui concerne la nourriture... »

Cette vision de la vie pétersbourgeoise enflammait Nicolas Gogol au point que lui, dont les élèves de Niéjine raillaient naguère la négligence vestimentaire, se découvrait maintenant une âme de dandy. Il étouffait dans son uniforme gris de lycéen. Pas de réussite sociale sans un habit bien coupé.

« Ne peut-on commander chez vous, à Saint-Pétersbourg, au meilleur tailleur de la ville, un frac pour moi ? écrivait-il à Vyssotsky dans la même lettre. On pourrait prendre les mesures sur toi, car nous sommes de la même taille et de la même corpulence. Si tu as grossi, tu peux dire qu'on fasse le frac un peu plus étroit, mais nous verrons cela plus tard. Pour l'instant, renseigne-toi afin de savoir ce que coûterait un très beau frac, à la dernière mode, et indique-moi le prix dans ta lettre, pour que je sache combien je dois t'envoyer d'argent. J'achèterai le tissu ici, puisque tu me dis qu'à Saint-Pétersbourg il est très cher. Ecris-moi aussi, je t'en prie, pour me dire quels sont les tissus les plus en vogue pour les gilets et les pantalons ; donne-moi leur prix et celui de la façon... Quelle est la couleur à la mode pour le frac ? J'aimerais m'en faire faire un bleu, avec des boutons métalliques. J'ai tant de fracs noirs, que je suis las de les voir. »

Peu après, il écrivait à sa mère :

« J'ai reçu dernièrement, de Saint-Pétersbourg, une lettre relative à ce frac que je voudrais me commander. Le meilleur tailleur prendra, en fournissant le tissu — de première qualité —, la doublure, les boutons, et tout le nécessaire, 120 roubles. N'osant vous demander cette somme pour l'instant, car je sais trop la difficulté de votre situation, j'attendrai qu'il vous soit possible de me l'envoyer (1). »

Ces futiles préoccupations de toilette alternaient, chez Nicolas Gogol, avec des élans de l'âme, si violents, qu'il lui semblait que sa poitrine se brisait. Il voulait s'envoler, monter toujours plus haut, étonner le monde et, au bout du compte, mériter un sourire de Dieu. Dans les plus petits événements de sa vie, il entrevoyait la volonté du Seigneur. Une rebuffade en classe, une mauvaise note, un rhume de cerveau, une lettre égarée, autant de signes d'une surnaturelle attention. En lui faisant du mal, ses semblables, sans le savoir, obéissaient à la volonté divine. Croyant lui nuire, ils l'aidaient dans la quête de la perfection. Sans doute même était-il nécessaire, au regard de l'éternité, qu'il eût perdu son frère Ivan et son père. Cette soumission aux décrets de la Providence ne l'empêchait pas de souhaiter une réussite matérielle aussi prompte que possible. Servir l'Etat, c'était encore servir Dieu. Et servir Dieu, c'était se prémunir contre les risques de l'au-delà. Disparaître « sans laisser de trace », comme une aiguille dans une meule de foin : la pire des menaces pour Nicolas Gogol. Ah ! que le nom du moins surnage ! Pourtant un véritable chrétien aurait dû envisager avec sérénité ce saut dans l'inconnu et, en tout cas, ne point se préoccuper de la réputation qu'il laisserait sur la terre. La piété de Nicolas Gogol était, à ce moment-là, purement formelle. Souvent il se rappelait le tableau horrible que sa mère lui avait tracé jadis du jugement dernier. Cette épouvante d'enfant, il la ressentait encore dans ses veines. Son amour de Dieu, c'était d'abord la peur de la mort. Il s'agenouillait et se signait moins par ferveur que par prudence. Il transformait la religion en recettes. Et, satisfait

---

(1) Lettre du 2 octobre 1827.

du résultat, en ce qui le concernait, il conseillait à sa mère
d'appliquer les mêmes méthodes d'éducation à sa sœur cadette
Olga : plus la fillette serait effrayée par la peinture qu'on
lui ferait de l'enfer, plus elle marcherait droit dans la vie.

Lui, pour l'instant, se contentait de penser avec terreur à
l'examen de sortie. Il s'y préparait à la va-vite. Son excellente
mémoire lui permettait de piquer des bribes de connaissances
à droite, à gauche, dans les livres. Malheureusement il devait
convenir qu'il était impossible d'apprendre une langue étrangère en quelques semaines. Il baragouinait l'allemand et ne
pouvait lire un livre français sans l'aide d'un dictionnaire.
Le jury se montra débonnaire. Nicolas Gogol obtint de bonnes
notes en toutes les matières, sauf en mathématiques. Toutefois il ne reçut que le quatorzième *tchin* dans la table des
hiérarchies civiles de l'empire (1). N'était-ce pas sa sympathie
avouée pour le professeur libéral Biélooussov qui lui avait valu
ce mauvais classement, alors que des élèves moins brillants
avaient eu droit à un *tchin* plus élevé ? Peu lui importait !
L'essentiel était d'en avoir terminé avec le lycée. Enfin il
pouvait se débarrasser de l'odieux uniforme gris des étudiants.
Il fut le premier, aux dires de ses professeurs, à s'habiller
« en civil ». « Je le revois dans une redingote marron clair,
dont les pans étaient doublés d'une étoffe rouge à grands
carreaux, écrira Kouljinsky. Ce genre de doublure était considéré à l'époque comme le *nec plus ultra* de l'élégance, chez
les jeunes gens. Et Gogol, déambulant à travers le gymnase,
écartait des deux mains, comme par hasard, les pans de sa
redingote pour en montrer l'intérieur (2). »

Ayant dit adieu à ses camarades et à ses professeurs, il
monta avec soulagement dans la voiture que sa mère lui
avait envoyée. Cette fois, pensait-il, les vacances dureraient
toute la vie.

---

(1) Cette table des hiérarchies, créée en 1722 tant pour les militaires que pour les civils, comprenait quatorze classes ou *tchin*, par-
courues par les sujets du tsar de l'âge de quinze ans à la mort.
(2) Kouljinsky : *Souvenirs d'un professeur.*

Débarquant à Vassilievka, par une lumineuse journée de juin 1828, Nicolas Gogol tomba dans les bras de sa mère. Elle pleurait de joie et ne pouvait se rassasier de contempler ce fils devenu un homme, loin d'elle, en si peu de temps. Il avait une ombre de moustache au-dessus de la lèvre. Une raie, nette comme un trait de couteau, divisait ses longs cheveux blonds. Ses yeux obliques, aux larmiers proéminents, brillaient d'une lueur ironique. Pour Marie Ivanovna, il était l'être le plus beau, le plus intelligent et le plus sensible que la terre eût jamais porté. L'étoile du génie scintillait à son jeune front. Ses moindres propos étaient dignes de passer à la postérité. Elle ne tarissait pas d'éloges sur ses dessins et ses poèmes. Et il voulait la quitter pour s'installer à Saint-Pétersbourg ! Ne serait-ce pas, pour elle, comme un second veuvage ? Désespérée, elle prenait la famille, les amis, à témoin de sa peine. Elle implorait son fils de revenir sur sa décision.

Nicolas Gogol reconnaissait, à part soi, que l'existence à Vassilievka était douce. Les visites entre voisins, les soupers improvisés, les randonnées à la foire, dans un village proche, les pique-niques, le jardinage, les longues causeries sous la lampe — tous ces charmants aspects de la vie à la campagne lui reposaient l'âme après la promiscuité, le bruit, la discipline sotte et froide du lycée. Il aimait se retrouver en compagnie de ses quatre sœurs, dont l'aînée avait dix-sept ans et la cadette trois ans à peine. Avec le même plaisir qu'autrefois, il écoutait sa grand-mère Lisogoub lui parler du lointain passé de l'Ukraine libre. Les prévenances de sa mère le bouleversaient de gratitude. La bonne cuisine familiale lui mettait l'eau à la bouche. Mais, quel que fût l'attrait de la maison, il demeurait inflexible. Le Très-Haut lui avait désigné la route de la capitale. Il s'y rendrait, dût-il pour cela enjamber un torrent de larmes. L'ennui, c'était que son oncle Kossiarovsky avait annoncé, dans le même temps, son intention de quitter l'Ukraine pour se fixer à Louga. Comment Marie Ivanovna supporterait-elle le départ simultané des deux hommes forts de la famille ? Avec tout l'aplomb de ses dix-neuf ans, Nicolas Gogol écrivait, le 8 septembre 1818, à Kossiarovsky pour le supplier de renoncer à son projet :

« Est-il possible que vous soyez prêt à abandonner ceux

qui vous aiment tant ?... Je vous prie, je vous supplie, je vous adjure au nom de l'amitié et des liens qui nous unissent, au nom de tout ce qui peut émouvoir votre cœur, ne nous abandonnez pas, reprenez votre cruelle décision, venez à Vassilievka, soyez l'ange gardien et le consolateur de notre mère. »

Par ailleurs, dans la même lettre, il annonçait à Kossiarovsky que lui-même avait résolu de partir pour Saint-Pétersbourg et que rien ne le ferait changer d'avis. Ainsi, ce qu'il exigeait de son oncle, il ne pouvait ni ne voulait l'exiger de lui-même.

« Je partirai pour Saint-Pétersbourg, sans faute, au début de l'hiver, écrivait-il. De là, Dieu sait où me conduira le sort. Peut-être me retrouverai-je à l'étranger, et l'on n'entendra plus parler de moi pendant quelques années... D'ailleurs, je le confesse, plus d'une fois l'envie m'est venue de ne jamais rentrer chez moi, depuis que j'ai été témoin du désespoir et des efforts de notre mère incomparable, qui se met en quatre pour trouver le kopeck qui nous manque ; ces tracas ruinent sa santé, mais elle persévère, prête à tout pour satisfaire notre moindre caprice... Qui donc veillera sur elle et l'apaisera pendant mon absence, alors que d'autres inquiétudes viendront s'ajouter à ses tourments actuels et notamment des soucis au sujet de celui qui sera loin ? »

Nicolas Gogol avait calculé qu'il lui fallait mille roubles pour son voyage. Chiffre considérable qui affolait Marie Ivanovna, toujours à court d'argent. Il n'en continua pas moins à insister pour qu'elle réunît la somme. Par compensation, il était prêt à renoncer, en faveur de sa mère, à sa part de l'héritage paternel. La maison, le jardin, le bois, les étangs dont se composait son lot ne pesaient pas lourd devant son désir de fuir la campagne. Séance tenante, il exigea de rédiger les papiers nécessaires. Il ne reviendrait que fortune faite, pour combler ses proches de cadeaux. Il aiderait à l'établissement de ses sœurs. Et si d'aventure il échouait dans son entreprise administrative ? Eh bien ! il se tournerait vers d'autres activités. « Vous ne connaissez pas encore toutes mes capacités, écrivait-il à Kossiarovsky. J'ai appris à pratiquer quelques métiers. Je suis assez bon tailleur, je sais peindre des fresques sur les murs, je puis travailler à la cuisine et connais passablement l'art culinaire. Vous croyez que je plaisante ?

Demandez à maman. Mais je compte particulièrement sur ma patience et ma persévérance, pour lesquelles je rends grâces à Dieu ; auparavant j'en manquais, mais aujourd'hui je suis résolu à ne jamais abandonner ce que j'entreprends avant d'avoir atteint mon but. Ce n'est pas pour me vanter que je dis cela, mais pour calmer vos appréhensions au sujet de mon avenir. J'aurai toujours du pain à satiété... »

Dans l'énumération des métiers qu'il était capable d'exercer pour se tirer d'affaire, Nicolas Gogol ne mentionnait pas le métier d'écrivain. Pourtant il n'avait jamais autant écrit qu'à Vassilievka.

D'abord, il voulut mettre au point une idylle en vers, *Hans Küchelgarten*, commencée au lycée de Niéjine. Pour le sujet, il s'était inspiré d'une œuvre de Voss, *Louise*, que Tériaïev avait traduite en 1820. Pour le style, il avait pris exemple sur Pouchkine et sur Joukovsky. Mais, malgré ses efforts, sa plume restait lourde, ses vers s'embourbaient, une impression d'ennui se dégageait de l'ensemble. D'un côté, l'auteur peignait le bonheur patriarcal d'une famille allemande, éclairée par l'angélique Louise, amoureuse de Hans. De l'autre, il évoquait Hans, rêveur tourmenté, accommodé à la sauce romantique. Hans souffrait, mais ne savait au juste pourquoi :

« Dans la tempête de son cœur,
« Il se demandait vaguement
« Ce qu'il voulait, ce qu'il cherchait,
« Vers quoi volait son âme folle,
« Pleine d'amour et d'impatience,
« Comme pour embrasser le monde. »

Mélange du Werther de Gœthe, du Lensky de Pouchkine, du René de Chateaubriand, Hans avait également de nombreux traits communs avec son père spirituel. A tout moment, les préoccupations personnelles de Nicolas Gogol envahissaient son œuvre. Ce qu'il avait dit en prose dans ses lettres à sa mère, à son oncle Kossiarovsky, à son ami Vyssotsky, il le répétait en vers dans son poème. Comme Nicolas Gogol, Hans Küchelgarten éprouvait soudain le besoin de fuir le cadre fami-

lier de son existence et d'accomplir au loin quelque grande
action « pour laisser une trace de son passage sur la terre » :

> « C'est décidé. Pourquoi devrais-je
> « Laisser périr ici mon âme,
> « Ne pas chercher un autre but,
> « Ne pas tendre vers le mieux,
> « Me vouer à l'ombre sans gloire,
> « Etre un mort-vivant pour le monde ? »

Le mépris de Nicolas Gogol pour l'humanité mesquine de
Niéjine, Hans Küchelgarten le ressentait pour le reste de l'univers :

> « Comme leur souffle est venimeux,
> « Comme leur cœur bat faussement,
> « Comme leur cervelle est perfide,
> « Comme leurs propos sonnent creux ! »

Et la joie de Hans Küchelgarten à l'idée de retourner au
bercail n'était autre que celle de Nicolas Gogol sur le point
de quitter le lycée :

> « Ainsi l'élève prisonnier
> « Attend le terme qu'il souhaite.
> « La fin des études est proche.
> « Son esprit déborde de rêves.
> « Il est porté par ses pensées.
> « Le voici libre, indépendant,
> « Content de lui-même et du monde.
> « Mais en quittant les compagnons
> « Dont il partagea les travaux,
> « Les rires et les nuits tranquilles,
> « Il réfléchit, il se désole,
> « Et, sous le poids de la tristesse,
> « Il verse une larme furtive. »

Si les parties lyriques de *Hans Küchelgarten* manquaient
d'aisance et d'originalité, certaines descriptions tranchaient

sur le reste du poème par leur audace. Inspiré par le réalisme de Pouchkine, Nicolas Gogol n'hésitait pas à parler d'une robe de chambre rose, d'une cafetière fumante, d'un fromage appétissant à la croûte jaune, d'un coq déambulant parmi les poules, dans la cour...

Il semblait que ces notations, prises sur le vif, ne lui demandaient aucun effort. Mais il leur attachait moins d'importance qu'aux grands mouvements oratoires. L'art, pour lui, ne pouvait être que noble. Il confondait sentiment et enflure.

Il écrivit encore une poésie, *Italie*, dans laquelle, à la veille de partir pour la capitale froide et brumeuse de la Russie, il célébrait la douceur de vivre méditerranéenne, évoquait Raphaël, et se demandait s'il lui serait donné un jour de visiter cette « oasis » dans « le désert du monde »... Puis il remania une méditation écrite au lycée et intitulée : *la Femme*, hymne délirant à l'être « dont les traits divins reflètent l'éternité ». Soulevé par ses rêves d'adolescent, il parlait de la femme avec d'autant plus d'éloquence qu'il n'en avait approché aucune. Séparé d'elle par le fossé vertigineux de la dissemblance des sexes, n'osant même imaginer ce que pouvait être le contact de deux épidermes si différents, il la plaçait sur un piédestal et l'adorait à distance : « Elle est la Poésie ! Elle est l'Idée et nous ne sommes que des réalités incarnées... » Quant à l'amour, « c'est le désir instinctif qui fait que l'homme veut retrouver son éternel passé, le passé de son immaculée conception, de son enfance innocente. L'amour est une recherche de la patrie première. L'âme de l'homme voudrait s'unir à celle de la femme et s'y fondre, afin de retrouver son père, le Dieu éternel, et ses frères, des sensations et des phénomènes inconnus de la terre... »

Et voici l'héroïne de tant de soupirs : « Son bras de marbre, rayé de bleu par les veines remplies de divine ambroisie, flottait librement ; son pied nu, enrubanné de rouge, délivré de l'entrave jalouse de la chaussure, s'avançait avec majesté et semblait ne pas toucher terre ; sa poitrine haute se soulevait au rythme de ses soupirs ; la draperie qui couvrait ses seins diaphanes frémissait en dessinant des plis pittoresques... Ses boucles, noires comme la nuit, négligemment rejetées en arrière, tombaient sur son front et roulaient en cascade sur ses épaules étincelantes. L'éclair de son regard vous embrasait l'âme... »

Subjugué par cette beauté sculpturale, née de son imagination, Nicolas Gogol ne se laissait pas de la contempler en rêve. L'admiration qu'il avait pour elle lui tenait lieu de désir. S'il l'avait rencontrée en chair et en os, il se fût évanoui d'effroi. Ou, du moins, il eût pris la fuite. N'allait-il pas tomber sur une femme de ce genre, à Saint-Pétersbourg ? Son sang se glaçait à l'idée de certains attouchements, dont ses camarades lui avaient parlé au lycée. Que ne pouvait-il songer à une femme comme à un bon plat ? Il était prodigieusement gourmand. La pensée d'un gâteau à la crème ou d'une dinde farcie le bouleversait. Il eût couvert des lieues à pied pour manger de petits pâtés à la graine de pavot. Et il n'éprouvait nul appétit devant le beau sexe. Le mieux était encore de s'en remettre à Dieu. A l'heure choisie par le Très-Haut, il croiserait sur son chemin la créature qui lui était destinée. Un signe l'avertirait et il n'aurait plus peur.

A mesure que les semaines passaient, Marie Ivanovna s'inquiétait davantage de laisser partir son fils pour la capitale. Quand il se montrait trop pressant, elle lui opposait, en pleurant, le mauvais état de ses finances. Le 23 septembre 1828, elle écrivait encore : « Mon petit Nicolas a hâte de prendre du service et je crois bien que je ne pourrai pas le retenir au delà des derniers jours d'octobre (1). » Elle le retint jusqu'à la mi-décembre. Entre-temps, elle avait pu réunir, vaille que vaille, les fonds nécessaires et obtenir de Trochtchinsky moribond une lettre de recommandation pour L.I. Koutouzov, haut fonctionnaire du ministère de l'Intérieur. Il l'avait signée d'une main tremblante. Marie Ivanovna s'était quelque peu rassurée. Avec ce papier, son Nicolas trouverait partout aide et protection. Il avait résolu de prendre la route avec son ancien condisciple du lycée de Niéjine, Alexandre Danilevsky, qui vivait à trente verstes de Vassilievka et devait se rendre, lui aussi, à Saint-Pétersbourg, pour entrer à l'école des sous-

_____
(1) Chenrok. *Lettres de Gogol*, p. 109.

officiers de la garde. Aux amis qui lui souhaitaient bon voyage, il répondait gravement :

« Au revoir ! Vous n'entendrez plus jamais parler de moi, ou vous n'entendrez dire de moi que du bien ! (1) » Quoique les fêtes de Noël fussent proches, il refusa de les passer en famille, tant il avait hâte d'inaugurer sa vie d'homme. Il faisait froid. Une neige volante effaçait les routes. Danilevsky arriva enfin dans un traîneau fermé. Et les serviteurs commencèrent à charger. les bagages.

---

(1) Sophie Vassilievna Skalon. *Souvenirs.* (*Le Messager historique.* 1891).

III

PREMIERS PAS A SAINT-PÉTERSBOURG

Il fallait bien compter trois semaines pour se rendre, en plein hiver, de Vassilievka à Saint-Pétersbourg. Encore Nicolas Gogol choisit-il la route la plus longue, celle qui, passant par Tchernigov, Moghilev et Vitebsk, évitait Moscou. Il ne voulait pas, disait-il, risquer, en traversant cette dernière ville, d'affaiblir l'impression que lui réserverait la capitale. Le froid était intense. Aux relais, les maîtres de poste rechignaient à livrer des chevaux de rechange. Les voyageurs étaient servis non dans l'ordre de leur arrivée mais sur l'énoncé de leur grade ou au vu de leur titre de mission. Jamais Nicolas Gogol ne s'était senti plus humilié d'être un simple « régistrateur de collège » de 14e classe, devant tous ces personnages importants qui lui filaient sous le nez. Pour se consoler de ces retards et de ces avanies, les deux jeunes gens parlaient avec fièvre de leur prochaine entrée à Saint-Pétersbourg. La « kibitka » (1) glissait en tressautant entre les congères ; le vent soufflait en rafales autour des chevaux transis ; les plaines livides se succédaient interminablement ; de loin en loin, surgissait un village enseveli sous une carapace blanche ; un relais de poste remplaçait l'autre, avec toujours la même odeur de bottes, de foin et de goudron ; il semblait parfois

_____

(1) Sorte de traîneau couvert.

à Nicolas Gogol que cette randonnée à travers la Russie ne
finirait jamais et qu'il reviendrait à son point de départ sans
avoir rien vu d'autre que la neige. Pourtant les noms des
dernières haltes lui redonnaient de l'espoir. On approchait du
but. Un soir, à l'horizon, apparurent les lumières de Saint-
Pétersbourg. Une constellation à ras de terre. Emerveillés,
Danilevsky et Nicolas Gogol dirent au cocher de s'arrêter,
descendirent du traîneau et, dressés sur la pointe des pieds,
contemplèrent avec émotion ce mirage de glace, de pierre et
de feu.

La flèche de l'Amirauté dominait une ville de rêve. Un
invalide se tenait en faction devant la barrière rayée de noir
et de blanc. Iakim, le serviteur de Nicolas Gogol — un solide
gaillard de vingt-six ans —, suppliait son maître de remonter
en voiture, à cause du froid. En reprenant place dans la
« kibitka », les deux amis se préparèrent à de nouveaux
étonnements. La barrière basculante se leva avec lenteur.
L'équipage pénétra au trot dans la ville. « Mon Dieu, quel
tintamarre, quel vacarme, que de lumières, écrira Nicolas
Gogol dans *la Nuit de Noël*. De part et d'autre, se dressaient
des façades de quatre étages ; le claquement des sabots, le
grincement des roues faisaient un bruit de tonnerre que réper-
cutaient les murs ; les maisons grandissaient et paraissaient
surgir du sol à chaque pas ; les ponts tremblaient ; les car-
rosses volaient ; les cochers de fiacre et les postillons criaient ;
la neige sifflait sous les milliers de patins de traîneaux qui
glissaient en tous sens ; les piétons se serraient et se bouscu-
laient au pied des maisons ornées de lumignons, et leurs
ombres gigantesques dansaient sur les murailles et rampaient
jusqu'à atteindre, de la tête, les toits et les cheminées. »

L'éblouissement fut de courte durée. Les deux amis s'arrêtèrent d'abord dans un quartier populeux, rue Gorokhovaïa,
près du pont Kokouchkine, où on leur avait signalé un logement bon marché. Au lieu de se réveiller « dans une petite
chambre riante avec vue sur la Néva », Nicolas Gogol ouvrit
les yeux, le lendemain matin, dans une mansarde sordide et
glacée, dont la fenêtre donnait sur le mur jaune sale de la
maison d'en face. Il avait pris froid en voyage et dut garder le
lit, soigné par Iakim, qui l'abreuvait de thé bouillant et lui

posait des ventouses. Danilevsky s'éclipsait pour la journée entière et rentrait le soir, plein du récit de ses rencontres pétersbourgeoises.

A peine guéri, Nicolas Gogol décida de déménager. Il se transporta d'abord, avec Danilevsky, dans un petit appartement de deux pièces, puis se sépara de son ami et s'installa seul, avec Iakim, dans un logement plus accueillant, rue Grande Mechtchanskaïa.

Là encore, on était loin des quais brillants de la capitale, des places illuminées, des palais de marbre. Dans la rue Grande Mechtchanskaïa, vivaient principalement de petites gens — artisans besogneux, marchands médiocres, fonctionnaires de bas étage —, toute une humanité grisâtre, vulnérable, obséquieuse, silencieuse et inquiète. Un porche s'ouvrait dans la façade jaune, découvrant une cour pleine de détritus. Tous les ateliers déversaient là leurs ordures. « La maison où j'habite, écrira Nicolas Gogol, compte deux tailleurs, une marchande de modes, un cordonnier, un fabricant de chaussettes, un réparateur de porcelaine, un décatisseur-teinturier, un confiseur, un laitier, un fourreur, un marchand de tabac et enfin une sage-femme. Il est normal qu'un pareil immeuble soit tout couvert d'enseignes dorées (1). »

Si tout, dans ce quartier laborieux, parlait de restriction et de malheur, il suffisait de déambuler dans le centre de la cité pour que la tête vous tournât à la vitesse d'une toupie. Les riches vitrines éclairées, les cafés débordant d'une foule élégante, les théâtres aux affiches prestigieuses, autant de folles tentations pour le promeneur désargenté. En province, la pauvreté se supportait avec dignité dans la solitude des grands domaines ; ici, elle était comme une maladie qui, à chaque coin de rue, vous embrasait le sang. La représentation de plaisirs tout proches et pourtant inaccessibles finissait par créer dans le cerveau une obsession diabolique. On vivait en marge d'un festin permanent, le ventre creux et la salive à la bouche. De temps en temps, on cédait, et, la dépense faite, on se la reprochait des semaines durant.

_____

(1) Lettre à sa mère du 30 avril 1829.

Evidemment il avait fallu s'habiller, en arrivant à Saint-Pétersbourg. La vie y était hors de prix ! « Un frac et un pantalon m'ont coûté deux cents roubles, écrira Nicolas Gogol, cent roubles sont partis pour un chapeau, pour des bottines, pour des gants, pour la transformation d'un manteau d'hiver, pour l'achat d'un col de fourrure (1)... » Bien que vêtu à la dernière mode, il ne se sentait pas encore de plain-pied avec les habitants de la capitale. Tous, ici, lui semblaient taillés sur le même modèle. Une foule d'automates uniquement préoccupés de leur avancement. L'enfer de la discipline bureaucratique, de la décoloration sentimentale et du juste milieu.

« Je vous dirai que Saint-Pétersbourg m'a paru tout autre que je ne le supposais. J'imaginais la ville plus belle, plus éblouissante, tout ce que les autres en disent n'est que mensonge », écrivait-il à sa mère dès le 3 janvier 1829. Et, quelques semaines plus tard : « Saint-Pétersbourg ne ressemble en rien aux autres capitales d'Europe, ni à Moscou. Chaque capitale est caractérisée par sa population qui lui imprime le cachet de sa nationalité. A Saint-Pétersbourg, il n'y a aucun cachet. Les étrangers qui habitent ici se sont faits à nos coutumes et n'ont plus du tout l'air d'étrangers ; les Russes, de leur côté, se sont mis à copier les étrangers et ne sont ni d'un bord ni de l'autre. Il règne dans la ville un silence extraordinaire ; on ne devine pas le moindre souffle de l'esprit parmi la population ; tout le monde travaille dans des bureaux et ne parle que d'affaires administratives et de rapports avec des collègues ; tout est écrasé, enlisé dans les préoccupations minuscules et les mesquines besognes qui composent la vie stérile de ces gens-là. Il est amusant d'en croiser certains sur le trottoir. L'un est tellement plein de ses pensées qu'on l'entend qui grogne et discute avec lui-même ; un autre ajoute à ce marmonnement des mouvements du corps et des gestes des mains (2)... »

Cette prescience de l'énorme ennui administratif, Nicolas Gogol l'avait eue dès ses premiers pas dans la rue et avant

_____

(1) Lettre à sa mère du 3 janvier 1829.
(2) Lettre du 30 avril 1829.

même d'avoir franchi le seuil d'un bureau. Derrière un visage de chair blafarde, il imaginait, sans erreur, une citadelle de dossiers, des doigts tachés d'encre, de basses intrigues, de petites toux serviles... Etait-ce là le sort qui l'attendait ? On ne parvient pas du premier coup à la situation d'un Trochtchinsky ! Il avait quitté sa province nanti de quelques lettres de recommandation qui devaient lui ouvrir toutes les portes, et notamment d'un billet à l'intention de L.I. Koutouzov. Ce dernier, dont un claquement de doigts eût suffi, paraît-il, pour assurer l'avenir de Nicolas Gogol, était malade. La sagesse consistait à attendre patiemment sa guérison sans perdre son temps en démarches auprès de personnages secondaires. Koutouzov se rétablit, en effet, reçut le jeune homme fort courtoisement, le tutoya, l'assura qu'il verrait ce qu'il pouvait faire pour lui et le renvoya sans préciser davantage sa promesse. D'autres protecteurs se révélèrent aussi évasifs derrière leurs bureaux d'acajou à moulures de bronze. Les seules places disponibles étaient celles de scribes, dans d'obscures administrations. Une offre plus sérieuse que les autres souleva l'indignation de Nicolas Gogol :

« On me propose des appointements de mille roubles par an, écrivit-il à sa mère. Faut-il donc que je vende ma santé et un temps qui m'est précieux pour une somme qui ne suffira même pas à payer mon logement et ma nourriture ? Quelle absurdité ! Il ne me resterait guère plus de deux heures de loisirs par jour, et, le reste du temps, je serais cloué à une table, recopiant les insanités et les vieilles chimères de ces messieurs les chefs de bureau... Je suis à un carrefour et je ne veux pas prendre de décision avant d'être fixé sur le sort de quelques-unes de mes expectatives (1)... »

Ayant refusé avec hauteur cet emploi sans gloire, Nicolas Gogol n'éprouva pas le moindre scrupule à continuer de solliciter les secours pécuniaires de sa mère. Tantôt il posait devant elle au stoïcien prêt à endurer toutes les privations pour servir son idéal : « J'ai connu une grande gêne, tous ces temps-ci, mais peu importe. Ne dirait-on pas qu'il est si péni-

_____

(1) Lettre du 22 mai 1829.

ble de rester une semaine sans souper (1) ! » Tantôt il se
plaignait de ne pouvoir vivre à moins de cent vingt roubles
par mois : « Car il faut que je mange et je ne me nourris
pas de manière si somptueuse (2). » Tantôt enfin il réclamait
carrément des subsides d'urgence : « Je sens bien que ce sera
presque impossible pour vous en ce moment, aussi m'effor-
cerai-je de ne pas renouveler cette demande... J'ai absolument
besoin de trois cents roubles (3). »

Marie Ivanovna, affolée à l'idée de son fils mourant de
faim et de froid dans la grande cité hostile, empruntait à
droite, à gauche, hypothéquait des terres, vendait la cucurbite
en cuivre de son alambic et expédiait l'argent, avec, à l'appui,
une lettre de semonce.

Lui, cependant, se sentait déjà moins seul et moins désemparé à Saint-Pétersbourg. Il avait retrouvé là quelques anciens
camarades du lycée de Niéjine, comme lui mal logés et à
court d'argent, mais pleins d'espérances. En plus de Danilevsky, qui était entré à l'école des sous-officiers de la garde
et avait quartier libre tous les dimanches, il voyait souvent
Mokritsky, étudiant à l'Académie des Beaux-Arts, les deux
frères Nicolas et Basile Prokopovitch, Ivan Pachtchenko, Grébenka, Koukolnik, Lioubitch-Romanovitch... Ils se réunissaient
tantôt chez l'un, tantôt chez l'autre ; chacun préparait à tour
de rôle quelque plat petit-russien ; on évoquait les souvenirs
de la lointaine province. Sans regretter d'avoir quitté Vassilievka, Nicolas Gogol se rappelait avec nostalgie l'existence
quiète des propriétaires fonciers, les mœurs simples des paysans, le ciel lumineux de l'Ukraine. Les récits de sa grand-
mère, de sa mère et des vieux serviteurs de la maison lui
revenaient à l'esprit. Ne pouvait-on les transcrire et en tirer
quelque argent ? L'engouement était vif, dans la capitale, pour
les légendes et les chansons ukrainiennes. De toute façon, il
ne coûtait rien de se renseigner. Il écrivit à sa mère :

« Vous avez un esprit aiguisé, pénétrant, vous connaissez
bien les mœurs et coutumes de nos Petits-Russiens ; je sais

---

(1) Lettre à sa mère du 30 avril 1829.
(2) Ibid.
(3) Lettre à sa mère du 22 mai 1829.

donc que vous ne refuserez pas de me donner toutes informations utiles à ce sujet dans notre correspondance... Dans votre prochaine lettre, j'attends de vous la description du costume d'un diacre de village, depuis la soutane jusqu'aux bottes, avec le nom précis de chaque pièce de vêtement dans le langage des plus anciens, des plus traditionalistes, des plus encroûtés de nos compatriotes. Je veux aussi les appellations de toutes les parties de l'habillement de nos jeunes paysannes, jusqu'au dernier ruban ; même chose pour l'habillement des femmes mariées et des moujiks... Deuxièmement, il me faudrait le détail précis du costume porté du temps des *hetmans*... Egalement la description exacte d'un mariage, sans omettre aucune particularité... Quelques mots sur les chansons rituelles de la Noël, sur la nuit de la Saint-Jean, sur les ondines... Si vous entendez parler en outre de quelques esprits, de quelques *domovoï* (1), tâchez de savoir leurs noms et leurs caractéristiques. Il existe, parmi le petit peuple, beaucoup de croyances, de contes effrayants, de superstitions, d'anecdotes diverses... Tout cela m'intéressera au plus haut point (2). »

Au vrai, il ne savait pas encore ce qu'il ferait des renseignements qu'il réclamait avec tant d'insistance : un conte peut-être, ou un ouvrage ethnographique... Pour l'instant, il pensait surtout à publier les œuvres qu'il avait apportées dans ses bagages ; sa courte poésie : *Italie* et son long poème : *Hans Küchelgarten.*

Puisqu'il lui était impossible de devenir d'emblée un grand homme d'Etat, bienfaiteur de l'humanité, et qu'il lui répugnait de s'enfermer du matin au soir dans un bureau encombré de paperasses, il fallait exploiter cet autre aspect de son talent. Monnayer ses vers. Il n'y avait pas de honte à cela. Mais à qui s'adresser ? Il eût tellement voulu être parrainé par Pouchkine, son idole ! Payant d'audace, il se rendit au domicile du poète. Devant la porte de la maison, un accès de timidité le paralysa. Il se réfugia dans une confiserie et avala un verre de liqueur pour se remonter. Après quoi, il retourna à l'assaut. Un valet de chambre ouvrit à son coup

---

(1) Génie familier de la maison dans le folklore russe.
(2) Lettre à sa mère du 30 avril 1829.

de sonnette. Le maître de céans ne pouvait le recevoir. « Il se repose », dit le serviteur. « Sans doute a-t-il travaillé toute la nuit ! » murmura Nicolas Gogol émerveillé. « Et comment ! répondit l'autre. Il a joué aux cartes ! » Nicolas Gogol, déçu, battit en retraite. Il n'oserait jamais renouveler cette démarche. Pour son premier coup, il avait visé trop haut.

Modestement il envoya *Italie* à la revue *le Fils de la Patrie*, en demandant au directeur, Thadée Boulgarine, de publier ses vers sans nom d'auteur. Thadée Boulgarine était un personnage à la solde de la police, méprisé de tous ses confrères, mais jouissant de la confiance du gouvernement. Il acquiesça au désir de son correspondant anonyme et, le 23 mars 1829, Nicolas Gogol, qui venait juste d'avoir vingt ans, put lire sa poésie imprimée, noir sur blanc, dans une brochure répandue à des centaines d'exemplaires. Au bas du texte, il y avait ces simples mots : « Sans signature ». Nul ne parla de cette œuvre dans la presse, mais le jeune homme en conçut une grande fierté. Puisque l'*Italie* avait vu le jour, la voie était ouverte pour *Hans Küchelgarten*. Cette fois, il serait son propre éditeur. Il rassembla tout l'argent que lui avait envoyé sa mère, courut les imprimeries, marchanda et finit par s'entendre avec un certain Pliouchar. Mais, au moment de livrer son texte à l'impression, une angoisse le saisit. Il le relut pour la centième fois, changea un vers par-ci, ajouta une virgule par-là, s'exalta en pensant à la gloire qui l'attendait, puis soudain s'inquiéta d'un échec possible. Devait-il exposer son nom — dont il faisait tant de cas ! — aux critiques de quelques journalistes envieux ? Ne valait-il pas mieux attendre d'avoir produit une œuvre inattaquable pour la signer Nicolas Gogol ? Il était entouré d'amis, et pourtant il ne voulait demander conseil à personne. C'était à l'insu de tous qu'il avait formé le projet d'éditer *Hans Küchelgarten*. Il n'allait pas, par lâcheté, perdre le bénéfice d'un pareil secret. Ah ! que la dissimulation était douce ! Il choisit un pseudonyme : V. Alov. Et, avec prudence, avec astuce, il rédigea, pour être publiée en tête de son « idylle en dix-huit tableaux », une « Note des Editeurs » :

« Cette œuvre n'aurait certes jamais vu le jour, si des circonstances importantes pour l'auteur ne l'avaient incité à la publier. Le poème que voici est dû à un jeune homme de dix-huit ans. Nous ne prétendons le juger ni sur ses défauts ni sur ses qualités, et laissons ce soin aux lecteurs éclairés. Néanmoins nous tenons à signaler que plusieurs tableaux de cette idylle ont été malheureusement perdus ; sans doute donnaient-ils à l'ensemble plus d'unité et peignaient-ils plus complètement le caractère du principal personnage. Du moins sommes-nous fiers d'avoir pu contribuer à faire connaître au monde l'œuvre d'un jeune talent. »

L'autorisation de la censure fut accordée le 7 mai 1829, et, aussitôt après, Nicolas Gogol put tenir dans ses mains les premiers exemplaires de son œuvre. Il regardait ce prodige : un vrai livre — non plus manuscrit, mais imprimé —, fleurant l'encre et le papier neuf, avec le nom de l'auteur sur la couverture bleue, le titre et le prix : cinq roubles. Qui sait ? Peut-être des centaines, des milliers de lecteurs inconnus accepteraient-ils de payer cette somme et pleureraient-ils sur le destin romantique de son héros ? Peut-être Pouchkine lui-même lirait-il *Hans Küchelgarten*, et, séduit par la musique de ces vers, demanderait à connaître le mystérieux Alov ? Une telle supposition exaltait Nicolas Gogol jusqu'à la déraison. Il devait se dominer pour ne pas se croire déjà l'ami intime du poète. Tenaillé par l'impatience, il se rendait, de temps à autre, chez un libraire pour s'enquérir de la vente. Hélas ! les jours passaient et les piles de brochures ne baissaient pas sur les rayons. Pouchkine se taisait. Et, avec lui, toute la presse. On eût dit que *Hans Küchelgarten* avait coulé comme une pierre dans l'eau. Puis soudain les critiques se réveillèrent. L'un d'eux, N. Polévoï, dont les avis faisaient autorité, écrivit dans son journal *le Télégraphe de Moscou* : « L'éditeur de ce livre dit que le poème de M. Alov n'était pas destiné à l'impression, mais que des circonstances importantes pour l'auteur l'ont incité à revenir sur sa décision. Nous estimons que des circonstances plus importantes encore auraient dû lui interdire de publier cette idylle... »

Dans *l'Abeille du Nord*, même son de cloche : « *Hans Küchelgarten* contient tant d'inepties, les tableaux en sont si monstrueux et les audaces de l'auteur s'y révèlent tellement inconscientes — qu'il s'agisse des ornements poétiques, du style ou de la prosodie —, que le monde n'aurait rien perdu si ce premier essai d'un jeune talent avait été gardé sous le boisseau. »

Nicolas Gogol reçut ces remontrances comme autant de soufflets. Qu'étaient les moqueries de ses camarades de classe, à Niéjine, auprès de la correction qu'il essuyait aujourd'hui ? Ah ! il avait été bien inspiré de se cacher derrière un pseudonyme ! Ainsi, du moins, personne dans son entourage ne serait-il au courant de sa honte. Même ses amis les plus proches ignoraient qu'ils coudoyaient l'infortuné Alov. Lui qui rêvait de séduire Pouchkine ! Il tombait de haut. Et il ne pouvait même pas se révolter contre ses censeurs. Bien mieux, il leur donnait raison sur toute la ligne. Pas un vers de *Hans Küchelgarten* ne lui paraissait à présent digne de rester dans les mémoires. Comment effacer l'affront ? Une solution radicale s'imposait. On était au déclin de juillet. Saint-Pétersbourg étouffait dans une chaleur moite, l'odeur saumâtre des canaux entrait par les fenêtres ouvertes. Nicolas Gogol prit un fiacre et, accompagné de son valet Iakim, fit le tour des librairies de la ville pour racheter tous les exemplaires restants de *Hans Küchelgarten*.

Il entassait les paquets ficelés dans la voiture, avec un mélange de rage et de deuil. Evidemment il ne pouvait être question, pour lui, de rapporter cette honteuse cargaison à l'appartement qu'il partageait maintenant avec Prokopovitch et où leurs amis communs se réunissaient souvent. Il fallait, pensait-il, un lieu secret, loin de tous les regards. L'idée lui vint de louer une chambre dans un hôtel, rue Voznéssensky. Là, aidé de son serviteur, il alluma du feu dans le poêle et jeta les livres neufs dans le foyer, un à un, jusqu'au dernier. Les pages brûlaient mal, se recroquevillaient, noircissaient, fumaient. Enfin des flammes s'élevèrent, purificatrices. Ce n'étaient pas seulement les illusions de l'auteur qui flambaient, c'était son âme qui se régénérait dans une combustion divine. Il demeura longtemps fasciné par cet incendie en miniature. Lorsque tout fut fini, il éprouva un soulagement tempéré de tristesse.

De retour à la maison, il ne parla à personne de l'autodafé. Mais sa vie lui parut soudain vide et inutile. Que faire après un si cuisant échec ? Depuis quelques semaines déjà, il rêvait d'imiter Hans Küchelgarten et de partir pour l'étranger, afin de s'épanouir sous un autre ciel. Dès le 22 mai, il avait commencé à préparer sa mère, par lettre, à l'idée d'un voyage. Comme toujours il posait des jalons, avançait un projet pour aussitôt s'en dédire, inventait des circonstances extraordinaires qui justifiaient son intention. Cette fois-ci, afin d'éviter que Marie Ivanovna ne lui reprochât son inconséquence, il avait imaginé un mystérieux ami prêt à prendre sur lui tous les frais de l'expédition :

« Ce voyage, qui occasionne normalement des dépenses considérables, ne m'aurait rien coûté ; tous mes frais auraient été payés et mes moindres désirs satisfaits en cours de croisière. Mais imaginez ma malchance ! Comme par un fait exprès, le généreux ami qui m'avait fait toutes ces promesses vient de mourir subitement ! Ses intentions et mes projets ont été réduits à néant, et je goûte à présent le poison de la plus cruelle des amertumes. Ce n'est pas tant cet échec qui me désole, que le fait d'avoir perdu un être auquel je m'étais attaché pour toujours. Et voilà, le ciel me l'a repris... »

Ayant ainsi enterré le personnage mythique né de sa plume, Nicolas Gogol se disait que, du moins, l'idée du départ et celle de la dépense avaient été semées une fois pour toutes dans l'esprit de sa mère. Maintenant elle savait que l'étranger attirait son fils et qu'il aurait besoin d'argent s'il décidait de s'y rendre. Les jours suivants, il la laissa dans son inquiétude et continua de rêver à l'évasion.

« Fait étrange, écrira-t-il dans la *Confession d'un Auteur*, même pendant mon enfance, même sur les bancs de l'école, même à une époque où je rêvais d'entrer au service de l'Etat et non de faire carrière dans les lettres, il m'a toujours semblé que m'attendait je ne sais quel grand sacrifice de ma personne et que j'aurais précisément, pour me mettre au service de ma patrie, à parfaire mon éducation quelque part loin d'elle. J'ignorais comment cela se produirait ; je n'y réfléchissais même pas ; mais je me représentais si vivement moi-même sur quelque terre étrangère, languissant après ma patrie, et ce tableau me poursuivait si souvent, que je me sentais envahi de tristesse. »

A Saint-Pétersbourg, tout n'était que prose. Peut-être la
poésie fleurissait-elle au delà des frontières ? Il existait sûrement, au loin, une contrée d'amour, de raison, de beauté.
L'Amérique. Pays des pionniers et des inventeurs. Terre vierge.
Exactement ce qu'il lui fallait. Mais c'était au bout du monde !
On devait pouvoir s'expatrier à moins de frais. L'Allemagne,
par exemple, la tendre, la romantique Allemagne ! Dire qu'il
ne pouvait y aller faute de quelques roubles ! Sur ces entrefaites, Marie Ivanovna lui fit parvenir une somme assez importante, destinée au paiement des intérêts de l'hypothèque sur
Vassilievka. Devant ce paquet de papier-monnaie tombé du
ciel, Nicolas Gogol eut le sentiment que Dieu entrait dans
ses vues. N'était-il pas absurde de verser tant d'argent à la
caisse du Conseil de Tutelle, alors qu'il en avait besoin pour
payer son voyage ? Le Conseil de Tutelle pouvait attendre,
lui pas. En palpant les liasses de roubles assignats, il songeait
à Lübeck ? Pourquoi Lübeck ? Il ne le savait pas lui-même.
Le nom lui plaisait, sonore comme un tintement de cloche.
Il irait là-bas, afin d'oublier, de méditer. Restait à prévenir
sa mère de son prochain départ et du détournement des fonds
qu'elle lui avait confiés. De jour en jour, il remettait l'épreuve
de l'aveu. D'abord, pour soulager sa conscience, il résolut
d'adresser à Marie Ivanovna une procuration en règle sur sa
part de l'héritage paternel. Ayant acheté une feuille de papier
timbré, il écrivit :
    « Mère bien-aimée, guidé par les sentiments de l'amour
filial, je ne peux mieux vous témoigner mon attachement,
qu'en établissant votre bien-être sur des bases solides pendant
mon absence. » Suivaient des instructions détaillées permet-
tant à Marie Ivanovna de disposer des biens immeubles et
des serfs appartenant à son fils. Le document, daté du 23 juillet 1829, était signé : « Nicolas Gogol-Ianovsky, fonctionnaire
de la 14e classe ». Le jour suivant, 24 juillet, Nicolas Gogol
s'assit enfin à sa table pour rédiger la lettre d'explication.
Quel prétexte invoquer pour justifier ce besoin de nouveaux
horizons ? En premier lieu, bien sûr, la volonté du Très-
Haut. C'était là un langage que la pieuse Marie Ivanovna
devait comprendre :
    « La main du Tout-Puissant s'est posée sur moi et m'a

infligé le plus juste des châtiments. Mais combien ce châtiment est terrible ! Insensé que j'étais ! Je voulais résister
à ces aspirations de l'âme que Dieu lui-même a mises en moi,
et qui me remplissaient d'une soif que ne pouvait apaiser la
vie inactive et dissipée du monde. Il m'avait indiqué que je
devais diriger mes pas vers une terre étrangère pour y apprendre, dans le silence, la solitude et au sein d'un travail inces-
sant, à dominer mes passions, afin de parvenir, en m'élevant
peu à peu, jusqu'à un sommet d'où je pourrais dispenser la
félicité et me rendre utile au monde. Et j'ai osé faire la
sourde oreille à ces indications divines et préférer continuer
à ramper dans cette capitale, parmi tous ces fonctionnaires
qui dépensent si inutilement leur existence... Le grand bonheur vraiment que d'atteindre, vers les cinquante ans, le grade
de conseiller d'Etat, d'obtenir des appointements à peine suf-
fisants pour vous faire vivre décemment et de se trouver
dans l'impossibilité de faire ne fût-ce qu'un peu de bien à
l'humanité !... Malgré tout, pour vous être agréable, j'étais
décidé à prendre du service ici, si pénible que ce fût. Mais
Dieu ne l'a pas voulu. Je n'ai essuyé partout que des échecs,
et même — chose étrange — là où je m'y attendais le moins.
Des gens dénués de tout talent et que personne n'appuyait
décrochaient aisément ce que je ne pouvais recevoir avec l'aide
de mes protecteurs. N'était-ce pas un signe évident de l'intervention divine dans ma vie ? Dieu ne me punissait-il pas clairement pour me ramener dans la bonne voie ? Cependant je
continuais à m'obstiner, à attendre des mois entiers, dans
l'espoir de quelque récompense... »

Après avoir dévidé cet écheveau de spéculations mystiques,
Nicolas Gogol se sentit un peu plus sûr de son fait. Mais,
à la relecture, l'argument ne lui parut pas assez convaincant.
Il fallait un autre mobile pour excuser sa fuite. Dans sa précédente lettre, il avait inventé le personnage d'un ami généreux,
mort dans la fleur de l'âge. Cette fois-ci, l'idée lui vint d'allé-
guer son amour pour une femme suprêmement belle et farouchement inaccessible. Après Dieu, un de ses anges. En vérité,
il n'avait eu aucune aventure sentimentale depuis son arrivée
à Saint-Pétersbourg. Et il n'éprouvait nulle envie de se lier
avec une personne du sexe. La seule approche d'une de ces

créatures aux longs cheveux et au sourire de velours le paralysait. Mais, la plume à la main, il oubliait les motifs de sa
supercherie et se croyait réellement amoureux. Plus il donnait de détails sur les tourments qu'il endurait, plus la souffrance augmentait dans sa poitrine. Avec entrain, avec enthousiasme, avec désespoir, il mandait à sa mère, dans la même
lettre :

« Oh ! quelle affreuse punition ! Il ne pouvait y en avoir
pour moi de plus douloureuse, de plus cruelle ! Je ne puis...
Je n'ai pas la force d'écrire... Maman, ma chère maman, je
sais que vous êtes ma seule véritable amie ! Me croirez-vous ?...
Vous savez que j'ai toujours été doué d'une fermeté de caractère rare chez un jeune homme... Qui aurait pu attendre de
moi une telle faiblesse ?... Mais je l'ai vue... Non, je ne la
nommerai pas... Elle est trop au-dessus de moi, trop au-dessus
de tous. Je pourrais l'appeler un ange, mais cette expression
ne lui convient pas. C'est une divinité à peine revêtue des
passions humaines. Son visage rayonnant laisse une empreinte
durable dans le cœur ; ses yeux vous transpercent l'âme ;
aucun homme ne saurait supporter la flamme brûlante, pénétrante, de son regard. Oh ! si vous m'aviez vu alors ! Je sais,
il est vrai, cacher mes sentiments aux autres, mais puis-je
les cacher à moi-même ? Toutes les tortures d'un désespoir
infernal bouillaient dans ma poitrine. Oh ! quelle situation
épouvantable ! Je pense que, s'il y a un enfer pour les pécheurs,
il est moins terrible. Non, ce n'était pas de l'amour !... Je
n'ai jamais entendu parler d'un amour pareil, en tout cas.
Dans mes élans de démence, l'âme écartelée, je n'avais soif
que de sa vue, je n'aspirais qu'à un seul de ses regards...
La voir encore une fois, tel était mon seul désir qui augmentait
de jour en jour, plus amer et plus inextinguible. Enfin je
pris conscience de l'affreux état où je me trouvais, je rentrai
en moi-même avec terreur. Tout ce qui m'entourait m'était
devenu indifférent, la vie et la mort me paraissaient également insupportables, mon âme ne parvenait pas à se rendre
compte de ce qui se passait en elle. Je compris que je devais
me fuir moi-même si je voulais continuer à vivre et à rétablir
ne fût-ce qu'une ombre de paix dans mon cœur dévasté. Atten-
dri, je reconnus la Dextre invisible qui me protégeait et je

bénis la route qu'elle m'indiquait. Non, cette créature qu'Il m'avait envoyée pour me priver de mon repos et renverser le monde chancelant que j'avais édifié, cette créature n'était pas une femme. Si elle avait été une femme, toute sa puissance de séduction n'aurait pas suffi à produire en moi cette impression atroce, inexprimable. C'était une divinité créée par Lui, une partie de Lui-même. Mais au nom du ciel ne me demandez pas son nom. Elle est trop haut placée ! »

En recevant cette épître, d'après laquelle le Très-Haut d'un côté et une femme fatale de l'autre conjuguaient leurs efforts pour inciter Nicolas Gogol à déserter Saint-Pétersbourg, Marie Ivanovna dut se demander si son fils n'avait pas perdu la raison. Par contraste, la fin de la lettre, consacrée aux questions d'argent, apparaissait singulièrement précise.

« Ainsi, écrivait Nicolas Gogol, je résolus de partir. Mais comment ? Un voyage à l'étranger est difficile et nécessite tant de démarches ! A peine les eus-je entreprises, qu'à mon grand étonnement tout s'arrangea pour le mieux. J'obtins facilement mon passeport. Il ne restait qu'une seule difficulté : l'argent. J'étais sur le point de désespérer, lorsque je reçus de vous la somme pour le Conseil de Tutelle. Je me rendis immédiatement là-bas afin de savoir quels délais ils accorderaient pour le paiement des intérêts et j'appris que ces délais pouvaient aller jusqu'à quatre mois, moyennant le versement d'une amende de cinq roubles par mois de retard, pour mille roubles de prêt... C'était évidemment une action hardie, peu raisonnable, mais pouvais-je agir autrement ? J'ai gardé par-devers moi tout l'argent destiné au Conseil de Tutelle et je puis dire à présent : je ne vous en demanderai plus... Ne vous attristez pas, chère maman. Une telle crise m'est nécessaire. Cette leçon me fera incontestablement du bien. J'ai un mauvais caractère, j'ai été trop gâté (je le confesse de tout mon cœur). La paresse et l'existence oisive que je menais ici auraient pu développer encore tous mes défauts. Je dois me transformer, me régénérer, renaître à une nouvelle vie. Mon âme s'épanouira dans le travail et l'activité, et, si je ne puis être heureux (non, jamais je ne pourrai être heureux personnellement ! Cet être divin s'est éloigné de moi en me ravissant la paix de l'âme), je consacrerai toute ma vie

au bien et au bonheur de mes semblables. Ne soyez pas
effrayée de la séparation. Je ne vais pas loin. Le but de mon
voyage est Lübeck. C'est une grande ville allemande, au bord
de la mer, renommée pour le commerce qu'elle entretient avec
le reste du monde... »

La fin de la lettre se perdit, pour Marie Ivanovna, dans un
flot de larmes : son argent dilapidé, son fils envolé ! Ne
courait-il pas mille dangers sur le bateau qui l'emportait vers
les côtes d'Allemagne ?

La mer était mauvaise. Le bateau à vapeur craquait et roulait, sous le choc des hautes vagues vertes. Fouetté par les
embruns, Nicolas Gogol marchait en titubant sur le pont et
luttait contre une insidieuse envie de vomir. Il avait quitté
ses amis la veille, sans explication. Personne parmi eux ne
comprenait sa fuite. Par économie, il n'avait pas emmené
son serviteur en voyage. Iakim l'attendrait, en se croisant les
bras, dans l'appartement. Tous les passagers étaient malades.
Les matelots chiquaient et crachaient. Après deux jours de
navigation, apparurent les côtes de Suède et l'île de Born-
holm, avec ses falaises nues et ses lointains verdoyants. Encore
quatre jours passés entre le ciel et l'eau, et, dans la brume
sale de l'aube, surgit le port de Lübeck. En débarquant, Nicolas Gogol fut d'abord étourdi par le vacarme et le mouvement
des quais. Puis, consciencieusement, il visita la ville, admirant les maisons hautes et étroites, couvertes de tuiles rouges,
les cours proprettes, les magasins regorgeant de victuailles,
les auberges pleines d'Allemands gras et roses buvant de la
bière, les jeunes paysannes au corsage fleuri qui se pavanaient
dans les rues et même les touristes suisses, anglais, améri-
cains qu'il rencontrait à la table d'hôte. Mais, ce qui le
frappa par-dessus tout, ce fut l'âge vénérable des monuments
publics. En comparaison de Saint-Pétersbourg, qui ne datait
que d'un siècle, la moindre façade, ici, lui semblait riche d'un
long passé. Avec quelle émotion il pénétra dans la cathédrale
gothique, véritable forêt de pierre, qu'éclairait la lumière surnaturelle des vitraux ! Cette architecture tourmentée n'était-
elle pas la meilleure expression que l'homme pût donner du

sentiment religieux ? Et l'horloge monumentale qui, à midi, ouvrait ses portes pour laisser sortir la procession circulaire des douze Apôtres ! Et les tableaux de maîtres allemands et italiens ! Devant certaines toiles, Nicolas Gogol, qui avait renoncé au pinceau depuis Niéjine, rêvait à nouveau de devenir peintre. Très vite, cependant, sa curiosité s'émoussa. Une impression de solitude le refroidit jusqu'aux os. Il se demanda ce qu'il était venu chercher dans ce pays dont il ne parlait même pas la langue. Des vers de *Hans Küchelgarten* hantaient sa mémoire :

> « Une tristesse insurmontable
> « Etreint soudain le voyageur.
> « Son âme est pleine de reproches,
> « Il a mal et il a pitié :
> « Pourquoi a-t-il pris cette route ? »

Ainsi, comme son héros, il avait couru le monde pour se retrouver face à face avec lui-même. De plus il avait, sans nul doute, gravement affligé sa mère. Dès son arrivée, il voulut, pour se racheter, lui écrire une lettre. Entre-temps il avait oublié « la volonté du Très-Haut » et la femme au « visage rayonnant », dont la cruauté l'avait contraint à l'exil. S'il était parti, c'était, disait-il maintenant, parce qu'il était malade.

« Il se peut que j'aie oublié de vous dire la principale raison qui m'a incité à me rendre à Lübeck, écrivit-il à sa mère le 13 août 1829. J'ai été malade, à Saint-Pétersbourg, pendant tout le printemps et l'été. A présent, je suis guéri, mais j'ai des éruptions sur tout le visage et sur les mains. Les médecins assurent que c'est une conséquence de la scrofule, que mon sang est vicié, qu'il me faudrait prendre des décoctions dépuratives et faire une cure d'eaux à Travemünde, une petite bourgade à dix-huit verstes de Lübeck... »

En effet, il se rendit à Travemünde, mais n'y passa que trois jours, sans même songer à la cure que, soi-disant, il devait suivre, poussa jusqu'à Hambourg et revint à Lübeck, plus désœuvré et plus désorienté que jamais. Une lettre de sa mère l'attendait là. Une lettre terrible. Non seulement elle lui ordonnait de réintégrer au plus vite Saint-Pétersbourg, mais encore elle interprétait de la manière la plus désobligeante les raisons qu'il lui avait données de son voyage. Rapprochant les deux histoires, celle de l'indisposition et celle de la passion amoureuse, elle en concluait qu'il avait contracté une maladie vénérienne avec la personne dont il lui vantait la beauté. Cette supposition plongea Nicolas Gogol dans un abîme d'horreur. Ses mensonges se retournaient contre lui.

« Comment avez-vous pu, chère maman, penser que j'étais la proie de la débauche, que j'étais tombé au dernier degré de l'abjection humaine, que j'étais atteint enfin d'une maladie à la seule idée de laquelle tout mon esprit frémit de répulsion, écrira-t-il à sa mère. C'est la première fois — et fasse Dieu que ce soit la dernière — que je reçois une lettre aussi effrayante. Il m'a semblé, en la lisant, que j'entendais une malédiction. Le fils de parents aussi angéliques pourrait-il être un monstre dans lequel ne subsiste plus un seul trait vertueux ?... Je suis prêt à jurer devant la face de Dieu que je n'ai pas commis un seul acte dépravé et que ma moralité ici a été plus pure encore que durant mon séjour au lycée et à la maison... Je ne puis absolument pas comprendre ce qui vous a fait croire que j'étais atteint précisément de cette maladie-là. Dans ma lettre, je n'ai rien dit, me semble-t-il, qui se rapportât à une indisposition de ce genre (1)... »

Et, oubliant qu'il avait justifié son départ par la nécessité de soigner une forte scrofule compliquée d'éruptions sur le visage et sur les mains, il poursuivait, imperturbable :

« Je vous avais parlé, je crois, d'une affection de poitrine qui m'empêchait de respirer et dont je suis guéri à présent, Dieu merci. Ah ! si vous saviez combien ma situation était horrible ! Je n'ai pu dormir tranquillement une seule nuit, pas une fois d'heureuses pensées n'ont visité mes songes. Toujours j'avais présent à mon esprit l'égarement, la tristesse, le tourment que je vous avais causés. »

Cette fois, il était décidé à rentrer au bercail. D'ailleurs ses ressources s'épuisaient. Il tournait en rond dans un Lübeck

---

(1) Lettre du 24 septembre 1829.

sinistre de propreté et de froideur. Il rembarqua sur le navire qui l'avait amené.

Un soir, Prokopovitch, regagnant la maison, se heurta, dans la rue, à Iakim qui courait, l'air radieux, chez le boulanger : son maître était de retour ! En effet, Prokopovitch trouva le voyageur assis, le visage morne et las, parmi ses bagages. Aux questions que lui posait son ami, Nicolas Gogol répondit évasivement. De toute évidence, il ne voulait pas parler de son équipée en Allemagne. Prokopovitch et les autres camarades respectèrent son silence. L'épisode de Lübeck demeura un mystère pour tous, y compris, sans doute, pour le principal intéressé.

IV

FONCTIONNAIRE

De nouveau Saint-Pétersbourg, la brume, la pluie, le froid, le manque d'argent. Comment payer la somme destinée au Conseil de Tutelle ? Si les intérêts de l'hypothèque n'étaient pas versés à temps, la propriété de Vassilievka serait vendue aux enchères. Pour comble de malheur, Dmitri Prokofiévitch Trochtchinsky, le bienfaiteur attitré de la famille, était mort au mois de juin dernier. Son neveu et héritier, André Andréïevitch Trochtchinsky, était d'un abord plus difficile que le défunt. En désespoir de cause, Marie Ivanovna lui écrivit à Saint-Pétersbourg, où il se trouvait pour affaires, et implora son aide. André Andréïevitch Trochtchinsky convoqua Nicolas Gogol, le tança vertement, mais finit par régler la dette jusqu'au dernier kopeck. Il donna même quelques subsides à son jeune parent et lui fit cadeau d'un manteau pour l'hiver. Quant à l'avenir, il fallait, lui dit-il, l'envisager sérieusement et non en artiste. Et il l'assura de son appui dans la quête d'une situation administrative. Malgré cette promesse, ou à cause d'elle, Nicolas Gogol eut brusquement envie de tenter sa chance au théâtre. La crainte de finir dans la peau d'un gratte-papier attisait son audace. Il avait remporté un tel succès comme acteur, au lycée de Niéjine ! C'était un crime de laisser sans emploi le talent dont Dieu l'avait gratifié. Il se voyait déjà aussi célèbre qu'un Garrick, un Talma, un Dmitrievsky...

Par un matin gris et pluvieux, il se rendit sur le quai des Anglais, au domicile du prince Serge Serguéïevitch Gagarine, directeur des théâtres impériaux. Il avait, pour l'occasion, revêtu son meilleur costume. Mais une rage de dents, survenue au dernier moment, l'avait obligé à nouer un mouchoir noir autour de sa joue endolorie. Le prince, pensait-il, avait une suffisante expérience des hommes pour ne pas attacher d'importance à ce détail de présentation. Ce fut le jeune Mundt, secrétaire particulier de Gagarine, qui reçut le visiteur et lui demanda ce qu'il désirait.

— « Je veux entrer comme acteur au théâtre », répondit Nicolas Gogol avec fermeté (1).

Mundt le pria d'attendre, car le prince était encore à sa toilette. Nicolas Gogol s'assit près d'une fenêtre et fixa ses regards sur la Néva qui coulait à ses pieds. De temps à autre, il grimaçait et portait une main à sa joue.

— « Je crois que vous avez mal aux dents, lui dit Mundt. Voulez-vous de l'eau de Cologne ? »

— « Je vous remercie, marmonna Nicolas Gogol. Cela passera tout seul... »

Peu après, Mundt s'affaira, courut en tous sens, ouvrit porte sur porte et introduisit le solliciteur dans le bureau directorial. Un respect religieux saisit Nicolas Gogol devant le personnage au visage glabre et froid, encadré de favoris, qui lui faisait face. On racontait que Gagarine, grand amateur de ballets, méprisait les pièces russes et confondait dans sa conversation Walter Scott et Voltaire. N'empêche qu'un mot de lui pouvait décider d'une carrière ! Visiblement, il aimait intimider ses visiteurs. Derrière son dos, Mundt observait la scène.

— « Que voulez-vous ? » demanda le prince.

Nicolas Gogol, tenant son chapeau contre son ventre, rassembla son courage et dit :

_____

(1) Les détails de cette scène sont rapportés par N.P. Mundt, secrétaire de Gagarine. *Nouvelles de Saint-Pétersbourg*, 1861, N° 235.

— « Je voudrais entrer au théâtre, comme acteur, dans la troupe russe.

— « Vous vous appelez ?...

— « Gogol-Ianovsky.

— « De quelle origine ?

— « Origine noble.

— « Qu'est-ce donc qui vous incite à monter sur la scène ? En tant que noble, vous pourriez prendre du service dans l'administration.

— « Je ne suis pas riche, balbutia Nicolas Gogol. Je doute qu'un emploi dans l'administration me permette de subvenir à mes besoins. De plus, je ne crois pas que je sois fait pour ce genre de travail. Et je sens une réelle attirance pour le théâtre.

— « Ne croyez pas que n'importe qui puisse devenir acteur. Il y faut un certain talent.

— « Peut-être ai-je précisément ce talent-là !

— « Peut-être ! A quel emploi vous destinez-vous ?

— « Je ne le sais pas moi-même au juste. Mais il me semble que les rôles dramatiques me conviendraient. »

Le prince l'enveloppa d'un regard ironique et dit avec un mince sourire :

— « Je crois, monsieur Gogol, que vous seriez plus à l'aise dans la comédie. Mais après tout, c'est votre affaire ! »

Et il donna des instructions à Mundt pour que Khrapovitsky, inspecteur de la troupe russe, fît passer une audition à Nicolas Gogol dans les prochains jours.

L'audition eut lieu, un matin, au Grand Théâtre. Khrapovitsky était un partisan de la déclamation classique. Il reçut Nicolas Gogol dans son bureau, où se trouvaient réunis le régisseur et quelques acteurs de la troupe. Devant cette assistance de spécialistes, le néophyte perdit son reste d'assurance. Comme il n'avait préparé aucun texte, Khrapovitsky lui proposa de lire le monologue d'Oreste, tiré de l'*Andromaque* de Racine, dans la traduction de Khvostov. Le nez dans la brochure, Nicolas Gogol débita les vers pesants de Khvostov d'un ton si monocorde, que Khrapovitsky, agacé, l'arrêta au bout de deux minutes.

De la tragédie on passa à la comédie. Mais l'apprenti acteur ne fut guère plus à l'aise dans son interprétation de *l'Ecole des Vieillards*. Il devinait sa condamnation dans les yeux de l'aréopage. N'avait-il plus aucun talent ou était-ce l'atmosphère pétersbourgeoise qui le paralysait ? Khrapovitsky le renvoya sur trois mots de politesse glacée. Quelques mois auparavant, Nicolas Gogol avait tenté en vain de faire représenter deux comédies ukrainiennes de son père : *la Chienne déguisée en Brebis* et *le Roman de Parassia*. Décidément il ne fallait plus qu'il rêvât de théâtre, en aucune manière. Le seul objectif qui lui fût permis, c'était la table du scribe.

André Andréïevitch Trochtchinsky ne s'était pas dépensé dans le vide. Le 15 novembre 1829, Nicolas Gogol obtint un emploi au ministère de l'Intérieur, département des Edifices publics, avec le traitement, plus que modeste, de cinq cents roubles par an. Ainsi, il allait se perdre dans la foule grise des petits fonctionnaires. Tout bien pesé, il préférait encore cette sujétion et cette misère à la perspective de retourner vivre en famille, à Vassilievka. Il écrivit à sa mère :

« En comparant ma situation avec celle qu'occupent bon nombre d'autres fonctionnaires, je vois qu'elle n'est pas des plus mauvaises, que bien des collègues à moi souhaiteraient être à ma place, qu'il me suffit de redoubler de patience et que je puis espérer de l'avancement. Mais évidemment les collègues dont je parle reçoivent de l'argent de chez eux en quantité suffisante pour assurer leur subsistance, alors que moi je dois vivre sur mon seul traitement. Jugez par vous-même... ne recevant personne, ne sortant presque jamais, renonçant à mon plaisir préféré : le théâtre, je ne puis en aucune façon dépenser moins que cent roubles par mois. J'exclus de cette somme les frais occasionnés par l'achat de vêtements, de bottes, d'un chapeau, de gants, de mouchoirs etc., qui, à eux seuls, représenteraient cinq cents roubles. Or, figurez-vous que je reçois cinq cents roubles par an et même moins... Heureusement que j'ai eu, tous ces temps-ci, un bienfaiteur aussi exceptionnel qu'André Andréïevitch (Trochtchinsky). Jusqu'à présent, j'ai vécu de ses subsides. Comme preuve de mon souci d'économie, je vous rappelle qu'aujourd'hui encore je porte le même habit que j'ai commandé à mon arrivée à Saint-Pétersbourg. Vous pouvez imaginer à quel

point ce frac, que je revêts quotidiennement, est élimé et usé.
Je n'ai pas eu les moyens de m'en commander un autre ni
même d'acheter un manteau chaud indispensable pour l'hiver.
Par chance, je me suis habitué au froid et ai traversé toute la
mauvaise saison dans un manteau d'été. L'argent que je qué-
mandais auprès d'André Andréïevitch, je ne pouvais l'employer
à l'achat de vêtements, obligé que j'étais de l'utiliser pour ma
subsistance. Et je ne voulais pas lui demander davantage, parce
que j'avais déjà remarqué que je lui étais à charge. Il m'a d'ailleurs dit à plusieurs reprises qu'il ne m'aiderait qu'autant que
vous n'auriez pas rétabli en partie votre situation, qu'il avait
lui-même une famille, que ses affaires n'étaient pas toujours
très brillantes. Vous comprendrez qu'il m'en coûte maintenant
de lui exposer mes besoins... En outre il s'apprête à quitter
Saint-Pétersbourg au mois de mai. Que dois-je faire, dans ces
conditions ? Il me reste à vous demander une chose, chère
maman : êtes-vous en mesure de me verser cent roubles chaque mois ? »

Ayant lancé le chiffre, Nicolas Gogol resta la main suspendue au-dessus du papier. Ne s'était-il pas montré trop
gourmand ? Prudemment il songea à modérer son exigence :
quatre-vingts roubles suffiraient peut-être... Mais, alors qu'un
autre eût simplement modifié un ou deux mots dans sa lettre,
il inventa toute une histoire pour justifier son changement
d'idée. Le mensonge coulait de sa plume, qu'il le voulût ou
non, plus naturellement que la vérité :

« A l'instant où j'allais terminer cette lettre, mon chef de
service est venu me voir et m'a annoncé une fort agréable
nouvelle : à savoir que mon traitement était augmenté de
vingt roubles par mois. Ainsi, je vous demande cette fois,
chère maman, pouvez-vous m'envoyer quatre-vingts roubles
par mois (1) ? »

A l'appui de sa requête, il joignait un tableau de ses recettes
et de ses dépenses pour le mois de janvier 1830 :

---

(1) Lettre du 2 avril 1830.

« *Recettes*		« *Dépenses*	
	Roubles		*Roubles*
« Traitement pour le mois de janvier	30	« Loyer de l'appartement	25
		Dépenses de table	25
Reliquat de la somme versée par André Andréïevitch	50	Bois de chauffage	7
		Sucre, thé et pain	20
		Bougies	3
		Porteur d'eau	2
Reçu des *Archives du Nord* pour la traduction d'un article français sur « le Commerce russe à la fin du XVIᵉ siècle et au début du XVIIᵉ siècle »	20	Une paire de gants	3
		Blanchisseuse	5
		Nourriture du serviteur.	10
		Deux mouchoirs	2
		Menues dépenses telles que : fiacre, barbier, etc.	5
		Une paire de bretelles ..	4
« Total	100	« Total	111
roubles »		roubles »	
		« En plus, bains publics .... 1 rouble 50 »	

Et, pour corser le tragique de la situation, il ajoutait avec une feinte négligence :

« Pardonnez-moi d'écrire si mal et de façon si peu lisible. Ma main est bandée, car je me suis blessé avec un éclat de verre. La douleur m'empêche de m'entretenir plus longtemps avec vous... »

Une fois de plus, Marie Ivanovna céda, en geignant, aux sollicitations de son bien-aimé, de son insupportable, de son inquiétant « Nicocha ».

Lui, cependant, avait déjà changé de situation. Le 10 avril 1830, il entrait au ministère de la Cour, département des Apanages, à six cents roubles par an. Le 3 juin, il était titularisé. Le 10 juillet, il passait sous-chef de bureau et ses appointements annuels étaient portés à sept cent cinquante roubles. Ce n'était ni la fortune, ni même l'aisance, mais il trouvait du réconfort à se dire qu'enfin il ne vivait plus uniquement aux crochets des autres.

Ses amis Prokopovitch et Pachtchenko partageaient son appartement, ce qui réduisait ses dépenses et mettait de l'animation dans ses journées. Trois chambres, une pour chacun, Iakim couchant dans un placard. A neuf heures du matin, Nicolas Gogol était au bureau et s'attelait à quelque fastidieuse besogne : coudre des feuillets ensemble, copier un état, calligraphier un rapport, souligner des titres. Courbé sur sa table, il observait ses collègues. Jeunes ou vieux, gras ou maigres, chauves ou chevelus, ils avaient en commun l'abêtissement du travail et la crainte des remontrances. Des années de discipline avaient plié leur échine, nivelé leur caractère et limité leurs ambitions. Nourris d'encre et de paperasses, ils ne voyaient pas plus loin que le bout de leur plume. Quand un supérieur leur demandait leur avis sur une question de service, ils ne se souciaient pas d'émettre une opinion personnelle mais tâchaient de deviner, avec inquiétude, ce qu'il souhaitait entendre comme réponse. C'était le royaume de la servilité, de la misère décente, des intrigues pour l'avancement, des basses plaisanteries et des ventres creux. Le dimanche matin, on allait à la messe pour être bien vu de ses chefs. Le dimanche après-midi, on buvait. Le lundi, on reprenait le travail, la tête lourde. Seul espoir, une gratification inattendue, un pot-de-vin... Mais, au département des Apanages, les occasions de se faire graisser la patte étaient rares. Il aurait fallu être en contact avec le public pour rafler, par-ci par-là, quelques roubles de supplément. Nicolas Gogol écrivait à sa mère :

« Vous me dites, chère maman, que bien des gens, venus pauvres à Saint-Pétersbourg et vivant de leur seul traitement, ont fini par acquérir une grosse fortune grâce à leur zèle et à leur assiduité dans le service... Mais rappelez-vous à quelle époque se rapportent ces exemples... Du temps de Catherine-la-Grande et de Paul Ier, le Sénat, les chancelleries de gouvernement étaient des lieux où l'on s'enrichissait. Maintenant les pots-de-vin que l'on peut toucher dans les mêmes emplois sont bien plus limités. Dans le meilleur des cas, il sont tellement insignifiants qu'ils représentent une aide minime dans la médiocre existence de ces fonctionnaires (1). »

Le chef hiérarchique de Nicolas Gogol, Vladimir Ivanovitch Panaev, avait été jadis un poète aimable, auteur d' « idylles » qui avaient remporté un certain succès. Aujourd'hui, il apparaissait comme un fonctionnaire desséché, ponctuel et méticuleux, ennemi de toute fantaisie. Etait-ce là le sort réservé à ceux qui trahissaient leur vocation première ? Rien que d'y penser, Nicolas Gogol avait la chair de poule. Pourtant — fait étrange — tout en méprisant l'humanité médiocre qui l'entourait au bureau, il avait l'impression de s'enrichir à son contact. Il approfondissait sa connaissance des petites gens, il collectionnait des têtes, des tics, des répliques, des grimaces, il se peuplait de cent personnages humbles ou hideux.

Enfin, trois heures de l'après-midi ! Les fronts se levaient, les dossiers se refermaient, tout le monde se hâtait vers la sortie. Nicolas Gogol dînait rapidement et se rendait à l'Académie des Beaux-Arts. Dans les rues, le nombre des passants avait brusquement quadruplé. Les bureaux déversaient sur le trottoir leur population de fonctionnaires importants ou minables. Il y avait quelque chose de fascinant dans cette foule où le régistrateur de collège coudoyait le conseiller titulaire. On ne pouvait s'empêcher de penser à une pyramide vivante, dont la base était constituée par des hommes tels que lui, Nicolas Gogol, et dont le sommet était occupé par un autre Nicolas, le tsar en personne, maître de tout ce qui respirait en Russie.

L'Académie des Beaux-Arts se trouvait sur l'île Vassilievsky. Nicolas Gogol franchissait le pont Dvortsovy et longeait la façade sévère du bâtiment de l'Université. De l'autre côté de l'eau, il pouvait voir l'énorme cathédrale Saint-Isaac et le monument du cavalier de bronze, cabré sur son bloc de granit.

Le palais de l'Académie, superbe édifice à deux étages, engloutissait les visiteurs par le portail du milieu. Nicolas Gogol traversait le vestibule d'honneur et se glissait dans la classe de dessin d'après nature. Là, il s'installait derrière un

---

(1) Lettre du 3 juin 1830.

chevalet et s'efforçait, le fusain à la main, de reproduire l'attitude du modèle, quelque grand gaillard, à demi nu, assis sur un haut tabouret. Les professeurs Egorov et Chébouev passaient entre les élèves et corrigeaient leurs esquisses. Le cours durait de cinq heures à sept heures du soir. Durant tout ce temps, Nicolas Gogol oubliait les obligations du bureau et pouvait se croire un artiste.

Lorsqu'il ressortait de l'Académie des Beaux-Arts, les lampadaires à huile étaient déjà allumés dans la ville brumeuse. Il rentrait chez lui pour souper ou se rendait à une réunion amicale des anciens élèves du lycée de Niéjine. L'atmosphère ukrainienne qu'il retrouvait en leur compagnie l'incitait de plus en plus à se tourner vers le folklore. Il continuait à harceler sa mère et sa sœur aînée, Marie, de demandes de renseignements. Coutumes, légendes, dictons, chansons, particularités vestimentaires, elles ne lui envoyaient jamais assez de précisions à son gré. Tous les détails qu'il recueillait auprès d'elles, il les consignait dans un cahier, appelé *Carnet fourre-tout*. A mesure que le *Carnet fourre-tout* se gonflait, son propriétaire se persuadait qu'il était assis sur un trésor. Mais saurait-il l'exploiter lui-même ? N'allait-il pas gâcher une si riche matière par précipitation ou manque de métier ?

Le public cultivé de Saint-Pétersbourg paraissait friand d'histoires ukrainiennes comiques, fantastiques ou terribles. On lisait et louait *Kotchoubéï* d'Aladine, *Haïdamaki* de Somov, *le Chapeau cosaque* de Kouljinsky, les contes d'Oline et ceux de Lougansky... Pourquoi pas un récit de Nicolas Gogol dans le même genre ? Au vrai, ses premiers contacts avec le monde des lettres n'avaient pas été très encourageants. Il avait publié quelques traductions (1), puis, dans la revue mensuelle *les Annales de la Patrie* (numéro de février-mars 1830), une nouvelle ukrainienne, *Bissavriouk ou la Nuit de la Saint-Jean*, sans nom d'auteur (2). Le directeur de la revue, Svinine, un journaliste de bas étage, avait tellement remanié le texte,

---

(1) Notamment la traduction d'un article en français sur le commerce russe à la fin du XVIe siècle et au début du XVIIe.
(2) Cette nouvelle, considérablement modifiée, sera reprise par Nicolas Gogol dans *les Veillées du Hameau*.

que Nicolas Gogol s'était juré de ne plus lui confier une ligne
de sa prose. Quelques mois plus tard, en décembre 1830,
c'était l'almanach *les Fleurs du Nord* qui accueillait un chapitre tiré de son roman historique inachevé *l'Hetman* (1),
sous la signature : « oooo ». L'idée de ce sigle bizarre lui
était venue parce qu'il y avait quatre « o » dans son nom :
Nicolas Gogol-Ianovsky. Le 1ᵉʳ janvier 1831, dans *la Gazette
littéraire*, paraissaient simultanément un chapitre intitulé *le
Maître*, extrait de son récit *le terrible Verrat*, sous le pseudonyme de Glétchik, et un article sur l'enseignement de la
géographie aux enfants, sous le pseudonyme de Ianov. Ainsi,
bien qu'ayant eu plusieurs textes édités, il ne se décidait toujours pas à lever le masque. Sans doute fut-ce Anton Antonovitch Delvig, directeur à la fois de *la Gazette littéraire* et des
Fleurs du Nord, qui lui força la main. Avec appréhension, le
jeune auteur donna à *la Gazette littéraire*, son essai *la Femme*,
écrit au lycée, et accepta, pour la première fois, de voir figurer, au bas d'une page imprimée, son vrai nom. Un drôle de
nom ! *Gogol*, en russe, désigne le grèbe, ce petit oiseau aqua-
tique au plumage terne, à la huppe allongée et au bec pointu,
qui nage bien, vole mal et est incapable de marcher. De fait,
Nicolas Gogol ressemblait de plus en plus à un oiseau. En
tout cas, il refusait, dès à présent, la seconde partie de son
nom. Né Gogol-Ianovsky, il prétendait s'imposer comme Gogol
tout court. Ayant ainsi révélé son identité au public, il attendit, en tremblant, le résultat. *La Femme*, élucubration puérile et emphatique, devait passer inaperçue, mais l'auteur
avait acquis entre-temps la sympathie du directeur.

Anton Delvig, ami de Pouchkine et de Joukovsky, poète
lui-même à ses heures, était un homme de culture, de cœur
et de goût. Grand et lourd, le front haut, le nez chaussé de
lunettes à monture noire, il recevait en robe de chambre,
affalé sur un canapé, entouré de livres et de manuscrits. Sa
paresse était proverbiale, mais, en réalité, il souffrait du cœur
et le moindre effort physique l'abattait.

En le voyant, Gogol songeait avec respect que ce person-

_____

(1) Ce roman historique, commencé au lycée de Niéjine, avait été
en majeure partie détruit par l'auteur mécontent.

nage essoufflé et bienveillant était un familier de Pouchkine, que cette main qu'il venait de toucher avait touché la main de Pouchkine, que cette bouche qui lui parlait s'était adressée naguère à Pouchkine. Assis dans le petit bureau du maître de céans, il avait l'impression de s'être rapproché d'un astre et d'en percevoir déjà les rayons. Sans doute fut-il question de Pouchkine entre eux. De Pouchkine l'insaisissable, qui, ayant été jadis exilé dans ses terres par Alexandre Ier, pour quelques vers subversifs, était revenu en grâce auprès de Nicolas Ier, mais boudait la capitale et se complaisait à Moscou ; de Pouchkine qui avait publié coup sur coup des chefs-d'œuvre tels que *Poltava*, le chant VII d'*Eugène Onéguine*, *Boris Godounov* ; de Pouchkine qui, paraît-il, travaillait « comme un ange », très loin, à la campagne, dans sa propriété de Boldino ; de Pouchkine qui, après avoir tant couru les jupons, songeait à épouser une beauté moscovite... L'intérêt que ce jeune homme au long nez portait à Pouchkine en particulier et à la littérature en général émut Anton Delvig. Sans contredit, le visiteur méritait mieux qu'une obscure place de scribe au département des Apanages. Or, à Saint-Pétersbourg, la providence des hommes de lettres malchanceux était un autre poète, un autre ami de Pouchkine : Vassili Andréïevitch Joukovsky. Rien qu'à entendre prononcer ce nom, Gogol entrait en transes. Depuis le lycée, il considérait Joukovsky comme sa seconde idole, un peu en retrait par rapport à Pouchkine. Il connaissait par cœur un grand nombre de ses vers. Et voici qu'Anton Delvig lui proposait de le rencontrer ! Joukovsky, gloire officielle, était précepteur de l'héritier du trône, Alexandre Nicolaïevitch, jouissait de l'estime des souverains, recevait une pension de vingt-cinq mille roubles par an et logeait au palais Chépélevsky. Ce fut là qu'Anton Delvig se rendit, flanqué de son jeune collaborateur. En présence du chantre romantique de *Svétlana*, Gogol se sentit encore plus petit et plus vulnérable.

Joukovsky avait un visage d'un blanc mat, des yeux obliques de coupe orientale, un regard noir et un indulgent sourire. Cent fois, Pouchkine et d'autres avaient eu recours à lui pour apaiser la colère du tsar ou obtenir un adoucissement de la censure. Il accueillit ses visiteurs cordialement,

parut s'intéresser au sort de son nouveau confrère et promit
de le recommander à Pierre Alexandrovitch Plétnev — encore
un ami de Pouchkine ! — qui pouvait, disait-il, lui trouver
une situation intéressante. Des années plus tard, songeant à
cette première entrevue avec Joukovsky, Gogol devait lui
écrire :

« Alors que je n'étais qu'un tout jeune homme, au seuil de
la vie, je suis venu te voir. Tu avais déjà accompli la moitié
de ta carrière. Cela se passait au palais Chépélevsky. La pièce
où nous nous trouvions n'existe plus. Mais je la vois, comme
si j'y étais encore, jusque dans le moindre détail du mobilier
et des bibelots. Tu m'as tendu la main en exprimant le désir
d'aider ton futur émule. Que ton regard était affectueux et
bienveillant ! Qu'est-ce donc qui nous a réunis, malgré notre
différence d'âge ? C'est l'art... Du jour même de notre rencontre, l'art est devenu pour moi le facteur essentiel, le facteur
premier de ma vie, tout le reste étant secondaire. Il m'a
semblé que je ne devais contracter aucun lien sur terre, qu'il
s'agît des obligations familiales ou des obligations du citoyen,
car la littérature était en soi un service (1). »

Joukovsky était homme de parole. Il présenta lui-même
Gogol à Plétnev. Celui-ci occupait, à l'époque, le poste d'inspecteur de l'Institut patriotique des jeunes filles nobles. Poète,
critique, professeur de littérature, il était tout cela à la fois,
mais surtout il avait un sens profond de l'amitié. Il ne pouvait rien refuser à Joukovsky. Du reste, ce Gogol ne manquait
pas de mérites. Il venait de publier un article sur l'enseignement de la géographie. Donc il avait l'étoffe d'un pédagogue.
On allait chercher pour lui quelques leçons particulières et
tâcher de lui obtenir — pourquoi pas ? — une chaire à
l'Institut patriotique. Tant de joyeux projets furent assom-
bris par le brusque décès de Delvig, survenu le 14 janvier 1831,
à la suite d'une grippe (2). Mais, bien que l'instigateur de

_____

(1) Lettre du 10 janvier 1848.
(2) L'essai de Gogol, *la Femme*, fut publié dans le numéro du
16 janvier 1831 de *la Gazette littéraire*, deux jours après le décès de
Delvig.

toute l'affaire eût disparu, Joukovsky et Plétnev conservèrent leur appui à son protégé. Conseillé par eux, il publia, dans *la Gazette littéraire*, un article dithyrambique sur le *Boris Godounov* de Pouchkine : « Sublime ! Quand je tourne les pages du produit de ton génie, lorsque ton vers gronde et s'élance vers moi en notes de flamme, une terreur sacrée se répand dans mes veines, mon âme frémit d'effroi parce qu'elle a découvert Dieu au fond de son éternité ! »

Pouchkine dut sourire en lisant ce galimatias parsemé de points d'exclamation. Mais Gogol était sincère. Simplement, comme à l'accoutumée, il forçait la dose.

Le 6 février 1831, la directrice de l'Institut patriotique adressa un rapport en haut lieu pour signaler qu'un certain M. Gogol, fonctionnaire au département des Apanages, était prêt à enseigner l'histoire aux pensionnaires des petites classes, moyennant un traitement de quatre cents roubles par an : « M. l'inspecteur en personne (Plétnev) recommandant ce fonctionnaire et se portant garant de sa compétence et de son loyalisme, peut-être Votre Excellence jugera-t-elle bon de solliciter de l'autorité suprême l'approbation du choix de M. Gogol comme professeur d'histoire, à l'Institut. » Trois jours plus tard, le 9 février, l'impératrice, protectrice de l'Institut, signait la résolution. Et le 10 février, Gogol écrivait à sa mère une lettre de victoire. Selon son habitude, il exagérait l'ampleur des difficultés qu'il avait rencontrées comme celle des succès qui l'attendaient. Les contrariétés, que tant d'écrivains connaissent à leurs débuts, composaient à ses yeux un martyre unique dans l'histoire du monde. En revanche, le moindre encouragement l'éblouissait comme un rayon de soleil tombant par une déchirure des nuages. Il ne pensait que par catastrophes ou par triomphes :

« Comme je suis reconnaissant à la Dextre divine pour les échecs et les désagréments que j'ai éprouvés ! Je refuserais de les échanger contre les biens les plus précieux du monde... Nombre de gens n'ont pas connu au cours de leur existence entière ce que j'ai enduré jusqu'ici... Par contre, quelle paix maintenant dans mon cœur ! Quelle fermeté et quel courage dans mon âme ! Un seul désir me consume toujours : me rendre utile. Ce qui me fait plaisir, c'est que ce n'est plus

moi qui cherche à faire de nouvelles connaissances, mais que
ce sont les autres qui cherchent à me connaître. »

Gogol prit ses fonctions à l'Institut patriotique le 10 mars
1831 et fut titularisé le 1ᵉʳ avril de la même année, avec
promotion du 14ᵉ au 9ᵉ *tchin*. Du coup, il devenait « conseiller titulaire ». L'enthousiasme lui tournait la tête. Dans son
esprit, prompt à gauchir la vérité, ce n'était plus Plétnev
qui lui avait procuré cette place, mais l'impératrice elle-même
qui l'avait remarqué et intronisé. De nouveau il écrivait à sa
mère :

« J'ai eu la sotte idée, souffrant d'hémorroïdes, de craindre
qu'il ne s'agît de quelque autre et dangereuse maladie. Plus
tard j'appris qu'il n'y avait pas un homme à Saint-Pétersbourg qui ne connût le même inconvénient. Les docteurs m'ont
conseillé de garder le moins possible la position assise. Cet
avis m'a incité à abandonner un poste qui m'a toujours paru
insignifiant, alors qu'un autre que moi y eût trouvé son bonheur. Ma véritable voie est tout autre. Elle est droite et je
m'y engage avec, au cœur, la résolution de marcher d'un pas
ferme. J'aurais pu rester sans emploi, si je n'avais réussi à
faire parler de moi entre-temps. Sa Majesté l'impératrice
m'a ordonné de lire des cours à l'Institut des jeunes filles
nobles placé sous sa protection... Au lieu de m'enfermer dans
un bureau quarante-deux heures par semaine, je n'ai que
six heures de cours et mes appointements sont légèrement
plus élevés. Entre-temps, j'accomplis dans le silence de ma
chambre solitaire une besogne qui me rapportera beaucoup
plus de gloire que l'autre. A présent j'ai tout loisir de m'y
consacrer. Je travaille plus que jamais, et plus que jamais
je suis gai (1)... »

Cette gaieté eût été plus grande encore, s'il avait pu lire la
lettre que Plétnev avait écrite, quelques semaines auparavant,
à Pouchkine :

« Il faut que je te fasse connaître un jeune écrivain plein
de belles promesses. Tu as peut-être remarqué, dans *les Fleurs
du Nord*, un extrait de roman historique signé oooo, et, dans
la Gazette littéraire, les *Réflexions sur l'enseignement de la*

_____
(1) Lettre du 16 avril 1831.

géographie, un essai : *la Femme*, et un chapitre d'une nouvelle ukrainienne : *le Maître*. Ils ont été écrits par Gogol-
Ianovsky. Il avait commencé sa carrière dans l'administration,
mais sa passion de l'enseignement l'a rangé sous ma ban-
nière. Il est maintenant professeur. Joukovsky est enchanté
de lui. Je suis impatient de le soumettre à ta bénédiction.
Il aime la science pour la science et, en tant qu'artiste, est
prêt à subir toutes les privations. Cela me touche et m'émerveille (1). »

Le nouveau professeur de l'Institut patriotique avait commencé par prendre ses fonctions très au sérieux, puis il s'était
lassé de débiter des notions sommaires d'histoire devant un
parterre de fillettes en uniforme marron. Il allait à ses cours
sans entrain et attendait l'heure de la récréation avec autant
d'impatience que ses élèves. Pour arrondir ses appointements,
Plétnev l'avait fait engager comme répétiteur dans plusieurs
grandes familles, les Balabine, les Longuinov, les Vassiltchikov... Les enfants aimaient bien cet étrange professeur au
profil d'oiseau. Le fils des Longuinov (Michel Nicolaïevitch)
se souviendra de lui comme d'un homme de petite taille,
maigre, « avec un nez planté de travers, des jambes torses,
un toupet de cheveux sur le crâne, la coiffure la moins élégante qui soit, une façon de parler saccadée, interrompue par
de légers reniflements, un visage secoué de tics... » Il s'habillait de manière voyante, le menton soutenu par une haute
cravate. Ses élèves, déroutés par son double nom, avaient
voulu l'appeler M. Ianovsky, mais il s'y était opposé : « Pourquoi m'appelez-vous Ianovsky ? disait-il. Mon nom de famille
est Gogol. Ianovsky n'est qu'un rajout, inventé par les Polonais (2). »

Il leur enseigna un peu de russe, un peu de sciences naturelles, un peu d'histoire, un peu de géographie, en rappelant
ses propres souvenirs du lycée de Niéjine. Mais, le plus clair
de son temps, il le passait à leur raconter des anecdotes
ukrainiennes, qui les faisaient rire à gorge déployée. Rentré
chez lui, il continuait, la plume à la main. A présent, il était

(1) Lettre de Plétnev à Pouchkine du 22 février 1831.
(2) Longuinov : *Souvenirs sur Gogol*.

sûr de tenir le bon bout. Du *Carnet fourre-tout* il allait tirer
une demi-douzaine de nouvelles fantastiquement drôles. Quel
titre donner à l'ensemble ? *Contes petits-russiens* ou *Veillées
du Hameau* ? Et devait-il signer l'ouvrage de son nom ? Pour
ne pas compromettre sa dignité de professeur à l'Institut
patriotique, Plétnev lui conseillait de prendre un pseudonyme.
Gogol choisit celui de « Panko le Rouge, apiculteur ». Mais
il n'en était pas encore à l'impression ! Chaque page du manuscrit méritait, à ses yeux, d'être revue, corrigée, recommencée.
Quand une partie du texte lui paraissait au point, il envoyait
Iakim la porter chez un copiste.

   Au mois de mai, une vague de chaleur s'abattit sur Saint-
Pétersbourg. De gros nuages blancs dérivaient dans le ciel.
Les citadins aisés rêvaient déjà à leurs villas, perdues dans les
verdures de Tsarskoïé-Sélo, de Pavlovsk, de Krasnoïé-Sélo, de
Gatchina, tout près de la capitale. Soudain une nouvelle
éclata dans la ville : Pouchkine et sa jeune femme venaient
d'arriver ; ils logeaient à l'hôtel Démuth ; dans quelques jours,
ils quitteraient Saint-Pétersbourg pour Tsarskoïé-Sélo, où ils
avaient loué la maison de Kitaïev. Il fallait absolument que
Gogol les vît avant leur départ. Plétnev organisa, vers la fin
du mois de mai, une soirée chez lui, en l'honneur du poète.
L'âme de la réunion était leur amie commune, Alexandra
Ossipovna Rosset, qui avait également pris Gogol en sympathie. Cette petite personne de vingt-deux ans, fille d'un
émigré français, brune, fine, jolie, brillante, était demoiselle d'honneur de l'impératrice. Passionnée d'art, de poésie
et de politique, le regard ardent et la langue vive, elle
enflammait jeunes et vieux, comptait les meilleurs esprits de
Russie dans le cercle de ses intimes et usait de son influence
à la cour en leur faveur. Joukovsky l'avait surnommée « le
diablotin céleste ». On chuchotait que le grand-duc Michel
Pavlovitch et l'empereur Nicolas Ier lui-même n'étaient pas
insensibles à ses charmes. Bien qu'elle fût, ce soir-là, dans
tout l'éclat de sa grâce, Gogol la vit à peine. Il ne vit pas
davantage la très belle, très nonchalante et très jeune épouse
de Pouchkine, Nathalie Nicolaïevna. Il n'avait de regards que
pour un petit homme au visage basané, à la lippe épaisse et
aux grands yeux étincelants d'intelligence. D'épais favoris châ-

tain clair encadraient ses joues. Il portait un frac et une large cravate, dont les bouts retombaient sur sa chemise blanche. Il tenait un verre à la main. Cette main qui avait écrit *Eugène Onéguine* !

Plétnev présenta les deux hommes. Pouchkine, dès l'abord, se montra aimable. « Comme Pouchkine est bon, il a de suite apprivoisé le *Khokhol* (Petit-Russien) récalcitrant », notera Alexandra Ossipovna Rosset dans son journal (1). Et encore : « J'ai remarqué qu'il rayonne quand Pouchkine lui parle. » Sans doute, pourtant, Gogol et Pouchkine n'eurent-ils guère l'occasion de causer à cœur ouvert durant cette soirée bruyante. Quelques mots de banale courtoisie, une vague invitation à se revoir, un sourire, une poignée de main... Gogol rentra chez lui dans l'enchantement. Enfin il accédait au paradis des lettres. Des hommes de la taille de Joukovsky et de Pouchkine le traitaient en ami. Que serait-ce lorsqu'il aurait publié *les Veillées du Hameau* ?

L'été venait ; Saint-Pétersbourg se vidait ; des cas de choléra apparurent. On mourait surtout dans les quartiers pauvres. Çà et là, s'assemblaient des hommes et des femmes en guenilles qui criaient des imprécations contre les docteurs et les apothicaires empoisonneurs du peuple. Des gendarmes patrouillaient dans la ville. On arrêtait quelques trublions pour l'exemple. Plus rien à vendre dans les marchés. Toute victuaille était suspecte. Les médecins excédés conseillaient, par mesure préventive, de boire du lait chaud, ou du blanc d'œuf battu dans de l'huile, ou de l'eau salée (2). La cour s'était depuis longtemps installée à Tsarskoïé-Sélo. Ordre fut donné d'isoler Saint-Pétersbourg par un cordon de quarantaine, afin que personne ne pût y entrer ni en sortir. Heureusement, les amis de Gogol avaient obtenu pour lui une place de précepteur dans la maison de la princesse Vassiltchikov, à Pavlovsk. Il s'y rendit en hâte, tandis que la capitale, à demi déserte, se transformait en camp retranché.

Pavlovsk, l'un des lieux de villégiature préférés de la haute société pétersbourgeoise, se trouvait à deux verstes de la

---

(1) En français dans le texte.
(2) Lettre de Gogol du 24 juillet 1831.

résidence impériale de Tsarskoïe-Sélo, où séjournaient Pouchkine, Joukovsky, Alexandra Ossipovna Rosset. La maison de
la princesse Vassiltchikov grouillait de domestiques, d'invités
et de pique-assiette. Il y avait là notamment un groupe de
petites vieilles, qui vivaient depuis des années sans rien faire,
logées et nourries, dans l'ombre de leur bienfaitrice. La grandeur d'une famille ne se mesurait-elle pas au nombre de parasites qu'elle entretenait ?

Chaque matin, Gogol essayait d'apprendre à lire au fils de
la princesse, un enfant demeuré, aux longues jambes et à
l'œil rond. Tenant le gamin sur ses genoux, il lui désignait du
doigt les images d'un livre et disait : « Voilà, Vassenka, un
mouton... Mê-mê!... Et voilà un chien... Ouah ! ouah !... » Vassenka répétait tout de travers. Et Gogol recommençait patiemment (1). La leçon terminée, il se précipitait sur son manuscrit.

Parfois aussi, il rendait visite à la parasite préférée de la
princesse, la vieille Alexandra Stépanovna. Dans la chambre
basse de plafond, meublée d'un divan, de quelques fauteuils,
d'une table ronde à la nappe de coton rouge et d'une grosse
lampe à l'abat-jour vert, siégeaient, autour d'Alexandra Stépanovna, ses compagnes aussi âgées qu'elle, ridées, ratatinées,
tricotant des bas. Elles invitaient Gogol à s'asseoir et à lire
ce qu'il avait écrit. Un soir, comme il prenait place devant
son public, le jeune comte Sollogoub, neveu de la princesse,
entra dans la chambre et demanda la permission d'écouter.
Il portait l'uniforme des étudiants de l'université de Derpt,
se piquait de composer des vers et affectait un air de supériorité mondaine.

« Je me renversai dans mon fauteuil, écrira-t-il dans ses
Souvenirs, et me mis à écouter. Les petites vieilles recommen-
cèrent à bouger leurs aiguilles. Dès les premiers mots du
lecteur, je me détachai du dossier et, émerveillé, confondu,
redoublai d'attention... Il lisait une description de la nuit
ukrainienne : « La connaissez-vous, la nuit d'Ukraine ? Ah !
la nuit d'Ukraine, non, vous ne la connaissez pas !... » Il

_____

(1) *Souvenirs* de A.A. Vassiltchikov.

donnait au texte une couleur particulière par sa prononciation tranquille, par une indéfinissable intention d'ironie qui
tremblait dans sa voix et passait sur son visage original et
spirituel. Ses yeux gris souriaient, tandis qu'il rejetait en
arrière, d'un mouvement de tête, les cheveux qui tombaient
sur son front... Soudain il s'écria : « Mais ce n'est pas ainsi
qu'on danse le *hoppak* ! » Les vieilles parasites s'exclamèrent :
« Comment ça, pas ainsi ? » Elles avaient cru que le lecteur
s'adressait à elles. Il sourit et poursuivit le monologue du
moujik ivre. Je l'avoue, j'étais stupéfait, anéanti. Quand il
eut fini de lire, je me jetai à son cou et pleurai. Ce jeune
homme s'appelait Nicolas Vassiliévitch Gogol. »
   Gogol lut encore des extraits de ses récits chez Alexandra
Ossipovna Rosset, avec le même succès. « Il m'a paru gauche,
timide et triste » (1), notera-t-elle dans son journal. Lui cependant était subjugué par la grâce, la gentillesse, la spontanéité
de la jeune fille. Elle n'était pas inquiétante, effrayante, pensait-il, comme les autres créatures de son sexe. Devant elle,
il pouvait parler sans contrainte. Il comprenait même que
l'on en tombât amoureux. Non point physiquement, quelle
horreur ! Mais par le cœur, par l'esprit... D'ailleurs elle allait
bientôt se marier avec un jeune diplomate : Smirnov. L'empereur avait déjà donné son consentement. Smirnov était
riche, mais d'une intelligence au-dessous de la moyenne.
Pouchkine considérait cette union comme une sottise. N'avait-
il pas, lui aussi, un sentiment tendre pour la demoiselle d'honneur de l'impératrice ?
   Souvent Gogol flânait dans les allées de Pavlovsk et poussait jusqu'à Tsarskoïé-Sélo. Le parc de la résidence impériale,
avec ses lourds ombrages, ses pelouses vertes, veloutées, ses
statues de marbre, son lac, ses cygnes, ses ponts, ses fausses
ruines, son vieux château de style rococo inclinait à la rêverie.
Mais ce n'étaient pas ces merveilles qui retenaient le regard
du promeneur. Il guettait l'apparition, au tournant d'un chemin, d'un petit homme armé d'une canne, coiffé d'un chapeau
haut de forme, et marchant d'un pas vif.

---

(1) En français dans le texte.

En voyant Pouchkine, il savait déjà qu'il ne perdrait pas
sa journée. Une franche sympathie s'établit entre les deux
hommes. Joukovsky se joignait fréquemment à eux. Ils discutaient de leurs œuvres respectives, de leurs projets. Alexandra Ossipovna notait dans son journal : « Joukovsky est
triomphant d'avoir empoigné le *Khokhol* récalcitrant... J'ai
promis à Pouchkine de gronder le pauvre *Khokhol* s'il devient
trop triste dans la Palmyre du Nord, dont le soleil a toujours
l'air si malade. Pouchkine disait que l'été au Nord est la
caricature des hivers du Midi. Ils ont tant taquiné Gogol
sur sa timidité et sa sauvagerie, qu'ils ont fini par le mettre
à son aise (1)... »

Gogol était si fier d'avoir gagné l'amitié de Pouchkine, qu'il
eût voulu en informer, sur-le-champ, tous ses amis. Mais ne
le prendrait-on pas pour un hâbleur ? Immédiatement un stra-
tagème naquit dans son cerveau. Toujours enclin aux solu-
tions tortueuses, il raconta à Pouchkine qu'il n'avait pas
d'adresse fixe à Saint-Pétersbourg et le pria de l'autoriser à
faire expédier sa correspondance chez lui. Un peu surpris,
Pouchkine accepta. Le 21 juillet 1831, Gogol pouvait annoncer
à sa mère, avec un détachement affecté, dans le post-scriptum
d'une lettre au cours de laquelle il n'avait fait aucune allusion
à ses relations avec Pouchkine : « Ecrivez-moi au nom de
Pouchkine, à Tsarskoïé-Sélo. N'oubliez pas de mentionner sur
le pli : « A Sa Haute Noblesse Alexandre Serguéïevitch Pouchkine, pour remettre à Monsieur N.V. Gogol. » Et, trois jours
plus tard, il réitérait sa recommandation : « N'avez-vous pas
oublié l'adresse ? Au nom de Pouchkine, à Tsarskoïé-Sélo. »

Ce fut à regret qu'il quitta Pavlovsk, vers la mi-août, pour
rentrer à Saint-Pétersbourg où l'attendaient les épreuves du
premier tome des *Veillées du Hameau*. Sur les conseils de
Plétnev, il avait confié la composition de l'ouvrage à une
imprimerie de la rue Bolchaïa Morskaïa. Impatient, il allait
surveiller le travail sur place. Ah ! si son nouvel ami Pouchkine avait pu être à ses côtés ! Il lui écrivit à Tsarskoïé-Sélo
pour l'associer à sa joie :

_____

(1) En français dans le texte.

« Le plus étrange fut ma visite à l'imprimerie. A peine avais-je passé la porte, que les typographes, en me voyant, se mirent à pouffer de rire derrière leur main, en se tournant vers le mur. Cela me surprit quelque peu. Je demandai des explications au metteur en pages. Celui-ci, après avoir tenté d'éluder la question, me dit : « Les petites histoires que vous avez bien voulu envoyer de Pavlovsk pour que nous les imprimions sont très drôles et ont beaucoup amusé les typographes. » J'en conclus que j'étais un écrivain tout à fait dans le goût de la populace (1). »

L'épisode des typographes pouffant de rire était-il vrai ou inventé par Gogol pour mieux préparer son entrée dans le monde des lettres ? Peut-être avait-il surpris un sourire en franchissant le seuil de l'atelier et, aussitôt, toute la fable s'était agencée dans sa tête. Il terminait sa lettre en exprimant ses souhaits de bonheur à Mme Pouchkine que, par inadvertance, il appelait Nadéjda Nicolaïevna. « Votre Nadéjda Nicolaïevna, autrement dit ma Nathalie Nicolaïevna, vous remercie de votre bon souvenir », lui répondit Pouchkine. Et il ajouta : « Je vous félicite pour votre premier triomphe : l'hilarité des typographes et les explications du metteur en pages. »

Saint-Pétersbourg était encore à demi vide, mais l'épidémie de choléra paraissait enrayée. Pluie et vent, l'automne s'annonçait précoce. Il y eut même un début d'inondation. Les rues et les cours du quartier Méchtchansky disparaissaient sous une mince nappe d'eau. Et la pluie tombait toujours. Or, comme chacun sait, le mauvais temps incite à la lecture. Les meilleures conditions étaient donc réunies, pensait Gogol, pour la venue au monde des *Veillées du Hameau*. Dès qu'il eut entre les mains un jeu d'épreuves complet, il l'envoya à Pouchkine aux fins d'appréciation. Celui-ci le lut d'une traite et explosa d'enthousiasme.

« Je viens de lire *les Veillées du Hameau*, écrivit-il, vers la fin du mois d'août 1831, à Voïeïkov, rédacteur en chef du *Supplément littéraire à l'Invalide russe*. Elles m'ont émerveillé. La voilà la vraie gaieté, sincère, sans contrainte, sans afféterie,

_____

(1) Lettre du 21 août 1831.

sans raideur ! Et, par endroits, quelle poésie, quelle sensibilité ! Tout cela est si nouveau dans notre littérature, que je
n'en suis pas encore revenu. On m'a dit que, lorsque l'auteur
est entré dans l'imprimerie où l'on travaillait aux *Veillées*,
les typographes se sont mis à s'esclaffer et à pouffer devant
lui. Le metteur en pages lui a expliqué leur attitude en disant
qu'ils mouraient de rire en composant son texte. Molière et
Fielding auraient été heureux de divertir leurs typographes.
Je félicite le public avec la venue au monde d'un livre franchement gai et, de tout cœur, je souhaite à l'auteur de nouveaux succès. Mais, pour l'amour du ciel, prenez sa défense
si les journalistes, selon leur habitude, lui reprochent
l'*inconvenance* de ses expressions, son *mauvais ton*, etc. Il est
grand temps de confondre les *précieuses ridicules* de notre
littérature russe ! »

Enfin, au début du mois de septembre 1831, Saint-Pétersbourg redevint une ville animée, élégante, et le livre sortit
des presses. Le titre complet en était : *Veillées du Hameau
près de Dikanka*, « récits publiés par l'apiculteur Panko le
Rouge ». Gogol fit le tour des libraires pour discuter la
commission qu'il leur laisserait sur chaque volume vendu,
signa son service de presse et attendit. Les premiers échos
furent si élogieux, qu'en expédiant un exemplaire dédicacé
à sa mère, il lui écrivit, le 19 septembre :

« Voici le fruit de mes loisirs. Tout le monde l'a aimé ici,
à commencer par l'impératrice ; j'espère qu'il vous procurera,
à vous aussi, quelque satisfaction ; cela seul suffirait à me
rendre heureux. Portez-vous bien et soyez joyeuse, comme si
chaque jour que vous viviez était un jour de fête. »

Et, sans désemparer, il suppliait sa sœur aînée Marie de
lui adresser de nouveaux renseignements pour le deuxième
volume des *Veillées* :

« Tu te rappelles, ma chère sœur, avec quel bonheur tu as
commencé à rassembler pour moi des contes et des chants
petits-russiens ! Malheureusement, par la suite, tu t'es arrêtée.
Ne peux-tu te remettre à l'ouvrage ? J'en ai absolument
besoin (1). »

---

(1) Lettre du 19 septembre 1831.

Il poussait même le souci du détail jusqu'à demander à Marie qu'elle achetât pour lui, à la campagne, de vieux costumes ukrainiens :

« Je me rappelle très bien que nous avons vu, une fois, dans notre église, une jeune fille en costume ancien. Elle le vendra sans doute volontiers. Si vous trouvez chez un moujik un chapeau ou des habits d'une époque reculée et présentant quelque originalité, achetez-les, même s'ils sont déchirés... Rangez tout cela dans une malle ou une valise et expédiez-le moi à la première occasion (1). »

Maintenant il était sûr d'avoir trouvé sa véritable voie. Plus de souci pour l'avenir. La notoriété conduit à la fortune. Pourquoi donc sa mère continuait-elle à s'inquiéter ? Bientôt il ne lui demanderait plus d'argent. Et même il lui viendrait en aide ! En attendant mieux, il envoyait à Vassilievka un réticule et des gants pour elle, un bracelet et une boucle de ceinture pour sa sœur Marie. Il les priait de lui dire quelle couleur convenait le mieux à leur teint et quelle était leur pointure pour les souliers. « J'ai besoin de le savoir à tout hasard, particulièrement pour le cas où j'aurais de l'argent de reste (2). »

Et aussi :

« Pour l'instant, le Très-Haut a envoyé André Andréïevitch (Trochtchinsky) pour vous venir en aide ; l'année prochaine, c'est peut-être à moi qu'Il donnera cette chance ; ainsi vous voyez que nous devons être gaillards, actifs et travailler en nous amusant le plus possible (3). »

Au mois de mars 1832, parut en librairie le second volume des *Veillées du Hameau*, dont le succès, auprès du public, élargit encore la renommée de l'auteur. « Que le diable m'emporte si je ne suis pas bien près du septième ciel », écrivait Gogol à son ami Danilevsky, au Caucase (4).

La critique, elle, fut divisée. Si le jeune Bélinsky, n'ayant

---

(1) Ibid.
(2) Lettre du 17 octobre 1831.
(3) Lettre du 30 octobre 1831.
(4) Lettre du 10 mars 1832.

pas encore de tribune dans un journal, clamait son admiration à tout venant : « Que d'esprit, que de gaieté, que de poésie, que de sens populaire ! » (1) si Nadéjdine écrivait, dans le *Télescope* : « Personne jusqu'à présent n'a su représenter les mœurs de l'Ukraine d'une manière aussi vive et aussi charmante que le brave apiculteur Panko le Rouge », — les grands pontifes faisaient la moue. Dans le *Télégraphe de Moscou*, Polévoï, défenseur du romantisme à la Hugo et à la Walter Scott, s'adressait à l'auteur en ces termes : « Tous vos récits sont tellement incohérents que, malgré de savoureux détails appartenant visiblement à la tradition populaire, il est difficile d'aller jusqu'au bout de l'histoire. Le désir d'imposer à votre texte un air petit-russien vous a tellement embrouillé la langue, que, souvent, il est impossible de rien comprendre à votre propos. » Dans *l'Abeille du Nord*, Ouchakov reprochait à Gogol ses descriptions « sans précision, sans ampleur, sans audace ». Dans la *Bibliothèque pour la Lecture*, Senkovsky affirmait que les deux volumes formaient un ensemble monotone, que la langue en était incorrecte, voire vulgaire, et que ce genre de littérature était destiné à un public « d'un niveau encore inférieur à celui de Paul de Kock ».

Mais Pouchkine avait prévenu son jeune confrère que ses récits, hauts en couleur, allaient heurter quelques esprits soi-disant raffinés. Un véritable conteur devait, disait-il, écouter la voix de ceux qui aimaient lire des histoires et non la voix de ceux qui faisaient profession de les disséquer. Aussi Gogol, qui avait tant souffert des critiques à la publication de *Hans Küchelgarten*, acceptait-il maintenant avec une sereine ironie les coups de griffe de la presse. Comme par hasard, ses ennemis en littérature étaient ceux-là même qui dénigraient Pouchkine. Certains blâmes, venant de très bas, sont plus précieux que des compliments. Passant d'une librairie à l'autre, il se rappelait le temps, proche encore, où il contemplait avec tristesse les brochures invendues de son poème, dormant sur les rayons. Quel changement, depuis, dans son existence ! A présent les libraires l'accueillaient avec

_____

(1) Cf. Bélinsky : *Les Rêveries littéraires*, 1834.

un large sourire. Il pouvait voir les piles de *Veillées* baisser de jour en jour. Le premier tirage, qu'il avait fixé à mille deux cents exemplaires, allait être épuisé en quelques semaines. Cependant il avait le sentiment que son œuvre était imparfaite et qu'il devait, pour plaire à Dieu, viser plus haut.

V

LES VEILLÉES DU HAMEAU

Quand il s'interrogeait sur les raisons qui l'avaient poussé à écrire un livre, Gogol devait reconnaître qu'il s'y était décidé avant tout parce qu'il avait besoin d'argent et qu'il voyait là un moyen d'améliorer son traitement de fonctionnaire. Ce même souci l'avait guidé dans le choix des sujets et du genre. Puisque la littérature régionaliste ukrainienne était à la mode et qu'il disposait, grâce à sa famille, de renseignements folkloriques nombreux et inédits, il lui fallait exploiter ce filon à l'exclusion de tout autre. Pourtant, dès le début de son travail sur *les Veillées du Hameau*, l'enthousiasme de l'artiste avait balayé les considérations du commerçant. Il avait cru s'atteler à une tâche de commande et il s'apercevait que les meilleurs moments de sa journée étaient ceux où il retrouvait ses personnages. Perdu dans un Saint-Pétersbourg froid et revêche, il évoquait avec ivresse la riche terre d'Ukraine baignée de soleil, les paysans paresseux et farceurs, tout un univers de santé, de facilité et de légende. Il écrira dans la *Confession d'un Auteur* :

« La cause de la gaieté qu'on a remarquée dans mes premières œuvres tenait à un certain besoin de mon âme. J'étais sujet à des accès de mélancolie que je n'arrivais pas moi-même à m'expliquer et qui provenaient peut-être de mon état maladif. Pour me distraire, j'imaginais toutes les histoires comiques possibles. J'inventais entièrement des personnages et des caractères drôles, je les plaçais à dessein dans les situations les plus risibles, sans me soucier aucunement de savoir à quelle fin je le faisais ni quel profit l'on en pourrait tirer. C'était la jeunesse qui me poussait, la jeunesse qui, comme on le sait, ne se pose pas de questions. »

Certes les huit nouvelles qui composent *les Veillées du Hameau* fourmillent de notations comiques, mais elles contiennent aussi des pages terrifiantes, hallucinantes, qui ne sont pas d'un auteur enclin à se divertir. Il semble que la franche gaieté de tel passage ne soit là que pour contrebalancer l'angoisse dont Gogol nous gratifie — et se gratifie lui-même — dans tel autre. Marchant pas à pas avec ses héros, il éprouve le besoin de plaisanter comme un enfant se rassure en riant dans le noir. Plus la peur est grande, plus le rire sonne haut. Et c'est ce mélange de crainte superstitieuse et de joie paysanne qui donne de la saveur à l'ensemble.

Les protagonistes des *Veillées du Hameau* sont presque tous peints en pleine pâte, avec de grasses couleurs. Il y a là de vieux cosaques truculents et sentencieux, de jeunes gars délurés lorgnant les filles, des femmes sur le retour qui dominent leur mari et le trompent, des fils de pope, des sacristains, des sorcières, des ivrognes, des innocents, des pitres, des diables. Le diable, du reste, fait partie du village au même titre que les autres habitants. Il a leurs dimensions, il est taillé dans leur étoffe ; simplement il possède plus de pouvoir et son esprit est tourné vers le mal. Dans certains cas, on peut le berner ; dans d'autres, c'est lui qui vous roule. Alors l'aimable diablerie se change en une lutte à mort entre l'esprit chrétien et les forces obscures. Si certains récits, comme *la Foire de Sorotchintsy, la Dépêche disparue* et *le Terrain ensorcelé* ne sont que des divertissements pittoresques, *la Nuit de Mai* et *la Nuit de Noël* marquent déjà l'entrée en lice des puissances négatives. Encore un degré dans le surnaturel, et la plus folle sorcellerie envahira *la Nuit de la Saint-Jean* et *la Terrible Vengeance*.

Dans *la Nuit de la Saint-Jean*, le pauvre Pétro, amoureux de la belle Pidorka et ne pouvant l'épouser, faute d'argent, fait un pacte avec le diable : il touchera un trésor, s'il sacrifie un enfant au cours d'une séance de magie noire. Or, l'enfant, qu'une sorcière lui présente, n'est autre que le frère de sa promise. Pétro veut se révolter, mais la fascination de l'or est la plus forte. Par amour pour Pidorka, il égorge le petit garçon ; des monstres hideux éclatent de rire autour de lui ; la sorcière boit le sang frais avec des lappements de louve ; le meurtrier, devenu riche, épouse la jeune fille, mais ils ne connaîtront pas le repos.

Plus inquiétante encore est *la Terrible Vengeance*, avec la figure de ce vieux sorcier traître à sa patrie, meurtrier de sa femme, de son gendre, de son petit-fils et amoureux de sa fille, qu'il finit par tuer aussi. Il va trouver un pieux ermite et lui demande de prier pour son âme damnée. Mais les caractères du livre sacré s'injectent de sang, le saint homme épouvanté refuse d'intercéder auprès de Dieu pour un pécheur de cette taille et le sorcier assassine le vieillard. D'un bout à l'autre du récit, ce ne sont que combats, ruses, songes prémonitoires, pratiques de magie, cadavres desséchés sortant de leur tombe avec un long gémissement : « J'étouffe, j'étouffe ! » Ici le mal est illimité. Sous la nature en apparence ordonnée, grondent les forces du chaos originel.

Mais, de même que l'auteur se sent porté naturellement à conjuguer le burlesque avec le terrible, de même il ne peut s'élancer dans la fantaisie que s'il s'appuie sur la réalité. Bien mieux, plus son propos est irrationnel, plus il éprouve le besoin de le nourrir de détails authentiques. Avant d'entreprendre son travail, il lit scrupuleusement toutes sortes d'ouvrages ayant trait à l'Ukraine, livres de Kotliarevsky, de Kvitka-Osnovianenko, d'Artemovsky-Gouliak ; il épluche des études linguistiques et éthnographiques sur les provinces du Sud ; il pioche dans les joyeuses comédies de son père ; il feuillette des traités de magie ; il compulse son *Carnet fourre-tout* pour recenser les informations fournies par sa mère et sa sœur ; il accorde un regard aux vieilles robes, aux bonnets, aux fichus, qu'il s'est fait envoyer par elles. Et cette masse de faits précis, d'objets palpables le rassure, quant à la crédibilité de son mensonge poétique. Même s'il n'utilise pas certains de ces documents, ils concourent à former sous ses pieds un terrain solide. Inventer à partir de rien équivaudrait pour lui à se jeter dans un gouffre. L'angoisse l'étreint à cette seule idée. Vite, vite, des matériaux ! Il ne saurait en trouver lui-même. L'existence, il ne la perçoit nettement, semble-t-il, qu'à travers les autres. Il écrira dans la *Confession d'un Auteur* :

« Je n'ai jamais rien créé en imagination. Cette faculté m'a toujours manqué. Je ne réussissais que lorsque je puisais dans la réalité, en utilisant les données dont je disposais. »

Même les sujets de ses contes, il ne les invente pas. Il les prend dans la tradition folklorique et les développe à sa manière. Qu'on lui propose un canevas, et on verra de quelle royale broderie il l'agrémente !

Son travail sur la matière brute est d'une extrême complexité. Armé d'un verre grossissant, il isole un détail — trait de visage, de vêtement, de caractère —, qui s'avance avec force au premier plan. L'exactitude photographique le conduit ainsi à la déformation hallucinatoire. Plus il s'efforce d'être précis, plus il s'éloigne de la vérité. Et son goût des comparaisons accentue encore cet écart. Quand il enfourche une métaphore, elle l'emporte à mille lieues. Certaines sont cocasses ou émouvantes. D'autres rompent le charme du récit. Peu importe, rien n'amuse plus Gogol que de quitter la grande route pour s'égarer dans les petits sentiers.

Malgré le souci de transposition systématique dont témoigne cet art, c'est « le réalisme » des *Veillées du Hameau* qui étonne et séduit les premiers lecteurs. La minutie des descriptions leur paraît une preuve d'authenticité. En lisant les contes de Panko le Rouge, ils ont la sensation, tout ensemble, d'écouter d'incroyables histoires et de se documenter sur les mœurs de l'Ukraine.

Cette Ukraine, telle que l'auteur la dépeint, est, du reste, fort rassurante. Préoccupé de pittoresque et de fantasmagorie, il ignore sereinement l'existence du servage. Les excès de l'autocratie ne le choquent point. La misère du paysan n'est pas son affaire. Le volume refermé, on ne se pose aucun problème social.

Quant à la « trivialité » de tel ou tel passage, qui a irrité certains critiques, il semble que Gogol ait voulu lui donner comme contrepoids toute la poésie dont il était capable. Là encore, s'exprime la dualité de l'auteur : non seulement il juxtapose l'angoisse et le rire, la réalité et le surnaturel, mais encore il passe des notations les plus truculentes à des épanchements lyriques inattendus. Soudain, en tête d'un chapitre, s'étale une description de haut ton, véritable poème en prose égaré dans la farce :

« Divine nuit ! Nuit enchanteresse ! Immobiles et inspirées, les forêts pleines de ténèbres projettent devant elles une ombre gigantesque. Le silence et la paix règnent sur les étangs. Leurs eaux froides et sombres sont tristement emprisonnées entre les parois vert foncé des jardins. Les bosquets virginaux de merisiers et de prunelliers plongent craintivement leurs racines dans l'onde glacée de la source et, de loin en loin, on entend leur feuillage murmurer comme s'il se fâchait et grondait lorsque le vent nocturne, venu en tapinois, lui dérobe un baiser... Dans l'âme, comme au ciel, s'ouvrent des espaces infinis et merveilleux, des visions argentées montent en foule des profondeurs. Divine nuit ! Nuit enchanteresse (1) ! »

A noter que ce tableau de la nuit ukrainienne sert de décor non à une scène d'amour comme on pourrait s'y attendre, mais aux bégaiements et aux vacillements d'un paysan ivre qui essaie de danser le *hoppak*.

En vérité, lorsqu'il s'agit de suggérer la beauté d'un spectacle naturel, Gogol, emporté par l'inspiration, passe souvent la mesure et verse dans la rhétorique. Ainsi, évoquant un étang, la nuit, écrit-il :

« Tel un vieillard sans force, il enserrait de sa froide étreinte le ciel sombre et lointain, et couvrait de baisers glacés les étoiles de feu qui pâlissaient dans l'air nocturne et tiède, comme si elles avaient pressenti l'ascension éblouissante de la reine des nuits (2). »

Et voici une rivière :

« Elle est fantasque comme une jeune fille en ces heures enivrantes où le miroir fidèle reflète son visage pétri d'orgueil et de lumière, ses épaules à la blancheur de lis, son cou de marbre ombragé par la sombre vague de sa chevelure châtain. De même que la belle rejette avec dédain ses parures pour

_____

(1) *La Nuit de Mai, ou la Noyée.*
(2) Ibid.

en revêtir de nouvelles, au gré de caprices sans fin, de même la rivière changeait, presque chaque année, de cadre, se choisissant un autre itinéraire et s'entourant de paysages nouveaux et variés (1). »

Voici enfin le Dniepr, bouillonnant sous l'orage :

« Les hautes vagues grondent en frappant le pied des montagnes et reculent, scintillantes et gémissantes, pleurant et sanglotant. Ainsi se désole la vieille mère d'un Cosaque en voyant son fils partir pour la guerre. Plein de vaillance et d'entrain, il s'avance sur son cheval noir, les poings aux hanches et le bonnet gaillardement planté sur le crâne ; elle, cependant, court en sanglotant derrière lui, saisit son étrier, cherche à retenir le mors, se tord les mains et pleure à chaudes larmes (2). »

Mais c'est encore dans l'évocation des personnages féminins que l'auteur se montre le plus prolixe et le plus embarrassé. Parasska, de *la Foire de Sorotchintsy*, est « une belle enfant au visage rond, aux sourcils de jais régulièrement arqués au-dessus de ses yeux noisette et aux petites lèvres roses arrondies en un sourire insouciant ». Une autre jeune Cosaque « a les joues fraîches et colorées comme un pavot du rose le plus délicat lorsque, lavé par la rosée du Seigneur, il flambe, redresse ses pétales et se fait beau, face au soleil levant ; ses sourcils sont pareils aux lacets noirs que les jeunes filles achètent de nos jours pour y enfiler croix et ducats... sa petite bouche paraît faite pour exhaler des chants de rossignol (3) ». Hanna, dans *la Nuit de Mai*, a « des yeux clairs qui brillent d'un éclat bienveillant dans la pénombre, telles de petites étoiles ». Oksana, dans *la Nuit de Noël*, admire son reflet dans un miroir et soupire : « Se peut-il que mes sourcils noirs et mes yeux soient si beaux qu'ils n'aient point leur pareil au monde ? »

Toutes ces charmantes villageoises ont invariablement dix-sept ans, des prunelles de nuit, des lèvres de corail et des dents de perle. Idéalisées à l'extrême par un auteur qui n'a

---

(1) *La Foire de Sorotchintsy.*
(2) *La Terrible Vengeance.*
(3) *La Nuit de la Saint-Jean.*

que peu approché les femmes, elles sont les objets froids, lisses, précieux et mystérieux, pour lesquels les jeunes gars se damnent. Le langage même de ces reluisantes poupées est conventionnel. Seuls les vieux, dans *les Veillées du Hameau*, ont des trognes vivantes et s'expriment comme de vrais paysans ukrainiens. L'un d'eux s'écrie, parlant des femmes : « Seigneur Dieu, que t'avons-nous fait, pauvres pécheurs, pour mériter ce fléau ? Comme s'il n'y avait pas assez de saletés de toute espèce, ici-bas, sans qu'il t'ait encore fallu créer les femmes (1) ! »

La phrase désobligeante pourrait servir d'exergue à l'avant-dernière nouvelle du recueil : *Ivan Fédorovitch Chponka et sa Tante*. Cette nouvelle, à la différence des autres, n'est ni paysanne ni fantastique. La netteté de son style et l'ironie nonchalante de son observation en font comme une introduction au monde des petites gens, des drames médiocres, des bizarreries à ras de terre. A travers elle, pour la première fois peut-être, l'auteur nous montre la nullité de certaines vies, pourtant voulues par Dieu. Il se penche sur un être grisâtre, falot, et en fait un personnage de roman à l'envers. Tout en creux au lieu d'être en relief. Un sous-homme. Un anti-héros. La nouvelle raconte les tourments d'un militaire à la retraite, devenu propriétaire foncier, que sa tante veut marier de force à une dondon blondasse du voisinage. Ivan Fédorovitch est un faible, un rêveur. Sa tante, Vassilissa Karpovna, personne robuste et résolue, lui en impose : « Il semblait que la nature avait commis une erreur impardonnable en assignant (à Vassilissa Karpovna) de porter une capote brun foncé à petits volants..., alors qu'elle était faite pour porter des moustaches de dragon et des bottes de cavalerie. » Conduit par cette personne de poids, Ivan Fédorovitch est présenté à la jeune fille qu'on lui destine et, la nuit même, il a un cauchemar.

« Il rêva qu'il était déjà marié et que tout, dans la petite maison, était insolite, extraordinaire. Dans sa chambre, au lieu d'un lit simple, un lit à deux places. Sa femme est assise

---

(1) *La Foire de Sorotchintsy.*

sur une chaise. Il se sent tout drôle : il ne sait comment l'aborder, que lui dire, et s'aperçoit qu'elle a une tête d'oie. Se retournant par hasard, il voit une autre femme, qui a aussi une tête d'oie. Il regarde dans une autre direction, et découvre une troisième femme. Il jette un coup d'œil derrière lui — en voilà une quatrième ! L'anxiété le saisit. Il se précipite dans le jardin. Mais il y fait très chaud. Il ôte son chapeau, et que voit-il ? Il y a une femme dans le chapeau. La sueur inonde son visage. Il veut prendre un mouchoir dans sa poche et y trouve encore une femme. Il tire de son oreille un tampon de coton, il y a une femme derrière. Il se met à sauter sur un pied. Sa tante le regarde et lui dit gravement : « Oui, il faut que tu sautes sur un pied maintenant, parce que tu es un homme marié. » Il court vers elle. Trop tard, elle n'est déjà plus sa tante mais un clocher. Il sent qu'on le hisse au haut de ce clocher par une corde. — « Qui me tire ainsi ? » dit-il d'une voix plaintive. — « C'est moi, ta femme, qui te hisse là-haut, parce que tu es une cloche. » — « Non, je ne suis pas une cloche, je suis Ivan Fédorovitch ! » crie-t-il. — « Si, tu es une cloche ! » dit en passant près de lui le colonel P. d'un régiment d'infanterie. Ensuite il rêva que sa femme n'était pas du tout un être humain, mais une sorte de tissu de laine. Il entre dans une boutique de Moghilev. « Quel tissu désirez-vous ? » demande le marchand. Et il ajoute : « Prenez de la femme, c'est le tissu le plus à la mode. Très solide ! Tout le monde s'en fait des redingotes à présent. » Le marchand mesure et taille la femme. Ivan Fédorovitch la prend sous le bras et se rend chez un tailleur juif. « Non, non, dit le Juif, c'est du mauvais tissu. Personne ne l'emploie plus pour en faire des redingotes... »

Le cauchemar d'Ivan Fédorovitch est-il une transposition comique des angoisses de l'auteur devant les personnes du sexe ? Il serait aventureux de l'affirmer. Mais incontestablement le phénomène féminin le paralyse. Pour peu qu'une femme soit jeune et jolie, il ne sait ni la décrire dans un récit ni l'aborder dans la vie. Nul cependant, parmi le public, ne remarqua, à l'époque, l'allure empesée des jeunes couples amoureux dans *les Veillées du Hameau*. Il est vrai que le piment des autres personnages — commères, diacres, sorciers, diables, distillateurs, centeniers — relève le pâle ragoût des idylles campagnardes. Les lecteurs s'amusent ferme et s'effraient agréablement devant cet opéra-ballet en costumes chatoyants. La couleur locale fuse de partout. Chaque nom propre est une plaisanterie. On goûte au passage la cuisine ukrainienne, boulettes au pavot et pâtés au fromage. La langue rocailleuse, piquée de mots de patois, de diminutifs cocasses, de proverbes petits-russiens, est à elle seule un gage de succès. Evidemment il y a des phrases trop longues, des incidentes incorrectes, une surcharge d'épithètes, du faux lyrisme, des invraisemblances psychologiques, mais ces maladresses mêmes, inexplicablement, ajoutent au charme du livre.

Encouragé par l'accueil des lecteurs, Gogol allait-il devenir un écrivain régionaliste et donner d'autres *Veillées du Hameau* jusqu'à l'épuisement des ressources folkloriques de l'Ukraine ? La tentation était forte. Mais, deux mois après la sortie en librairie des *Veillées*, Pouchkine publia ses *Récits de Biélkine*, chef-d'œuvre de sobriété et de rapidité narratives. Des phrases courtes, nerveuses. Un vocabulaire succinct. Pas de métaphores. Le récit galopait de verbe en verbe. L'auteur n'apparaissait jamais et n'expliquait jamais ses personnages. Vus de l'extérieur, ils se dévoilaient à nous en agissant. Alors que, chez Gogol, tout était subjectif et lyrique, chez Pouchkine tout était objectif et réaliste.

A l'inverse des *Veillées du Hameau*, les *Récits de Biélkine* déçurent le public, qui prit leur simplicité pour de l'indigence. Gogol, lui, fut émerveillé. Une fois de plus, se disait-il, Pouchkine lui donnait une leçon. Certes il ne changerait pas de genre, ni de style. Sa façon de raconter était accordée au battement de ses artères, à la chaleur de son sang. Mais ne serait-il pas bien inspiré en s'intéressant à des personnages moins extravagants que les joyeux lurons de l'Ukraine ?

Tout en s'interrogeant sur son avenir littéraire, il jouissait candidement de sa nouvelle notoriété. Nul n'ignorait maintenant que, derrière le pseudonyme de « Panko le Rouge », se cachait un certain Gogol.

« A l'avenir, écrivait-il à sa mère le 6 février 1832, adressez vos lettres au nom de Gogol simplement, car la partie finale de mon nom de famille (Ianovsky) a disparu je ne sais où. Peut-être quelqu'un l'a-t-il ramassée sur la grand-route et la porte-t-il comme lui appartenant. Quoi qu'il en soit, nulle part je ne suis connu sous le nom de Ianovsky... »

Le vendredi 19 février 1832, il participa, avec tous les hommes de lettres de la capitale, à un dîner offert par le libraire-éditeur Smirdine, pour fêter son installation dans un nouveau magasin sur la perspective Nevsky. La table avait été dressée dans la grande salle aux murs bardés de livres. Dix-huit couverts. On se réunit sur le coup de six heures. Il y avait là Pouchkine, Joukovsky, le vieux fabuliste Krylov, Dmitriev, Batiouchkov, Boulgarine, Gretch... Le premier toast, comme il se doit, fut porté à l'empereur et suivi d'un retentissant hourra. Puis on but du champagne à la santé de Krylov, de Joukovsky, de Pouchkine, d'autres encore. A un moment, Pouchkine, voyant que ses deux ennemis personnels, Gretch et Boulgarine, étaient assis à la droite et à la gauche du censeur Séménov, lança par-dessus la table : « Eh ! Séménov, tu es là comme le Christ sur le Golgotha. » Il y eut des éclats de rire. Boulgarine et Gretch se renfrognèrent. Mais l'incident fut vite oublié (1). Mangeant et buvant parmi ses illustres confrères, Gogol devait se pincer pour croire qu'il ne rêvait pas. Il rentra chez lui très tard, l'esprit brouillé et le cœur en fête.

Malgré le premier argent que lui avaient rapporté *les Veillées du Hameau* — les libraires lui payaient quelques roubles sur chaque volume vendu et gardaient pour eux la différence — sa situation matérielle ne s'était guère améliorée. Il logeait près du pont Kokouchkine, dans une mansarde glaciale et inconfortable. Comme autrefois, il lui arrivait de réunir des amis autour d'un souper ukrainien préparé par Iakim. L'un de ses invités notera dans son journal : « Je me suis

---

(1) Cf. Lobanov : *Le Dîner chez Smirdine* (*Pouchkine et ses Contemporains*), et Terpigorev : *Note au sujet de Pouchkine.* (*Antiquité Russe*, 1870).

rendu à une soirée chez Gogol-Ianovsky (1), auteur des aimables récits de l'apiculteur Panko le Rouge. C'est un jeune homme de vingt-trois ans, d'un extérieur sympathique. Pourtant il y a dans sa physionomie quelque chose de fourbe qui éveille la méfiance. J'ai rencontré là une dizaine de Petits-Russiens, presque tous anciens élèves du lycée de Niéjine (2). »

Pour que ces agapes fraternelles fussent pleinement réussies, il eût fallu la présence, dans le petit cercle, du meilleur ami de Gogol : Danilevsky. Mais Danilevsky était toujours retenu au Caucase (3). Epris de la très jolie Emilie Alexandrovna Klingenberg, il mettait tant d'emphase à décrire sa passion par lettre, que Gogol, pourtant disposé lui-même à la boursouflure, le raisonnait dans ses réponses. Lui qui n'avait jamais connu un entraînement de cette sorte, analysait, à l'intention de son correspondant, les caractéristiques de l'amour véritable.

« L'amour avant le mariage est merveilleux, enflammé, angoissant, et totalement inexplicable, écrivait-il à Danilevsky. Mais celui qui n'a éprouvé que cette espèce de sentiment a connu tout au plus un élan, un essai d'amour... En revanche, la seconde partie du livre (ou pour mieux dire le livre lui-même, la première partie n'étant qu'un prologue) apparaît comme une mer de délices paisibles, que l'on découvre mieux de jour en jour et que, de jour en jour, l'on goûte davantage en s'étonnant qu'elles aient pu passer si longtemps inaperçues... L'amour avant le mariage, ce sont des vers de Iasykov (4) : ils font de l'effet, ils sont pleins de chaleur, ils s'imposent à vos sens. L'amour après le mariage, c'est la poésie de Pouchkine : elle ne s'empare pas de vous immédiatement, mais, plus vous la lisez, plus elle s'approfondit et se développe jusqu'à devenir un océan (5)... »

_____

(1) Contrairement à ce que Gogol affirmait dans sa lettre à sa mère du 6 février 1832, il y avait donc encore des gens pour qui il était Gogol-Ianovsky.
(2) Nikitenko. *Notes et Journal*, 22 avril 1832.
(3) Danilevsky s'était rendu au Caucase pour se soigner (départ de Saint-Pétersbourg le 19 avril 1831).
(4) Poète russe de talent, fort prisé par Pouchkine. (1803-1846).
(5) Lettre du 30 mars 1832.

Un peu plus tard, il confessera au même Danilevsky : « Je comprends très bien et ressens ton état d'âme, bien que, pour ma part, grâce au ciel, je ne l'aie jamais éprouvé. Je dis *grâce au ciel*, car cette flamme m'aurait instantanément réduit en cendres... Par bonheur, une ferme volonté m'a dissuadé, à deux reprises, de jeter un regard dans l'abîme (1). »

Précisément le début de l'année 1832 fut marqué, pour Gogol, par deux mariages : celui de son amie Alexandra Ossipovna Rosset, le « diablotin céleste », qui épousait le riche et fade Smirnov ; et celui de sa sœur aînée Marie, qui épousait un certain Trouchkovsky, d'origine polonaise, arpenteur de son métier, dont la situation de fortune était plus que modeste. Le premier de ces mariages l'attrista un peu, car il nourrissait une platonique tendresse pour la brillante demoiselle d'honneur de l'impératrice ; le second le préoccupa, car il se sentait l'âme d'un chef de famille.

Marie Ivanovna, qui rêvait d'un beau parti pour sa fille, cachait mal sa déception. Gogol, lui, était d'avis que la vraie richesse d'un homme se situait dans son cerveau. Du haut de son expérience, il donna, par lettre, à sa mère et à la jeune fiancée, des conseils d'économie. D'abord il fallait réduire au strict nécessaire la cérémonie du mariage. « J'ai toujours été l'ennemi de ces solennités et de ces· réceptions nuptiales, écrivait-il. Si j'avais décidé de me marier, ma femme ne se serait montrée à personne au moins pendant deux semaines (2). » On l'avait chargé d'acheter du drap et des mouchoirs, pour le trousseau. Dépense inutile ! « Le fiancé, d'après ce que vous me dites dans vos lettres, n'est pas bête : il n'attachera donc aucune importance à ces futilités... Rappelez à ma sœur qu'elle doit faire preuve d'une grande économie et renoncer à beaucoup de satisfactions pour elle-même. Elle a choisi de son plein gré ce destin ! » Enfin, rassemblant le peu d'argent qu'il avait mis de côté, Gogol envoya cinq cents roubles pour les premiers débours du futur ménage. Une

---

(1) Lettre du 20 décembre 1832. A noter qu'ici Nicolas Gogol dément ʎui-même l'histoire de son amour insensé pour la belle inconnue, telle qu'il l'avait racontée à sa mère dans sa lettre du 24 juillet 1829.
(2) Lettre du 25 mars 1832.

grosse somme, dans sa situation. Il éprouvait un plaisir vaniteux à étaler tant d'argent aux yeux de sa famille. A sa mère,
qui le pressait de rendre visite à un certain Bagréïev, personnage influent « susceptible de lui être utile », il répondait
avec hauteur :

« Vous continuez, je crois, à me considérer comme un
mendiant à qui tout homme ayant un certain nom et quelques relations est en mesure de faire beaucoup de bien. Je
vous prie de ne pas vous préoccuper de cela. Ma route est
toute droite et j'avoue que je ne sais pas quel bien pourrait
me faire un homme quel qu'il soit. Je n'attends et n'espère
de bien que de Dieu (1). »

C'était une forfanterie de plus, car, à cette époque-là, il
recherchait volontiers la compagnie des gens en place pour
assurer sa jeune renommée. D'ailleurs, deux mois auparavant,
cet ennemi de toute protection mondaine écrivait avec orgueil
à sa mère qui se plaignait des irrégularités de la poste :

« Dites au directeur de la poste de Poltava qu'ayant rencontré ces jours derniers le prince Golitzyne je me suis plaint
à lui du mauvais fonctionnement de la poste. Il a immédiatement fait part de mes remarques à Boulgakov, chef du département de la poste. Mais j'ai demandé à Boulgakov de ne pas
exiger d'explications du bureau de Poltava tant que vous ne
m'auriez pas donné vous-même quelques éclaircissements à
ce sujet (2). »

Ainsi, fier de ses relations tout en affectant de les mépriser,
assoiffé de gloire terrestre tout en feignant de n'aspirer qu'à
la paix de Dieu, il se débattait parmi les contradictions de sa
nature et mentait aux autres en espérant être dupe de ses
propres inventions.

---

(1) Lettre du 10 mars 1832.
(2) Lettre du 4 janvier 1832.

VI

TEMPS MORT

A Saint-Pétersbourg, le printemps se traînait, froid et maussade. Souffrant du manque de soleil, Gogol rêvait avec nostalgie de l'Ukraine. Subitement il décida de se rendre à Vassilievka pour l'été. Chemin faisant, il pourrait s'arrêter à Moscou, où *les Veillées du Hameau* avaient remporté un vif succès, et y lier des amitiés utiles. On ne doit négliger aucun appui, aucune alliance, pensait-il, au début d'une carrière littéraire. Des partisans dans chaque grande ville, et l'avenir est assuré ! Il demanda un congé à l'Institut patriotique et se mit en route, accompagné de Iakim, vers la fin du mois de juin 1832.

Le voyage, en voiture de poste, sous une pluie battante, l'épuisa. Moscou l'accueillit par des sonneries de cloches. Le cœur serré d'émotion, il vit défiler des églises, des palais, la place Rouge, les murs du Kremlin aux créneaux découpés en queue d'hirondelle. Tout cela lui parut plus barbare et plus gai que la noble architecture de la capitale. La foule elle-même, ici, avait l'air heureuse et libre, étonnamment russe dans sa couleur, sa rumeur et sa variété. Fourbu et grelottant, il descendit à l'hôtel et se crut malade. Mais l'idée de tous les gens qui l'attendaient avec sympathie fut plus forte que sa crainte d'avoir pris froid. Une excitation le possédait, comme s'il avait été sur le point d'entrer en scène.

Ce fut le célèbre historien et journaliste Pogodine, ancien directeur du *Messager de Moscou*, qu'il rencontra en premier. Lourd et lippu, avec des manières d'ours, Pogodine le prit sous sa protection. Ils parlèrent des origines de l'Ukraine et Gogol expliqua quel succès il remportait auprès des pensionnaires de l'Institut patriotique en remplaçant la sèche chronologie par une vivante évocation du passé. A l'entendre, il ne s'agissait de rien moins que d'une nouvelle conception de l'histoire. Il exposait sa méthode d'enseignement avec une telle assurance, que son interlocuteur, bien qu'étant de la partie, l'écoutait bouche bée. Cependant, lorsque Pogodine exprima le désir de voir quelques cahiers d'élèves, pour se rendre compte de la façon dont les jeunes filles avaient assimilé le cours, Gogol, gêné, éluda le problème.

Peu après, ils se rendirent ensemble chez le poète et critique théâtral Serge Timoféïevitch Aksakov (1), qui habitait rue Afanasievsky, dans le quartier de l'Arbat. Débarquant à l'improviste, ils trouvèrent Aksakov en manches de chemise, les cartes à la main, dans un cercle d'amis. Toutes les têtes se levèrent. « Et voici Nicolas Vassiliévitch Gogol ! » cria Pogodine d'un ton triomphal. Il y eut un moment de confusion. Le fils d'Aksakov, Constantin, grand admirateur des *Veillées du Hameau*, se précipita sur Gogol et le couvrit de compliments, tandis qu'Aksakov lui-même, après s'être excusé, se rasseyait pour finir la partie. Tout en jouant, le maître de maison observait le visiteur à la dérobée : « A cette époque-là, écrira-t-il, l'aspect extérieur de Gogol... ne l'avantageait guère : un toupet au sommet du crâne, les cheveux coupés court sur les tempes, point de barbe ni de moustache, un col de chemise raide et trop haut, tout cela lui conférait un petit air d'Ukrainien roublard. Sa tenue avait des prétentions à l'élégance. Je me rappelle qu'il portait un gilet à rayures, de couleur voyante, barré d'une grosse chaîne. » Après le départ de Gogol, les personnes présentes tombèrent d'accord pour reconnaître qu'il

---

(1) Ce fut bien plus tard que Serge Aksakov publia ses œuvres les plus importantes (*Souvenirs d'un Chasseur au Fusil*, *Chronique d'une Famille*, *les Années d'Enfance du Petit-Fils de Bagrov*), où se révèle un sens aigu de la nature.

produisait une « impression défavorable et antipathique ».
Même le jeune Constantin Aksakov, qui l'avait abordé avec
enthousiasme, déplora « ses airs hautains, dédaigneux et peu
amènes (1) ».

Quelques jours plus tard, un matin, de bonne heure, Gogol
retourna chez Aksakov qui lui avait promis de le présenter
à Zagoskine, auteur de romans historiques fort prisés à l'époque. Cette fois, pour mettre le jeune écrivain à l'aise, Aksakov
lui dit, à son tour, tout le bien qu'il pensait des *Veillées du
Hameau*. Mais Gogol resta de glace. « En général, notera
Aksakov, il y avait en lui quelque chose d'intimidant qui
m'interdisait de me livrer aux épanchements dont j'étais coutumier. » Ils sortirent dans la rue et marchèrent en direction
de la maison de Zagoskine. Chemin faisant, Gogol, soupirant
et traînant la patte, se plaignit d'être la proie de diverses
affections incurables. « Je le dévisageai avec surprise, car il
avait l'air parfaitement bien portant, écrira Aksakov, et lui
demandai : « Mais de quoi souffrez-vous, au juste ? » Il me
répondit évasivement et je crus comprendre que le siège de
son mal était dans les intestins. Ensuite nous nous mîmes à
parler de Zagoskine. Gogol le loua pour l'alacrité de sa plume,
mais observa qu'il n'écrivait pas ce qu'il fallait, surtout pour
le théâtre. Je lui répliquai imprudemment qu'il était difficile,
chez nous, d'écrire autrement, car notre monde était si morne,
si policé, si convenable et si vide, que même sa sottise ne
pouvait provoquer le rire. Il me regarda d'un œil pénétrant
et dit : « Ce n'est pas vrai ! le comique se cache partout ;
mais nous ne le remarquons plus, parce que nous y sommes
trop habitués ! Qu'un auteur de talent transporte ce comique
dans ses écrits ou sur la scène, et nous nous roulerons de
rire, et nous nous étonnerons de ne pas nous être avisés plus
tôt de tant de drôlerie... » Au fil de la conversation, j'observai
qu'il semblait s'intéresser vivement à la comédie russe et
avoir des idées originales à ce sujet (2). »

Zagoskine accueillit Gogol avec une allégresse bruyante,
l'embrassa par trois fois, lui appliqua de grandes tapes dans

(1) Aksakov : *Histoire de mes Relations avec Gogol.*
(2) Ibid.

le dos, l'assura de son admiration, de son amitié, et, sans
reprendre le souffle, se mit à parler de lui-même, de ses
travaux historiques, de ses découvertes dans les archives, de
ses voyages, de ses projets, de ses lectures, de ses collections
de tabatières et de petites boîtes. Assourdis, les visiteurs bat-
tirent bientôt en retraite. Mais Gogol n'avait pas fait son
plein de notabilités intellectuelles. Il vit encore Ivan Ivanovitch Dmitriev, le « patriarche de la poésie russe », petit
vieillard desséché, élégant et courtois, et, surtout, le fameux
acteur Chtchépkine, partisan du « théâtre antithéâtral ».

Michel Semionovitch Chtchépkine, ancien domestique-serf
des comtes Volkenstein, avait été autorisé par ses maîtres à
faire quelques études, puis à se produire sur la scène, à
Koursk et à Poltava. Après le spectacle, il remettait sa livrée
et servait le souper à la table de leurs seigneuries. Pourtant
son succès comme comédien était tel, qu'à l'âge de trente ans,
grâce à une souscription ouverte par le gouverneur général
Répnine, il avait pu racheter sa liberté pour dix mille roubles.
Depuis il triomphait sur les plus grandes scènes de Russie.
Gogol avait eu l'occasion de l'applaudir à Saint-Pétersbourg.
Quelle chance si cet homme, universellement admiré, acceptait
d'interpréter une de ses pièces ! Certes, il n'en avait encore
écrit aucune, mais cela pouvait se faire d'un jour à l'autre.
Dès maintenant il devait prendre ses précautions. Par une
merveilleuse coïncidence, Chtchépkine était Petit-Russien,
comme lui ! Un soir, l'acteur, qui donnait un dîner de vingt-
cinq couverts, aperçut, par la porte de la salle à manger restée
ouverte, un jeune homme malingre en discussion avec les
valets, dans l'antichambre. Soudain l'inconnu franchit le seuil
et lança joyeusement les premiers vers d'une chanson ukrainienne. Puis il se présenta. Un « pays » : Nicolas Gogol.
Chtchépkine, qui avait lu *les Veillées du Hameau*, éclata de
rire et pria le nouveau venu de s'asseoir. La conversation
reprit, bruyante et gaie. Entre deux verres de vin, le maître
de maison conseilla à son visiteur d'écrire pour le théâtre.
Gogol ne dit pas non. Sans doute s'étonnait-il lui-même de
l'audace qu'il avait eue, lui si timide d'ordinaire, en venant
dans cette maison où il n'était pas invité. Etait-ce sa renommée naissante qui lui donnait tant d'aplomb ? Par moments

il avait l'impression qu'un autre agissait à sa place. En tout cas, il n'avait pas perdu son temps, à Moscou. Que de nouveaux amis en une dizaine de jours !

Il repartit pour Vassilievka avec un sentiment de gratitude envers l'ancienne capitale des tsars, qui l'avait si bien reçu. En comparaison de Saint-Pétersbourg, ville neuve, sévère, froide, européenne, coupée de larges avenues rectilignes, bourrée de fonctionnaires de tous grades et dominée par un tsar omniprésent, Moscou s'inscrivait dans sa mémoire comme la vieille cité des marchands cossus, des seigneurs débonnaires, du petit peuple bariolé, des traditions patriarcales et des bons repas.

La pluie l'accompagna pendant la première partie de son voyage. De relais en relais, des maîtres de poste grognons l'accueillaient par les mêmes paroles : « Pas de chevaux. Il faut patienter ! » Pour passer le temps, il gourmandait Iakim ou lisait *Clarisse Harlowe*, de Richardson, assis sur une banquette, dans la salle commune. Enfin un attelage ! On s'élançait dans la boue, les cahots et les tintements de clochettes. De temps à autre, le voyageur glissait la tête par la portière de la voiture et lorgnait le ciel. « J'en avais assez, écrira-t-il à Dmitriev, de ce ciel du Nord, d'un gris presque vert, et de ces pins, de ces sapins aux silhouettes lugubres et monotones qui me couraient après depuis Saint-Pétersbourg et Moscou (1)... » Les villes basses, construites en bois, se succédaient au long de la route : Podolsk, Toula, Orel, Koursk. La température s'adoucissait, le ciel bleuissait, annonçant la verdoyante Ukraine.

Le 17 juillet, Gogol, souffrant de maux d'estomac, s'arrêta à Poltava, consulta quelques médecins qui émirent des opinions contradictoires sur la cause de ses malaises et, convaincu de leur ignorance à tous, décida de se soigner à sa façon. Dernière étape, au milieu de la steppe immense, la bourgade de Mirgorod, avec ses petites maisons blanches, ses rues de terre, ses tas de paille, ses palissades et ses flaques. Le jour suivant, il était à Vassilievka, parmi les siens.

---

(1) Lettre, non datée, de juillet 1832.

Les retrouvailles furent, comme il s'y attendait, larmoyantes. Sa mère, qui avait grossi sans rien perdre de sa vivacité, le couvait d'un regard de convoitise. Sa grand-mère multipliait les signes de croix pour remercier le Seigneur de lui avoir rendu son petit-fils sain et sauf. Sa sœur aînée, mariée depuis le mois d'avril, rayonnait de bonheur, pendue au bras de son jeune époux Trouchkovsky, beau garçon aimable et peu courageux, qui travaillait à Poltava et logeait à Vassilievka par économie. Ses autres sœurs, Anne (onze ans), Elisabeth (neuf ans) et Olga (sept ans) avaient tellement grandi qu'il les reconnaissait à peine. Pour le reste, rien n'avait changé. Les portes grinçaient toujours de la même façon dans la vieille demeure, la même odeur de pommes sures s'échappait des placards, la table croulait sous les mêmes marinades et les mêmes sucreries, les mêmes mouches et les mêmes abeilles bourdonnaient au-dessus des plats, les mêmes servantes s'agitaient sans rien faire, les mêmes arbres ployaient sous le poids de leurs fruits dans le verger et, dans la cour, les mêmes poules et les mêmes oies déambulaient gravement.

Malgré le charme de ce décor familier, Gogol se remettait difficilement de son voyage. Les premiers repas, très plantureux selon l'usage, ne firent qu'aggraver son malaise. Il était gourmand et ne savait pas se retenir devant des beignets à la crème, ou des ramequins, ou des cèpes marinés. Attentif aux moindres bourdonnements de son ventre, il n'hésitait pas ensuite à commenter les phases de sa digestion devant ses proches, et même dans des lettres à des amis de fraîche date.

« Me croirez-vous si je vous dis que la seule vue d'une voiture roulant sur la route me donne la nausée, écrivait-il à Pogodine, le 20 juillet 1832. Ma santé est exactement dans l'état où vous l'avez connue. Seulement ma diarrhée s'est arrêtée et je suis plutôt constipé. Parfois il me semble éprouver une certaine douleur dans le foie et dans le dos ; parfois, en revanche, c'est la tête qui me fait mal et aussi, un peu, la poitrine. Telles sont mes souffrances. Les journées ici sont belles. Une masse de fruits, mais j'ai peur d'en manger... »

Et plus tard, toujours à Pogodine :

« Je vais un peu mieux, bien que je sente toujours une dou-

leur dans la poitrine et une pesanteur dans l'estomac —
peut-être parce que je suis incapable de garder la diète...
L'Ukraine me séduit (par ses fruits) à tout moment, et mon
estomac est constamment occupé à digérer des poires et des
pommes (1). »

Tout en plaignant son fils qui avait perdu l'appétit dans la
capitale, Marie Ivanovna se mit, très vite, à l'entretenir de
ses soucis financiers. Elle n'avait pas réglé ses impôts. Elle
devait de l'argent à la moitié de la terre. Elle ne savait
comment payer l'éducation de ses filles. Gogol écoutait ses
doléances avec un mélange de tristesse et d'irritation. Un
jour viendrait peut-être où il gagnerait assez pour subvenir
aux besoins de toute la famille. Mais d'ici là, que faire ? Il
fallait absolument persuader les libraires d'acheter une
deuxième édition des *Veillées du Hameau*.

« Bon nombre de propriétaires fonciers de la région ont
essayé de se procurer mon livre en écrivant à Moscou et à
Saint-Pétersbourg : nulle part ils n'ont pu trouver un exemplaire ! mandait-il à Pogodine. Quels gens stupides que ces
libraires ! Ne se rendent-ils pas compte de la demande générale ? Je serais prêt à leur laisser l'édition complète pour
3 000 roubles s'ils ne veulent pas me donner plus. Cela leur
fera moins de trois roubles à me remettre par exemplaire,
alors qu'ils le vendront quinze roubles, réalisant ainsi un
bénéfice de douze roubles par volume !... J'accepterais même
de ne toucher immédiatement que 1 500 roubles, car j'en ai
fort besoin, le reste pouvant m'être payé dans deux ou trois
mois (2)... »

Tout en priant Pogodine de mener à bien cette tractation,
Gogol n'avait pas grand espoir de la voir aboutir dans les
jours prochains. Bah ! il s'en occuperait de plus près en
rentrant à Saint-Pétersbourg. Pour l'instant, il ne voulait que
se reposer et se distraire en famille. Il se levait tard, lisait,
jardinait, puis, saisi d'une brusque énergie, revêtait un tablier
blanc, empoignait un pinceau et des pots de peinture, repei-
gnait la salle à manger, le salon, décorait les plinthes et les

(1) Lettre du 2 septembre 1832.
(2) Lettre du 20 juillet 1832.

encadrements des portes de petits bouquets et d'arabesques (1). Il voyait des voisins aussi, interrogeait des paysans,
cherchait de nouveaux sujets de contes, dans le style de *la
Terrible Vengeance* ou *d'Ivan Fédorovitch Chponka et sa
Tante*. Le *Carnet fourre-tout* se gonflait de notes, d'impressions inédites, de schémas, de plans... Il avait confiance et
se pavanait devant sa mère, toute fière de ses premiers succès. Elle savait par cœur les récits des *Veillées du Hameau*.
Lui, cependant, souriait supérieurement, disant que ce n'était
rien, qu'on allait voir, dans peu de temps, de quoi il était
capable. Volontiers il parlait de ses relations. Pouchkine, Joukovsky, Krylov, les plus grands noms de la littérature russe,
mais aussi des princes, des généraux, des dames d'honneur,
des ministres... Par exemple, il se faisait fort de placer ses
deux sœurs, Anne et Elisabeth, comme pensionnaires à l'Institut patriotique, sans qu'il en coûtât rien. Une instruction
parfaite et une économie appréciable. Marie Ivanovna sauta
sur la proposition. Il fut décidé que les deux fillettes parti-
raient pour Saint-Pétersbourg avec leur frère. Mais il fallait
une femme de chambre à ces enfants. Quel dommage que
Iakim ne fût pas marié ! Au fait, il n'était pas trop tard pour
remédier à cet état de chose. Ayant pris l'avis de son fils,
Marie Ivanovna convoqua Iakim et lui proposa, tout de go,
d'épouser une de ses servantes, Matriona, qu'elle avait choisie
spécialement à son intention, pour ses qualités de travail,
d'ordre et de propreté. Certes elle ne voulait pas le forcer à
ce mariage, disait-elle d'un ton sans réplique ; elle ne demandait qu'à connaître son avis sur la question. Sous le regard
perçant de sa maîtresse, Iakim, confus, hilare, se balançait
d'un pied sur l'autre et bredouillait : « Ça m'est égal... Faites
comme vous voulez... » Ravie d'une telle compréhension, Marie
Ivanovna ordonna de tout préparer pour la noce (2). Iakim
se retrouva avec une épouse qu'il n'avait pas voulue et les
fillettes avec une femme de chambre en larmes.

Sur ces entrefaites, les enfants tombèrent malades de la
rougeole. Il fallut retarder le départ. Le mois d'août s'étirait

---

(1) Cf. *Notes* d'Elisabeth Vassilievna Gogol.
(2) Récit d'Anne Vassilievna Gogol. (*Russie*, 1885, N° 26).

avec ses journées chaudes, sèches, vibrantes de moustiques.
« Je suis heureux, ici, écrivait Gogol à Dmitriev. Personne
au monde, je crois, n'aime la nature d'un amour aussi ardent
que moi. Je crains de me détourner de la campagne, fût-ce
pour un instant, je guette chacun de ses frémissements et je
découvre en elle des beautés insoupçonnées (1). »

Et, dans une autre lettre au même correspondant :

« Il ne manque rien, en apparence, à cette contrée ! Un
été riche et splendide. Du blé, des fruits, il pousse de tout à
foison ! Et pourtant, le peuple est pauvre, les domaines tombent en ruine, les arriérés ne sont pas payés. Le manque de
moyens de communication en est responsable. C'est pour cette
raison que les habitants sont devenus paresseux et somnolents.
Les propriétaires fonciers voient à présent, par eux-mêmes, que
la récolte du blé et la fabrication de l'eau-de-vie ne peuvent
suffire à augmenter les revenus dans des proportions satisfai-
santes et qu'il faut songer à installer des manufactures et
des fabriques (2). »

C'était précisément l'avis de Marie Ivanovna, qui avait déjà
essayé en vain de faire fortune en plantant du tabac. Son
gendre, Trouchkovsky, la poussait maintenant à ouvrir une
tannerie. Un spécialiste, d'origine autrichienne, s'offrait à monter et à diriger l'usine. Il garantissait, dès la première
année, un revenu de huit mille roubles. Mais il fallait embau-
cher vingt-cinq ouvriers. Gogol eût souhaité un début plus
modeste. Sa mère, son beau-frère, le spécialiste autrichien lui
reprochèrent sa pusillanimité. Il leur céda de mauvaise grâce.
A quoi bon discuter avec eux ? De toute façon, après son
départ, ils n'en feraient qu'à leur tête. Anne et Elisabeth
entraient en convalescence. Pâles et amaigries après des semaines de lit. On les gavait pour leur redonner des forces.

Le 29 septembre enfin, pleurant et reniflant, elles montèrent avec leur frère dans la vieille guimbarde jaune de la
famille. Iakim et Matriona s'installèrent sur le siège, à côté
du cocher. Marie Ivanovna et sa fille aînée accompagnèrent
les voyageurs, en calèche légère, jusqu'à Poltava. Là eut lieu

_____

(1) Lettre du 23 septembre 1832.
(2) Lettre non datée de l'été 1832.

l'ultime séparation. Après quarante-huit heures passées à l'auberge, Gogol, ses deux jeunes sœurs, Iakim et Matriona repartirent sur la route du Nord, dans la même voiture attelée de chevaux de louage, tandis que Marie et sa mère s'en retournaient à Vassilievka.

Les bagages brimbalaient, les essieux craquaient, comme prêts à se rompre, Gogol s'efforçait de divertir les fillettes qui sanglotaient pour un rien. Mais les étapes étaient longues ; les chevaux manquaient aux relais ; la voiture subit plusieurs avaries avant de se casser tout à fait, en arrivant à Koursk. Il fallut s'arrêter une semaine dans cette ville pour la réparation. Rongeant son frein, Gogol écrivit à Plétnev :

« Dieu vous garde de jamais éprouver ce qu'est un long voyage. Et ce qui est pire encore, c'est de se disputer avec les sales bêtes de surveillants de relais, qui, si le voyageur n'est pas un général mais un artisan comme vous et moi, s'emploient de toutes leurs forces à nous infliger le plus de brimades possible et nous font payer, à nous autres, pauvres bougres, les soufflets dont les gratifie la main des généraux (1). »

Cependant les fillettes, après avoir pleurniché, prenaient goût à leur nouvelle vie. « Elles ne pensent même plus à la maison, écrivait Gogol à sa mère. Je m'étonne qu'elles aient pu l'oublier si vite. Seule Anne s'en souvient encore, surtout lorsque le changement de chevaux se fait longtemps attendre (2). »

Une fois la voiture rafistolée et graissée, le voyage reprit, sous un ciel tiède, à travers un paysage automnal.

Le 18 octobre on était à Moscou. Des feuilles mortes jonchaient les trottoirs. Sur les croix et les coupoles des églises, des centaines de corneilles avaient pris position. Le ciel, lourd et gris, écrasait les toits. Gogol ordonna de fixer un grand parapluie à la voiture, pour pallier l'insuffisance de la capote, déviée et trouée de partout (3). Il ne pouvait être question, pour lui, de quitter la ville sans avoir revu ses amis et s'en

---

(1) Lettre du 9 octobre 1832.
(2) Lettre du 10 octobre 1832.
(3) Cf. Lettre à sa mère du 21 octobre 1832.

être fait d'autres. Laissant ses sœurs à l'hôtel avec Iakim et Matriona, il se précipita chez Aksakov, chez Zagoskine, lia connaissance avec Michel Maximovitch, professeur de botanique à l'Université et collectionneur de légendes ukrainiennes, avec Ossip Bodiansky, professeur d'études slaves et, lui aussi, ukrainisant passionné... Quatre jours de va-et-vient, de visites, de conversations exaltantes, et en route pour Saint-Pétersbourg.

A peine arrivé dans la capitale, Gogol se rendit à l'Institut patriotique pour tenter d'inscrire ses sœurs au nombre des pensionnaires. Mais la directrice, Mme Wistinghouse, une petite vieille bossue et compassée, l'accueillit froidement et lui reprocha de n'avoir pas donné signe de vie pendant les quatre mois de son absence. Du reste l'effectif des élèves était au complet, affirmait-elle, et l'on n'acceptait à l'Institut que des filles d'officiers. Après les excuses et les explications embarrassées du solliciteur, elle consentit néanmoins à transmettre sa requête à l'impératrice. Cette requête, datée du 13 novembre 1832, précisait que le sieur Gogol renoncerait à toucher son traitement de professeur, soit mille deux cents roubles par an, si ses sœurs pouvaient être prises en charge par l'établissement.

En attendant la résolution supérieure, Gogol, prenant son rôle de frère aîné au sérieux, choisissait les lectures d'Anne et d'Elisabeth, les emmenait en promenade, au théâtre, à la ménagerie, les comblait de jouets et de friandises. Matriona était très gentille avec elles. Mais Iakim s'était mis à boire. Son maître s'en aperçut et le battit. « J'ai cogné dessus très fort », confessait-il dans une lettre à sa mère (1). Il était devenu nerveux. De plus en plus souvent, il lui arrivait de lever la main sur son domestique. Il criait : « Je te casserai la gueule, si tu continues (2) ! »

Alors qu'il allait perdre tout espoir de caser ses deux sœurs, l'impératrice accéda à sa demande. Il put conduire les fillettes à l'Institut, où les cours avaient déjà commencé. Au

---

(1) Lettre du 22 novembre 1832.
(2) Cf. Annenkov : *Souvenirs littéraires.*

préalable, Matriona les avait frisées et leur avait fait revêtir
la robe des pensionnaires, en « drap de dames », couleur
chocolat. Elle-même s'était mise sur son trente et un. Selon
l'usage, elle devait rester auprès des demoiselles pour les servir. Logée et nourrie dans l'établissement, elle ne voyait plus
Iakim qu'en de rares occasions, ce dont ni l'un ni l'autre ne se
plaignait outre mesure : la volonté des barines est sacrée.

Il parut très étrange à Anne et Elisabeth d'avoir leur
propre frère comme professeur. Quand elles le voyaient discourir gravement du haut de l'estrade, elles avaient l'impression qu'il jouait un rôle auquel il ne croyait pas. Mais, s'il
s'avisait de les interroger, elles mouraient de honte devant la
classe chuchotante, ricanante, et évitaient, la plupart du temps,
de répondre. Il restait auprès d'elles après les cours, partageant leur goûter et finissant leurs pots de confitures, car il
était le plus gourmand des trois. Pourtant, peu à peu, ses
visites à l'Institut s'espacèrent. Un jour sur deux, il se prétendait malade. De toute manière, on ne le payait pas. Magnanime, la directrice garda les deux fillettes malgré les défail-
lances de leur frère.

Ce fut vers cette époque qu'il déménagea pour s'installer
dans un appartement, rue de la Petite Morskaïa. Par goût et
par économie, il se chargea de tous les travaux, peignant les
portes, clouant des rayons, coupant et cousant des rideaux,
avec l'aide de Iakim. Un escalier raide et sombre, une entrée
minuscule et deux pièces dont les fenêtres donnaient sur la
cour. L'une de ces pièces servait à la fois de chambre à coucher, de salle à manger et de salon. L'autre était le cabinet
de travail, meublé d'un divan, d'une chaise, d'une table encombrée de livres et d'un haut pupitre. Les murs étaient décorés
de gravures anglaises sur acier, représentant des vues de la
Grèce, de l'Inde, de la Perse, dont Gogol était très fier. Dans
ce modeste logis, il recevait comme autrefois ses amis du
lycée de Niéjine, mais aussi Pouchkine, Plétnev et de nouveaux venus, parmi lesquels le jeune Annenkov, observateur à
l'œil vif, lui aussi féru de littérature. D'habitude, il servait
à ses invités du thé très fort, de la brioche et des cra-
quelins. Mais il donnait aussi, de temps à autre, un dîner
dont les frais étaient partagés entre tous les convives. Dans

ce cas, il cuisait lui-même des oreillettes au fromage blanc, des boulettes à la crème ou tel autre plat ukrainien, dont le parfum épais emplissait la pièce. Le toupet en bataille, une cravate bariolée autour du cou et un tablier sur le ventre, il avait l'air, selon ses amis, d'un coq dressé sur ses ergots au seuil de la cuisine.

Par jeu, il leur avait attribué à tous des noms d'écrivains français. Il y avait là Victor Hugo, Alexandre Dumas, Honoré de Balzac. Un freluquet timide s'appelait Sophie Gay. Quant à Annenkov, il avait été baptisé — il ne sut jamais pourquoi — Jules Janin. Pourtant Gogol ne prisait guère la littérature française. En général, les Français lui paraissaient un peuple léger, toujours préoccupé de secouer une autorité politique pour la remplacer par une autre. Ils l'avaient démontré encore, au mois de juillet 1830, en chassant ce pauvre Charles X. Les écrivains de cette nation ne pouvaient, pensait-il, être sérieux. Il affectait notamment de dédaigner Molière, auquel il reprochait la faiblesse de ses intrigues et la banalité de ses dénouements. En l'entendant critiquer l'auteur du *Misanthrope*, Pouchkine, indigné, lui avait rétorqué que le génie d'un créateur n'était pas dans les ressorts dramatiques utilisés, mais dans la somme d'humanité déposée dans son œuvre. A la suite de cette conversation, Gogol était revenu à Molière et en avait découvert l'importance. Il avait une confiance absolue dans le jugement de Pouchkine. Devant lui seul, il se sentait à la fois dominé et guidé. Et pourtant tout aurait dû l'éloigner de cet homme passionné, courageux, généreux, amateur de femmes et de cartes, qui menait son existence en risque-tout. Comment un si grand poète pouvait-il être à ce point attaché aux plaisirs de la terre ? Par quel mystère la sérénité de l'écriture s'alliait-elle chez lui au dérèglement de la vie ? Pourquoi tant de gens le comprenaient-ils et l'aimaient-ils ? A l'opposé de Pouchkine, Gogol ne s'abandonnait jamais aux impulsions de sa nature. Toujours sur le qui-vive, il scrutait son entourage, sans se livrer lui-même.

« Il ne se déboutonnait jamais, pourrait-on dire, écrivait Annenkov, et il était impossible de le trouver désarmé. Son œil perçant suivait constamment les mouvements d'âme et les réactions caractéristiques des autres ; il voulait voir même ce qu'il aurait pu aisément deviner (1). »

Quand quelqu'un rapportait devant lui un fait intéressant, il se figeait dans une attention extraordinaire. Tout son être devenait une pompe aspirante. Annenkov lui avait vu cette expression d'appétit intellectuel tandis qu'un de ses invités, médecin sans doute, parlait du comportement des fous et soulignait la logique inflexible avec laquelle ils développaient leurs idées les plus absurdes. Un autre invité raconta, peu après, l'histoire d'un modeste employé de bureau, qui, ayant réussi à force d'économies à s'offrir le fusil de chasse anglais dont il rêvait, l'avait perdu, dès sa première sortie, dans les roseaux du golfe de Finlande, et en avait fait une telle maladie, que ses collègues s'étaient cotisés pour remplacer l'arme. « Tous les assistants riaient de cette anecdote, tirée d'un fait réel, écrivait Annenkov. Seul Gogol écoutait, pensif et baissant la tête. »

Toujours préoccupé de trouver des idées neuves, « pouvant servir », il ne se contentait pas de celles qu'on lui apportait à domicile, mais sortait beaucoup, fréquentait les salons, butinait au hasard des rencontres. On le voyait, l'œil aux aguets, l'oreille tendue et la cravate avantageuse, chez les Karamzine, chez Joukovsky, chez les Plétnev, chez les Pouchkine, dans la loge de l'acteur Sosnitsky, au chevet d'Alexandra Ossipovna Smirnov, qui se remettait difficilement de ses couches. Le soir, en rentrant, il s'installait devant son pupitre et notait pêle-mêle toutes les pensées qui tournaient dans sa tête. Il utilisait de préférence de grands registres de bureau. Son écriture, menue, serrée, féminine, courait d'un bord à l'autre de la page, sans laisser de marges ni de blancs. Tracées d'une encre pâle, brunâtre, les lettres s'enchevêtraient ; les mots se soudaient ; les lignes ondulaient ; des corrections microscopiques surchargeaient des phrases à peine lisibles. Le projet d'un article sur « la sculpture, la peinture et la musique » voisinait avec celui d'une nouvelle sur une mystérieuse rue de l'île Vassilievsky, éclairée par une seule lanterne ; la première

_____

(1) Annenkov : *Souvenirs littéraires*.

phrase d'un récit : « Il n'y a rien de plus beau que la perspective Nevsky, du moins à Saint-Pétersbourg (1) », se prolongeait par une étude sur Herder ; des pensées personnelles se heurtaient à des notes de lectures historiques : *les Variagues, les Alliances des Rois européens avec les Empereurs russes, le Siècle de Louis XIV, les Conquêtes des Normands...*

Cette diversité et cette confusion de thèmes attestaient l'extrême désarroi de Gogol. Il ne savait plus au juste dans quelle direction piocher. Le succès des *Veillées du Hameau*, après l'avoir réjoui, lui faisait peur. Il voyait les défauts de ce premier recueil et ne supportait plus qu'on le louât devant lui. Il lui semblait même qu'en s'obstinant à admirer une œuvre aussi médiocre, ses lecteurs dépréciaient implicitement ce qu'il écrirait par la suite. Il avait une trop haute idée de lui pour accepter de n'être qu'un amuseur public. Né pour apporter la lumière à l'humanité, il se devait de gravir un échelon à chaque livre, jusqu'à la perfection voulue par Dieu.

« Vous me parlez des *Veillées*, écrivait-il à Pogodine. Qu'elles aillent au diable ! Je ne les rééditerai pas. Gagner de l'argent ne serait certes pas de refus, mais écrire pour cela, ajouter des récits, je ne le peux pas... J'oubliais même déjà que j'étais l'auteur de ces *Veillées*, et c'est vous qui me le rappelez... Qu'elles sombrent dans l'oubli jusqu'au jour où j'aurai produit quelque chose d'important, de grand, de véritablement artistique. Je reste oisif et immobile. Je ne veux rien donner de petit et rien de grand ne se dessine. En un mot, je souffre de constipation intellectuelle (2). »

Cette incapacité à concevoir une œuvre digne du destin qu'il s'était fixé lui paraissait, de semaine en semaine, plus inquiétante. Ses lettres à ses amis n'étaient qu'une longue plainte : « Le plus vexant, c'est que la force créatrice continue de me fuir (3)... » « Je ne fais absolument rien. N'aurais-je pas rapporté de la maison une grande paresse (4) ? » « Je suis devenu tellement froid, dur, prosaïque, que je ne me

(1) Première phrase de *la Perspective Nevsky*.
(2) Lettre du 1er février 1833.
(3) Lettre à Pogodine du 25 novembre 1832.
(4) Lettre à sa mère du 8 février 1833.

reconnais plus. Il y aura bientôt un an que je n'ai pas écrit une ligne. J'ai beau m'efforcer, c'est peine perdue (1)... »
« Je ne sais si le Tout-Puissant daignera m'envoyer l'inspiration (2)... »

A la fin de l'année 1832, il avait cru pourtant avoir trouvé sa voie : une comédie, *la Croix de Saint-Vladimir*. Le thème, tel qu'il le révéla à quelques amis, était la manie des honneurs. Un haut fonctionnaire, possédé par le désir de recevoir une décoration — l'ordre de Saint-Vladimir qui conférait la dignité de gentilhomme — pliait toute sa vie à cette idée fixe, devenait fou et se prenait lui-même finalement pour une croix de Saint-Vladimir du troisième degré.

« Gogol a une idée de comédie en tête, écrivait Plétnev à Joukovsky dès le 8 décembre 1832. Je ne sais s'il en accouchera cet hiver, mais j'attends de lui, dans ce genre, une perfection peu ordinaire. J'ai toujours été frappé, dans ses contes, par les passages dialogués. »

De son côté, Gogol écrivait, le 20 février 1833, à Pogodine : « Je me suis toqué d'une comédie. L'idée m'en a obsédé à Moscou, en voyage, à mon arrivée ici, mais je ne l'ai pas encore matérialisée. Pourtant le sujet commençait à se dessiner, le titre même s'inscrivait sur la première page d'un gros cahier de papier blanc : *la Croix de Saint-Vladimir*. Que de fiel, de sel et de rire ! Mais je me suis arrêté soudain en voyant que ma plume bronchait sur des passages que la censure n'autoriserait jamais. Or à quoi bon une pièce qui ne se jouera pas ? Un drame ne vit que sur la scène. Sans cela, il est comme une âme sans corps... Il ne me reste donc plus qu'à inventer un sujet tellement innocent, que même un commissaire de police ne pourrait s'en effaroucher. Mais qu'est-ce qu'une comédie sans vérité et sans méchanceté ? »

Quelques jours plus tard, Plétnev confirmait la nouvelle à Joukovsky : « Rien de nouveau chez Gogol. Sa comédie n'est pas sortie de sa tête. Il voulait y mettre trop de choses, se heurtait à des difficultés continuelles d'expression scénique, et, de dépit, n'écrivait rien. »

_____

(1) Lettre à Maximovitch du 2 juillet 1833.
(2) Lettre à sa mère du 9 août 1833.

En réalité pourtant, il écrivit quelques scènes de *la Croix de Saint-Vladimir* et les enfouit dans ses papiers, parmi d'autres essais de plume (1). De même il esquissa une comédie au « sujet innocent », selon sa propre expression, *les Prétendants*, mais la trouva si pâle qu'il la mit de côté avec l'intention de la retravailler quand l'inspiration lui serait revenue. Enfin il entreprit de rédiger des nouvelles, *le Nez*, *le Journal d'un Fou*, *la Brouille des deux Ivan*, mais sans enthousiasme, avec l'impression atroce de se répéter, de piétiner. Ne valait-il pas mieux, pour lui, tourner le dos au théâtre, aux récits, et se consacrer à l'histoire ? Il avait toujours eu le goût du passé. La tête la première, il se plongea dans la documentation. Par moments, toutefois, un regret le saisissait d'avoir renoncé au contact du public.

« Je me mets à une étude historique, écrivait-il à Pogodine, et aussitôt m'apparaît le mouvement de la scène, j'entends des applaudissements, je vois des gueules sortant des loges, du poulailler, du parterre, elles rient en montrant les dents, et j'envoie mon étude historique au diable (2). »

Mais l'étude historique revenait, peu après, sur le tapis. Elle représentait la sécurité, alors que toute autre forme de littérature était une aventure de l'esprit. On pouvait se tromper du tout au tout en écrivant une pièce ou une nouvelle, jamais en évoquant une époque d'après des documents dignes de foi. Quant à la gloire, celle de l'historien ne le cédait en rien à celle du romancier ou du dramaturge. Du reste Pouchkine lui-même ne s'était-il pas attelé à un ouvrage historique avec son *Pougatchev* ?

D'abord Gogol songea naturellement à une histoire de l'Ukraine. Il rassembla des matériaux, compulsa des archives, annota les ouvrages des chroniqueurs du temps. Mais cette besogne de compilation lui parut vite « assommante ». Les pages imprimées lui soufflaient au visage une odeur de mort. Il ne pouvait se résoudre à commenter les événements selon

---

(1) Il devait les remanier et les publier plus tard, en changeant les noms des personnages d'un fragment à l'autre. Ce sont *la Matinée d'un Homme d'action*, *le Procès*, *l'Antichambre*.
(2) Lettre déjà citée du 20 février 1833.

la méthode desséchante des « professeurs barbares ». Son but
était de ressusciter les personnages disparus avec toute la
chaleur qu'ils avaient de leur vivant. Dans cette optique, la
chronologie des faits avait moins d'importance que le bour-
donnement de l'existence quotidienne. Pour évoquer les années
révolues, il fallait donc se détacher des pièces officielles et
s'inspirer des légendes et des chansons populaires. Plus on
en connaissait, plus on avait de chances de recréer avec exactitude le monde d'autrefois. Le 9 novembre 1833, Gogol écrivait à Maximovitch :

« Je me suis attelé à l'histoire de notre incomparable, de
notre malheureuse Ukraine. Rien ne calme comme l'histoire.
Mes pensées commencent à cheminer tranquillement et à
s'organiser. Il me semble que j'écrirai cet ouvrage et que je
dirai pas mal de choses qui n'ont pas été dites avant moi.
Je me suis beaucoup réjoui en apprenant que vous aviez
acquis de nouvelles chansons... Je vous en prie, faites copier
toutes celles que vous avez... et envoyez-les moi. Je ne puis
vivre sans chansons... Vous ne sauriez vous imaginer comme
elles m'aident dans mon travail. Non seulement les chansons
historiques, mais aussi les chansons obscènes. Toutes, elles
enrichissent mon histoire de traits nouveaux et me rendent
de plus en plus clairs — hélas ! — les temps et les hommes
qui ne sont plus. »

Il précisera encore sa pensée dans une lettre au philologue
slavisant Sréznevsky :

« Chaque note d'une chanson m'évoque plus vivement le
passé que ces chroniques fades et succinctes, si toutefois
l'on peut appeler chroniques des études écrites après coup,
des remarques faites en un temps où la mémoire cède le
pas à l'oubli. Ces chroniqueurs me font penser à un propriétaire qui mettrait un cadenas à son écurie après que ses
chevaux auraient été volés (1). »

Mais, tout en considérant comme sacrée sa décision d'écrire
une histoire vivante de l'Ukraine, Gogol se demandait déjà
s'il n'avait pas eu tort de se limiter à un si petit morceau.
Il avait craint d'être catalogué parmi les écrivains régiona-

---

(1) Lettre du 6 mars 1834.

listes après la publication des *Veillées du Hameau* ; n'allait-on pas le prendre pour un historien spécialiste des questions cosaques après ses travaux sur la Petite Russie ? Or sa signification ne pouvait être que mondiale. Pour être fidèle à son destin, il devait composer, en plus de l'histoire de l'Ukraine, une histoire universelle. Un projet aussi grandiose lui donnait bien quelque vertige. Il titubait mais ne doutait pas de sa force. Tout était une question de construction. Il voyait huit ou neuf volumes. Dans l'allégresse, il rédigea à l'intention du ministre de l'Instruction publique, Ouvarov, un *Plan d'Enseignement de l'Histoire universelle* :

« L'histoire universelle, telle qu'elle devrait être en vérité, n'est pas un ramassis d'histoires particulières de tous les Etats et de toutes les nations, sans liens, sans plan d'ensemble, sans but commun. Elle n'est pas une accumulation de faits inertes, desséchés, comme on se la représente habituellement. Son objet est immense : elle doit embrasser, d'un seul regard, toute l'humanité et montrer comment elle s'est développée et perfectionnée depuis sa misérable enfance jusqu'à notre époque (1). »

Et, le 23 décembre 1833, il écrivait à Pouchkine :

« Je terminerai l'histoire de l'Ukraine et du Sud de la Russie, et j'écrirai une histoire universelle, dont il n'existe pas encore de version véridique non seulement en Russie mais même en Europe. Combien y rassemblerai-je de traditions, de croyances, de chansons ! »

Son intention de devenir un grand historien était si forte, que, sur le conseil de Maximovitch, il résolut brusquement de solliciter la chaire d'histoire universelle à l'Université de Saint-Vladimir, récemment fondée à Kiev. Certes, il n'avait aucun diplôme, ses connaissances étaient limitées, son expérience pédagogique à peu près nulle, mais la Russie manquait de professeurs et le ministre de l'Instruction publique fermait les yeux sur les titres des candidats. Maximovitch, qui enseignait la botanique à Moscou, n'allait-il pas, sur sa demande, être chargé d'enseigner la littérature à Kiev ? En s'installant dans « la mère des cités russes », Gogol le retrouverait. Ensem-

_____

(1) Cette étude sera publiée plus tard dans *Arabesques*.

ble ils entreprendraient des recherches dans les archives, ils se griseraient de chansons populaires et de légendes, ils imposeraient une nouvelle conception de l'histoire.

« Là-bas ! Aller là-bas ! Dans notre vieux et admirable Kiev ! écrivait Gogol à Maximovitch. Il est à nous, il n'est pas à eux, c'est là-bas que s'est formée toute notre histoire ancienne... Saint-Pétersbourg m'ennuie, ou plutôt, c'est son abominable climat qui m'accable. Oui, ce sera merveilleux si nous occupons, toi et moi, une chaire à Kiev : nous pourrons faire beaucoup de bien (1). »

Restait à décider le ministre. Le rapport que Gogol lui avait envoyé sur l'enseignement de l'histoire universelle ne pouvait que disposer Ouvarov en sa faveur. Pour lever ses dernières hésitations, on allait mettre en branle tous les amis. En tête du peloton, le bon Joukovsky, précepteur du prince héritier. Mais Pouchkine non plus n'était pas à dédaigner. Il avait l'oreille de certains hauts dignitaires et connaissait personnellement Ouvarov. Aussi Gogol lui adressa-t-il une lettre aux termes savamment calculés, dans l'espoir qu'il la montrerait au ministre :

« Si Ouvarov avait été de cette espèce d'hommes dont on trouve un grand nombre chez nous aux places d'honneur, je n'aurais pas pris la décision de le solliciter ni de lui exposer mes idées et me serais comporté comme il y a trois ans, quand on m'avait proposé une chaire à l'Université de Moscou (2). C'est qu'à cette époque-là le ministère de l'Instruction publique était confié au baron de Lieven, homme de courte intelligence. Il est triste de penser que personne ne peut apprécier notre travail. Ouvarov, lui, s'y connaît. Ses vues, ses observations, ses pensées sur la vie de Goethe me l'ont bien fait comprendre. Et je ne parle même pas de ses réflexions sur les hexamètres, qui révèlent une telle connaissance philosophique de la langue et une telle vivacité d'esprit. Je suis convaincu qu'il fera chez nous bien plus que Guizot n'a fait en France. Et j'ai la certitude que, s'il daigne s'intéresser à

---

(1) Lettre de décembre 1833.
(2) Jamais personne ne lui avait proposé une pareille chaire en 1830 ni en 1831.

mon plan, il saura me distinguer de la foule des professeurs
veules qui emplissent nos universités (1). »

Si Ouvarov ne se décidait pas après une pareille pommade,
c'était à désespérer de toute diplomatie ! Mais il ne fallait
pas être pressé. Les résolutions étaient toujours lentes à mûrir
dans les sphères supérieures de l'administration. A l'approche
de la nouvelle année, l'exaltation de Gogol prit une tournure
mystique. Puisqu'il n'avait rien accompli de grand en 1833,
c'était que Dieu lui réservait la gloire pour 1834. Par une
nuit glaciale, courbé sur son pupitre, à la lueur d'une bougie,
il fit le bilan des douze mois écoulés : pas une publication
importante, le manque d'argent, des dettes, sa mère obligée
de réorganiser la tannerie et de renvoyer « le spécialiste
autrichien » qui l'avait grugée. On avait, une fois de plus,
hypothéqué Vassilievka. Et cependant tout cela ne comptait
pas devant l'immense espoir qui se levait en lui.

« Grande minute, minute solennelle, écrivait-il. A mes pieds,
bruit mon passé ; au-dessus de moi, à travers un brouillard,
brille l'avenir indéchiffrable. Je t'implore, vie de mon âme,
mon Génie ! O ne te cache pas de moi ! Veille sur moi en cette
minute et ne me quitte pas de toute cette année, qui s'annonce
si séduisante pour moi. Que seras-tu, mon avenir ? O sois
brillant, sois plein d'activité, voué entièrement au travail et
à la quiétude... Mystérieuse et impénétrable année 1834 ! Te
marquerai-je par d'illustres travaux et en quel lieu les mène-
rai-je à bien ? Sera-ce ici, au milieu de ces hautes maisons
entassées côte à côte, de ces rues bruyantes, de ce mercanti-
lisme fébrile, de cette masse informe de modes, de parades,
de fonctionnaires, de rudes nuits nordiques, de clinquant et
de basse médiocrité ? Ou bien dans mon beau, mon antique
Kiev, ma Terre promise, couronnée de jardins fertiles, ceinte
de son magnifique ciel du Midi, avec ses nuits enivrantes, ses
collines couvertes de buissons, ses ravins qui sont comme des
coupes harmonieuses, et mon Dniepr aux eaux pures et rapides baignant le pied des monts ? Là-bas ? O je ne sais comment t'appeler, mon Génie ! Toi qui, dès le berceau, emplis-

_____
(1) Lettre du 23 décembre 1833.

sais mes oreilles, en volant, de tes chants harmonieux, qui
faisais naître en moi de si merveilleuses pensées encore inef-
fables, qui berçais en moi des rêves si vastes et si enivrants !
O regarde-moi ! Abaisse sur moi tes regards célestes. Je suis
à genoux. Je suis à tes pieds. O ne me quitte pas. Reste
avec moi, sur terre, comme un frère admirable, ne fût-ce
que deux heures par jour. J'accomplirai... J'accomplirai... La
vie bouillonne en moi. Mes travaux seront inspirés. Au-dessus
d'eux planera une divinité inaccessible... J'accomplirai... O
donne-moi un baiser et accorde-moi ta bénédiction. »

Cette invocation solennelle, lancée dans la nuit du 31 décembre 1833 au 1ᵉʳ janvier 1834, était sincère malgré son ton
emphatique. Lorsqu'une grande émotion le possédait, Gogol
ne savait pas rester simple. Comme d'autres versent des
larmes, il versait des mots.

Au début de l'année nouvelle, il était tellement sûr d'obtenir
la chaire convoitée, qu'il écrivait à Maximovitch :

« Dans ta lettre, tu me parles de Kiev. Je pense toujours y
aller. Mes affaires sont sur le point de s'arranger à cet
égard (1). »

Et, bien que l'histoire de l'Ukraine fût encore à l'état de
plan, il fit paraître une annonce ainsi conçue, dans l'*Abeille
du Nord*, le 30 janvier 1834 :

« Livres nouveaux. Edition d'une *Histoire des Cosaques
petits-russiens*, par N. Gogol, auteur des *Veillées du Hameau*.
Il n'y a pas jusqu'à présent d'histoire complète et satisfaisante
de la Petite Russie et de son peuple... J'ai décidé de prendre
sur moi cette tâche... Pendant près de cinq ans, j'ai recueilli,
avec une grande application, des matériaux se rapportant à
l'histoire de cette contrée... La moitié de mon livre est presque
prête, mais je retarde la publication des premiers tomes, soupçonnant l'existence de nombreuses sources de documents, ignorés de moi, qui doivent se trouver quelque part en la possession de personnes privées. C'est pourquoi, m'adressant à tous,
je prie instamment ceux qui détiennent des matériaux quel-
conques, chroniques, mémoires, chansons, récits de « bandou-

_____

(1) Lettre du 12 février 1834.

ristes » (1), papiers d'affaires..., de me les envoyer, sinon en originaux, du moins en copie... à l'adresse suivante... »

Il ne devait recevoir aucune réponse. Mais — compensation appréciable pour son amour-propre — le ministre Ouvarov fit publier son *Plan d'Enseignement de l'Histoire universelle* dans la *Revue du Ministère de l'Instruction publique* et l'impératrice le gratifia d'un anneau orné de brillants « en récompense de ses excellents travaux ». Cette fois il ne douta plus d'avoir obtenu gain de cause. Déjà il se préparait, avec Iakim, à son prochain départ. Soudain la nouvelle le frappa comme la foudre : malgré toutes les promesses, c'était un certain Vladimir Zich, candidat personnel du curateur de l'Université de Kiev, qui venait d'être nommé à la chaire que lui, Gogol, postulait. Etourdi par le coup, il réagit bientôt par des imprécations, des questions, des supplications jetées aux quatre points cardinaux.

« Que me dis-tu au sujet de Zich ? écrivait-il à Maximovitch le 29 mars 1834. Y a-t-il une information officielle à son sujet ? Le ministre m'avait formellement promis cette place... »

Quelques jours plus tard, il suggérait au même Maximovitch d'écrire à Bradke, curateur de l'Université de Kiev, pour tenter d'arranger les choses :

« Quand tu écriras à Bradke, glisse quelques allusions à mon sujet de la façon suivante : dis-lui qu'il devrait faire entrer Gogol dans son université car tu ne connais personne qui ait de plus profondes connaissances historiques et qui sache aussi bien les exposer. Ajoute d'autres compliments dans le même genre, énoncés comme en passant... Cela m'est d'autant plus nécessaire, que le ministre, de son côté, est prêt à faire tout ce qui est en son pouvoir, si le curateur donne son accord. »

Et à Pouchkine :

« Je vais vous importuner avec une requête : si vous parlez de moi avec Ouvarov (ministre de l'Instruction publique), dites-lui que vous êtes venu chez moi et que vous m'avez trouvé à peine en vie. Par la même occasion, faites-lui savoir

---

(1) Joueurs de bandoura (sorte de guitare).

que vous êtes furieux contre moi parce que je continue à vivre ici au lieu de quitter immédiatement la ville, alors que les docteurs m'ont ordonné de partir au plus tôt. Ayant précisé qu'il se pourrait très bien que, d'ici à un mois, je passe l'arme à gauche, changez de conversation, discourez sur le temps qu'il fait ou sur quelque sujet du même genre. Je pense que ce ne sera pas entièrement inutile (1). »

« Tout à fait d'accord avec vous, répondit Pouchkine le jour même. J'irai dès aujourd'hui sermonner Ouvarov et je lui parlerai de votre mort. Puis, par une insensible et habile transition, je passerai à l'immortalité qui l'attend, lui. Qui sait ? Peut-être arriverons-nous à un résultat ! »

La démarche de Pouchkine n'eut pas de conséquence immédiate. Le ministre promit de réfléchir, d'étudier le dossier, de reconsidérer la question si une nouvelle possibilité se présentait... De son côté, Pogodine offrit à Gogol une place de professeur adjoint à l'Université de Moscou. Refus catégorique de l'intéressé. Adjoint à qui ? Adjoint à quoi ? Croyait-on qu'il pouvait enseigner l'histoire universelle autrement que du haut d'une vraie chaire de professeur ? Du reste le climat de Moscou ne lui convenait pas davantage que le climat de Saint-Pétersbourg. C'était Kiev qu'il lui fallait, avec son soleil et ses étudiants. Pourquoi Dieu ne l'aidait-il pas dans cette entreprise ? Dernièrement encore, il avait écrit à sa mère :

« Avez-vous pensé à faire dire une messe pour le bon fonctionnement de la tannerie ? Sinon, chargez le père Ivan d'en dire une afin que vos affaires marchent bien et que les miennes aussi s'arrangent comme je le souhaite (2). »

La messe n'avait servi à rien, ni en ce qui concernait la tannerie, dont le rendement était devenu à peu près nul, ni en ce qui le concernait lui, dont le rêve de professorat s'éloignait. Aurait-il dû commander cette messe personnellement, au lieu de s'en remettre à sa mère ? Il était pieux, mais ne fréquentait guère l'église. Dieu ne pouvait lui en vouloir de son manque d'assiduité. Il avait avec le Tout-Puissant des rapports très libres, le consultant à tout propos, en tout temps

---

(1) Lettre du 13 mai 1834.
(2) Lettre du 9 mars 1834.

et en tout lieu. A sa mère, qui lui reprochait de n'être qu'un pratiquant occasionnel, il répondait vertement :

« Je vénère les apôtres de Dieu et ses ministres, mais le lieu dans lequel on prie Dieu n'a aucune importance. Il est partout, donc partout Il entend notre prière (1). »

Ulcéré, il continuait fort irrégulièrement à enseigner des rudiments d'histoire aux fillettes de l'Institut patriotique. Toutes ces gamines en uniforme marron ; toutes ces cervelles de moineau ; et ses sœurs dans le tas ! Quelle dérision auprès de la large audience qu'il espérait conquérir à Kiev ! Sur sa demande, on lui rendit son traitement de mille deux cents roubles, avec rappel au 1ᵉʳ janvier, tout en laissant les demoiselles Gogol comme pensionnaires dans l'établissement à titre de « récompense particulière ». Enfin le ministre lui proposa de donner des cours d'histoire du Moyen Age à l'Université de Saint-Pétersbourg. Malheureusement, là encore, il serait inscrit comme professeur adjoint et non comme professeur ordinaire. S'étaient-ils tous donné le mot pour lui rabattre la crête ? Ils avaient de la chance qu'il eût besoin d'argent ! Ravalant son dépit, il accepta et se vit confirmé dans ses fonctions par un acte du 24 juillet 1834. Toutefois il n'avoua pas à ses amis son titre véritable. Quand il se résigna à leur annoncer la nouvelle, le mot « adjoint » resta dans l'encrier, tandis que le mot « chaire » venait naturellement sous sa plume.

« J'ai décidé d'accepter momentanément une chaire, à Saint-Pétersbourg, écrivait-il à Pogodine. Mes cours porteront sur le Moyen Age (2). »

Et à sa mère :

« J'ai rejeté tout fardeau inutile et ai renoncé à mes autres occupations. A présent je me contente d'être professeur à l'Université de Saint-Pétersbourg et n'ai aucune autre fonction. Je n'ai ni le loisir ni l'envie de faire autre chose (3). »

Il n'avait pas, pour autant, renoncé à Kiev. Son transfert là-bas lui paraissait même assuré. Lorsque le ministre aurait

_____

(1) Lettre du 10 juillet 1834.
(2) Lettre du 23 juillet 1834.
(3) Lettre du 1ᵉʳ août 1834.

eu connaissance de son succès auprès des étudiants de la
capitale, il ne pourrait lui refuser une chaire dans l'université
de son choix. « Ainsi j'ai résolu d'accepter une chaire ici,
pour un an, ce qui me donnera plus de droits encore pour
être nommé à Kiev (1) », mandait-il à Maximovitch.

Il chargeait même ce dernier, à peine installé à Kiev, de lui
trouver une maison à acheter, « si possible avec un jardinet,
quelque part sur une colline, avec vue sur un petit bout du
Dniepr ». Cependant Maximovitch, dépaysé dans sa nouvelle
résidence et son nouvel emploi, se demandait s'il serait capable d'enseigner l'histoire littéraire, lui qui ne s'en était occupé
jusque-là que par intermittence et pour son plaisir. Avait-il
moralement le droit d'assumer le rôle d'un maître devant une
jeunesse trop confiante ? N'aurait-il pas mieux fait de rester
dans sa spécialité : la botanique ? Ces tourments de conscience, répétés de lettre en lettre, stupéfiaient Gogol qui, pour
sa part, n'en ressentait aucun.

« Au nom de notre amitié, au nom de notre Ukraine, au
nom des tombeaux de nos pères, ne pâlis pas sur des livres,
écrivait-il à Maximovitch. Que le diable m'emporte s'ils ne
servent pas uniquement à obscurcir tes idées. Reste tel que
tu es et exprime tes propres pensées, et encore le moins
possible. Les étudiants, surtout au début, sont si stupides,
qu'il serait vraiment criminel de trop travailler pour eux. Le
mieux est d'avoir avec eux des conversations esthétiques...
Ainsi agit Plétnev, qui a décidé, fort raisonnablement, que
toutes les théories étaient absurdes et qu'elles ne menaient
à rien... Il ne lit plus de cours et se contente, avec ses
élèves, d'explications, de discussions, leur faisant toucher du
museau la beauté... Tu as du goût, tu connais la littérature
russe mieux que tous les pédagogues-exégètes, que veux-tu
de plus ? Je t'en prie, au nom du ciel, occupe-toi le moins
possible de ce fatras (2). »

Ce « fatras », il fallait pourtant qu'il s'en occupât lui-
même, car la rentrée de l'Université devait avoir lieu au début
du mois de septembre. Il avait beau mépriser ses futurs audi-

_____

(1) Lettre du 14 août 1834.
(2) Lettre du 27 juin 1834.

teurs, devant la tâche qui l'attendait une angoisse lui comprimait la poitrine, tout à fait semblable à celle qu'éprouvait Maximovitch. Autant il lui paraissait stimulant de tracer de grandes avenues à travers les massifs des événements historiques, autant il jugeait fastidieux de descendre jusqu'aux menus détails de la chronologie. Il se sentait roi dans le domaine des projets, et esclave dans celui de l'exécution. Alors que ni son histoire de l'Ukraine ni son histoire universelle n'étaient encore sorties des limbes, voici qu'il lui fallait peiner sur l'histoire du Moyen Age. Et, comme par un fait exprès, cette obligation lui tombait sur les reins au moment où, précisément, il retrouvait le goût de la littérature romanesque. Il avait, au cours du printemps dernier, achevé quelques nouvelles, dont *le Portrait*, *Vii*, *Tarass Boulba...* D'autres sujets lui trottaient en tête. Mais deux ou trois papes, Gengis Khan, Frédéric Barberousse, Alexandre Nevsky barraient la route aux personnages imaginaires.

VII

PROFESSEUR ADJOINT

Il était deux heures de l'après-midi, lorsque Gogol pénétra dans l'amphithéâtre. Salle comble. Ayant appris que l'auteur des *Veillées du Hameau* avait été chargé des cours d'histoire du Moyen Age, des étudiants d'autres facultés s'étaient joints à ceux de la section de philologie pour écouter la conférence d'ouverture. Tous se levèrent d'un seul mouvement, avec bruit. Très pâle, Gogol les salua gauchement et se dirigea vers la chaire. Il tournait son chapeau dans ses mains. Une peur panique lui creusait l'estomac. Il gravit lentement les marches de l'estrade. Le recteur entra peu après, souhaita la bienvenue au nouveau professeur adjoint et alla s'asseoir, avec pesanteur, dans le fauteuil qui lui était réservé.

Gogol se trouva seul devant un parterre de visages inconnus. La jeunesse de son auditoire l'intimidait. Des centaines de regards convergeaient sur lui avec une curiosité exigeante. Les toux se turent, les pieds cessèrent de remuer, le silence s'approfondit. Pour plus de sûreté, Gogol avait appris son premier cours par cœur. Après une prière intérieure, il se lança. Le timbre de sa voix, sonnant haut et clair, le rassura aussitôt. D'emblée les étudiants furent conquis par ce petit homme blême et maladif, à l'œil aigu. Ce n'était pas un professeur qui leur parlait, mais un visionnaire, un poète. Il évoquait pour eux les temps obscurs du Moyen Age, les foules armées des croisades, le saint orgueil des ordres de

chevalerie, les horreurs de l'Inquisition, le mystérieux travail
des alchimistes. Pas un nom, pas une date. Mais des idées
générales à foison. Une sorte de mirage, par endroits étincelant et par endroits fumeux (1). Au bout de trois quarts
d'heure, l'orateur se tut devant l'assistance médusée. Les applaudissements éclatèrent. En descendant de l'estrade, il fut
entouré par des étudiants enthousiastes. Ravi de son succès,
il leur dit :

« Pour ce premier jour, j'ai essayé, messieurs, de vous
montrer simplement le caractère général de l'histoire du
Moyen Age. La prochaine fois, nous aborderons les faits et
devrons nous armer pour cela du scalpel de l'anatomiste. »

Mis en appétit, les étudiants attendirent avec impatience
le cours suivant. Au jour dit, Gogol arriva en retard, monta
en chaire et commença à parler du grand mouvement de
migration des peuples. Mais, cette fois-ci, il n'avait pas appris
son texte par cœur et cherchait ses phrases, butait sur les
mots, d'un air de somnolence et de confusion. « Il s'exprimait
d'un ton si mou et si monocorde, il s'embrouillait tellement,
que l'ennui nous prenait à l'écouter, notera l'un de ses étudiants. Nous ne pouvions croire que c'était là le même Gogol
qui, la semaine précédente, avait prononcé devant nous une
brillante conférence (2). » Après une demi-heure d'exposé, il
se troubla soudain, comme ne trouvant plus rien à dire,
annonça qu'il devait abréger son cours parce que des parents
à lui venaient d'arriver de voyage et l'attendaient à la maison,
et conseilla aux jeunes gens de se reporter, s'ils voulaient de
plus amples détails, à certains ouvrages dont il leur donnerait
les titres. A sa troisième apparition, comme ils lui demandaient de préciser quelques dates historiques, il fut incapable
de leur répondre, mais promit d'apporter, la prochaine fois,
une chronologie complète. Cette chronologie, il la recopia
simplement dans un livre et les étudiants s'en aperçurent.
Leur engouement pour le nouveau professeur adjoint baissait
d'une séance à l'autre. Ils venaient de moins en moins nom-

_____

(1) Le texte de cette première leçon devait être publié dans *Arabesques*.
(2) Ivanitsky. *Mélanges*. Annales de la Patrie, 1853.

breux à ses cours. Et Gogol, devant cet auditoire clairsemé, était de moins en moins enclin à préparer sérieusement ses conférences. Il avait épuisé sa science et son élan dans la leçon inaugurale. Maintenant il ne faisait que paraphraser les autres historiens et délayer la sauce. Selon son habitude, il se prétendait souvent malade, soit pour ne pas venir, soit pour écourter ses interventions. « Est-ce parce qu'il avait mal aux dents ou pour une autre raison quelconque, mais nous le voyions souvent la tête entourée d'un mouchoir blanc, écrira un autre de ses étudiants. Il présentait un aspect maladif, pitoyable... Et quel nez il avait ! Long, pointu, un véritable nez d'oiseau. Je ne pouvais le regarder de près sans penser : il va me donner un coup de bec, et mon œil sera fichu (1). »

Au mois d'octobre 1834, Gogol eut pourtant un sursaut de zèle, parce que Pouchkine et Joukovsky lui avaient promis d'assister à l'un de ses cours. Pour eux, il rédigea une étude brillante sur le calife Al Mamoun et son époque. En arrivant à l'Université, il trouva les deux poètes mêlés à la foule des étudiants, dans la salle d'attente. Ils gagnèrent ensemble l'amphithéâtre. Les visiteurs de marque prirent place sur le côté ; les étudiants — peu nombreux — s'affalèrent sur leurs bancs ; et le professeur adjoint, malade d'émotion, gravit l'estrade comme il fût monté à l'échafaud.

La discipline s'était relâchée, depuis quelque temps, parmi l'auditoire. On bavardait, on ricanait volontiers pendant les cours. Pourvu que, cette fois-ci, ils se tinssent tranquilles ! Sinon, quelle honte devant Pouchkine, devant Joukovsky !... Par miracle, tout se passa bien. Le texte, documenté et poétique, coulait comme naturellement des lèvres de Gogol. La grande figure d'Al Mamoun captivait les jeunes gens. A la fin de la conférence, Pouchkine et Joukovsky complimentèrent l'orateur, qui n'avait plus de voix ni de jambes.

Mais ce ne fut qu'une flambée. Dès le cours suivant, les étudiants consternés retrouvèrent le Gogol habituel, avec ses hésitations, son œil vague, ses gestes incertains et ses retours sempiternels à « la migration des peuples ». Les autres pro-

_____

(1) Kolmakov. *Souvenirs.*

fesseurs n'avaient aucune sympathie pour lui et le considéraient même comme un intrus dans cette Université où il
n'avait été admis, disaient-ils, que par protection.

« Homme de lettres rendu célèbre dans le public par ses
récits intitulés *les Veillées du Hameau*, notait le professeur
de littérature Nikitenko. Un talent à la Téniers... Mais, quand
il passe de la vie matérielle à la vie idéale, il devient ampoulé
et pédant... Dès qu'il aborde des sujets élevés, son esprit, son
sentiment et sa langue perdent toute originalité. Cependant
il ne s'en rend pas compte et se guinde en homme de génie...
Ce soi-disant génie, Gogol se figure qu'il lui donne droit aux
plus hautes prétentions... Qu'est-il donc arrivé ? Il fait des
cours si mauvais, qu'il est devenu la risée des étudiants. La
direction craint qu'ils ne lui montent quelque farce, inévitable
dans des cas pareils, mais qui pourrait avoir de fâcheuses
conséquences. Le recteur l'a convoqué et lui a appris avec
courtoisie les bruits désagréables qui circulaient au sujet de
ses cours. Pour un moment, l'orgueil de Gogol a cédé et il
a reconnu son incompétence et son impuissance. Il est venu
me voir également et a confessé qu'il manquait d'expérience
pour occuper ce poste à l'Université. »

Repoussé par les professeurs, lâché par les étudiants, Gogol
poursuivit son enseignement à contrecœur, comme il eût subi
une punition. Dès le 14 décembre 1834, il écrivait à Pogodine :

« Je suis seul, absolument seul, dans cette université. Nul
ne m'écoute, je n'ai rencontré personne qui ait été frappé par
la lumineuse vérité que j'énonce. Voilà pourquoi j'ai décidé
de renoncer au polissage artistique et au désir de réveiller
mes auditeurs somnolents... Ah ! s'il y avait eu ne fût-ce qu'un
seul de ces étudiants pour me comprendre ! Mais c'est une
engeance terne, comme tout ce qui vit à Saint-Pétersbourg. »

Parmi cette « engeance terne », se trouvaient, en réalité,
quelques jeunes gens de grand mérite, comme le futur historien Granovsky et le futur romancier Tourguéniev. Ce dernier
devait se souvenir, avec une mélancolie amusée, des efforts de
Gogol pour intéresser son public.

« J'ai été son auditeur en 1835, quand il enseignait (!)
l'histoire à l'Université de Saint-Pétersbourg, écrira-t-il. Cet
enseignement se pratiquait, à vrai dire, de la façon la plus

originale. Tout d'abord, Gogol manquait, par principe, deux cours sur trois ; ensuite, quand il daignait monter en chaire, il ne parlait pas mais balbutiait tout bas des paroles indistinctes, nous faisait voir de petites gravures, représentant des paysages de Palestine ou d'autres pays d'Orient, et semblait affreusement confus. Nous étions tous convaincus (et nous ne devions guère nous tromper) qu'il ne comprenait rien à l'histoire. Le jour de l'examen, dans la matière qu'il enseignait, il se présenta avec un mouchoir noué autour du visage, comme s'il avait souffert des dents, l'air accablé, et n'ouvrit pas la bouche. Ce fut le professeur Choulguine qui questionna les candidats. Je vois encore la figure maigre de Gogol, avec son long nez, et les deux coins du mouchoir de soie noire dressés au-dessus de sa tête comme des oreilles (1). »

Les étudiants eurent tôt fait de comprendre que, si leur professeur les faisait interroger par un autre, c'était par crainte de révéler sa propre ignorance en conduisant les débats. « Il a peur que Choulguine ne le prenne en défaut lui-même ! chuchotaient-ils. C'est pour ça qu'il fait semblant de ne pouvoir ouvrir la bouche (2) ! » Et ils ne savaient s'ils devaient plaindre ou railler cet étrange personnage, à l'œil morne et à la joue bandée, qui ressemblait plus, tout compte fait, à un élève qu'à un maître. De toute façon, il était difficile de croire qu'il fût un écrivain. Certains penchaient pour une simple homonymie entre leur professeur et l'auteur des *Veillées du Hameau.*

Or, la littérature tenait une place de plus en plus grande dans sa vie. Entre ses cours à l'Université et ses cours à l'Institut patriotique, il travaillait d'arrache-pied pour lui-même. Dès le mois de janvier 1835, il faisait paraître *Arabesques*, en deux volumes, comprenant *la Perspective Nevsky*, *le Portrait*, *le Journal d'un Fou*, des fragments de nouvelles ukrainiennes, le texte de ses leçons d'histoire et des articles divers. Quelques semaines plus tard, en mars 1835, les libraires mettaient en vitrine un autre ouvrage du même auteur, également en deux volumes, *Mirgorod*, où figuraient *un Ménage*

---

(1) I.S. Tourguéniev. *Souvenirs de Littérature et de Vie.*
(2) Cf. Grigoriev : *Souvenirs.*

d'autrefois, *Tarass Boulba*, *Vii* et *la Brouille des deux Ivan.*
Ces deux recueils, publiés à un court intervalle, obtinrent
un succès d'estime, mais se vendirent médiocrement. En fait,
ce furent les ennuyeuses *Arabesques*, composées de bric et
de broc, qui détournèrent les lecteurs de *Mirgorod*, alors que
ce dernier livre, riche et varié, aurait pu les séduire.

Vers la même époque, Gogol, ayant remanié et achevé sa
nouvelle *le Nez*, l'offrit à Pogodine pour la revue *l'Observateur
moscovite*. Puis, se ravisant, il décida de la publier plutôt
dans *le Contemporain* de Pouchkine et demanda qu'on lui
renvoyât le manuscrit (1). Il s'attendait à des protestations
et fut très surpris de l'empressement de Pogodine à le satisfaire : le comité de rédaction de *l'Observateur moscovite*
avait, entre-temps, refusé le texte comme « sale et trivial ».
Déçu par l'échec de son professorat et de ses *Arabesques*,
Gogol ne songeait plus, de nouveau, qu'à s'évader de Saint-
Pétersbourg.

« Parle-moi de notre printemps, écrivait-il à Maximovitch
le 22 mars 1835. J'ai soif, j'ai soif de ce printemps-là ! Appré-
cies-tu seulement ton propre bonheur ? Tu assistes à l'éclosion
du printemps, tu l'aspires... et tu oses me dire après cela
que tu n'as personne auprès de toi en qui tu puisses t'épancher ! »

Le 3 avril, piaffant d'impatience, il adressa au recteur de
l'université une demande de congé de quatre mois pour raison de santé. Et, le 1ᵉʳ mai, après ces examens où il avait
fait triste figure, avec son mouchoir autour de la tête, il
partit pour le Caucase. Bien entendu, il n'emmenait ni ses
sœurs ni Iakim dans cette randonnée aux étapes incertaines.
Son intention était de suivre une cure thermale. Mais, après
un bref arrêt à Moscou, il calcula que ses ressources ne lui
permettraient pas un si long voyage et, troquant les montagnes du Caucase contre les steppes de l'Ukraine, il se rendit
à Vassilievka. De là, toujours préoccupé de sa santé, il poussa
jusqu'en Crimée, afin de prendre des bains de mer et des
bains de boue. Puis il revint à Vassilievka pour se retremper

---

(1) *Le Nez* ne devait être publié dans *le Contemporain* qu'en octobre 1836.

dans l'adoration familiale. Ses deux derniers livres avaient
confirmé sa mère dans l'idée qu'il était un surhomme. Agacé
par les compliments hyperboliques dont elle le gratifiait, il
lui avait écrit quelques semaines auparavant :

« Parlant de mes œuvres, vous me qualifiez de génie. Quoi
qu'il en soit, cela me paraît étrange. Peut-on m'appeler génie,
moi qui suis un homme bon, simple, peut-être point trop
sot, et ayant du bon sens ? Je vous en prie, chère maman, ne
m'appelez plus jamais ainsi, surtout dans vos conversations
avec quelqu'un. N'émettez aucun avis sur mes livres et ne
vous répandez pas en mots flatteurs sur mes qualités... Si
vous saviez comme il est déplaisant, repoussant, d'entendre
des parents discourir sans arrêt sur leurs enfants et chanter
leurs louanges (1). »

Ces recommandations ne troublaient pas Marie Ivanovna.
Elle savait bien que la première caractéristique d'un génie,
c'est l'humilité. En présence de son fils, valeureusement, elle
s'évertuait à tenir sa langue. Mais, dès qu'il avait le dos
tourné, elle se libérait de son trop-plein d'amour. Avec un
aplomb rayonnant, elle prétendait qu'il était l'auteur de tous
les romans à succès qui se publiaient en Russie. « L'adoration
qu'elle avait pour lui la conduisait aux Colonnes d'Hercule,
racontera Danilevsky. Elle lui attribuait toutes les nouvelles
inventions (les bateaux à vapeur, les chemins de fer) et, au
grand dépit de son fils, en parlait à tout le monde et en
toute occasion. Aucune force humaine n'aurait pu la détrom-
per. »

A Vassilievka, comme toujours, Gogol se reposait et rêvait.
Impossible d'écrire sous ce ciel bleu.

« Je me sens la tête vide et stupide à ne savoir que faire,
mandait-il à Maximovitch. Tant que je bavarde, tout va bien,
mais, dès que je prends la plume, une paralysie me frappe (2). »

Et à Joukovsky :

« J'ai des idées et des sujets plein la tête, et, si nous
n'avions pas eu un été aussi chaud, j'aurais usé beaucoup de
papier et de plumes ; mais la chaleur me rend terriblement

---

(1) Lettre du 12 avril 1835.
(2) Lettre du 20 juillet 1835.

paresseux. Un dixième seulement de ce que j'aurais pu écrire l'a été et attend impatiemment d'être lu par vous. Dans un mois, je tirerai la sonnette de votre porte, ployant sous le poids des cahiers (1). »

Cette promesse n'était pas lancée à la légère : Gogol venait d'apprendre que la directrice de l'Institut patriotique envisageait de le remplacer par un autre professeur. Tout en méprisant son travail dans cet établissement, il ne pouvait renoncer de bon gré à la rémunération qu'il recevait en échange. Or, s'il expliquait à Joukovsky l'importance de ses projets, celui-ci aurait à cœur d'intervenir auprès de l'impératrice, afin qu'il ne fût pas privé de son traitement au moment où il avait besoin d'avoir la tête libre pour créer.

« Hier, écrivait-il dans la même lettre, j'ai appris une étrange nouvelle ; il paraît qu'un autre monsieur doit occuper mon poste à l'Institut patriotique, ce qui est très fâcheux pour moi, car, d'une part ce travail constitue mon gagne-pain et, d'autre part, j'avais du plaisir à cet enseignement ; je m'étais même habitué à me considérer là comme parmi des proches, comme en famille... Cependant Plétnev m'écrit que la candidature de mon remplaçant ne sera posée que dans les premiers jours d'août et que, si l'impératrice n'accepte pas que ma place soit donnée à un nouveau professeur, cette place me restera. Voilà pourquoi je m'adresse à vous : vous serait-il possible de faire en sorte que l'impératrice ne daigne pas accorder son assentiment ? Elle est bonne et, sans doute, ne voudra pas me chagriner. »

Comptant toujours sur la bienveillance de l'impératrice, il eut même l'idée de ramener avec lui, à Saint-Pétersbourg, sa sœur cadette, Olga, pour la placer à l'Institut patriotique avec les deux autres. Mais l'enfant était dure d'oreille et quelque peu retardée. L'atmosphère de la pension risquait de lui faire plus de mal que de bien. Après discussion en famille, on décida qu'il valait mieux la laisser à la campagne, où elle s'instruirait vaille que vaille et finirait par trouver un époux.

A la fin du mois de juillet, Gogol repartit pour Saint-Pétersbourg et s'arrêta à Kiev où vivait Maximovitch. Cinq

_____

(1) Lettre du 15 juillet 1835.

jours de conversations, de promenades à travers la ville sainte, de méditations devant l'église André Pervozvanny, au sommet du mont Andréievsky, et il prit la route de Moscou, en calèche de louage. Ses amis Danilevsky et Pachtchenko l'accompagnaient. Aux relais, il se faisait passer, par jeu, pour un « aide de camp — professeur », ce qui impressionnait les maîtres de poste et lui valait d'être mieux servi en chevaux.

Moscou lui réserva, comme toujours, un accueil chaleureux. Un samedi soir, chez les Pogodine, il lut sa comédie *Hyménée* (nouvelle mouture des *Prétendants*) devant de nombreux invités. Dès qu'il pouvait s'abriter derrière un personnage, sa timidité naturelle l'abandonnait. Mieux, la présence du public excitait sa verve. Sans quitter sa chaise, il était tour à tour fiancée rougissante, marieuse hardie ou prétendant indécis.

« Il lisait si bien, ou plutôt il jouait si bien, écrira Aksakov, que nombre de personnes, l'ayant entendu, disent aujourd'hui encore que, sur la scène, en dépit de l'excellente interprétation des acteurs..., la pièce était moins pleine, moins unie et moins drôle que lue par l'auteur lui-même... Les auditeurs riaient tellement, que certains se trouvèrent presque mal. »

Mme Nachtchokine, ayant fait la connaissance de Gogol chez les Aksakov, notera qu'il avait un léger accent ukrainien et qu'il appuyait, en parlant, sur la lettre « o ». « Ses cheveux étaient longs, ses tempes dégagées et il secouait souvent la tête (1). »

Dans les premiers jours de septembre, Gogol était de retour à Saint-Pétersbourg et reprenait, sans entrain, ses cours à l'Université. Relevé de ses fonctions à l'Institut patriotique, malgré l'intervention de Joukovsky, il s'attendait également à voir écourter sa carrière de professeur adjoint. Une nouvelle circulaire ministérielle précisait, en effet, que dorénavant, pour occuper une chaire d'histoire, il faudrait être au moins docteur en philosophie. Ses collègues lui conseillaient de démissionner sans attendre la décision de l'autorité supérieure. Lui cependant hésitait à se condamner lui-même. Enfin il sauta le pas.

« J'ai craché mes adieux à l'Université, écrivit-il à Pogodine,

---

(1) V.A. Nachtchokine : *Souvenirs sur Pouchkine et Gogol.*

et, dans un mois, je serai de nouveau un Cosaque insouciant. Incompris je suis monté en chaire, incompris j'en descendrai. Mais durant ces dix-huit mois sans gloire — car l'opinion générale est que je me suis fourré dans ce qui n'était pas mon affaire — j'ai beaucoup acquis et ajouté au trésor de mon âme. Ce ne sont plus des idées enfantines, des connaissances limitées qui me viennent à l'esprit, mais de hautes pensées, pleines de vérité et d'effrayante grandeur qui m'agitent... A toi seul je dis cela, et à nul autre : on me traiterait de vantard (1). »

En effet ces derniers mois de l'année 1835 furent, pour Gogol, exceptionnellement riches en projets et en travaux. Non seulement il corrigea *Hyménée*, écrivit une nouvelle : *la Calèche*, entreprit un drame tiré de l'histoire médiévale de l'Angleterre, *Alfred* (2), mais soudain se passionna pour un sujet dont Pouchkine lui avait parlé incidemment. Il s'agissait d'un fait réel que le poète songeait à raconter lui-même en vers, dans le style humoristique. L'affaire s'était passée aux environs de sa propriété de Mikhaïlovskoïé, dans le gouvernement de Pskov, mais son ami, l'écrivain et lexicographe Dahl, lui avait signalé un cas analogue, ce qui le renforçait dans la conviction que les spéculations les plus extravagantes étaient possibles en Russie (3). L'idée était pour le moins ingénieuse : à l'époque, la richesse des propriétaires fonciers se calculait d'après le nombre de serfs mâles inscrits sur les listes de recensement pour l'impôt de capitation. Or il n'était pas rare que des paysans mourussent entre deux révisions officielles sans que leur désignation fût supprimée sur les rôles. Ayant réfléchi à cette conjoncture, un aventurier astucieux rachetait à vil prix les âmes des défunts et les engageait au prix fort, comme des êtres vivants, au Crédit foncier, sur présentation de l'acte de cession. Le récit de l'escroquerie enchanta Gogol. Il imagina d'emblée la drôlerie macabre de cette quête d'âmes à travers tout le pays. Des voyages en

---

(1) Lettre du 6 décembre 1835.
(2) Le drame demeura inachevé.
(3) Dahl utilisa lui-même cette histoire dans une nouvelle : *Vakh Sidorov Tchaïkine*, publiée après *les Ames mortes*, mais qui fut, sans doute, écrite plus tôt.

zigzag. Une intrigue à tiroirs. Derrière chaque porte, une gueule comique, tordue, inoubliable. Exactement ce qu'il lui fallait. Et le titre était tout trouvé : *les Ames mortes*. Devant tant d'enthousiasme, Pouchkine, souriant, accepta de renoncer à son poème. Après tout, le sujet convenait mieux à ce petit Ukrainien roublard qu'à lui.

« Depuis longtemps, écrira Gogol, Pouchkine m'engageait à entreprendre un grand ouvrage ; finalement, comme je venais de lui lire une scène courte, mais qui l'avait frappé plus que le reste, il me dit : « Pourquoi, possédant le talent de deviner l'homme et de le dépeindre tout entier en quelques traits, comme s'il était vivant, pourquoi ne commencez-vous pas une œuvre importante ? C'est vraiment un péché ! » Puis il me représenta ma complexion débile, les infirmités qui pouvaient prématurément mettre fin à mes jours. Il me cita en exemple Cervantès qui, bien qu'auteur de quelques nouvelles admirables, n'aurait jamais occupé parmi les écrivains la place qui est maintenant la sienne, s'il ne s'était mis à son *Don Quichotte*. En conclusion, il me donna son propre sujet, dont il voulait tirer une sorte de poème, et qu'à l'entendre il n'aurait jamais cédé à un autre (1). »

De son côté, Alexandra Ossipovna Smirnov notait dans son journal : « Pouchkine a passé quatre heures chez Gogol et lui a donné un sujet de roman qui, comme *Don Quichotte*, sera divisé en chants. Le héros parcourra la province. Gogol se servira de ses carnets de route (2). »

Eperdu de reconnaissance, Gogol emporta le butin dans sa mansarde. Il se mit immédiatement à l'ouvrage. Le récit partit au galop. Mais, au bout de quelques pages, les difficultés commencèrent. Ce roman était plus profond, plus complexe qu'il ne l'imaginait au début. Chaque ligne ajoutée débouchait sur une perspective nouvelle. Il ne pouvait être question de bâcler l'affaire en quelques jours. Or il avait besoin d'argent ! Vite ! Peut-être Pouchkine, qui était si ouvert, lui donnerait-il une autre idée ? Il ne coûtait rien de le lui demander. Il lui écrivit, le 7 octobre 1835 :

---

(1) Nicolas Gogol : *Confession d'un Auteur.*
(2) Mme Smirnov : *Journal.*

« J'ai commencé à rédiger *les Ames mortes*. Le sujet se développe en un très long roman, qui sera, je crois, fort drôle. Mais je me suis arrêté au troisième chapitre... Je voudrais montrer dans ce roman toute la Russie, ne fût-ce que vue d'un seul côté... Faites-moi une grâce, donnez-moi un sujet quelconque, drôle ou non, pourvu que ce soit une anecdote purement russe. Ma main tremble d'impatience d'écrire une comédie. Si je n'ai pas la possibilité de le faire, je perdrai mon temps pour rien, et je ne sais comment je sortirai alors de ma situation. Je n'ai, en tout et pour tout, que les misérables six cents roubles de mes appointements universitaires. Faites-moi la grâce de me donner un sujet et j'écrirai instantanément une comédie en cinq actes, qui, je vous le jure, sera diaboliquement drôle. Au nom du ciel, mon esprit et mon estomac sont également affamés... Mes *Arabesques* et mon *Mirgorod* ne se vendent absolument pas. Le diable sait ce que cela signifie. Les libraires sont une telle race, qu'on devrait, sans remords, les pendre au premier arbre venu ! »

L'insuccès commercial des *Arabesques* et de *Mirgorod* fut compensé, pour Gogol, par les éloges que ces deux livres arrachèrent au jeune critique Bélinsky, dans *le Télescope* de Moscou. Alors que les aristarques officiels, comme Boulgarine et Senkovsky, traitaient l'auteur de haut et lui reprochaient la trivialité de ses peintures et la pesanteur de son style, Bélinsky osait écrire : « M. Gogol est maintenant à la tête de notre littérature. Il prend la place abandonnée par Pouchkine. » Certes Bélinsky, le libéral, le frondeur, affectait de mépriser Pouchkine parce que celui-ci, après un long temps d'exil et de révolte, était rentré en grâce auprès du tsar. Mais même en faisant la part de ces contingences politiques, Gogol était gêné de se voir préféré, par un homme de goût, à celui qu'il considérait comme son maître. Et cela juste au moment où il sollicitait l'aide bénévole de ce dernier. Pouchkine n'allait-il pas se fâcher d'être ainsi rabaissé par la critique devant un écrivain auquel il venait de fournir un sujet de roman et qui lui réclamait un sujet de pièce ? Tout plutôt que le courroux de cet ange à la tête pleine d'idées ! Mais non, il était trop grand, trop généreux pour céder à la jalousie confraternelle. Il savait mépriser les rumeurs de la gent litté-

raire. Et lui, Gogol, devait en faire autant, s'il voulait continuer dignement sa carrière. Garder la tête froide. Fixer son
regard sur un but lointain. Sans doute, dans l'avenir, mérite-
rait-il les compliments qu'on lui décernait aujourd'hui. Pour
l'instant, il n'avait pas le droit de s'en réjouir. Malgré ce qu'il
lisait et entendait dire sur son compte, il ne pouvait oublier
qu'il était tout au plus l'auteur des *Veillées du Hameau*, des
Arabesques et de *Mirgorod*.

VIII

ARABESQUES ET MIRGOROD

Gogol aimait les préfaces, les avant-propos, les notes liminaires. Autant de boucliers derrière lesquels un écrivain peut se réfugier pour échapper aux coups. A lire l'étrange « Avertissement » placé en tête des *Arabesques*, on pourrait se croire revenu au temps où l'auteur imprimait, à ses frais, *Hans Küchelgarten* :

« Ce recueil (*Arabesques*) comprend des textes écrits à différentes époques de ma vie... Le lecteur y trouvera sans doute de nombreuses imperfections dues à la jeunesse... Je dois ajouter qu'en parcourant ces feuillets chez l'imprimeur, j'ai été souvent effrayé par des incorrections de syntaxe, des longueurs, des insuffisances dues à mon défaut d'attention. Le manque de temps et des circonstances, parfois peu agréables, m'ont empêché de relire mon manuscrit à tête reposée. J'ose espérer que les lecteurs auront la générosité de m'excuser. »

Et l'auteur avouait à Pogodine, en lui expédiant un exemplaire de son livre :

« Je t'envoie mon bric-à-brac... Il y a là-dedans des choses bien enfantines. Je me suis dépêché de les faire paraître pour vider mes tiroirs de toutes les vieilleries et commencer une vie nouvelle (1). »

En effet, il y a à boire et à manger dans ces *Arabesques*.

---

(1) Lettre du 22 janvier 1835.

Des récits, des fragments d'études historiques, des considérations sur l'art et la littérature. Au passage, Gogol salue en Pouchkine le plus grand des poètes russes, pour qui « la vérité nationale ne réside pas dans la description d'un *sarafane* mais dans l'âme du peuple ». Pouchkine, dit-il encore, c'est « l'homme russe parvenu à son développement suprême, l'homme russe tel qu'il sera, peut-être, dans deux cents ans... » Et il soutient les droits du réalisme inspiré contre ceux de la fausse poésie : « Il est hors de doute qu'un montagnard sauvage, libre comme l'air... est bien plus pittoresque qu'un juge de paix dans son habit râpé et souillé de tabac... Mais l'un et l'autre appartiennent à notre univers, ils ont droit tous deux à notre attention, bien que, pour des raisons naturelles, ce que nous voyons le plus rarement nous impressionne davantage... J'ai toujours eu une passion pour la peinture. J'aimais particulièrement l'un de mes paysages, au premier plan duquel se dressait un arbre mort. A cette époque, je vivais à la campagne et mes juges étaient des voisins. L'un d'eux, ayant considéré le tableau, hocha la tête et dit : « Un bon peintre choisit un bel arbre vigoureux, couvert de feuilles bien vertes, et non un arbre mort ! » J'étais très jeune et cette critique me vexa. Plus tard j'en saisis la signification, et compris ce qui plaisait et ne plaisait pas à la foule. »

En fait, sous prétexte de défendre Pouchkine, Gogol se bat ici pour sa propre cause. Par-dessus la tête du poète, il répond aux critiques qui lui ont reproché la « trivialité » des *Veillées du Hameau*. Il veut les convaincre, et avec eux le public, que la tristesse humble, la laideur médiocre, la banalité quotidienne peuvent constituer les éléments d'une œuvre d'art. Le tout est d'éviter la copie servile. Magnifier la matière par la pensée. Ne pas transformer la réalité, mais l'éclairer de l'intérieur. « Le poète, écrit-il, doit s'élever d'autant plus haut que l'objet qu'il a choisi est plus ordinaire, car il lui faut en extraire ce qu'il y a d'extraordinaire et faire en sorte cependant que cet extraordinaire soit vrai. »

Cette idée, il la développe encore dans un article consacré au tableau de Brulov, *les derniers Jours de Pompéi*. Emerveillé par cette composition froide et conventionnelle, il veut y voir la vérité transfigurée par le talent. Malgré toute l'horreur de la situation, un sentiment de beauté plastique pénètre, dit-il, le spectateur. Le miracle, c'est cette transmutation de l'épouvante en beauté, de la catastrophe d'un jour en harmonie éternelle. De toutes ses forces, il espère qu'en peignant des « arbres morts » il sublimera son sujet au point d'atteindre à la perfection d'un Raphaël ou d'un Pouchkine. Pensant à lui-même, sans doute, il écrit dans sa nouvelle *le Portrait* :

« Pourquoi la simple et basse nature apparaît-elle auréolée de lumière chez tel peintre, pourquoi vous procure-t-elle une jouissance exquise, comme si tout, autour de vous, coulait et se mouvait selon un rythme plus égal, plus paisible ? Et pourquoi, chez tel autre peintre, qui lui a été tout aussi fidèle, cette même nature semble-t-elle abjecte et sordide ? La faute en est au manque de lumière. Le plus merveilleux paysage paraît, lui aussi, incomplet quand le soleil ne l'illumine pas. »

Dans ce récit, le plus long de tout le recueil, les thèmes de l'Art et du Mal s'entrecroisent singulièrement. Il semble presque qu'il y ait une relation fatale entre ces deux phénomènes. Comme si, par l'exercice d'un talent quel qu'il fût, l'homme devenait une proie plus facile pour le diable. Inspiré, donc vulnérable, il se bat en terrain découvert. Le sentiment esthétique, c'est son talon d'Achille offert aux flèches de l'Autre.

La première partie du récit évoque l'aventure d'un jeune peintre pauvre et talentueux, Tchartkov, qui achète à un antiquaire le portrait d'un vieillard, aux yeux rayonnants d'une puissance maléfique. De retour dans sa mansarde, il ne peut contempler le tableau sans éprouver un horrible malaise. Cet inconnu qu'il a introduit sous son toit le fascine. « Le peintre semblait avoir encastré dans sa toile des yeux arrachés à un être humain ». La nuit, des cauchemars saisissent Tchartkov, si violents, si précis, qu'il ne sait plus démêler le rêve de la réalité. « Il vit les traits du vieillard bouger et ses lèvres s'allonger vers lui comme pour l'aspirer tout entier. » Finalement Tchartkov découvre un rouleau de pièces d'or dissimulé dans le cadre. A dater de ce jour, il est empoisonné par sa chance. Il ne songe plus qu'à l'argent, au succès. Devenu un portraitiste à la mode, il manie son pinceau machinalement et détruit son propre génie, tandis que les éloges mondains bourdonnent autour de lui. « Il dînait à droite, à gauche, accompagnait les dames aux expositions, voire à la promenade, s'habillait en dandy, affirmait publiquement qu'un peintre appartient à la société et ne doit point déroger à son rang. » Convoqué un jour à l'Académie des Beaux-Arts pour donner son avis sur l'envoi d'un jeune peintre russe qui travaille en Italie, il se rend compte soudain, par comparaison, de sa déchéance. Rentré chez lui, il se remet à l'ouvrage, avec désespoir, et essaie de retrouver son talent d'autrefois. En vain. « Le simple métier glaçait sa verve, opposait à son imagination une barrière infranchissable. » Alors, envahi d'une jalousie démentielle, il recherche les plus beaux tableaux, les achète à n'importe quel prix et les lacère, les piétine « en riant de plaisir ». Puis il meurt dans un accès de folie furieuse.

La deuxième partie de la nouvelle, considérablement remaniée en 1841, explique la malédiction attachée au portrait du vieillard. Celui-ci n'est autre que le diable, incarné dans un usurier de l'époque de Catherine II. A la veille de mourir, il demande à un peintre de fixer ses traits sur la toile, espérant ainsi que son âme restera prise dans les couches de couleur superposées et continuera à exercer son influence néfaste sur les hommes. Car Satan a besoin d'un support matériel pour agir dans le monde, et seule la complicité d'un artiste peut le lui offrir. Le peintre, obnubilé, ne devine pas l'abîme où son acceptation l'entraîne. Dominant son aversion, il réussit à rendre le regard flamboyant de l'usurier. Plus tard, comprenant qu'il a pactisé avec le démon, il renonce à son art, se retire dans un couvent et expie sa faute par la prière. Après de longues années de jeûne et de méditation, il se sent enfin pardonné, purifié, reprend sa palette et peint une *Nativité* si belle, que tous les moines, en la voyant, tombent à genoux.

Cette angoisse, qui conduit l'un des peintres au suicide, l'autre à la vie monastique, le héros du *Journal d'un Fou* la connaît aussi, et plus intensément peut-être que les deux premiers. Un petit fonctionnaire obscur sent, peu à peu, sa raison lui échapper. Amoureux de la fille de son directeur, il a conscience de sa nullité congénitale. Cependant il a un privilège sur le commun des mortels : il comprend le dialogue des chiens. En outre, il est le roi Ferdinand d'Espagne.

Celle qui l'épousera sera reine. Mais pourquoi est-il si malheureux ? Sa poitrine éclate. Sa cervelle est en feu. « Maman ! sauve ton fils infortuné ! Laisse tomber une larme sur sa tête douloureuse ! Vois comme on le tourmente ! Serre-le contre ta poitrine, le pauvre orphelin ! Il n'a pas sa place sur la terre ! On le chasse de partout ! Maman, prends pitié de ton petit enfant malade !... Au fait, savez-vous que le dey d'Alger a une verrue juste sous le nez ? »

Cet appel désespéré vers la mère, ce désir viscéral de protection, de fusion originelle, de retour dans l'œuf, Gogol l'a éprouvé plus d'une fois lui-même. A travers ses lettres, pleines de reproches, de colères, de mensonges, perce un amour intransigeant pour celle à qui il doit le jour. Il la rend inconsciemment responsable de toutes les avanies que lui réserve ce monde où elle l'a fait entrer. Elle est, en réalité, la seule femme de sa vie. Toutes les autres sont des pièges. Le héros du *Journal d'un Fou* écrit, dans une minute de lucidité effrayante :

« Oh ! quelle créature rusée que la femme ! C'est seulement maintenant que j'ai compris ce qu'est la femme ! Jusqu'à présent, personne ne savait de qui elle était amoureuse. Je suis le premier à l'avoir découvert. Elle est amoureuse du diable. Oui, sans plaisanter. Les physiciens écrivent des sottises : ils disent qu'elle est ceci ou cela... Elle n'aime que le diable. Voyez, là-bas, celle qui braque ses jumelles dans la loge du premier rang. Vous croyez qu'elle regarde ce personnage bedonnant, constellé de décorations ? Vous n'y êtes pas : elle regarde le diable qui se tient derrière lui. Tenez, le voilà qui se dissimule... Il lui fait signe du doigt. Et elle l'épousera ! Elle l'épousera ! »

La signification démoniaque de la femme éclate également dans une autre nouvelle du recueil : *la Perspective Nevsky*, composée de deux histoires aux conclusions opposées. Le héros de la première est — comme celui du *Portrait* — un jeune peintre plein de talent et de candeur, Piskarev. Il rencontre, sur la perspective Nevsky, une femme incroyablement belle, à la chevelure « aussi brillante que l'agate », au front « d'une blancheur lumineuse », et dont les lèvres closes « semblent recéler le secret de tout un essaim de rêves exquis ». Ebloui, il lui emboîte le pas dans un mouvement d'adoration immatérielle : « Il était aussi pur, en cet instant, que l'adolescent vierge qui ne ressent encore qu'une aspiration indéfinie, toute spirituelle, vers l'amour. » Elle l'amène dans une maison de rendez-vous pleine de prostituées et il s'enfuit, épouvanté. Cependant il se refuse à croire que l'inconnue cache une âme abjecte derrière un visage parfait. Il la revoit en rêve et se persuade que son devoir est de l'arracher à la débauche en l'épousant. Mais, quand il la retrouve, elle est ivre et repousse sa proposition avec mépris. Désespéré, Piskarev rentre chez lui et se tranche la gorge. La réalité a tué le rêve, la femme a tué l'artiste. L'ami de celui-ci, le lieutenant Pirogov, vit une tout autre aventure, commencée, elle aussi, sur la perspective Nevsky. Ayant suivi une jeune et appétissante Allemande, il engage la conversation avec elle, réussit à forcer sa porte, la couvre de baisers et se voit déjà son amant, lorsque le mari de la belle surgit, accompagné de deux amis robustes, le roue de coups et le jette à la rue. Ce réveil brutal aurait pu pousser Pirogov à remettre en question, comme le pauvre Piskarev, la structure du monde. Mais il n'a ni la sensibilité ni la fierté du peintre. Il songe d'abord à porter plainte devant ses supérieurs, puis se ravise, pénètre dans une pâtisserie, y mange deux gâteaux feuilletés et va finir la soirée chez des amis. Ainsi l'homme pratique digère-t-il les humiliations et prend-il de la vie ce qu'elle a de bon. Ce faisant, à son insu, il entre dans le jeu du diable. Ce jeu se déroule, avec une particulière ampleur, sur la perspective Nevsky, où les femmes sont nombreuses.

« Oh ! méfiez-vous de cette perspective Nevsky ! écrit Gogol. Tout ce qu'on y voit n'est que mensonge, illusion, tout diffère des apparences... Vous croyez que ces femmes... Ayez encore moins confiance en elles qu'en quiconque... Surtout que Dieu vous garde de jeter un coup d'œil sous leurs chapeaux. Si charmant effet que produise en se déployant au loin le manteau d'une beauté, je n'aurai pas la curiosité de la suivre. Eloignez-vous, autant que possible, des réverbères, et passez votre chemin le plus vite que vous pourrez. Estimez-vous heureux si l'un d'eux se contente d'arroser votre élégante redingote de son huile puante. Ce réverbère est un menteur, comme tout ce qui respire ici. Elle ment à chaque instant, cette perspective Nevsky ; elle ment surtout lorsque la nuit s'épaissit au-dessus d'elle et recouvre les murs des maisons, qui se détachent en blanc ou en jaune paille, lorsque la ville n'est plus que tonnerre et illuminations, lorsque des myriades de calèches passent en trombe sur les ponts, lorsque les postillons crient et tressautent sur le dos des chevaux et que le démon lui-même allume les lampes pour montrer l'univers sous un aspect trompeur. »

*
* *

En sous-titre à *Mirgorod*, Gogol indiquait : « Nouvelles faisant suite aux *Veillées du Hameau*. » Sans doute espérait-il, par cette référence à une œuvre qui avait remporté un grand succès, attirer des lecteurs plus nombreux à son nouveau livre. En réalité, si les quatre récits qui composent *Mirgorod* se situent en Ukraine, comme ceux des *Veillées du Hameau*, ils ne rappellent ces derniers ni par les thèmes, ni par l'inspiration, ni même par le style.

Le recueil s'ouvre sur la douce et triste histoire du *Ménage d'autrefois* (1). Un vieux couple, Afanassi Ivanovitch et Pulchérie Ivanovna — autrement dit Philémon et Baucis — mène à la campagne une vie oisive, tout entière vouée à l'affection mutuelle et à la nourriture. Ils se regardent avec amour, mangent et abandonnent leur esprit au mouvement monotone des heures. Et, devant ce bonheur humblement terrestre, Gogol oublie son habituelle ironie pour céder à la tendresse. La maison qu'il décrit dans un *Ménage d'autrefois*, c'est la maison de son enfance, aux portes grinçantes, au garde-manger bourré de provisions, aux fenêtres ouvertes sur le verger croulant de fruits mûrs. Pour peindre Afanassi Ivanovitch et Pulchérie Ivanovna, il s'inspire de ses grands-parents paternels. D'autres traits du tableau sont empruntés à des propriétaires fonciers du voisinage. Le soleil de l'Ukraine baigne le tout. Les remous du monde s'arrêtent à la palissade du

---

(1) Le titre exact serait : *Propriétaires fonciers de l'ancien Temps*.

jardin. Il semble que le malheur soit inconcevable dans un si paisible décor. Mais Pulchérie Ivanovna meurt, laissant son mari étonné de chagrin. D'instinct, pour conter cette simple histoire, Gogol renonce à l'analyse des sentiments et à l'enflure du style. L'état d'esprit de ses héros nous est révélé par leurs gestes, par leurs regards, par leurs propos les plus insignifiants. Alors même que nous croyons les voir de l'extérieur, leur vie secrète nous pénètre. Ainsi, pour évoquer le désarroi d'Afanassi Ivanovitch après la mort de Pulchérie Ivanovna, évite-t-il toute incursion dans l'âme de son personnage et se contente-t-il de nous le montrer à table :

« Une servante attacha une serviette sous le menton d'Afanassi Ivanovitch. Elle fit bien, car autrement il aurait renversé de la sauce sur sa robe de chambre. Je tâchai de le distraire et lui racontai toutes sortes de nouvelles ; il m'écoutait en souriant toujours, mais, par moments, son regard devenait indifférent et vide de toute pensée. Souvent il soulevait sa cuiller pleine de bouillie et l'approchait de son nez au lieu de la porter à sa bouche. Ou bien, se trompant de direction, il piquait sa fourchette dans la carafe, et la servante était obligée de guider sa main vers un poussin rôti... Quand on nous apporta des ramequins à la crème, Afanassi Ivanovitch dit : « Voici un plat... », et je m'aperçus que sa voix tremblait et qu'une larme était prête à jaillir de ses yeux couleur de plomb, bien qu'il s'efforçât de la retenir. « Voici un plat, poursuivit-il, que la dé... la dé... la défunte... » Et tout à coup il fondit en larmes, sa main retomba sur son assiette, l'assiette roula à terre et se brisa, la sauce se répandit sur lui. Il restait assis, insensible, tenait machinalement la cuiller, et ses pleurs, comme une fontaine silencieuse, coulaient, coulaient à flots sur la serviette qui le protégeait. »

Devant ce vieillard déchiré par une tristesse qui le dépasse, l'auteur se demande : « Qui donc de la passion ou de l'habitude a sur nous le plus d'empire ? » Un peu plus tard, Afanassi Ivanovitch s'entend appeler en plein jour, par une voix de l'au-delà. Il comprend que sa dernière heure est venue, se soumet à cette idée « avec une docilité d'enfant », et s'éteint « comme un cierge, quand rien ne peut plus alimenter sa flamme débile ».

Les héros de *la Brouille des deux Ivan* (1) sont, eux aussi, des personnages sans envergure, mais, là, le trait est nettement caricatural. L'idée de ce récit aurait été suggérée à l'auteur par les aventures réelles de deux bourgeois de Mirgorod, fameux pour leurs querelles et leurs réconciliations. Il est probable également qu'il s'est inspiré du livre de son compatriote ukrainien Naréjny : *les deux Ivan ou la Passion de la Chicane*, publié en 1825. Mais le ton, le style, les péripéties de la nouvelle de Gogol n'appartiennent qu'à lui. Il l'a marquée de son ironie et de son aigreur. Ses deux Ivan présentent, bien entendu, un contraste flagrant :

« Ivan Ivanovitch possède à un point extraordinaire l'art de parler agréablement... Ivan Nikiforovitch, au contraire, garde le plus souvent le silence... Ivan Ivanovitch est grand et sec ; Ivan Nikiforovitch est un peu plus petit mais s'étend en largeur. La tête d'Ivan Ivanovitch ressemble à une rave, la racine en bas ; celle d'Ivan Nikiforovitch, à une rave, la racine en haut... »

Une dispute éclate entre eux, parce qu'Ivan Ivanovitch a refusé de céder un fusil à Ivan Nikiforovitch contre une truie et deux sacs d'avoine, et que celui-ci, furieux, l'a traité de « jars ». Cette dispute s'envenime, donne lieu à un procès, l'instruction traîne pendant des années, les adversaires vieillissent, et, au moment où une réconciliation entre eux paraît possible, de nouveau tout s'enflamme, et les deux Ivan ne comptent plus que sur la décision du juge pour les départager. Dans cette farce étirée en longueur, l'auteur intervient à tout instant, accuse le grotesque des personnages par de lourdes métaphores, cligne de l'œil au lecteur pour l'inciter à se divertir. Une certaine Agathe Fédosséïevna « porte un bonnet sur la tête, trois verrues sur le nez et une capote café au lait, semée de fleurs jaunes ». « Son corps affecte la forme d'un cuveau ». Le juge « a le nez si rapproché de la bouche, qu'il peut à loisir flairer sa lèvre supérieure, laquelle lui sert de tabatière, le tabac destiné aux fosses nasales se répandant presque toujours sur elle ». Un greffier, saisi d'étonnement

---

(1) La traduction exacte du titre serait : « *Histoire de la brouille d'Ivan Ivanovitch et d'Ivan Nikiforovitch.*

« prend sa plume dans ses dents ». Au beau milieu de l'audience, une truie brune fait irruption dans la salle du tribunal et emporte les feuillets de la requête. Ivan Nikiforovitch
est tellement gros, qu'il reste coincé dans une porte, et il faut
lui croiser les mains et appuyer du genou sur son ventre
pour le dégager. Le clerc et l'invalide qui le libèrent ont une
haleine si forte, « que la salle d'audience semble ensuite
métamorphosée en cabaret ».

Cependant, derrière ce défilé de grimaces, une amertume
demeure. Ayant bien ri, Gogol paraît soudain accablé par la
platitude du monde qu'il évoque. Quittant la ville de Mirgorod, où les deux Ivan, « aux cheveux blancs », au « front
sillonné de rides », espèrent toujours la fin de leur procès,
il voit l'univers se diluer dans la grisaille et la pluie :
« L'humidité me pénétrait d'outre en outre. La morne barrière
et sa guérite, dans laquelle un invalide réparait sa défroque
grise, passèrent lentement devant moi. Et ce furent les mêmes
plaines, par endroits labourées et noires, par endroits couvertes de verdure, les mêmes corbeaux, les mêmes choucas aux
ailes mouillées, la même pluie monotone, le même ciel bouché et larmoyant. Ah ! mes amis, que la vie, en ce monde, est
ennuyeuse ! »

Cette conclusion désenchantée s'oppose à la grandeur épique, à la fureur joyeuse, qui animent un autre récit du même
recueil : *Tarass Boulba*. Gogol, qui révisera et développera
cette œuvre par la suite (1), évoque ici les temps troubles
où la communauté des Cosaques zaporogues, formée vers le
milieu du XVIe siècle, dans les îles en aval des rapides du
Dniepr, défendait son indépendance contre les entreprises des
féodaux polonais. Dans ces régions frontalières, la coexistence
de deux idiomes, de deux religions, de deux races, rallumait
à chaque instant la guerre. Pour mener à bien son travail,
l'auteur a certes consulté nombre d'ouvrages savants sur le
passé de l'Ukraine. Mais l'essentiel de son information, il le
doit aux légendes populaires et aux chansons de joueurs de
bandoura recueillies par Tsertélev, par Maximovitch et par
Sréznevsky. Aussi s'embarrasse-t-il peu de vérité historique

_____

(1) Notamment en 1839 et 1840.

Sa chronologie est incertaine. L'exactitude des faits l'intéresse moins que la psychologie des personnages et le pittoresque du milieu.

Inspiré, de toute évidence, par la technique des romans de Walter Scott, dont la vogue en Russie était immense, il surpasse son modèle dans la violence du trait et la crudité des couleurs. Le drame s'ordonne par grandes masses simples. Mille détails, d'une netteté étincelante, s'insèrent comme des cabochons dans la pâte de la narration. On dirait d'un bijou barbare, maladroitement ciselé, surchargé de pierres multicolores, et qui jette des feux de partout. La grossièreté des mœurs, les supplices, les beuveries, le massacre des Juifs, les combats, le pillage, chaque tableau est rendu avec force, sans que, pour autant, les héros se laissent dominer par le décor.

De toute la distribution, c'est Tarass Boulba, le père, qui offre le plus de relief, avec sa rudesse aventureuse, son sens primitif de la loyauté, son appétit et son intransigeance. A côté de lui, ses deux fils : Ostap, le guerrier, tout d'une pièce, inflexible et irréprochable, et André, plus sensible, plus complexe, qui trahit la cause des Zaporogues pour l'amour d'une Polonaise. Bien entendu, à l'instar de toutes les héroïnes de l'auteur, elle a « des yeux noirs et une peau blanche comme la neige que le soleil matinal vient illuminer de sa rougeur ». Elle rit, « et son rire donne une force radieuse à son aveuglante beauté ». Elle parle « d'une voix argentine ». En un tournemain, elle corrompt le valeureux André, qui s'écrie : « Qu'ai-je à faire de mon père, de mes compagnons, de ma patrie ?... Ma patrie, c'est toi !... » Pour le remercier, la Polonaise — une diablesse de plus ! — l'enlace « de ses beaux bras de neige ».

Cette intrigue sentimentale affaiblit la structure du récit, mais l'auteur en a eu besoin pour obliger André à renier ses origines et sa foi. En apprenant la terrible nouvelle au vieux Tarass Boulba, le Juif Yankel a cette parole amère : « Quand un homme est amoureux, il ne vaut guère mieux qu'une semelle imbibée d'eau : tordez-la, elle plie. » Tarass Boulba, atterré, n'a plus qu'une idée : châtier son fils, traître et renégat, comme il le mérite. Il le retrouve au cours d'une bataille, parmi les rangs ennemis, et le tue de sa propre main. Puis il se glisse dans Varsovie, pour assister, sous un déguisement, au supplice de son autre fils, Ostap, prisonnier. Capturé à son tour, il est cloué à un arbre et brûlé vif. Mais, en mourant, il exhorte encore ses derniers compagnons à l'espoir. Car, dit-il, le tsar de Russie, qui combat lui aussi pour la foi orthodoxe, les prendra un jour sous sa protection.

Malgré l'horreur de ce drame, tout éclaboussé de sang, une sorte d'optimisme s'en dégage. La robuste santé des protagonistes, la simplicité de leurs passions, la grandeur homérique de leurs exploits, la beauté des paysages qu'ils traversent, tout cela, mystérieusement, réconforte le lecteur. L'élan vital des personnages se communique à lui. Il n'a pas le sentiment que leurs souffrances soient inutiles. Comme si tous ces sacrifices répondaient à une nécessité historique profonde. Comme si les défaites même, magnifiées par l'art, conduisaient à une apothéose. Au vrai, *Tarass Boulba* est un roman écrit par un peintre.

Ayant félicité Brulov pour l'art avec lequel il a su, dans *les derniers Jours de Pompéi*, rendre belle une scène d'agonie collective, Gogol se soumet lui-même à cette esthétique et transcende la réalité au point qu'un amoncellement de cadavres donne le goût de vivre à ceux qui les contemplent. « C'est pour l'apaisement et la réconciliation de tous que descend sur la terre la haute création de l'art », écrivait-il dans *le Portrait*.

Si *Tarass Boulba* laisse une impression d'« apaisement » et de « réconciliation » malgré la violence de son propos, l'auteur ne retrouvera plus jamais cette tranquille assurance de romancier historique. Avec *Vii*, de nouveau le diable est là, exigeant, terrible. Il s'attaque, par personne interposée, au séminariste Thomas Brutus, étudiant en philosophie, qui est parti du couvent, à pied, avec deux de ses camarades, pour passer les vacances d'été chez ses parents. La nuit venue, les trois jeunes gens, fatigués par une longue marche, s'arrêtent dans un village et demandent l'hospitalité à une très vieille femme. Elle les reçoit à contrecœur et les installe, l'un dans sa chaumine, l'autre dans un réduit vide, le troisième dans la bergerie. A peine Thomas Brutus s'apprête-t-il à dormir, qu'il

voit la vieille se glisser vers lui, les bras tendus. Paralysé par
une puissance infernale, il ne peut la repousser. Elle lui bondit
sur le dos. Enfourché, fouetté à coups de balai, il l'emporte
jusqu'aux étoiles. Mais, tout en volant, il a la présence d'esprit
de réciter des prières, et, sous le choc des paroles sacrées,
la sorcière tremble, gémit, s'abandonne. Alors, reprenant
contact avec le sol, c'est lui qui l'enfourche et la frappe. Il
croit avoir assommé un monstre, mais le soleil se lève, « illumi-
nant au loin les coupoles dorées des églises de Kiev », et, stupéfait, Thomas Brutus découvre à ses pieds « une belle jeune
fille, aux magnifiques tresses dénouées et aux cils longs
comme des flèches. Ses bras nus et blancs écartés, elle geignait en levant au ciel des yeux pleins de larmes ». Epouvanté,
il s'enfuit à toutes jambes. A quelque temps de là, il est
commis pour veiller une morte à l'église. Une fois seul,
devant le cercueil découvert, il reconnaît — encore plus belle,
plus désirable, plus inquiétante — la sorcière qu'il a rouée
de coups. Après s'être entouré d'un cercle de craie, il tente,
pendant trois nuits, de résister à l'assaut des forces du mal.
Ranimée par la concupiscence, la morte se lève, marche vers
lui, puis se recouche, et c'est le cercueil qui vole à travers
l'église, « avec des sifflements aigus ». Les vitres se brisent,
les icônes sont précipitées à terre, les portes tombent, arra-
chées de leurs gonds, et Thomas Brutus, glacé, récite des
exorcismes d'une voix faiblissante. Alors les démons font
appel à Vii, gnome abominable, chef des esprits terrestres,
tout souillé de glaise, avec des pieds en forme de racines et
des paupières qui traînent jusqu'au sol. D'instinct, le séminariste sait qu'il ne doit pas le regarder, s'il veut sortir vain-
queur de l'épreuve. Mais la tentation est trop forte. Un bref
coup d'œil. Et il meurt, foudroyé d'épouvante. Le chant du
coq retentit pour la deuxième fois. Les esprits s'envolent,
mais trop tard. Certains restent figés autour des portes et
des fenêtres de l'église. « Le prêtre qui vint le matin recula à
la vue d'une telle profanation dans le sanctuaire de Dieu et
n'osa dire la messe des morts. »

Ainsi, une fois de plus, pour Gogol, le Malin s'est incarné
dans une jolie femme. Combien d'hommes, cédant à la tentation, sont, pense-t-il, des Thomas Brutus chevauchés par des

sorcières ! Goules dans l'âme, elles ont des figures d'ange. Maléfiques la nuit, elles rayonnent de candeur dès le soleil levant. Il faudrait toujours tracer un cercle de craie autour de ses pieds avant de jeter un regard sur elles.

« J'avoue ne pas comprendre, écrivait Gogol dans *la Brouille des deux Ivan*, comment il se fait que les femmes nous attrapent par le bout du nez aussi prestement qu'elles saisiraient l'anse d'une théière ; leurs mains ont-elles été créées à cet effet, nos nez ne sont-ils bons qu'à cela ? Bien que le nez d'Ivan Nikiforovitch rappelât une prune, Agathe Fédosséïevna s'en emparait et menait notre homme en laisse comme un caniche. »

Dans *la Perspective Nevsky*, un Allemand ivre s'écrie : « Je n'ai pas besoin de nez ! Je dépense pour ce nez trois livres de tabac par mois... Rien que mon nez me coûte quatorze roubles et quarante kopecks ! »

Et le triste héros du *Journal d'un Fou* note gravement :

« Pour l'instant, la lune n'est habitée que par des nez. Et voilà pourquoi nous ne pouvons voir nos nez : ils sont tous dans la lune... »

Tout au long des *Arabesques* et de *Mirgorod*, le leitmotiv du nez répond au leitmotiv de la femme alliée du diable. Il est vrai que l'auteur ne peut se contempler dans une glace sans être surpris par la longueur, la minceur et l'espèce d'indépendance cartilagineuse de son propre appendice nasal. Il parvient même, dit-on, à le toucher, avec sa lèvre inférieure, dans une grimace de casse-noisette. Sensible aux odeurs, il les analyse et les décrit voluptueusement. Ses héros vivent dans une atmosphère épaisse. Ils éternuent, ils ronflent, ils s'ébrouent... Après tant d'allusions fragmentaires au nez, Gogol se décide enfin à lui consacrer un monument à part. La nouvelle *le Nez*, écrite en 1834, n'est pas entrée dans le recueil de *Mirgorod*, mais, après le refus du comité de rédaction de *l'Observateur moscovite*, a été publiée par *le Contemporain* avec cette note de Pouchkine : « N.V. Gogol s'est longtemps refusé à laisser imprimer cette pochade, mais nous y avons trouvé tant d'inattendu, de fantastique, de gaieté, d'originalité, que nous l'avons persuadé de nous laisser partager avec le public le plaisir que nous a procuré son manuscrit (1). »

Pour une fois, Pouchkine mésestime son protégé. La « pochade » est plus étrange qu'il n'y paraît. Certes l'auteur, inspiré peut-être par les histoires fantastiques de Hoffmann et de Chamisso, n'a cédé d'abord qu'à l'envie de monter une énorme mystification mais, à son insu même, la farce s'est chargée d'un sens inquiétant.

Un barbier trouve un matin, dans le pain qu'il s'apprête à manger, le nez d'un de ses clients, l'assesseur de collège Kovalev. Affolé par cette découverte, il prend le bout de chair, avec répugnance, et va le jeter dans la Néva. Mais le nez reparaît et se pavane dans Saint-Pétersbourg. « Cette fois il portait un uniforme brodé d'or, à grand col droit, un pantalon en peau de chamois et une épée au côté. Son bicorne à plumes laissait supposer qu'il avait rang de conseiller d'Etat. » L'infortuné Kovalev, apercevant dans la rue cet ornement essentiel de son visage, l'aborde et essaie de le convaincre de regagner sa place, mais l'autre, le prenant de haut, lui répond : « Vous vous trompez, Monsieur : je n'appartiens qu'à moi-même. D'étroites relations ne sauraient d'ailleurs exister entre nous. A en juger par les boutons de votre uniforme, nous appartenons à des administrations différentes. » Et il s'éclipse, laissant Kovalev désemparé. Celui-ci, en désespoir de cause, veut alerter la police, publier une annonce dans les journaux. Finalement, un gendarme lui rapporte son nez. Hélas ! le médecin, appelé pour le remettre en place, renonce à tenter l'opération. L'affaire s'ébruite dans la ville. Toutes les gazettes en parlent. Et un matin Kovalev se réveille avec son nez au milieu de la figure, comme par le passé.

Le plus extraordinaire de cette aventure, c'est que précisément aucun des personnages ne la considère comme extraordinaire et que le lecteur même est invité à ne point trop s'en étonner. Si le barbier s'effraie en voyant un nez dans son pain, sa femme, elle, se contente de gémir à l'idée qu'ils pourraient être inquiétés par la police. L'employé du journal où Kovalev veut insérer une annonce trouve la chose bizarre,

_____

(1) *Le Contemporain*. Numéro d'octobre 1836.

sans plus, et refuse la publication, par crainte qu'on ne l'accuse d'imprimer des sornettes. Pourtant il constate avec sollicitude que son interlocuteur a un visage incomplet. « Quelle étrange aventure ! dit-il. La place est libre et plate comme une crêpe au sortir de la poêle. » Le commissaire de police, chez qui Kovalev se rend ensuite, le reçoit d'un air froid et lui signifie qu' « un homme comme il faut ne se laisse pas arracher le nez ». Le gendarme qui rapporte le nez à son propriétaire lui annonce placidement : « Votre nez est en parfait état. » Le médecin, convoqué pour recoller l'appendice, examine son client et décrète : « Je pourrais, c'est certain, remettre votre nez en place, mais je vous jure sur l'honneur que votre situation n'en serait que pire. Laissez plutôt agir la nature. Faites de fréquentes ablutions à l'eau froide et je vous assure que, sans nez, vous vous porterez aussi bien que si vous en aviez un. » Les habitants de la ville ne voient dans ce nez en uniforme qu'un phénomène amusant. « Ces événements réjouirent fort les habitués des réceptions mondaines, qui se trouvaient justement à court d'anecdotes pour distraire les dames. »

Et Gogol de conclure : « Tout cela ne tient pas debout, je ne le comprends absolument pas. Et, ce qu'il y a de plus étrange, de plus incompréhensible, c'est que des auteurs puissent choisir de pareils sujets... Je l'avoue, c'est, pour le coup, absolument inconcevable... Mais, après tout, quand on y réfléchit, il y a quelque chose là-dedans. On aura beau dire, de tels événements se produisent parfois dans le monde ; rarement, j'en conviens, mais ils se produisent tout de même. »

Autre commentaire : alors qu'il se trouve dans le bureau du journal, Kovalev dit en parlant de son nez perdu : « C'est le diable qui a voulu me jouer un tour. » Sans doute aussi est-ce le diable qui a tout faussé à Saint-Pétersbourg, épaississant le brouillard dans les rues, gelant les cœurs, frappant les gens de cécité. N'est-elle pas plus inquiétante que l'église profanée de *Vii*, cette « capitale septentrionale de l'empire », où le mystère s'épanouit à la lueur maléfique des réverbères ? Plus de cercueil qui vole, mais un nez qui se promène sur deux pattes. Plus d'horreur funèbre, mais une souriante absurdité. Plus de gnomes hideux, mais d'honnêtes passants, de prudents fonctionnaires. La frontière entre le réel et l'irréel s'abolit doucement dans un univers voué au clair-obscur. Satan y morcelle les visages, coiffe un bout de chair d'un bicorne, fait rouler carrosse à une paire de narines, octroie un grade honorifique à un moignon, et trouble si bien l'esprit des braves citadins, que nul n'y trouve à redire. A peine rentré en possession de son nez, Kovalev reprend son passe-temps favori, qui est de « poursuivre, le sourire aux lèvres, toutes les jolies femmes ». C'est un polisson, un allié du grand Tentateur. Sûrement le diable, en lui restituant son appendice nasal, est resté caché dedans à jamais. En fait, cet appendice nasal, subitement doué d'une vie indépendante, n'a-t-il pas une signification sexuelle qui a échappé, sur le moment, à l'auteur ? Frappé d'impuissance, Gogol s'est plu à imaginer une partie de lui-même, oblongue, détachée, vibrante et courant le monde à la recherche de quelque extra-vagante aventure. Il a projeté cette excroissance intime dans la foule, où sa nudité turgescente frôle les uniformes des messieurs et les robes des dames. Il s'est, à son insu, libéré d'une obsession dans le brouillamini d'un rêve.

Dans une première rédaction, le nez, devenu conseiller d'Etat, se rendait à la cathédrale Notre-Dame de Kazan. Pré-voyant la réaction de la censure, Gogol s'était déclaré prêt à faire entrer son étrange héros non dans une église orthodoxe, mais dans une église catholique. Finalement la censure préféra le Bazar (Gostinny Dvor) comme lieu de rencontre entre Kovalev et la plus précieuse partie de son individu. De même supprima-t-elle un passage où Kovalev graissait la patte d'un gendarme. Elle avait déjà reproché à Gogol d'avoir montré, dans la Perspective Nevsky, un lieutenant rossé par deux Alle-mands. Pour justifier la possibilité d'un tel crime, l'auteur avait dû préciser que Pirogov ne se trouvait pas en uniforme, « mais était venu tout à fait en simple civil, en pardessus et sans épaulettes ».

Dans le Journal d'un Fou, il lui avait fallu, pour obtenir l'autorisation d'imprimer, couper tout un passage de la lettre qu'une chienne écrit à une autre chienne, au sujet de son maître, possédé du désir de recevoir une décoration : « Il ouvre rarement la bouche, mais, il y a huit jours, il n'arrêtait

pas de répéter : « Est-ce qu'on me la donnera, oui ou non ? »
Soudain, c'est le triomphe. « Toute la matinée, des messieurs
en uniforme sont venus le féliciter. Après le dîner, il m'a
soulevée jusqu'à son cou et m'a dit : « Regarde, Medji, qu'est-
ce que j'ai là ? » J'ai vu un ruban. Je l'ai reniflé, mais ne lui
ai trouvé aucun arôme. Enfin je lui ai donné un coup de
langue, sans me faire voir... C'était un peu salé. » Oser parler
en ces termes d'une décoration accordée par l'empereur confi-
nait au sacrilège. Une décoration sans odeur. Salée de surcroît. Et souillée par l'insolent léchage d'une chienne. Tout le
paragraphe fut biffé, d'une plume rageuse, par le censeur.

Mais il n'existe pas d'exorcisme administratif contre certaines tendances de la pensée. On dirait que les phrases coupées laissent leurs racines dans le texte. En dépit de cette
entreprise méticuleuse de nettoyage, un relent de soufre s'élève
des contes de Gogol, qu'ils soient ukrainiens ou pétersbourgeois, macabres ou goguenards, démoniaques ou humblement
quotidiens.

IX

LE RÉVIZOR

Aucune nouvelle de Pouchkine, terré dans sa propriété de Mikhaïlovskoïé. N'avait-il pas été irrité par cette lettre lui demandant un sujet de comédie ? Le 23 octobre 1835, le bruit courut enfin qu'il venait de rentrer à Saint-Pétersbourg. A peine se fut-il réinstallé dans son appartement, dont les fenêtres donnaient sur la Néva, à la hauteur du pont Pratchétchny, que Gogol retourna à la charge. Il trouva Pouchkine soucieux. Jamais il n'y avait eu d'intimité véritable entre les deux hommes. Il ne venait même pas à l'esprit de Gogol d'interroger son grand ami sur sa vie privée. Certes il savait, comme tout le monde, que Pouchkine était jaloux de sa femme trop jolie et trop jeune, qu'il souffrait d'avoir été nommé — à son âge ! — gentilhomme de la chambre, qu'il enrageait de devoir se montrer avec les autres courtisans aux bals du palais, qu'il vivait au-dessus de ses moyens, qu'à la moindre incartade il recevait une remontrance du gouvernement, qu'il était à la fois le protégé et le prisonnier du tsar... Mais tout cela se situait au delà d'une ligne idéale, dont le poète défendait l'approche avec dignité. Souriant et ferme, il se contentait de parler littérature avec son jeune confrère. Celui-ci retrouva vite ses aises et osa reposer la question. Pouchkine éclata de rire. Un sujet de comédie ? Oui, il en avait justement noté un dans son carnet. Quelques lignes d'une écriture nerveuse : « Krispine arrive dans un chef-lieu de gouvernement pour la foire et on le prend pour... Le gouverneur est un imbécile ; la femme du gouverneur fait la coquette avec lui ; Krispine se fiance avec la fille. » Il s'agissait, en fait, de l'aventure survenue à Paul Svinine, directeur de revue (1), qui, se rendant en Bessarabie, avait été pris, là-bas, pour un *révizor*, c'est-à-dire pour un inspecteur général en tournée. Reçu à bras ouverts par la famille du gouverneur, il s'était conduit en personnage important, courtisant les dames, faisant des promesses aux messieurs, recueillant des pétitions. Le même genre de quiproquo était d'ailleurs arrivé à Pouchkine, en août 1833, lorsque, de passage à Nijni-Novgorod, il avait été signalé au gouverneur de la ville comme un envoyé de la capitale, en mission secrète. En écoutant ce récit, Gogol bondissait sur place. Le voilà bien le thème comique dont il avait besoin ! Une petite ville de province. Un imposteur suffisant. Des imbéciles qui le croient sur parole. L'administration tournée en ridicule. Les défauts de chacun étalés au grand jour. Un cyclone dans un verre de thé. Pourvu que Pouchkine consentît à se défaire de cette perle ! Une fois de plus, devant les supplications de son visiteur, Pouchkine céda. Aussitôt après, il devait dire avec un sourire désabusé : « Il faut se tenir sur ses gardes avec ce Petit-Russien : il me détrousse si habilement que je ne puis crier gare (2). »

En fait, le sujet du modeste voyageur pris pour un haut personnage avait déjà été traité dans la comédie de Kotzebue : *la petite Ville allemande,* et dans celle de Kvitka-Osnovianenko, auteur ukrainien : *le Visiteur venu de la Capitale, ou Tumulte au Chef-lieu de District* (3). Il y avait même une comédie de Polévoï, intitulée : *les Révizors, ou a beau mentir qui vient de loin* (1832). Mais aucun de ces précurseurs n'aurait suffi à inspirer Gogol. Il refusait tout autre parrainage que celui de Pouchkine. L'étincelle créatrice devait lui venir de haut.

------

(1) Celui-là même avec qui Nicolas Gogol avait eu des démêlés, en 1830, à propos de *la Nuit de la Saint-Jean.*
(2) Annenkov. *Souvenirs littéraires.*
(3) Cette dernière pièce, écrite vers 1827, en dialecte ukrainien, n'avait pas encore été publiée, mais des copies manuscrites en circulaient dans le public et Nicolas Gogol en avait probablement eu connaissance.

Abandonnant *les Ames mortes,* il se mit d'emblée au travail sur *le Révizor.* Il ne s'était pas trompé quant à la valeur du sujet ; les scènes s'enchaînaient toutes seules ; les personnages s'affirmaient, chacun avec sa grimace ; les répliques cliquetaient gaiement. Dans l'ivresse de la création, Gogol ne mettait presque plus le nez dehors. Tout juste une visite, de temps en temps, à l'Institut patriotique pour voir ses sœurs, à quelques amis pour se rafraîchir les idées. Maintenant il était sûr du succès. Il écrivait à sa mère, le 10 novembre 1835 :

« Nous sommes tous, ici, en bonne santé. Mes sœurs grandissent, étudient et s'amusent. Moi-même je m'attends à quelque chose de fort agréable. Je pense que, dans deux petites années, j'aurai peut-être la possibilité de vous inviter à Saint-Pétersbourg, pour voir vos filles. D'ici-là, il ne faut pas se plaindre. »

Le 4 décembre 1835, il avait achevé la rédaction de sa comédie et la remettait à un copiste. Mais, aussitôt après, il la reprit pour la remanier, coupant, resserrant, accusant le trait. « La comédie est terminée et recopiée, écrivait-il le 18 janvier 1836 à Pogodine, mais je dois absolument, comme je viens de m'en rendre compte, modifier quelques scènes. Ce sera fait très vite, car j'ai décidé de monter le spectacle pour Pâques. La pièce sera tout à fait prête pour le début du grand carême, et, durant le carême, les acteurs auront le temps d'apprendre leurs rôles. »

Ce même jour — 18 janvier —, il lut *le Révizor* chez Joukovsky, dans un cercle d'amis : Pouchkine, Viazemsky (1), Vielgorsky (2)... Dès la première scène, les rires éclatèrent. De temps à autre, les auditeurs échangeaient un regard de contentement malicieux. A la fin, il n'y eut que des éloges. Gogol jubilait.

« Il lit de façon magistrale et soulève dans l'auditoire des explosions de rire en série, écrivait Viazemsky à A.I. Tourguéniev au lendemain de cette soirée. Je ne sais si la pièce ne

---

(1) Poète et critique, ami de Pouchkine ; il était une figure importante dans le monde des lettres.
(2) Courtisan riche et considéré, musicien dilettante, ami d'un grand nombre d'artistes et d'écrivains.

perdra pas lors de sa représentation sur une scène, car peu d'acteurs sauront la jouer comme il la lit... Gogol a en lui un excès de gaieté, ce qui fait qu'il passe souvent la mesure et que sa moquerie est importune (1). »

D'autres lectures eurent lieu dans des salons, toujours avec le même succès. Pourtant le plus compliqué restait à faire : comme la pièce tournait en ridicule des membres de l'administration provinciale, il était peu probable que la censure en autorisât la publication et la représentation. A moins, bien entendu, qu'un ordre tombé de très haut n'aplanît tous les obstacles. Dans une atmosphère de veillée d'armes, les amis élaborèrent ensemble un plan de bataille. Pouchkine suggéra à la jolie Alexandra Ossipovna Smirnov d'intervenir directement auprès de l'empereur, comme elle l'avait déjà fait, avec bonheur, pour *Boris Godounov*. Après tout, Nicolas Ier avait permis dernièrement la publication de la comédie de Griboïédov *le Malheur d'avoir trop d'Esprit*, interdite durant le règne de son père. Peut-être se laisserait-il tenter par une deuxième manifestation de libéralisme littéraire ? De son côté, Joukovsky se faisait fort de circonvenir le prince héritier. Le comte Vielgorsky et le prince Viazemsky envisageaient d'autres opérations de charme dans l'entourage du monarque. Ayant eu vent d'une première réaction défavorable parmi les censeurs du *Révizor*, les conspirateurs passèrent à l'attaque. Comme convenu, Mme Smirnov plaida la cause de l'auteur auprès de Nicolas Ier, lui cita le cas de Molière, dont *le Tartuffe* n'avait pu être joué que grâce à la clairvoyante protection de Louis XIV, évoqua la gloire dont se couvrent aux yeux de la postérité les souverains amis des lettres et des arts. L'empereur l'écoutait avec le sourire. Militaire dans l'âme, il avait la passion de la discipline, des mathématiques et de la symétrie. Son souhait le plus cher était que tout le monde, en Russie, portât l'uniforme. Physiquement et moralement. Quant à la littérature, il la considérait comme un aimable passetemps. Les meilleurs livres, à son avis, étaient ceux qui ne forçaient pas à réfléchir. Son auteur préféré demeurait Paul de Kock. A de rares exceptions près, les écrivains étaient, disait-il,

_____
(1) Lettre de Viazemsky du 19 janvier 1836.

des agitateurs qu'il valait mieux tenir de court. Mais Mme
Smirnov avait tant d'espièglerie dans ses grands yeux noirs,
qu'il était difficile de lui refuser une faveur. Nicolas Iᵉʳ avait
toujours été sensible à la beauté féminine. Il accepta de prendre connaissance du *Révizor*. Ce fut le comte Vielgorsky qui
lui lut la pièce. Le tsar ne comprit-il pas le danger que représentait cette violente satire de la corruption administrative ?
Estima-t-il que le discrédit jeté sur quelques fonctionnaires
provinciaux n'entamait en rien la majesté du gouvernement
central ? Ne vit-il dans ces cinq actes qu'une innocente bouf-
fonnerie ? Cette dernière interprétation est la plus vraisem-
blable. Grand amateur de vaudevilles, Nicolas Iᵉʳ ne retint
du *Révizor* qu'une suite de situations grotesques, propres à
déchaîner un rire sain. Or, tant qu'un peuple rit, il n'est pas à
craindre. Dans un mouvement de joyeuse humeur, le monarque se déclara satisfait de la comédie.

Aussitôt, tout s'enchaîna avec une aisance miraculeuse. Les
rouages bloqués se remirent en mouvement. Docile aux instructions du palais, le censeur Oldekop ne demanda à l'auteur
que des coupures insignifiantes : ne pas mentionner l'église
dont la construction a été abandonnée, ne pas citer l'ordre de
Saint-Vladimir que le juge rêve d'obtenir, et supprimer l'allusion à la femme du sous-officier fouettée par erreur. Sous
réserve de ces modifications, le rapport concluait : « Cette
pièce est spirituelle et admirablement écrite. Elle ne contient
rien de répréhensible. » Le général Doubelt, chef des gendarmes, traça de sa main, en marge : « Autorisé ». Et le
directeur des théâtres impériaux, Guédéonov, reçut l'ordre de
mettre immédiatement *le Révizor* en répétition au théâtre
Alexandra.

Exaucé de façon si rapide et si large, Gogol ne sentait plus
le sol sous ses pieds. La distribution comprenait quelques-uns
des meilleurs acteurs de la capitale : Sosnitsky devait jouer
le rôle du gouverneur, Dür, celui de Khléstakov, Afanassiev,
celui d'Ossip. Gage de succès, mais aussi source d'inquiétude.
Car ces messieurs, imbus de leur importance, n'étaient pas
d'un maniement facile. D'ailleurs le directeur du théâtre, Khrapovitsky, ne cachait pas son mécontentement d'avoir à monter
une pièce sans avoir été consulté sur son choix.

La première lecture du *Révizor* aux acteurs eut lieu chez Sosnitsky. En paraissant devant la troupe rassemblée, Gogol se sentit comme enveloppé de froid. Ce n'étaient pas des amis qui se trouvaient réunis là, mais des juges, aux mines faussement intéressées. Ils avaient certes tous entendu parler de l'auteur des *Veillées du Hameau* et de *Mirgorod*, mais le personnage qui venait d'entrer dans le salon n'avait rien pour inspirer le respect ni même la confiance. Etait-ce un être humain ou un héron costumé ?

« De petite taille, blond, avec un énorme toupet au sommet du crâne, il portait des lunettes à monture d'or sur son nez d'oiseau et plissait les yeux, serrait les lèvres étroitement, comme s'il les eût mordues de l'intérieur, racontera l'acteur Karatyguine. Son frac vert aux longues basques et aux menus boutons de nacre, son pantalon marron, la façon dont il retirait et tournait entre ses mains un chapeau haut de forme, puis passait les doigts nerveusement dans sa houppe de cheveux, tout cela conférait à sa physionomie quelque chose de caricatural. »

La lecture commença. Selon son habitude, Gogol changeait d'intonation et presque de visage en passant d'un rôle à l'autre. Cependant sa diction demeurait naturelle. Il était drôle sans outrance. Cela, les acteurs s'en rendirent compte, dès les premières répliques. Mais la pièce les déroutait. Elevés dans la tradition des comédies de Kniajnine, de Chakhovskoï, de Marivaux, de Ducis, ils se cabraient devant la trivialité de certains propos. Comment le public réagirait-il à une pareille « platitude » ? N'allait-il pas unir l'auteur et les interprètes dans une même réprobation ? Des regards tantôt narquois, tantôt inquiets s'échangeaient au nez du lecteur. A la fin, il y eut quelques applaudissements distraits et mous, quelques compliments embarrassés. Seul Sosnitsky paraissait content du *Révizor*. Tandis qu'il en discutait avec Gogol, les autres acteurs, réunis à l'écart, chuchotaient : « Qu'est-ce que cela signifie ? Est-ce une comédie que nous avons entendue ? Certes, il lit bien, mais quel langage ! Son laquais parle exactement à la manière d'un laquais, et Pochliopkina, la femme du serrurier, est une vraie matrone prise sur le marché au foin !

De quoi notre Sosnitsky s'émerveille-t-il ? Qu'est-ce qui plaît
tant là-dedans à Joukovsky et à Pouchkine (1) ? »
Aux répétitions, cette hostilité s'accentua. Les acteurs ne
croyaient pas à la pièce et entraient avec répulsion dans leurs
rôles. Ils se sentaient comme déshonorés par la défroque vulgaire qui leur était imposée après tant de loyaux services
dans le répertoire classique de la maison. Certains réclamaient
des coupures ou des changements dans le dialogue, pour des
raisons de bienséance. D'autres, soucieux de faire rire à tout
prix, accusaient le comique de leur personnage par des grimaces conventionnelles. Excédé par leur incompréhension,
Gogol s'efforçait de les empêcher de verser dans la pitrerie.
Il leur remit des instructions écrites, leur recommandant de
jouer avec simplicité, avec naturel. « Moins l'acteur songera
à faire rire, mieux il rendra le comique de son rôle », disait-il.
Les acteurs bougonnaient, haussaient les épaules. Karatyguine
crayonnait, sur sa brochure, la caricature de l'auteur, planté
dans les coulisses, son chapeau haut de forme à la main, avec
un air de quémandeur malheureux. De semaine en semaine,
l'atmosphère s'électrisait. Aux prises avec mille questions pratiques, Gogol souhaitait presque maintenant qu'un cataclysme
détruisît le théâtre. Quel abîme entre la pièce qu'il avait
écrite et celle qu'il voyait se dessiner sous ses yeux, au fil
des répétitions !

*
**

La première réplique explose comme un pétard : « Je vous
ai convoqués, Messieurs, pour vous faire part d'une très
fâcheuse nouvelle : il nous arrive un *révizor*. » Ces mots du
gouverneur stupéfient l'assistance et déclenchent l'action.
« Oui, un *révizor*, renchérit le gouverneur, un inspecteur général, de Saint-Pétersbourg, incognito. Et de plus avec des instructions secrètes. » Devant l'imminence du péril, annoncé par
la lettre confidentielle d'un ami « bien placé », chacun se sent
crotté et cherche du regard la brosse. En quelques phrases,
surgit, derrière les personnages, la petite ville de province dont

(1) Karatyguine : *le Messager historique*. 1883.

ils sont à la fois les produits et les parasites. Une petite
ville perdue, « d'où l'on pourrait galoper trois ans sans arriver
à l'étranger ». Dans cette petite ville, les notables n'ont ni le
même appétit ni les mêmes moyens que leurs puissants collègues pétersbourgeois. Bien sûr, ils détournent les deniers de
l'Etat, pressurent les habitants, violent le secret de la correspondance, négligent leurs devoirs et trafiquent de leur
influence, mais avec bonhomie et sans exagération. Point de
crimes spectaculaires, point de vols caractérisés : tout au plus
une aimable pourriture, acceptée par les uns, entretenue par
les autres, et constituant le train-train journalier de tous. Et
voici que ce paisible *modus vivendi*, fait de molle torpeur
chez les victimes et de modeste crapulerie chez les exploi-
tants, se trouve sur le point d'être remis en question par
l'arrivée inopinée d'un inspecteur général. C'est le pavé dans
la mare d'eau croupie. Il faut prendre des mesures d'urgence
pour que l'abandon de la petite ville n'éclate pas aux yeux du
visiteur. D'emblée, le gouverneur, homme pesant, dur et prévaricateur, lance des ordres, comme le ferait un capitaine
sur la passerelle d'un navire en perdition. Il s'adresse, tour à
tour, à chacun de ses subalternes. Leurs noms sont, à eux
seuls, en russe, des masques grotesques posés sur des visages :
Zémlianika (M. la Fraise), Liapkine-Tiapkine (M. Patatras),
Khlopov (M. la Claque) etc. Que le sieur Zémlianika, surveillant
des établissements de bienfaisance, fasse coiffer des bonnets
propres à ses malades et accrocher des pancartes rédigées en
latin au pied de leur lit. Que le juge, Liapkine-Tiapkine, chasse
les oies de l'antichambre du tribunal et enlève les nippes qui
sèchent dans la salle d'audience. Que Khlopov, inspecteur des
écoles, veille à la tenue des professeurs, dont certains sont
affligés de tics. Que Chpékine, directeur des Postes, décachète
non plus quelques lettres par-ci par-là, mais la totalité du
courrier passant entre ses mains, pour déceler s'il n'y aurait
pas une dénonciation du côté des marchands mécontents. Il
faudrait aussi nettoyer les rues, enlever les tas d'ordures,
démolir une vieille palissade... Aura-t-on le temps de tout
mettre en ordre avant l'arrivée du *révizor* ?

Trop tard ! Deux bourgeois notables, Bobtchinsky et Dobtchinsky, apportent la terrible nouvelle : un mystérieux jeune

homme, nommé Khléstakov, est descendu à l'auberge. D'après
son passeport, il est fonctionnaire, vient de Saint-Pétersbourg
et se dirige sur Saratov. Depuis deux semaines qu'il est là,
il observe tout, mange à crédit et ne donne pas un kopeck.
Le doute n'est pas possible : il s'agit bien du *révizor*, voyageant
incognito et porteur d'instructions secrètes. Séance tenante,
le gouverneur décide d'aller le trouver, sous le prétexte de
s'enquérir du bien-être des voyageurs. Il tentera de l'ama-
douer, de l'attirer chez lui, tout en feignant, suprême astuce,
de n'avoir pas deviné son identité véritable.

Tandis qu'il prépare son expédition, nous découvrons le
jeune Khléstakov et son valet Ossip, à l'auberge. Khléstakov
n'est, en réalité, qu'un petit fonctionnaire de la capitale, qui
se rend dans le domaine de son père. S'il est immobilisé,
depuis deux semaines, dans cette sordide auberge, c'est qu'il
a perdu tout son argent au jeu et n'a pas de quoi payer sa
note. L'aubergiste ne lui donne plus à manger que parcimo-
nieusement et menace de porter plainte. Or, voici que
s'annonce le gouverneur en personne. Cette fois, Khléstakov se
croit flambé. Devant le gouverneur, qui tremble d'être relevé
de ses fonctions par un *révizor* voyageant incognito, il tremble,
lui, d'être fourré en prison pour grivèlerie. C'est l'affrontement
de deux craintes qui s'exacerbent au contact l'une de l'autre.
Dressés face à face, les adversaires s'observent, s'avancent,
se tâtent, se rétractent dans une danse de protozoaires
aux pseudopodes frémissants. De méprise en méprise, Khléstakov, terrorisé, ne se défend plus que par de vagues menaces.
Qu'on n'essaie pas de le déloger de cette chambre ! « Vous
viendriez avec tout un régiment, que je ne vous suivrais pas.
J'irai directement au ministre... Si je reste ici, c'est que je
n'ai plus un kopeck ! » Ces propos ne tombent pas dans
l'oreille d'un sourd. D'un côté « le ministre », de l'autre
« les kopecks » — il est clair, pense le gouverneur, que ce
révizor attend « un geste » de la part de ceux qu'il est venu
contrôler. Quel soulagement ! L'ange justicier s'humanise. Il
rentre dans le système de la corruption généralisée. La main
faible, l'œil inquiet, le gouverneur tend quatre cents roubles
à Khléstakov qui accepte. Puis il l'invite à s'installer sous son
toit.

Sans comprendre au juste ce qui lui vaut ce traitement aimable, Khléstakov s'épanouit dans la maison de son hôte. La femme et la fille du gouverneur le couvent des yeux avec une admiration flatteuse. Les notables n'osent s'asseoir en sa présence. On lui a offert un déjeuner succulent. La bonne chère, les vins lui ont échauffé le cerveau. Lâchant la bride à son imagination, il bavarde, il se grise de mots. Aucune obligation ne le pousse à transgresser la vérité. Il ne calcule ni le risque ni l'avantage de sa fabulation. Il se jette dedans avec ivresse, comme un artiste s'abandonne à l'inspiration poétique. C'est la volupté de la tricherie gratuite, la perte de conscience dans l'irréel. Plus ce qu'il affirme est invraisemblable, plus sa frénésie grandit.

Gogol connaît bien cette tentation du mensonge pour le mensonge. Combien de ses lettres à sa mère, à ses amis, ne sont que l'expression d'une mythomanie bouillonnante. Dans le personnage de Khléstakov, il a porté au paroxysme sa tendance personnelle à tromper son entourage. Le nom seul de Khléstakov évoque, pour un lecteur russe, une idée de rapidité et de légèreté, le son de l'air fendu, le sifflement d'un fouet à la lanière mince (1). Khléstakov frappe à droite, à gauche, indistinctement, et fait tourner toutes les toupies. Il se prétend indispensable dans plusieurs ministères, des généraux le craignent, les actrices sont à ses pieds, le potage qu'il mange à Saint-Pétersbourg arrive droit de Paris, « par bateau à vapeur », il a écrit des montagnes de livres, y compris *Manon Lescaut* et *Robinson Crusoé*, il est l'ami intime de Pouchkine. « Il m'arrive souvent de lui dire : — « Alors, mon vieux Pouchkine ? » — « Eh bien, mon vieux, répond-il parfois, qu'est-ce que tu veux, ça va, il faut bien que ça aille ! » Un grand original !... » Et devant la mine ébahie de l'auditoire, il se gonfle encore. Il monte d'autant plus haut qu'il pèse moins lourd dans la réalité. Ne dit-il pas de lui-même : « Je suis d'une extraordinaire légèreté de pensée » ? C'est la chance offerte à l'impondérable, à la cosse vide, au zéro parfait.

« Tous les jours, je suis au bal. On joue au whist : le ministre des Affaires étrangères, l'ambassadeur de France,

---

(1) Le verbe *khléstat*, en russe, signifie fouetter, cingler.

l'ambassadeur d'Angleterre, l'ambassadeur d'Allemagne et moi... Ce qui est curieux, c'est de jeter un regard dans mon antichambre, lorsque je ne suis pas encore éveillé : des comtes, des princes s'y bousculent et bourdonnent comme des frelons, on n'entend que djj... djj... Parfois même un ministre... Sur les paquets qu'on m'expédie, on met : « Votre Excellence »... Lorsque je traverse le ministère, tout tremble, tout frémit devant moi. Oh ! c'est que je n'aime pas plaisanter, je leur ai fichu une de ces frousses ! Même le Conseil d'Etat me craint... Damc, c'est ainsi que je suis, moi, je ne recule devant personne. Je leur dis à tous : « Je sais ce que je vaux. » Je suis partout, partout. Je vais tous les jours au palais. Demain, au plus tard, je serai nommé maréchal... » En disant ces mots, dans une gesticulation effrénée, Khléstakov glisse et manque de tomber, mais les fonctionnaires le soutiennent. Tout un système social vole au secours de l'imposteur. Une minute de plus, et il se prenait pour le tsar. Le pauvre Poprych-tchine du *Journal d'un Fou* ne se figurait-il pas être le roi d'Espagne ?

Le plus étrange, c'est que l'auditoire de Khléstakov est subjugué par les absurdités qu'il énonce dans son délire. Comme si, dans le Saint-Pétersbourg fantastique d'où il est issu, l'invraisemblable était la règle. Comme si une brume descendait de la capitale, se répandait en province et obnubilait les cerveaux. Parce qu'il crie et menace, les fonctionnaires de la petite ville voient en lui un authentique représentant du pouvoir. Leur vieil instinct de servilité les courbe devant quiconque élève la voix. « Qu'en pensez-vous, Pierre Ivanovitch, quel peut être son rang hiérarchique ? » chuchote Bobtchinsky. « Ma foi, il est peut-être bien général ! » répond Dobtchinsky. « Et moi ! s'écrie Bobtchinsky inspiré, je pense qu'un général ne lui arrive pas à la cheville !... »

Le gouverneur lui-même, tout en soupçonnant Khléstakov de quelque exagération, est convaincu de son importance administrative. L'un après l'autre, les fonctionnaires provinciaux vont soudoyer l'envoyé de la capitale pour s'assurer ses bonnes grâces. Comprenant enfin qu'ils le prennent pour un haut personnage de l'Etat, Khléstakov empoche leur argent sans scrupule. Il empoche d'ailleurs, avec la même aisance, l'argent de quelques marchands venus se plaindre du gouverneur. A tous il promet sa protection. Inquiet de la tournure que prennent les événements, Ossip, son valet, lui conseille de déguerpir au plus vite. Khléstakov, insouciant à son habitude, veut d'abord écrire une lettre à son ami Triapitchkine (1), à Saint-Pétersbourg, pour lui raconter son aventure. Puis, avisant Maria, la fille du gouverneur, il lui fait un brin de cour, pour passer le temps. De la fille, il saute à la mère : « Mais elle est très appétissante, la mère, pas mal du tout ! » Et comme celle-ci lui objecte : « Permettez-moi de vous faire remarquer que je suis... en quelque sorte... mariée... », il lui répond avec élan : « Cela n'a pas d'importance. L'amour ne fait pas de distinction. Karamzine a dit : « Si les lois nous condamnent, nous nous réfugierons à l'ombre des frondaisons. » Ainsi, il ne s'embarrasse d'aucune morale, et entend vivre au jour le jour, en cueillant, selon sa propre expression, « la fleur du plaisir ». A quoi bon se compliquer l'existence ? Il n'y a pas plus de frontière entre le bien et le mal qu'entre la vérité et le mensonge. Quiconque a de l'appétit est par avance excusé s'il cherche à l'assouvir. Quand on a le don de légèreté, comme Khléstakov, on ne brave pas la loi, on la survole. Mais Maria le surprend aux pieds de sa mère : « Ah ! quel tableau ! » Peu importe, il accomplit une nouvelle pirouette et demande à la mère interloquée la main de sa fille, qui n'en revient pas. Là-dessus arrive le gouverneur éploré. Il vient d'apprendre que les marchands, forçant la consigne, se sont plaints de lui au *révizor*. On le console. Il n'y a plus de *révizor* dans la maison. Il y a un futur gendre. Devenir le beau-père d'un si gros bonnet, c'est vivre au XIXe siècle une aventure mythologique : l'alliance radieuse d'un dieu de l'Olympe avec une mortelle. Mais les chevaux sont attelés. Khléstakov s'excuse. Il doit passer une journée chez son oncle, « un vieillard richissime ». Il reviendra le lendemain, c'est juré. Soupirs, baisemains, protestations d'amour. Khléstakov emprunte encore quatre cents roubles à son futur beau-père, monte en voiture et disparaît dans un tintement de clochettes. Une troïka ailée l'emporte vers d'au-

---

(1) *Triapitchnik* signifie, en russe, chiffonnier.

tres mensonges. Bulle irisée, il va se dissoudre dans l'atmosphère. Après tout, les dieux de l'Olympe n'agissaient pas autrement.

Quant au gouverneur, sa chance lui monte au cerveau. Gagné, dirait-on, par la griserie verbeuse de Khléstakov, il se lance à son tour dans le rêve. Il se voit déjà général, un cordon rouge (ou peut-être bleu) en travers de l'épaule, précédé dans ses déplacements par des estafettes galopant ventre à terre. En attendant, il convoque les marchands qui ont osé le dénoncer et leur lave la tête : « Gare ! Je vous ai à l'œil ! Je ne marie pas ma fille à un noblaillon quelconque ! Que les cadeaux soient de taille ! N'espérez pas vous en tirer avec un esturgeon et quelques pains de sucre !... » Au milieu du défilé des amis et des subordonnés venus féliciter l'heureuse famille, le directeur des Postes arrive, blême, une lettre à la main. Il l'a décachetée, selon son habitude. Et il en donne lecture. Elle est de Khléstakov. Il y raconte, à son ami Triapitchkine, la méprise dont il a été l'objet et comment il s'est moqué de tous ces imbéciles qui le prenaient pour un autre. La lettre fait le tour de la société. Chacun y trouve quelques lignes insultantes pour lui-même. La ville entière est ridiculisée. Frappé au cœur, le gouverneur prend conscience soudain de l'énorme mystification qui le laisse tout nu devant ses administrés.

« Je suis assassiné, tué, liquidé ! balbutie-t-il. Je ne distingue plus rien. A la place des visages, je ne vois autour de moi que des groins de porc ! » Et soudain il se met à s'invectiver lui-même, comme dans un miroir : « Vieille bête, va ! Triple animal ! Gros imbécile qui prend un godelureau, une mauviette, pour un personnage d'importance ! Et le voilà qui roule maintenant sur la route en faisant tinter ses clochettes ! Il va répandre cette histoire à travers le monde. Non seulement tu deviendras un objet de risée, mais il se trouvera encore quelque barbouilleur, quelque écrivassier pour te fourrer dans une comédie !... Il ne reculera ni devant le titre ni devant le grade !... Voilà qui est vexant !... Et tous se mettront à rire et à battre des mains comme des idiots !... De quoi riez-vous ? C'est de vous-mêmes que vous riez !... »

Zémlianika, atterré, observe : « Quand on me tuerait, je

serais incapable de dire comment c'est arrivé. On a été pris
comme dans un brouillard, c'est le diable qui nous a ensor-
celés. » Ces mots sonnent familièrement à nos oreilles. Le
« brouillard » venu du Nord, le diable en veston qui « ensor-
celle » les esprits jusqu'à effacer la frontière entre le palpable
et l'impalpable, presque tous les personnages de Gogol en ont
subi les effets. Ici, le gouverneur croit avoir atteint le fond de
l'abîme. Mais, parmi la dizaine de « groins de porc » qui
l'entourent, un nouveau groin de porc apparaît : un gendarme.
L'instrument du destin. Il dit : « Envoyé par ordre du gouvernement impérial, un haut fonctionnaire venu de Saint-Pétersbourg vous prie de vous rendre chez lui sur-le-champ. Il est
descendu à l'hôtel. » Comme foudroyés par l'annonce du jugement dernier, tous les personnages se figent autour du gouverneur. Il n'y a plus au monde que des accusés.

Le rideau tombe sur ce tableau muet. Une autre pièce va
commencer, que le spectateur imagine. Celle qu'il vient de
voir a passé si rapidement, que l'on dirait un songe. De la
première à la dernière scène, le rythme de l'action ne faiblit
pas une seconde. Une logique irrésistible procède à l'enchaî-
nement des faits. Si bien que le public, allant de surprise
en surprise, éprouve en même temps la certitude qu'il ne
pouvait en être autrement. C'est cette alliance de fantasmagorie grotesque et de perfection mécanique qui confère au
texte son originalité. Un mouvement d'horlogerie implacable
entraîne des masques de cauchemar. Pas un mot de trop. Pas
un temps mort. Pas un personnage inutile. Même les comparses ont un relief comique inoubliable. Qu'il s'agisse de Zémlianika, de Tiapkine-Liapkine, du directeur des Postes, de Bobtchinsky et de Dobtchinsky, chacun, par sa présence, évoque
un morceau de son univers personnel. A la famille du gouverneur, s'ajoutent, par allusions, d'autres familles. Des avenues
s'ouvrent de tous côtés, des intérieurs se dessinent, des mères,
des maris, des enfants, des maîtres d'école, des propriétaires
fonciers querelleurs, des scribes maniaques surgissent à
l'arrière-plan. En les juxtaposant, comme les pièces d'un puzzle, c'est la ville entière que nous reconstituons. Un petit enfer
clos, médiocre, stagnant, étouffant.

« Avec *le Révizor*, écrira Gogol, je m'étais décidé à rassembler en un seul tas tout ce que je pouvais connaître alors de mauvais en Russie, toutes les injustices qui se commettent dans les emplois et dans les circonstances où l'on doit exiger de l'homme le maximum de justice, et, une fois pour toutes, à rire de tout cela (1). »

Incontestablement il a ri en écrivant sa pièce. Chaque personnage a son langage propre. Certaines répliques sont plus révélatrices d'un défaut de l'âme, d'une pourriture des mœurs, qu'un réquisitoire de cent pages. C'est le gouverneur s'écriant, à propos de la femme d'un sous-officier qu'il a fait fouetter par erreur : « Elle a menti, je vous jure qu'elle a menti ! Elle s'est fouettée elle-même (2) ! » C'est Zémlianika, le surveillant des établissements de bienfaisance, disant de ses malades : « Depuis que j'ai été nommé à l'hôpital..., ils guérissent tous comme des mouches... » C'est le juge parlant de son assesseur qui dégage une odeur de tonneau : « Il dit que sa nourrice l'a laissé tomber quand il était petit et que, depuis ce temps, il sent légèrement la vodka. » C'est Bobtchinsky demandant à Khléstakov, quand il verra l'empereur, de lui glisser à l'oreille : « Voilà, Sire, dans telle ville vit un certain Pierre Ivanovitch Bobtchinsky ! » C'est encore le gouverneur imaginant la façon dont le *révizor* convoquera les fonctionnaires : « Qui donc est juge, ici ? Liapkine-Tiapkine ? Qu'on m'amène Liapkine-Tiapkine !... Et qui est surveillant des établissements de bienfaisance ? Zémlianika ?... Qu'on m'amène Zémlianika !... » Tout cela est gros, dru, violent, succulent. Une rude cuisine qui, sur le moment, vous emporte la bouche. Mais, le rire passé, restent la tristesse, la gêne et une surnaturelle angoisse. Khléstakov, en s'envolant dans sa troïka, nous a bernés comme le gouverneur.

---

(1) Nicolas Gogol : *Confession d'un Auteur.*
(2) Cette réplique avait été primitivement supprimée par la censure

X

LA REPRÉSENTATION

Le jour de la première représentation approchait. Au théâtre Alexandra, les acteurs travaillaient, brochure en main, dans la fièvre. Comme d'habitude, la direction n'avait pas jugé utile de les faire répéter en costumes et avec les accessoires. Ils étaient gens d'expérience. On n'allait pas les ennuyer avec ces détails de mise en scène. Une fois devant le public, ils se débrouillaient toujours. Malgré ces bonnes raisons, la veille du spectacle, Gogol exigea de voir les décors. Bien lui en prit : on avait prévu un mobilier somptueux pour l'appartement du gouverneur. Il le fit changer pour un mobilier plus simple, et ajouta une cage avec des canaris dans un coin et une bouteille d'eau-de-vie sur le rebord d'une fenêtre. Ossip, le valet de Khléstakov, s'était vu affubler d'une superbe livrée à galons, alors que, d'après le texte, son maître avait la bourse plate. Gogol refusa cet accoutrement, prit le costume tout taché d'huile du lampiste de service et le fit revêtir à Afanassiev qui tenait le rôle. Il batailla aussi contre les perruques dont certains comédiens prétendaient se coiffer pour paraître plus drôles. Mais, sur ce point, il ne fut pas écouté. Après tout, il n'était qu'un débutant dans le métier. Les acteurs savaient mieux que lui ce qui convenait au public. En ce mois d'avril 1836, un encouragement lui vint de Pouchkine, qui le présenta en ces termes aux lecteurs du premier numéro de sa revue *le Contemporain* : « Nos lecteurs n'ont certainement pas oublié l'impression produite par *les Veillées du Hameau*. Tout le monde a accueilli avec joie cette vive description d'une population dansante et chantante, ces frais tableaux de la nature petite-russienne, cette gaieté à la fois naïve et malicieuse. Nous avons été stupéfaits qu'un livre russe nous fît rire, nous qui n'avions pas ri depuis Fonvizine ! Nous étions si reconnaissants au jeune auteur, que nous, lui pardonnions volontiers les inégalités et les incorrections de son style, le décousu et l'invraisemblance de certains récits, abandonnant ces défauts à la critique vorace. L'auteur a justifié cette indulgence. Depuis il n'a cessé de se développer et de se perfectionner. Il a publié *les Arabesques*, où se trouve son œuvre la plus achevée : *la Perspective Nevsky*. Ensuite parut en librairie son recueil *Mirgorod*, dans lequel tout le monde a lu le récit : *un Ménage d'autrefois*, idylle à la fois ironique et émouvante qui vous oblige à rire à travers des larmes de mélancolie et de tendresse, et *Tarass Boulba*, dont le début est digne de Walter Scott. Et M. Gogol continue à aller de l'avant... »

En bas de page, figurait une note ainsi conçue : « Ces jours-ci, sa comédie *le Révizor* sera représenté au théâtre de la capitale. »

De son côté, *les Nouvelles de Saint-Pétersbourg* publiaient, dans leur numéro du dimanche 19 avril 1836, l'annonce suivante : « Aujourd'hui 19 avril, au théâtre Alexandra, première représentation du *Révizor*, comédie originale en cinq actes. »

Le 19 avril 1836, Gogol se rendit au théâtre, l'estomac serré, les nerfs tendus. On chuchotait que le tsar assisterait peut-être à la représentation. Il vint, en effet, avec le prince héritier et sa suite. Toute la salle se leva à leur entrée dans la loge impériale. Sanglé dans son uniforme, les épaules élargies par de lourdes épaulettes d'or, Nicolas Iᵉʳ salua l'assistance, qui lui répondit par des applaudissements et des hourras. Puis il s'assit et le public l'imita dans un murmure, comme l'herbe se couche sous le vent. Tapi derrière un portant, Gogol scrutait avec angoisse cette foule chamarrée : extraordinaire concentration de crânes chauves, de fracs noirs, de diadèmes, d'épaules nues, d'aiguillettes, de plastrons blancs, de tenues militaires constellées de décorations, d'éventails mollement agités et de parures de fleurs. Un univers pailleté, scintillant, remuant, enfermé dans l'immense cuve du théâtre. « Les ministres étaient au premier rang, écrira Alexandra Ossipovna Smirnov. Ils devaient applaudir lorsque l'empereur, qui tenait ses deux mains sur le rebord de la loge, donnerait lui-même le signal des applaudissements. » Derrière les ministres, se pressaient les représentants de la haute aristocratie, les fonctionnaires de grade supérieur, les gens du monde. Ça et là, Gogol reconnaissait un visage amical : le vieux fabuliste Krylov s'était dérangé et siégeait, énorme, grisonnant, somnolent, au parterre. Etaient présents également, dans leurs baignoires d'abonnés, les Vielgorsky, les Viazemsky, les Odoïevsky, les Annenkov, les Smirnov... Malheureusement, Pouchkine, absent de Saint-Pétersbourg, n'avait pu venir. Du côté des ennemis, il fallait compter les critiques Boulgarine, Senkovsky, Gretch... Et combien d'autres !... Subitement il parut évident à Gogol que la grande majorité des spectateurs ne pouvaient aimer cette comédie féroce. Les gens du poulailler, peut-être, riraient de bon cœur. Mais tout le gratin serait outré. Quel diable l'avait poussé à monter *le Révizor* ? N'eût-il pas mieux fait de laisser le manuscrit dans un tiroir ? Il se réfugia dans la loge directoriale pour suivre la représentation sans être vu.

Le rideau s'envola dans un sifflement de toile. Et, à la lueur des quinquets, les acteurs surgirent, maquillés, costumés, perruque en tête, méconnaissables, parlant plus fort et plus faux que d'habitude. Les sages recommandations de l'auteur étaient oubliées. Face à la rampe, c'était à qui chargerait le plus son rôle pour arracher des applaudissements. Bobtchinsky et Dobtchinsky se contorsionnaient. Khléstakov grasseyait, grimaçait, virevoltait à la façon d'un papillon. Le gouverneur, grand et sec, avait l'air d'un vieux militaire madré. Ossip jouait en valet de vaudeville... A les voir, à les entendre, Gogol ne reconnaissait plus sa pièce. Ses répliques préférées lui faisaient mal, comme autant de notes discordantes. La honte, la rage, le dépit oppressaient sa poitrine. Et ce malaise s'aggravait quand il reportait les yeux sur le public. Ainsi qu'il l'avait prévu, aux places bon marché on s'amusait ferme. Mais au parterre, dans les loges, dans les baignoires, c'était déjà la consternation.

Cloués à leur fauteuil, les hauts dignitaires recevaient en pleine face toutes ces moqueries contre l'administration provinciale comme autant d'éclaboussures. Leur indignation était perceptible à Gogol sans que rien ne changeât dans leur attitude. S'ils se retenaient de manifester leur mécontentement, c'était, sans doute, par égard pour l'empereur qui avait autorisé le spectacle. Cependant l'empereur lui-même devait se demander maintenant s'il n'avait pas eu tort. N'allait-il pas se lever et quitter ostensiblement sa loge ? Non, beau joueur, il riait, il applaudissait de ses grandes mains gantées de blanc. Et, dociles, les messieurs et les dames du parterre applaudissaient derrière lui. Avec moins d'entrain, il est vrai, à mesure que se déroulait l'intrigue.

« Témoin de cette première représentation, écrira Annenkov, je me permettrai de dire ce que fut la salle de ce théâtre durant les quatre heures du spectacle le plus remarquable qu'elle eût connu. Dès la fin du premier acte, la perplexité était peinte sur tous les visages (le public était très choisi), comme si personne ne savait ce qu'il fallait penser de la pièce. Cette perplexité s'accrut d'acte en acte. La plupart des spectateurs, déroutés dans leur attente et leurs habitudes théâtrales, décidèrent fermement qu'il s'agissait d'une farce. Cette supposition semblait les rassurer. Cependant cette farce contenait des traits et des tableaux tellement véridiques, que, par deux fois, je crois, le rire général éclata, surtout dans les passages qui répondaient le plus à l'idée que la majorité des spectateurs se faisait d'une comédie. Il en alla tout autrement au IVᵉ acte : de temps en temps, le rire roulait encore d'un bout à l'autre de la salle, mais c'était un rire timide, qui aussitôt s'évanouissait. Il n'y eut presque pas d'applaudissements. En revanche, on suivait les nuances de la pièce avec une attention, une application crispée, parfois dans un silence de mort, qui montrait que le cœur des spectateurs était passionnément captivé par ce qui se passait sur la scène. A la fin de l'acte, la perplexité se mua en une indignation quasi générale, que le Vᵉ acte porta à son comble... La voix unanime du public élégant déclarait : « C'est invraisemblable, c'est une calomnie, une farce !... (1) »

Des appréciations analogues couraient de fauteuil en fauteuil : « Une farce indigne de l'art », chuchotait Koukolnik. « Une injure intolérable aux nobles, aux fonctionnaires et aux marchands », renchérissait Khrapovitsky. Quant au tsar, selon certains témoins, il dit en riant : « En voilà une pièce ! Chacun en a pris pour son grade, et moi encore plus que les autres ! » Lorsque le rideau se releva pour l'annonce finale, des amis disséminés dans ia salle réclamèrent l'auteur. Le poulailler les soutint. Mais Gogol avait déjà fui le théâtre. Un vent de haine le poussait dans le dos. Jamais encore il n'avait éprouvé l'impression, pour ainsi dire physique, d'être détesté par un aussi grand nombre de gens. Pourtant il n'avait pas eu l'intention délibérée de leur nuire. Ne pouvait-on critiquer certains fonctionnaires tout en respectant l'administration ? N'était-ce pas servir le régime que dénoncer les abus de ceux qui trahissaient la dignité de leur charge ? Il erra dans les rues, la tête à l'envers, et finit par échouer chez son ami Prokopovitch. Celui-ci crut lui remonter le moral en mettant sous ses yeux un exemplaire du *Révizor*, paru en librairie le jour-même : « Tiens, admire ton rejeton ! » Gogol lança le livre par terre, s'appuya à la table et dit tristement : « Mon Dieu ! S'il n'y en avait eu qu'un ou deux pour m'invectiver, tant pis ! Mais tous, tous (2)... »

Les représentations suivantes ne purent que confirmer ses craintes. Le public se ruait au théâtre, les billets s'arrachaient au prix fort chez les revendeurs, mais la pièce était de plus en plus discutée. Dans les milieux conservateurs, on accusait l'auteur de vouloir saper l'ordre établi. Rien, disait-on, n'était sacré à ses yeux. Révolutionnaire dans l'âme, il feignait de limiter ses sarcasmes aux fonctionnaires provinciaux, mais, à travers eux, c'étaient les hauts personnages de l'empire qu'il cherchait à atteindre. Dans les milieux libéraux, en revanche, on louait l'écrivain pour l'audace avec laquelle il avait dévoilé les plaies du régime tsariste. Ce genre de compliments

---

(1) Annenkov : *Souvenirs littéraires.*
(2) Ibid.

effrayait plus Gogol que les reproches de l'autre bord. Quel
que fût son désir de reprendre confiance, il ne pouvait donner
raison à ceux qui l'acclamaient. Car, ce qu'ils aimaient dans
sa pièce, c'était une intention qu'il n'y avait jamais mise. De
tout son cœur, il appartenait au tsar. La structure monar-
chique de la Russie lui paraissait la seule concevable. Il était
pour le contrôle administratif, pour la table des hiérarchies,
pour le servage... Simplement il souhaitait plus d'honnêteté
de la part des agents de l'Etat. Les institutions étaient bonnes,
c'étaient les hommes qui, parfois, étaient mauvais. Il ne s'agissait donc pas de réformer la société, mais les individus. Une
pièce comme *le Révizor*, en dénonçant leurs vices, devait les
aider à s'amender progressivement. Le but de l'entreprise était
moral et non politique. Comment ne le comprenait-on pas ?

Chaque jour il entendait des échos de la dispute qui grondait autour de lui. Le comte Fédor Ivanovitch Tolstoï (surnommé Tolstoï l'Américain), joueur et bretteur fameux, déclarait dans les salons que l'auteur du *Révizor* était « un ennemi
de la Russie » et qu'il fallait « l'envoyer en Sibérie après l'avoir
enchaîné ». Viegel écrivait à Zagoskine : « Je connais l'auteur
du *Révizor*. C'est la jeune Russie dans toute son insolence et
tout son cynisme. » Lajetchnikov mandait à Bélinsky : « Je
ne donnerais pas un kopeck pour avoir écrit *le Révizor*, cette
farce tout juste bonne pour le poulailler russe. » Le prince
Tchernychev, ministre de la Guerre, regrettait ouvertement de
s'être dérangé pour voir « cette farce stupide ». Et Viazemsky
analysait ainsi, dans une lettre à A.I. Tourguéniev, les remous
suscités par la pièce de son ami :

« Tous, ici, s'efforcent d'être plus royalistes que le roi,
tous s'indignent qu'on ait autorisé la représentation de cette
pièce, qui, du reste, a remporté sur la scène un succès brillant, sinon unanime. Tu n'imagines pas les jugements stupides
qu'elle provoque, principalement dans les rangs de la haute
société : « Comme s'il existait une ville pareille en Russie !...
Pourquoi ne pas représenter ne fût-ce qu'un seul honnête
homme, un seul homme de bien ? N'y en aurait-il pas chez
nous ? »

Les articles des journaux aggravèrent le malentendu. Boulgarine, dans *l'Abeille du Nord*, accusa Gogol d'avoir « cons-

truit sa comédie non sur la vraisemblance et la ressemblance, mais sur l'invraisemblance et l'impossibilité... » « Le gouverneur, le juge, le directeur des Postes, le surveillant des établissements de bienfaisance y sont représentés comme des filous et des imbéciles, écrivait-il encore. Les propriétaires fonciers et les fonctionnaires à la retraite y ont un niveau d'intelligence au-dessous de l'humain... On ne peut fonder une vraie comédie sur les abus de l'administration ; car ce ne sont pas là les mœurs de tout un peuple ni la caractéristique de toute une société, mais les crimes de quelques personnages isolés, qui doivent provoquer non le rire mais l'indignation. » Senkovsky, de son côté, déclarait dans *la Bibliothèque pour la Lecture* : « Dans cette comédie, il n'y a ni intrigue ni dénouement, parce qu'il s'agit d'une histoire archiconnue et non d'une œuvre d'art... Tous les personnages en sont soit des canailles soit des imbéciles... Les abus administratifs existent dans le monde entier, et il n'y a aucune raison de les attribuer à la seule Russie en transposant les faits sur notre sol et en prenant les protagonistes parmi nos compatriotes. »

A ces attaques, le jeune critique Bélinsky répondit, anonymement, dans le journal *la Renommée* : « Ils se trompent, ceux qui croient que cette comédie est simplement drôle. Oui, elle est drôle, pour ainsi dire superficiellement, mais, à l'intérieur, quelle amertume !... » A son avis, la haute société était incapable de s'intéresser à l'histoire de ces petits fonctionnaires de province, encore moins de comprendre l'action despotique qu'ils pouvaient exercer sur la population. « En voyant le public s'assembler dans la salle, où voisinaient les conseillers d'Etat, les conseillers privés actuels et toutes sortes de gentlemen possédant chacun quelques milliers d'âmes, nous pensions malgré nous : il est peu probable que *le Révizor* leur plaise, il est peu probable qu'ils éprouvent quelque satisfaction à voir au naturel ces figures qui, pour nous, sont si effrayantes. » Quant aux héros du *Révizor*, Bélinsky affirmait que leurs noms étaient déjà devenus des sobriquets et que les rues étaient pleines de Khléstakov, de Zémlianika, de Tiapkine-Liapkine... L'auteur lui paraissait « un grand écrivain comique de la vie réelle ».

Au centre de ce malentendu, le « grand écrivain comique »

se désespérait d'être devenu un objet de scandale. L'idée
d'avoir blessé injustement des gens respectables, de hauts
fonctionnaires, de bons chrétiens, lui était aussi pénible que
celle d'avoir réjoui injustement des libres penseurs. Eloges et
critiques risquaient également d'indisposer l'empereur à son
égard. Si cette campagne se continuait, peut-être allait-on
arrêter les représentations ? Il en arrivait à le souhaiter, tant
il souffrait de la rumeur publique. Il n'était pas un homme
de foule, il n'avait pas la tripe combattante, et voici qu'il lui
fallait subir la pression de milliers d'inconnus, massés aux
frontières de sa vie. Il ne les voyait pas, il ne les entendait
pas, mais il percevait leur présence grouillante derrière les
murs de sa chambre. Traqué dans son réduit, il imaginait
une Russie innombrable, uniquement préoccupée de sa personne, le louant, le blâmant, le piétinant, le portant aux nues,
l'absorbant, le digérant, le recrachant. Il ne serait plus jamais
seul. Un mois après la première représentation du *Révizor*,
il écrivait :

« *Le Révizor* est joué, et je ressens quelque chose de si
trouble, de si étrange !... Je m'y attendais, je savais d'avance
ce qu'il en serait, et cependant me voilà déprimé, plein de
tristesse et de dépit. Ma propre œuvre m'est apparue répu-
gnante, contre nature et comme étrangère à moi. Le rôle
principal est raté : je l'avais pensé. Dür n'a pas du tout compris le caractère de Khléstakov. Il a fait de ce personnage une
somme de tous les polissons de vaudeville, importés des
scènes parisiennes pour parader chez nous... Khléstakov n'est
pas du tout un filou ; ce n'est pas un menteur professionnel ;
il oublie lui-même qu'il ment, il croit presque à ce qu'il dit...
Dès le début de la représentation, j'étais assis, déprimé, dans
le théâtre. Peu m'importaient l'enthousiasme et l'accueil du
public. Je ne craignais qu'un juge parmi tous ceux qui étaient
là, et ce juge c'était moi-même. Je percevais en moi des
reproches et un mécontentement contre ma propre pièce, qui
étouffaient tout le reste. Le public, lui, était satisfait dans
l'ensemble... Il semble que ce soit le rôle du gouverneur qui
ait réconcilié les spectateurs avec *le Révizor*... En revanche,
Bobtchinsky et Dobtchinsky furent plus mauvais que prévu.
Une vraie caricature... Dans l'ensemble, les costumes étaient

détestables et burlesques... Un mot encore à propos de la dernière scène. Elle a totalement raté. Le rideau se referma à un moment indécis. Il semblait que la pièce n'était pas finie. Ce n'est pas ma faute. On n'a pas voulu m'écouter. Je continue à affirmer que la dernière scène n'aura pas de succès tant qu'on n'aura pas compris que c'est un tableau muet... Mais il m'a été répondu que les acteurs s'en trouveraient contraints, qu'il faudrait charger un maître de ballet de diriger le groupe, que ce serait quelque peu humiliant pour les comédiens, etc. Je n'ai plus la force de discuter et de faire des démarches. Je suis fatigué d'âme et de corps. Je jure que personne ne connaît et n'entend mes souffrances. Je ne veux plus avoir affaire à eux ! Ma pièce me répugne ! Je voudrais fuir, Dieu sait où (1) ! »

Oui, comme après l'échec de *Hans Küchelgarten*, après le succès du *Révizor*, Gogol fut saisi par une brusque folie ambulatoire. Il lui fallait, au plus tôt, accumuler les verstes entre la foule et lui. Prendre ses distances. Retrouver la solitude. A l'étranger, si possible. Or sa pièce devait être montée à Moscou, au théâtre Maly, avec Chtchépkine dans le rôle du gouverneur. On réclamait sa présence aux répétitions. Tant pis ! Il écrivit à Chtchépkine :

« J'ai pris le théâtre en horreur à un tel point, que rien que la pensée des désagréments qui m'attendent à Moscou suffit à me retenir d'y aller et de me mêler de quoi que ce soit. Je n'en peux plus ! Faites ce que vous voulez de ma pièce, je ne m'en occuperai pas. J'en ai assez de la pièce et des soucis qu'elle me donne. Tout le monde est contre moi. Des fonctionnaires âgés et honorables vocifèrent qu'il n'existe pour moi rien de sacré, puisque j'ai osé parler de la sorte des employés de l'administration. Les policiers sont contre moi, les marchands sont contre moi, les hommes de lettres sont contre moi. Ils m'injurient et vont voir ma pièce. Il n'y avait pas de billets disponibles pour la quatrième représentation. N'eût été la haute protection de l'empereur, ma pièce n'aurait

_____

(1) Cette lettre était, croit-on, destinée à Pouchkine. Gogol la garda dans son tiroir et la publia, en 1841, sous le titre : *Lettre à un Ecrivain*.

jamais été montée sur une scène ; d'ailleurs il y a déjà des
gens qui se démènent pour essayer d'obtenir son interdiction.
Maintenant je vois ce que c'est que d'être un auteur comique.
La moindre ombre de vérité, et l'on voit se dresser contre
soi non pas un individu, mais des corporations entières... Il
est pénible de constater l'hostilité des gens pour quelqu'un
qui, comme moi, les aime d'un amour fraternel (1). »

Désolé par ce refus, Chtchépkine tenta de faire revenir
Gogol sur sa décision.

« C'est un véritable péché que vous commettez en abandonnant votre comédie à son sort, lui écrivit-il. Et où cela ?
A Moscou, qui vous attend les bras ouverts... Mieux que quiconque, vous savez que votre pièce, plus que toute autre, a
besoin d'être lue par vous-même, tant à la direction théâtrale
qu'aux interprètes. Vous le savez, et vous ne voulez pas venir !
Ravisez-vous, pour l'amour de Dieu ! »

Gogol ne se ravisa pas. On n'avait qu'à monter la pièce
sans lui, à Moscou. Chtchépkine en assumerait la mise en
scène. De toute façon, le résultat ne pouvait être plus mauvais qu'à Saint-Pétersbourg.

« Si je venais chez vous, répondit-il à Chtchépkine, je vous
lirais ma pièce très mal, sans aucune sympathie envers mes
personnages (2). »

Pour lui, *le Révizor* appartenait déjà au passé. L'avenir
commençait au delà des frontières. Un itinéraire séduisant :
Allemagne, Suisse, Italie... Il prévoyait une longue absence.
Un an, peut-être plus. Le temps qu'il faudrait pour « oublier »,
pour « guérir ».

« Je vais partir pour l'étranger, écrivait-il à Pogodine. J'y
ruminerai l'écœurement que me donnent chaque jour mes
contemporains. Un auteur de notre temps, un auteur comique,
un auteur qui veut peindre les mœurs de son époque, doit
vivre loin de sa patrie. Nul n'est prophète en son pays. Il
m'importe peu que toutes les classes de la société soient
maintenant mal disposées à mon égard, mais il m'est pénible
et triste de voir que mes concitoyens m'en veulent à tort,

_____

(1) Lettre du 29 avril 1836.
(2) Lettre du 15 mai 1836.

alors que je les aime de toute mon âme, de constater qu'ils
interprètent tout faussement... Mets en scène deux ou trois
gredins — mille honnêtes gens se fâchent et protestent :
« Nous ne sommes pas des gredins ! » Qu'ils vivent en paix !
Je pars pour l'étranger, non parce qu'il m'est impossible de
supporter ces désagréments, mais pour rétablir ma santé, me
distraire, et, après avoir choisi un lieu de séjour un peu
stable, méditer sur mes futurs travaux. Il est grand temps,
pour moi, de créer avec toute la réflexion voulue (1). »

Agacé par ces lamentations, Pogodine lui répliqua vivement :

« Il paraît que tu t'irrites de toutes les rumeurs (soulevées
par *le Révizor*). Comment n'as-tu pas honte, mon vieux ? Tu
deviens toi-même un personnage comique. Imagine un auteur
qui voudrait mordre les gens, non à hauteur des sourcils,
mais en plein dans l'œil. Il y réussit. Les gens grimacent, se
détournent, grognent des injures et, bien sûr, protestent : « Il
n'existe pas de tels individus parmi nous ! » Tu devrais te
réjouir de voir que tu as atteint ton but... Et toi, tu te fâches !
Eh bien ! ne prêtes-tu pas à rire en l'occurrence ? »

Gogol le prit de très haut :

« Je ne m'irrite pas de toutes ces rumeurs, comme tu
l'écris, je ne m'irrite pas de la colère de ceux qui reconnais-
sent leurs propres traits dans mes originaux et se détournent
de moi, je ne m'irrite pas des injures d'ennemis littéraires et
de talents vénaux ; mais je suis triste de l'ignorance générale
qui domine notre capitale ; je suis triste de la misérable
condition où se trouve, chez nous, l'homme de lettres. Tous
sont contre lui et il n'a pas, pour le soutenir, de force égale à
celle qui l'attaque. « C'est un incendiaire ! C'est un révolutionnaire ! » Qui le dit ? Ceux qui le disent sont des gens au
service de l'empire, des gens de haut grade, des gens de
grande expérience, des gens qui devraient avoir assez d'intelligence pour comprendre l'affaire dans son état actuel, des
gens apparemment cultivés ou que, du moins, la société russe
considère comme tels. Que les fripouilles s'indignent, je le
comprendrais ; mais voici que s'indignent des personnes que

_____
(1) Lettre du 10 mai 1836.

je ne tenais pas du tout pour des fripouilles. La capitale se
sent offensée parce que j'ai peint les mœurs de six fonctionnaires de province ; qu'aurait dit la capitale, si j'avais peint,
fût-ce très légèrement, ses propres mœurs ?... Adieu, je pars
distraire mon chagrin... Tout ce qui m'est arrivé a été salutaire pour moi. Toutes les vexations, tous les désagréments
m'ont été envoyés par la haute Providence pour mon édification, et je sens maintenant qu'une volonté supraterrestre
trace ma route (1). »

Le mois précédent, *le Contemporain* avait publié, sous la
signature de Gogol, *la Matinée d'un Homme d'Action* (extrait
de sa pièce abandonnée *la Croix de Saint-Vladimir*), une
« revue des revues » (article dénonçant la tyrannie littéraire
du trio Boulgarine-Gretch-Senkovsky) et une nouvelle, *la Calèche* (esquisse souriante et vivement enlevée de la vie provinciale). Une anecdote vécue avait servi de point de départ
à ce dernier récit (2). Le propriétaire rural Tchertokoutsky,
ayant proposé à un général de lui vendre sa calèche, le prie à
dîner chez lui avec d'autres officiers. Mais, entre-temps, il
s'est enivré, et, rentrant fort tard à la maison, il ne songe pas
à prévenir sa femme de l'invitation qu'il a faite pour le lendemain. Lorsque le général arrive avec sa suite, rien n'est prêt
pour les recevoir. Tchertokoutsky, réveillé en sursaut, s'affole,
fait dire par son domestique qu'il est absent et va se cacher
dans la fameuse calèche. Indigné, le général veut cependant
voir le véhicule pour lequel il s'est dérangé. Et, bien entendu,
il découvre Tchertokoutsky pelotonné à l'intérieur, dans sa
robe de chambre.

Cette pochade n'allait-elle pas être considérée comme une
insulte à l'armée, puisqu'elle relatait le cas d'un propriétaire
foncier manquant d'égards à un général ? Fort heureusement,
la censure n'exigea que des coupures bénignes. Et les lecteurs
eux-mêmes ne prêtèrent que peu d'attention à cette série de

---

(1) Lettre du 15 mai 1836.
(2) Le comte Michel Vielgorsky, célèbre pour son amour de l'art
et son inguérissable distraction, avait convié chez lui tout le corps
diplomatique et, oubliant son invitation, était allé passer la soirée
à son club.

tableautins réalistes, d'une grande netteté de touche. Le bruit fait autour du *Révizor* écrasait tout le reste.

La pièce fut présentée le 25 mai 1836 à Moscou, au théâtre Maly, après des répétitions hâtives et incohérentes. Chtchépkine, dans le rôle du gouverneur, et Lensky, dans celui de Khléstakov, se taillèrent un succès personnel. Mais, là aussi, et pour les mêmes raisons, la pièce fut âprement discutée. « Toute la jeunesse était enthousiasmée par *le Révizor*, écrivait Stassov. Nous récitions par cœur des scènes entières, de longs passages de la pièce, nous corrigeant et nous reprenant les uns les autres. A la maison ou en visite, il nous arrivait d'entrer dans de violentes discussions avec des personnes âgées (et parfois pas tellement âgées !) qui en voulaient à la nouvelle idole de la jeunesse et affirmaient qu'il n'y avait chez Gogol aucune vérité, que tout ce qu'il écrivait n'était qu'invention et caricature, qu'il n'existait pas au monde de gens ressemblant à ses personnages et que, s'il y en avait, ils étaient moins nombreux dans toute la ville que dans sa seule comédie. Les empoignades étaient chaudes et prolongées, mais les vieux ne pouvaient nous faire dévier d'une ligne, et notre adoration fanatique pour Gogol allait croissant (1). »

Malgré les supplications de Chtchépkine, Gogol n'avait pas fait le voyage de Moscou pour assister à la première représentation. Il se désintéressait des réactions de ce nouveau public, ou plutôt il redoutait de les connaître, qu'elles fussent favorables ou hostiles. Les préparatifs de son grand départ, « voulu par le Très-Haut », l'occupaient en entier. D'abord, il fallait réunir les fonds nécessaires. Il avait vendu *le Révizor* à la direction des théâtres impériaux pour deux mille cinq cents roubles assignats. Il vendit également d'avance la totalité de l'édition de la pièce aux libraires, avec une forte réduction, pour se procurer plus vite l'argent dont il avait besoin. Sans doute même emprunta-t-il quelque somme à des amis. Enfin il chargea Joukovsky d'intercéder auprès de l'impératrice pour tâcher d'obtenir un subside.

Toutes dettes payées, il lui resta plus de deux mille roubles.

_____

(1) V.V. Stassov : *L'Ecole de Droit*, années 1836-1842.

De quoi tenir quelques mois. En octobre, l'éditeur Smirdine le renflouerait. Il acheta des cadeaux à sa mère et à ses sœurs : du tissu pour une robe, des chapeaux à la mode, des rubans, des châles, des livres, une gravure représentant la perspective Nevsky, toutes sortes de babioles propres à atténuer le chagrin de la séparation. « Sans doute resterai-je à l'étranger plus d'un an », écrivit-il à sa mère. Puis il s'occupa de son serviteur, Iakim. Comme il ne pouvait l'emmener en voyage sans augmenter ses dépenses, il décida de l'affranchir Mais Iakim s'effraya de la liberté qui lui était brusquement offerte. Un homme sans maître est désarmé devant les difficultés de la vie ! Nul ne se soucie de le nourrir et de le protéger. Il préféra demeurer serf. Gogol décida de le renvoyer, avec Matriona, à Vassilievka. Sa mère trouverait bien à les employer. Anne et Elisabeth resteraient à l'Institut patriotique pendant les vacances d'été. Peu de jours avant son départ, il leur rendit visite et les exhorta au courage et à la patience. Des amis passeraient les voir, de temps en temps. Lui-même leur écrirait souvent de l'étranger.

Il se débarrassa encore de quelques meubles. Dans les pièces à demi vides, au papier de tenture sali, Iakim allait et venait en soupirant. A la dernière minute, Gogol avait convaincu Alexandre Danilevsky, son ancien condisciple au lycée de Niéjine, de le suivre. C'était avec ce même compagnon qu'il était arrivé, huit ans plus tôt, dans la capitale. Le svelte, élégant et insouciant Alexandre, après avoir étudié pendant un an à l'Ecole des sous-officiers de la garde et s'être fourvoyé quelques mois au Caucase, avait trouvé un emploi au ministère de l'Intérieur. Mais son travail l'ennuyait. Lui aussi avait hâte de changer d'horizon. Le bateau à vapeur, sur lequel les deux amis avaient retenu leurs places, ne devait quitter Saint-Pétersbourg que le 6 juin 1836.

Il faisait déjà chaud en ville. Les familles aisées, fuyant la canicule, s'étaient installées dans les villas des alentours. La lumière fausse des nuits blanches du Nord inquiétait Gogol. Dans cet éclairage blafard, les objets les plus familiers prenaient, à ses yeux, un aspect fantomatique. Un soir, alors qu'il rangeait des papiers en prévision de son prochain départ, il reçut inopinément la visite de Pouchkine. Celui-ci avait

laissé sa famille à Kammenny-Ostrov, où il louait une villa, et
était venu à pied à travers la ville à demi déserte. Sa femme
avait accouché, le 23 mai dernier, d'une fillette. Il en était
heureux. Mais son visage, semblait-il, ne savait plus sourire.
Des rides précoces creusaient son front et ses joues. Quelques
poils argentés striaient ses favoris bruns touffus. Ses grosses lèvres avaient un pli amer. Un air de fatigue, de tristesse
et de hargne assombrissait son regard. Les commérages dont
il était l'objet dans les salons ne le laissaient pas en repos.
On racontait que son épouse, la belle Nathalie, n'était pas
insensible aux assiduités d'un jeune et fringant chevalier-
garde, l'émigré français Georges d'Anthès, fils adoptif du
baron de Heeckeren, ambassadeur de Hollande. Gogol l'avait
entendu dire lui-même, à plusieurs reprises, sans y croire.
Comme d'habitude, il avait évité d'interroger Pouchkine sur
ses problèmes intimes. Ils vivaient dans deux mondes si différents ! Sans doute fit-il part à son visiteur des raisons qui
l'incitaient à disparaître. Et celui-ci, écœuré de Saint-Pétersbourg, ne put que l'encourager dans sa résolution. Comme
cadeau d'adieu, il pria son hôte de lui lire le début des
Ames mortes. Iakim devait raconter, des années plus tard,
que cette lecture dura une partie de la nuit. Selon Gogol,
Pouchkine, qui s'était disposé à rire, changea vite de physionomie. « Son visage s'assombrit par degrés et finit par devenir
tout à fait morose, écrira-t-il. Quand j'eus terminé ma lecture,
il proféra d'une voix mélancolique : « Mon Dieu, que notre
Russie est triste ! » J'en fus stupéfait. Pouchkine, qui connaissait si bien la Russie, n'avait pas remarqué que tout cela
n'était que caricature et invention ! Je compris alors ce que
signifie une œuvre jaillie du tréfonds de l'âme, toute pleine
de vérité spirituelle, et sous quelle forme terrifiante on peut
présenter aux hommes les ténèbres et l'angoissante absence
de lumière (1). »
    Une aube sale, indécise. La lueur jaune d'une chandelle.
Des valises ouvertes. Deux hommes assis face à face, accablés,
l'un par les soucis que lui cause sa femme, le manque

---

(1) *Passages choisis de ma Correspondance avec mes Amis.* Chapitre XVIII.

d'argent, la médisance mondaine, l'autre par le remue-ménage insensé que soulève sa pièce. Pouchkine, à trente-sept ans, paraissait las de vivre et d'écrire. Et pourtant il insufflait à son confrère de vingt-sept ans le goût de créer une grande œuvre. Que se dirent-ils exactement cette nuit-là ? Pouchkine prononça-t-il réellement ces paroles capitales sur la « tristesse » de la Russie ? Ne s'agit-il pas plutôt d'une invention de Gogol, pour renforcer sa propre théorie sur le sens profond des *Ames mortes* ?

Ils se séparèrent au petit jour, dira Iakim. La mince silhouette de Pouchkine se perdit, canne en main et chapeau haut de forme sur la tête, dans la pénombre de l'escalier. Gogol ne chercha pas à le revoir avant son départ. Il n'essaya pas davantage de rencontrer Joukovsky, « le sauveteur », envers qui il avait tant d'obligation. La plupart de ses amis ignoraient qu'il se préparait à boucler ses valises.

Le 6 juin 1836, le prince Viazemsky accompagna les deux voyageurs jusqu'au port. Il remit à Gogol quelques lettres de recommandation pour des amis vivant à l'étranger. Puis il l'étreignit avec force en lui souhaitant une bonne traversée. Danilevsky était au comble de l'excitation. Tout l'amusait, l'embarcadère grouillant de monde, les portefaix transportant les bagages, l'air inquiet des dames. La haute cheminée du navire soufflait une fumée noire et épaisse. Un groupe de curieux examinait les grandes roues à aubes. Des marins, aux blouses bleues et aux chapeaux de paille ronds à rubans, couraient sur le pont. Gogol s'engagea sur l'échelle de coupée.

DEUXIÈME PARTIE

I

EN VOYAGE

Le ciel était couvert, la mer faiblement agitée. Debout sur le pont, Gogol avait l'impression de revivre, point par point, une aventure ancienne. Il avait de nouveau vingt ans, il venait de brûler tous les exemplaires de *Hans Küchelgarten* et il voguait vers les côtes d'Allemagne, afin d'oublier, loin de l'ingrate patrie, l'échec de son poème. Seule la présence à ses côtés de Danilevsky l'empêchait de prolonger cette illusion. D'autre part, il ne pouvait, sans un brin de mauvaise foi, regretter le temps de ses débuts, voués à l'obscurité et à la misère.

Malheureusement, la mer, à sept ans d'intervalle, ne lui était pas plus favorable. A peine eut-il fait le tour du bateau, salué le capitaine et lié connaissance avec quelques passagers à la table d'hôte, que le tangage et le roulis s'accentuèrent. Les roues à aubes mordaient les vagues avec une obstination mécanique. Mais, dès que le navire s'inclinait sur le côté, une seule de ces roues travaillait bien, ce qui provoquait des embardées. Le vent se renforçait, rabattant sur le pont une fumée noire, pestilentielle. La coque craquait, la machine s'essoufflait, on ne distinguait plus l'horizon.

Les jours suivants, comme la tempête s'aggravait, les passagers prirent peur. Mme de Barante, femme de l'ambassadeur de France, poussait des cris aigus devant les montagnes d'eau verte qui se levaient et s'abaissaient vertigineusement, à perte de vue. Une des personnalités du bord, le comte Moussine-Pouchkine, mourut subitement. L'allure du paquebot se ralentit par suite d'une avarie. Aussitôt les chocs des lames redoublèrent de violence. Gogol s'était réfugié dans sa cabine. Allongé sur sa couchette, il respirait avec écœurement cette odeur de vernis, de saumure, de goudron et de mauvaise cuisine, et regardait d'un air hébété, à travers le hublot ruisselant, la ligne d'horizon qui n'en finissait pas de monter et de descendre. Au lieu de quatre jours, comme il était prévu, le bateau en mit une dizaine à traverser le golfe de Finlande et la mer Baltique. Cent fois, Gogol se vit perdu et maudit son voyage. Mais à peine fut-il descendu à terre, avec Danilevsky, à Travemünde, qu'il retrouva santé et bonne humeur.

Ensemble ils prirent la diligence, traversèrent Lübeck et se rendirent à Hambourg. Là, Gogol fit le point de ses activités passées et reconnut que le Très-Haut avait eu raison de l'envoyer à l'étranger. Par miracle, dans cette ville allemande, ses soucis habituels perdaient leur aiguillon. Il ne souffrait plus des commentaires discordants suscités par *le Révizor*. Que sa pièce fût un succès ou un échec, le touchait aussi peu que s'il s'était agi de la pièce d'un autre. D'ailleurs toutes ses œuvres précédentes méritaient de tomber dans l'oubli. Sa vraie carrière allait commencer maintenant. A peine installé à l'hôtel, il écrivit à Joukovsky :

« Je jure que j'accomplirai quelque chose qui dépassera les capacités d'un homme ordinaire. Je sens dans mon âme une force de lion... Si l'on procède à un examen sévère et équitable, que représente ce que j'ai écrit jusqu'ici ? Il me semble que je feuillette un vieux cahier d'écolier et constate, sur une page, les effets du manque d'application et de la paresse, sur une autre, les signes de la hâte et de l'impatience. Il est temps, il est grand temps pour moi de me mettre à travailler sérieusement. Combien salutaires ont été pour moi tous les désagréments et toutes les vexations !... Je puis dire que je n'ai jamais sacrifié mon talent aux exigences du monde. Aucun plaisir, aucune passion n'a jamais pu s'emparer, fût-ce pour une minute, de mon âme et me détourner de mon devoir. Il n'y a pas de vie pour moi en dehors de ma vie, et mon éloignement actuel de la patrie m'est imposé d'en haut, par

cette même Providence qui a tout envoyé sur ma route pour
mon éducation... Je resterai longtemps, longtemps, le plus
longtemps possible sur la terre étrangère. Mes pensées, mon
nom, mes travaux appartiendront à la Russie, mais mon corps
périssable demeurera loin d'elle (1). »

La certitude de la haute mission qui lui était impartie
donnait bonne conscience à Gogol pour la suite de son voyage.
Se sachant prédestiné, il s'accordait le temps d'une récréation. Flanqué de Danilevsky, il courut la ville, admira les
rues étroites, bordées de vieilles maisons, visita les églises
gothiques, passa une soirée dans un théâtre de verdure, où
de sages Allemandes suivaient le spectacle en tricotant des
bas, se fourvoya même dans un bal populaire des faubourgs.
« On y dansait la valse, écrivit-il à ses sœurs Anne et Elisabeth. Mais vous n'avez jamais vu une valse pareille. Un
cavalier tourne sa dame dans un sens ; un autre tourne la
sienne en sens inverse ; un troisième ne la fait pas tourner
du tout, mais, la tenant par les deux mains et plongeant les
yeux dans ses yeux, saute avec elle dans la salle à la façon
d'une chèvre, sans se préoccuper de la mesure (2). »

Comme il faisait très chaud, il décida de se commander un
costume en coutil, ce qui scandalisa Danilevsky. Ainsi accou-
tré, il avait l'air d'un épouvantail tendu de toile à matelas.
« Pourquoi trouves-tu ça ridicule ? disait-il à son ami. C'est
bon marché, ça se lave et c'est commode à porter (3) ! »

De Hambourg, ils se rendirent à Brême, jetèrent un regard
sur la cathédrale, descendirent dans une cave pour y sur-
prendre, au milieu de leur sommeil séculaire, une rangée de
cadavres en merveilleux état de conservation, et, dans une
autre cave, pour s'incliner religieusement devant des tonneaux
de vin du Rhin, vieux de cent ans. « Ce vin ne se vend pas,

_____

(1) Lettre du 28-16 juin 1836. Les lettres de Nicolas Gogol, écrites
de l'étranger, portent d'ordinaire deux dates : celle du calendrier
grégorien en usage en Europe occidentale et celle du calendrier julien,
en usage en Russie : entre les deux, existait, au XIXe siècle, un décalage
de douze jours. Ce décalage fut porté à treize jours au XXe siècle
En 1918, la Russie adopta, à son tour, le calendrier grégorien.
(2) Lettre du 17-5 juillet 1836.
(3) Récit de Zolotarev, _le Messager historique_, 1893, n° 1.

écrivait Gogol à sa mère. On le réserve à des malades graves
ou à des voyageurs de marque. Comme je n'appartiens ni à
l'une ni à l'autre de ces deux catégories, je n'ai pas dérangé
par ma requête les citoyens de Brême qui tranchent ce genre
de questions en assemblée publique (1). » Toutefois, à l'hôtel,
il commanda une bouteille de « très vieux vin du Rhin » pour
flatter sa langue, habituée à de plus rudes breuvages. Déception, le vin se révéla trop capiteux à son goût. Lorsqu'il fallut
le payer, Danilevsky et lui échangèrent un regard de consternation : l'hôtelier demandait « un napoléon or ». A ce
train-là, on n'aurait pas de quoi continuer longtemps le
voyage. Ils jurèrent de se restreindre et partirent pour Aix-la-
Chapelle.

Là, ils traînèrent les pieds dans la poussière des rues, admi-
rèrent, comme il se doit, la chapelle Palatine et l'hôtel de
ville, visitèrent les établissements de bains, s'étonnèrent du
nombre de vieilles gens qui fréquentaient la station et décidèrent de se séparer. Danilevsky préférait continuer sa route
sur Paris, tandis que Gogol voulait remonter le Rhin. Une
diligence, bondée de voyageurs, l'emporta vers Cologne.

Seul de son espèce. Sans un compatriote avec qui échanger
ses impressions. Peut-être eût-il mieux fait de suivre Danilevsky ? Une route droite, bordée de champs cultivés, des
auberges où, de l'une à l'autre, on retrouvait les mêmes sau-
cisses chaudes et la même bière dans des cruches de grès,
des villages propres et ennuyeux, des fumeurs de pipe, les
accents rauques de la langue allemande, quelle monotonie !
A Cologne, il monta sur un bateau. Cette fois sans craindre
ni tempête ni avarie. Et le lent voyage commença, à travers
un paysage fluvial, historique et reposant.

« Notre bateau a navigué pendant deux jours, écrivait-il
à sa mère, et, à la longue, la succession des paysages m'a
ennuyé considérablement. Les yeux se fatiguent comme devant
un panorama. Derrière le hublot de la cabine, passent des
villes, des rochers, des montagnes et de vieilles ruines de
châteaux féodaux... A Mayence, grande cité ancienne, j'ai mis
pied à terre mais ne me suis pas attardé une minute, bien

_____

(1) Lettre du 17-5 juillet 1836.

que la ville eût mérité une visite, et ai pris place dans une diligence, jusqu'à Francfort (1). »

De Francfort, il se rendit, par petites étapes, à Baden-Baden. « Il n'y a pas ici de grands malades, écrivait-il à sa mère. Les gens ne viennent que pour s'amuser. La situation de la ville est admirable. Elle est bâtie à flanc de montagne, et des montagnes l'entourent de tous côtés. Les magasins, la salle de bal, le théâtre, tout se trouve dans le jardin. Personne ne s'attarde dans les chambres ; on passe la journée assis à de petites tables, sous les arbres. Les montagnes ont une teinte violette, même les plus rapprochées (2). »

Ni la beauté du site ni les commodités de l'installation n'auraient suffi à retenir Gogol dans cette petite cité qu'il appelait « la villa de l'Europe ». Mais il y rencontra quelques familles russes de Saint-Pétersbourg qu'il connaissait déjà et dont la souriante gentillesse le charma : les Répnine, entre autres, et les Balabine, dont la fille, Marie Pétrovna, avait été autrefois son élève. L'enfant était devenue une gracieuse jeune fille, naïve, spontanée et rieuse. Sa mère, Varvara Ossipovna, (Française d'origine) avait toujours eu une grande sympathie envers l'étrange précepteur qui lui avait été recommandé par Plétnev

A Baden-Baden, ces dames et ces demoiselles apprirent à le mieux connaître. Elles le voyaient tous les jours dans le parc, au restaurant, en promenade. « Il était, disait la princesse Répnine, très amusant, très aimable, et passait son temps à nous faire rire. » Certes sa renommée toute fraîche excitait la curiosité des touristes aristocratiques de la petite ville. Mais il devait convenir que, de son côté, il se sentait bien en leur compagnie. Ses opinions résolument conservatrices s'accordaient avec celles de son entourage. En outre, lui qui redoutait l'approche des femmes, lorsqu'il pouvait en résulter la moindre sollicitation physique, prenait un réel plaisir à leur commerce dans les limites de l'amitié. Alors, pensait-il, la beauté de ces créatures perdait sa signification maléfique et ajoutait à l'agrément de la conversation. N'ayant

_____

(1) Lettre du 26-14 juillet 1836.
(2) Lettre du 14-2 août 1836.

plus à craindre leurs entreprises, il goûtait auprès d'elles la
fierté d'être admiré pour son talent et écouté pour ses conseils.
Assis dans un groupe d'accortes auditrices, il se découvrait
derechef une âme de professeur. Nourrir de jeunes esprits,
capter des cœurs confiants, prêcher d'exemple... Venu à Baden-
Baden pour trois jours, il y resta plus de trois semaines. Puis
la bougeotte le ressaisit. Il fallait partir. Pourquoi ? Pour où ?
N'était-ce pas lui-même qu'il fuyait ainsi ? Il boucla ses valises,
prit congé des Répnine et des Balabine étonnés par tant de
brusquerie, et se hissa de nouveau dans une diligence.

Cette fois, il se dirigeait vers la Suisse. Berne, Bâle, Lausanne ne lui laissèrent que peu d'impression. En revanche,
il éprouva un véritable heurt à la vue des montagnes,
dont les masses blanches, incrustées dans l'azur du ciel, se
teintaient de rose à l'heure du soleil couchant. Il s'arrêta
à Genève, s'installa dans une pension de famille, flâna au
bord du lac, visita la vieille ville, s'intéressa au travail des
horlogers, lut du Molière, du Shakespeare, du Walter Scott,
sans pouvoir réveiller en soi le désir d'écrire, améliora, vaille
que vaille, ses maigres connaissances de français en bavardant
avec ses voisins à la table d'hôte et finit par se rendre en
pèlerinage à Ferney, où l'attendait le fantôme de Voltaire.
« Le vieillard vivait bien, écrivit-il à Prokopovitch après cette
visite. Une longue et belle allée mène jusqu'à sa demeure. La
maison, à deux étages, est bâtie en pierre grise. Du salon
de réception, une porte conduit à sa chambre à coucher, qui
lui servait aussi de cabinet de travail. Le lit est fait ; la
vieille couverture de mousseline tient à peine ; il me semblait
que, d'une minute à l'autre, la porte allait s'ouvrir, livrant
passage au petit vieillard, avec sa perruque bien connue et
son ruban défait, et que le nouveau venu me demanderait :
« Que désirez-vous ?... » J'ai soupiré et griffonné mon nom,
en lettres russes, sans trop savoir pourquoi (1). » Au vrai,
elle était pour le moins étrange, cette visite de l'écrivain russe
le plus irrationnel et le plus secret, hôte des régions bru-
meuses, familier des diables et des sorcières, au grand ironiste
français, ennemi des superstitions et champion de la science,

___

(1) Lettre du 27-15 septembre 1836.

de la justice et de la clarté. S'ils s'étaient rencontrés, ils
n'auraient pu, sans doute, tomber d'accord sur un seul point.
Pourtant, à Ferney, Gogol n'eut pas conscience de se trouver
aux antipodes de sa patrie spirituelle. Peut-être parce que,
comme Voltaire, il prétendait régénérer ses contemporains
par le rire. Mais quelle différence entre le rire léger, grinçant, de l'auteur de *Candide*, et le rire gras, inquiétant, de
l'auteur des *Ames mortes* ! Ayant rendu hommage au
patriarche des lettres françaises, Gogol se devait de saluer
un autre géant de la région : le mont Blanc. Accompagné d'un
guide, il s'aventura sur les basses pentes, atteignit les premières neiges, longea une ligne de séracs, tourna les talons,
revint fourbu et écrivit à sa mère :

« Il faut quatre jours pour atteindre le sommet du mont
Blanc... Soudain commencent les neiges et vous vous trouvez
au cœur de l'hiver. De la neige devant vous, de la neige au-
dessus de vous, de la neige tout autour de vous, on ne voit
plus la terre en contrebas, mais seulement plusieurs couches
de nuages. Des montagnes de glace vous environnent, que
transpercent les rayons du soleil. Parfois retentit un craque-
ment, sonore comme un coup de tonnerre, une avalanche se
précipite en bas, et l'on entend le fracas qu'elle fait en roulant
du sommet vers la vallée... Il faisait froid, la neige était
comme parsemée d'étincelles, je troquai une redingote légère
contre un manteau plus épais. Comme je redescendais, il
faisait de plus en plus chaud ; les nuages m'environnèrent ;
enfin je me retrouvai sous la pluie, ouvris un parapluie et
regagnai ainsi la vallée (1). »

Sans doute Marie Ivanovna fut-elle épouvantée par la vision
de son fils intrépide, escaladant les Alpes, frôlant les blocs
de glace, sautant les crevasses et se garant des avalanches
dans quelque anfractuosité de rocher. Lui cependant, devant
ces neiges orgueilleuses, rêvait aux neiges monotones de Russie. Tout son être cédait à la douce nostalgie des lignes hori-
zontales. La patrie, dont il s'était évadé avec horreur, se
parait dans le lointain d'un charme fascinant. « Que te dire
de la Suisse ? écrivait-il à Prokopovitch. De belles vues, encore

_____

(1) Lettre du 6 octobre-24 septembre 1836.

et toujours des vues... Je commence à en avoir la nausée, et si je tombais maintenant sur un de nos paysages russes, misérable et plat, avec son isba de bois et son ciel gris, je serais capable de m'en émerveiller comme d'une nouveauté (1). »

Mais il faisait encore la différence entre cette nature uniforme, si chère à son cœur, et les habitants de la capitale, tous plus ou moins coupables d'avoir mal compris sa pièce. La Russie sans les Russes, quel paradis ! Du moins sans certains Russes... En revanche ses amis lui manquaient. Il les avait totalement oubliés au début de son voyage. Aujourd'hui, perdu parmi des étrangers, il songeait à eux avec un pincement de cœur : Pouchkine, Joukovsky, Prokopovitch, Pogodine... Il écrivait à ce dernier :

« Il y a en Russie une telle collection de vilaines gueules, que leur vue m'était devenue insupportable. Maintenant encore, j'ai envie de cracher quand j'y pense. A présent, tout ce qui est devant moi est étranger, tout ce qui m'entoure est étranger, mais c'est la Russie qui est dans mon cœur, non la vilaine Russie que j'ai connue, uniquement la belle Russie, toi, quelques proches et un petit nombre d'amis doués d'un goût sûr et d'une âme noble (2). »

La « belle Russie », c'étaient aussi, bien sûr, sa mère, ses sœurs... Les lettres qu'il recevait, fort irrégulièrement, de Marie Ivanovna étaient, comme toujours, un tissu de plaintes et de reproches. Elle gémissait sur sa situation matérielle et suppliait son fils de rentrer d'urgence. Au premier rang des risques qu'il courait à l'étranger, elle plaçait les femmes. Et, au premier rang des femmes, les Italiennes. Ses adjurations étaient si vives, que Gogol finit par lui répondre : « Pour ce qui est de vos remarques au sujet des Italiennes, je vous ferai observer que j'aurai bientôt trente ans (3) ! » (Il n'en avait encore que vingt-sept). Une autre lettre de sa mère le plongea dans l'embarras : elle lui annonçait la mort de Trouchkovsky, le mari de sa sœur aînée, laquelle, de surcroît, était enceinte. Devant une nouvelle de cette importance, Gogol

---

(1) Lettre du 27-15 septembre 1836.
(2) Lettre du 22-10 septembre 1836.
(3) Lettre du 21-9 septembre 1836.

retrouva d'instinct le goût et le ton du prêche. Son désir
d'édifier ses proches étouffait en lui toute spontanéité. Au
lieu de laisser parler son chagrin, il se drapait dans de grandes phrases conventionnelles. Les mêmes, à peu de chose
près, que celles dont il s'était servi, onze ans plus tôt, à la
mort de son père.

« La fâcheuse nouvelle que vous m'avez annoncée dans votre
lettre m'a stupéfait, écrivit-il à sa mère. Il est toujours triste
de voir un homme dans la fleur de l'âge ravi par la mort.
Encore plus quand cet homme est un de vos proches. Mais
nous devons être fermes et tenir nos malheurs pour rien,
si nous voulons rester des chrétiens... Il faut se rappeler
que rien n'est éternel en ce monde, que les peines et les joies
s'entremêlent, et que, si nous n'éprouvions pas de chagrins,
nous ne saurions pas apprécier le bonheur, et qu'ainsi il n'y
aurait pas de bonheur pour nous... »

Et, oubliant avec quelle complaisance il se plaignait de ses
moindres soucis personnels, il concluait sentencieusement :

« Nous devons rester toujours vaillants et tranquilles, sans
souffler mot de nos malheurs. Je sais que vous connaîtrez
encore beaucoup de joies. Comme vous, ma sœur ne doit pas
se désoler, si elle veut être digne du nom de chrétienne (1). »

Pas l'ombre d'une inquiétude quant à la santé de Marie
ou à la façon dont elle comptait organiser son avenir avec
son fils de trois ans, devenu orphelin (2) ! Pas une question
chaleureuse ! Pas un mot d'encouragement fraternel ! Même
indifférence, un peu plus tard, en apprenant la naissance de
l'enfant : « Je suis très content que ma sœur ait heureusement
accouché d'un fils. Mais quel dommage que vous ayez si peu
de succès dans les affaires du domaine (3) ! »

La mort du bébé, à l'âge de six semaines, ne devait pas le
troubler davantage. Ces incidents de parcours, étant voulus
par Dieu, avaient leur utilité. Tout était cadeau pour qui avait
l'âme haute. Certes il s'en persuadait plus facilement quand

---

(1) Lettre du 21 septembre 1836.
(2) Marie, la sœur aînée de Gogol, avait eu de Trouchkovsky un
fils, Nicolas, né en 1833.
(3) Lettre du 14-2 janvier 1837.

il envisageait les malheurs d'autrui que les siens propres, mais cette différence de comportement ne diminuait en rien, à ses yeux, la valeur du principe.

Au mois d'octobre, le froid et l'humidité chassèrent Gogol de Genève. Il s'installa à Vevey, dans une pension de famille douillette que Joukovsky lui avait recommandée pour y avoir séjourné lui-même, trois ou quatre ans auparavant. Le propriétaire, un certain M. Blanchet, entourait ses clients — fort peu nombreux en cette saison — d'une sollicitude paternelle. Bien que sauvage de nature, Gogol échangeait chaque jour quelques mots en français avec les autres pensionnaires ou avec le patron de l'établissement, dans l'espoir d'enrichir son vocabulaire. Il lisait le français, savait se faire comprendre dans les cas les plus simples, mais était encore incapable de soutenir une longue conversation. Son emploi du temps était d'une monotonie reposante. Il se levait tard et traînait dans sa chambre. Les repas trop copieux chargeaient son estomac. Il lui semblait parfois qu'il portait, dans son ventre, « tout un troupeau de bêtes à cornes (1) ». Pour se dégourdir les jambes, il faisait quelques pas dans une allée de châtaigniers. Puis, assis sur un banc, au bord du lac trop bleu, trop calme, il guettait l'arrivée du bateau, dans l'espoir de voir débarquer un compatriote. Mais seuls descendaient à terre des Suisses raisonnables et des Anglais desséchés, « aux longues jambes ». Déçu, Gogol retournait à la pension et attendait, en bâillant, l'heure du dîner. A force de s'ennuyer, il revint à la littérature. Tout à coup l'envie le reprit de continuer *les Ames mortes*, dont il avait apporté les premiers chapitres dans ses bagages.

« J'ai remanié tout le début, approfondi tout le plan et je travaille actuellement avec tranquillité, comme si je rédigeais une chronique, écrivait-il à Joukovsky. La Suisse m'est devenue, dès lors, plus aimable, ses montagnes aux tons gris, mauves, bleus et roses se sont comme allégées. Si seulement je pouvais réussir mon œuvre comme elle doit l'être ! Quel sujet énorme et original ! Quelle masse et quelle diversité ! La Russie entière y figurera. Ce sera ma première œuvre

---

(1) Lettre du 27-15 septembre 1836.

importante, l'œuvre qui sauvera mon nom de l'oubli. Chaque matin, en guise de supplément au petit déjeuner, j'ajoute trois pages à mon « poème » et je ris tant moi-même que cela suffit à adoucir ma journée solitaire (1). »

Mais déjà le temps se gâtait, une brume triste effaçait les lointains, il faisait de plus en plus froid dans la chambre. Aux approches de l'hiver, Gogol se sentit attaqué de l'intérieur par un mystérieux malaise. Un médecin, l'ayant examiné et interrogé, décida qu'il souffrait d'« une hypocondrie provoquée par des hémorroïdes » et lui conseilla de changer d'air. Il aurait voulu se rendre en Italie, sous ce ciel bleu et chaud qu'il avait célébré jadis sans le connaître. Mais l'Italie était ravagée par le choléra et des cordons sanitaires coupaient les routes. D'autre part, Danilevsky, après un silence de plusieurs semaines, donnait enfin signe de vie. Il se trouvait à Paris et invitait son ami à l'y rejoindre. Gogol se laissa tenter.

---

(1) Lettre du 12 novembre-31 octobre 1836.

II

PARIS

En arrivant à Paris, Gogol se fit conduire tout droit chez Danilevsky, qui habitait rue Marivaux, tomba dans les bras de « l'impardonnable lâcheur » et accepta provisoirement son hospitalité. Peu après, du reste, il s'installa dans un hôtel. Mais, sa chambre ne comportant qu'une cheminée et pas de poêle, il ne put supporter longtemps le froid humide qui suintait des murs et déménagea de nouveau. Cette fois, Danilevsky et lui louèrent ensemble un petit appartement meublé, 12, place de la Bourse, à l'angle de la rue Vivienne. Là, il y avait des poêles, et les fenêtres, bien exposées, captaient les moindres rayons du soleil. Enfin réchauffé, Gogol se dégourdit, étala ses papiers et prit ses aises. Ses premières plongées dans Paris l'étourdirent.

« Paris n'est pas aussi laid que je le supposais, et — ce qui est merveilleux pour moi — il compte beaucoup de lieux de promenade, écrivait-il le 12 novembre 1836 à Joukovsky. Rien que le jardin des Tuileries et les Champs-Elysées suffiraient à qui voudrait marcher toute une journée. » Et à sa mère, vers la même date : « Hier j'ai visité le musée du Louvre pour la seconde fois et n'ai pu m'en arracher. Les plus belles toiles du monde y sont réunies. La semaine dernière, je me suis rendu au fameux Jardin des Plantes où sont rassemblées à l'air libre les plantes les plus rares de l'univers entier. Les éléphants, les chameaux, les autruches et les singes y déambulent comme chez eux. C'est le premier établissement de ce genre dans le monde... Paris est plein, en ce moment, de musiciens, de chanteurs, de peintres et d'artistes de toutes sortes. Toutes les rues sont éclairées au gaz. Nombre d'entre elles constituent des galeries recevant leur éclairage d'en haut, par un plafond vitré. Le sol en est de marbre, on pourrait danser dessus. »

Il admira également l'obélisque de Louxor, qui venait juste d'être érigé place de la Concorde, se rendit à Versailles, visita le château, le parc, assista au spectacle des grandes eaux croisant leurs trajectoires scintillantes. Mais c'était encore le mouvement de la rue parisienne qui l'amusait le plus. Il ne se lassait pas de rôder dans le quartier, lorgnant les passants, inspectant les étalages, captant au vol un sourire de femme, le geste gracieux d'une vendeuse dans un magasin, musant aux abords d'une librairie, s'arrêtant, fasciné, devant « une énorme machine cylindrique, qui, dans toute la largeur d'une vitrine, broyait du chocolat », ravalant sa salive à la vue d'un homard géant et d'une dinde garnie de truffes, poussant jusqu'aux grands boulevards, « où de beaux arbres dressent, en plein cœur de la ville, leurs fûts hauts comme des immeubles de six étages et où se presse, sur l'asphalte des trottoirs, la foule des étrangers ainsi qu'un lot de ces « lions » et de ces « tigres » à la mode que les romans ne dépeignent pas sous leur jour véritable (1) ». La musique alerte de la langue française, les tons pâles du ciel, le va-et-vient des équipages aux harnais étincelants et aux sabots sonores, l'odeur de la frangipane et des marrons chauds, une gaieté nerveuse éparse dans l'air, l'insolence d'un regard, la rapidité d'une réplique, tout cela composait une atmosphère étrange qu'il goûtait avec un mélange de plaisir et d'irritation. Dans cet univers de vitesse, de scintillement et de légèreté, il se sentait plus lourd que partout ailleurs.

Après avoir traîné dans les rues, il échouait dans quelque grand café, « aux murs décorés de fresques sous verre », et y rêvassait, affalé sur une banquette moelleuse, dans le

---

(1) Cf. la nouvelle autobiographique *Rome*, où Nicolas Gogol évoque ses impressions parisiennes.

tintement des soucoupes et le brouhaha des conversations. Les glaces à la crème du café Anglais et de Tortoni avaient sa préférence. Mais elles ne suffisaient pas à lui couper l'appétit. Très vite conquis par la cuisine française, il résistait rarement à la tentation d'un bon repas. Il appelait les restaurants des « temples », les serveurs, des « prêtres » et se déclarait enchanté par « l'odeur et le goût exquis des victimes sacrifiées en ces lieux ». Malheureusement, une fois sur deux, ces excès de table lui détraquaient l'estomac. Les douleurs banales dont il souffrait prenaient, dans son esprit, des proportions dramatiques. Il les décrivait à Danilevsky avec tant de détails, que celui-ci, agacé, lui tournait le dos. Vexé, il consultait alors un certain docteur Marjolin, qui lui ordonnait des « pilules indiennes ». Et, dès qu'il se sentait mieux, il retournait, avec son ami, au restaurant.

Après le repas, ils jouaient au billard jusqu'à une heure avancée. Ou bien ils allaient au théâtre. A l'Opéra Italien, Gogol entendit Grisi, Lablache, Tamburini, Rubini. Au Théâtre Français, il applaudit *le Tartuffe, le Malade imaginaire* et trois autres pièces, toutes jouées à la perfection. Ligier, « le successeur de Talma », lui parut doué d'un talent hors pair. Quant à Mlle Mars, malgré ses soixante ans, elle interprétait encore avec succès des rôles d'ingénues : « Au premier abord, cela semble un peu ridicule, écrivait Gogol à Prokopovitch, mais, dans les actes suivants, quand la jeune fille devient femme, on lui pardonne les années qu'elle a en trop. Sa voix est encore harmonieuse et, en clignant des yeux, on peut imaginer que l'on a réellement devant soi une adolescente de dix-huit ans. Tout en elle est simple et vivant ; c'est la nature à l'état pur ; dans les moments pathétiques, les mots semblent venir tout droit du fond de son âme ; rien de bizarre, pas une note fausse ou artificielle. Notre théâtre russe aurait bien besoin d'une Mlle Mars (1). »

En revanche, Mlle George, qui jouait à la Porte Saint-Martin, était, à son avis, « monotone et conventionnelle ». Du côté des ballets, pleine satisfaction. Mise en scène, décors, costumes, tout était exemplaire : « Un luxe de conte de fées... On voit

---

(1) Lettre du 25 janvier 1837.

sur la scène une profusion d'or, de satin et de velours. Toutes les danseuses, y compris les figurantes, sont habillées ici comme ne s'habillent chez nous que les premières danseuses... La Taglioni, c'est un souffle ! Personne de plus aérien qu'elle ne s'est jamais produit sur une scène (1). »

Cependant cette existence brillante, sautillante, finit par éveiller la méfiance de Gogol. Pour que les apparences fussent aussi charmeuses, c'était, pensait-il, que, derrière la façade, il n'y avait rien. Il n'était pas éloigné de croire que les Français manquaient d'âme, ou plutôt qu'ils négligeaient de la cultiver pour se livrer à mille activités superficielles, dont la plus sotte et la plus nocive était assurément la politique. Sujet d'un pays autocratique, élevé dans le respect de l'ordre et l'amour du tsar, il déplorait que les affaires de l'Etat fussent discutées ici sur la place publique au lieu d'être réservées à des spécialistes. Les échos de la révolution de 1830 agitaient encore trop de gens, à Paris. Il y avait eu plusieurs attentats contre le roi Louis-Philippe. L'année précédente, Fieschi ; en juin 1836, Alibaud ; en décembre, Meunier... Dernièrement le prince Louis-Napoléon Bonaparte avait tenté en vain de soulever la garnison de Strasbourg. Pour un oui, pour un non, l'on changeait de ministère : M. Molé venait justement de remplacer M. Thiers. Qui remplacerait demain M. Molé ? Lors de l'inauguration de l'Arc de Triomphe, des gens avaient crié, paraît-il : « Vive l'Empereur ! » Tout cela n'était pas le fait d'une nation saine et équilibrée. Sans avoir jamais cherché à lier connaissance avec des Français, Gogol les condamnait en bloc pour l'instabilité de leurs sentiments. Bien que l'on fût en monarchie, la république suintait de partout. Chacun avait son idée sur la façon de diriger le pays. Les journaux s'entre-déchiraient. Comment gouverner un pareil ramassis de bavards et de têtes brûlées ?

« Ici, tout est politique, écrivait Gogol à Prokopovitch, à chaque coin de rue, il y a une échoppe avec des journaux. Vous vous arrêtez dans la rue pour faire cirer vos bottes, on vous glisse aussitôt dans la main un journal. Vous entrez dans un lieu d'aisance, et, là aussi, on vous donne un journal.

---

(1) Ibid.

Tous, ici, s'intéressent plus aux affaires de l'Espagne qu'à leurs propres affaires (1). »

Ce jugement, il devait le développer dans sa nouvelle autobiographique *Rome*, dont le héros, un jeune Italien venu à Paris pour ses études, ne tarde pas à constater que la France est « le royaume des paroles et non des actes ».

« Tout Français, écrivait Gogol, ne semblait travailler que dans sa tête enfiévrée ; la lecture d'interminables journaux lui prenait toute la journée et ne lui permettait pas d'accorder une heure à la vie pratique. Sans bien connaître encore ni ses droits, ni ses devoirs, ni la classe sociale à laquelle il appartenait, tout Français, élevé parmi cet étrange tourbillon d'une politique livresque, typographique, adhérait à tel ou tel parti, dont il prenait aussitôt les intérêts à cœur, attaquant passionnément ses adversaires avant même de les connaître et de savoir au juste ce qu'ils voulaient. Aussi le mot « politique » devint-il finalement odieux à notre Italien. Partout, aussi bien dans le négoce que dans les choses de l'esprit, il ne voyait qu'efforts convulsifs et recherche de la nouveauté à tout prix. »

Ce désir immodéré de jeter de la poudre aux yeux, l'étudiant italien, autrement dit Gogol lui-même, le décelait notamment chez les savants français, soucieux « de mettre en valeur des faits jusqu'alors laissés dans l'ombre et de leur attribuer une énorme influence, fût-ce au détriment de l'harmonie générale », et plus encore chez les romanciers français, « attachés à l'étude de passions bizarres, insoupçonnées, de cas monstrueux, exceptionnels ». Or, cette année-là, Victor Hugo publiait *Notre-Dame de Paris*, Alfred de Vigny, *Stello*, Lamartine, *Jocelyn*, Théophile Gautier, *les Grotesques*, Balzac, *le Lys dans la Vallée*... L'année précédente avait été marquée par *les Chants du Crépuscule*, *Servitude et Grandeur militaires*, *Mademoiselle de Maupin*, *le Père Goriot*. Hermétique au mouvement littéraire de la capitale, Gogol n'eut jamais l'idée de rencontrer quelques-uns de ces écrivains, dont les noms bourdonnaient à ses oreilles. Il n'était pas venu en France pour se fondre aux Français, mais pour se sentir encore plus russe parmi eux. De toutes ses forces, il voulait demeurer un étran-

_____
(1) Ibid.

ger, un touriste au milieu de ce peuple versatile. Point n'est
besoin d'approcher les gens pour les juger. Au contraire, c'est
en les observant de loin que l'on saisit les grandes lignes de
leur caractère. Du reste un véritable écrivain n'a que faire
de l'expérience, puisqu'il possède l'intuition. Fort de son ignorance, Gogol, à travers son étudiant italien, condamnait la
légèreté parisienne :

« Il comprit finalement qu'en dépit de ses traits brillants,
de ses élans de noblesse, de ses sursauts chevaleresques, la
nation entière, bien pâle, bien imparfaite, n'était en réalité
qu'un léger vaudeville créé par elle-même. Aucune idée grave,
sublime, ne reposait dans son sein. Partout des allusions
à une idée et pas d'idée ; partout des demi-passions et pas de
passion ; tout était inachevé, indiqué, esquissé d'une main
hâtive. La nation, dans son ensemble, était une brillante
vignette et non un tableau de maître. »

Contempteur de la civilisation occidentale, Gogol était d'autant moins enclin à lier connaissance avec des Français, qu'il
avait rencontré à Paris un petit groupe de Russes — Mme Svét-
chine, les Smirnov, les Balabine arrivés de Suisse, André
Karamzine (le fils de l'historien), Sobolevsky — dont l'amitié
suffisait à meubler ses loisirs. Il se rendait souvent, à l'heure
du thé, chez Alexandra Ossipovna Smirnov, qui habitait 21 rue
du Mont-Blanc, et l'écoutait jouer du *pianoforte* ou commenter
les nouvelles mondaines et politiques de la capitale. Lui-même,
en retour, décrivait ses promenades à travers Paris, ses dîners,
ses soirées, la queue piétinante devant le guichet du théâtre,
et comment il achetait sa place, dans la file, à quelqu'un qui
était arrivé avant lui. Parfois aussi, entraîné par son imagination, il prétendait avoir visité des contrées où il n'avait jamais
mis les pieds. Ainsi affirma-t-il, devant Alexandra Ossipovna
Smirnov, être allé en Espagne et au Portugal. « Je lui rétorquai
qu'il n'était pas allé en Espagne, écrivait-elle, que c'était impossible, car le pays, là-bas, était en proie aux troubles, qu'on
s'y battait à tous les croisements de rues, et que ceux qui
en revenaient parlaient abondamment de ce qu'ils avaient
vu, alors que lui n'en avait jamais dit un mot. A cela il me
répondait froidement : « A quoi bon tout raconter et attirer
sur soi l'attention du public ? Vous avez l'habitude qu'on

vous déballe tout du premier coup, ce qu'on sait et ce qu'on
ne sait pas, et même le fond de l'âme ! »

Malgré tout son aplomb, il ne put jamais convaincre Alexandra Ossipovna Smirnov de son voyage au delà des Pyrénées.
Elle le savait prompt au mensonge et ne s'en offusquait pas.
Cette hâblerie était, pensait-elle, la défense d'une âme très
secrète contre la pression de la réalité. Admirant Gogol comme
écrivain, elle lui supposait une grande pénétration psychologique, se confiait à lui de plus en plus, et écoutait volontiers
ses conseils. Le fait même qu'il fût si laid et si maladif lui
paraissait rassurant. Lassée de ses succès à la cour, déçue
par son mariage avec un homme sot et bavard qu'elle n'aimait pas, elle voyait déjà poindre le cap des trente ans, disait
adieu aux vains plaisirs de la jeunesse et s'interrogeait sur
le sens de sa vie. Sa gaieté naturelle fusait encore, par instants,
à travers ce voile de tristesse, et alors tout son entourage,
charmé, retrouvait « le diablotin céleste » célébré par Pouchkine et Joukovsky.

« Il y a trois jours, j'ai dîné chez les Smirnov, avec la
princesse Troubetzkoï, Sollogoub et Gogol, écrivait le jeune
André Karamzine à sa mère, le 11 février 1837. Gogol a fait
des progrès en français et comprend assez cette langue pour
pouvoir aller au théâtre et discuter ensuite — fort bien —
de ce qu'il a vu. Mais, chez les Smirnov, il est difficile précisément de discuter, parce que Nicolas Mikhaïlovitch (le mari
de Mme Smirnov) vous coupe immédiatement la parole, contredit tout le monde et ne profère que des sottises. »

Pour se perfectionner dans les langues, Gogol se rendait
souvent chez un jeune Français — un nommé Noël —, qui
habitait une mansarde, au Quartier latin. Là il apprenait
certes le français, mais aussi l'italien, en prévision du voyage
qu'il comptait toujours faire en Italie. Cependant il n'était
pas pressé de partir. Dans sa petite chambre bien chauffée,
à l'angle de la place de la Bourse, il travaillait, avec bonheur,
aux *Ames mortes*.

La plume à la main, il n'entendait plus le tintamarre de
la rue. Paris s'éloignait, avec ses cafés, ses théâtres, ses magasins, ses trottoirs grouillants de badauds, ses embarras de
voitures, ses becs de gaz et sa pluie. Il n'y avait plus un seul

Français au monde. Rien que des Russes et, au milieu d'eux, Tchitchikov, le rusé collecteur d'âmes mortes.

« Dieu a étendu ici, au-dessus de moi, sa protection et a fait un miracle en m'indiquant un appartement bien chaud, au soleil, avec un poêle, écrivait Gogol à Joukovsky. Je m'y prélasse. Ma bonne humeur est revenue. J'écris les Ames mortes avec plus d'entrain et de courage qu'à Vevey. J'ai tout à fait l'impression d'être en Russie. Tout ce que j'ai devant les yeux est bien de chez nous : ce sont nos propriétaires fonciers, nos fonctionnaires, nos officiers, nos moujiks, nos isbas, en un mot, c'est toute notre Russie orthodoxe. J'ai même envie de rire, quand je pense que j'écris les Ames mortes à Paris... Mon œuvre est grande, gigantesque, et elle ne sera pas achevée de si tôt. De nouvelles classes de la société et bien des gens divers se dresseront encore contre moi. Mais qu'y puis-je ? C'est ma destinée d'être brouillé avec mes compatriotes. Patience ! Quelqu'un d'invisible grave des lettres devant moi avec la pointe d'un sceptre tout-puissant. Je sais que mon nom sera plus heureux que moi-même, après ma mort, et que, peut-être, les descendants de ces mêmes compatriotes se réconcilieront, les larmes aux yeux, avec mon ombre. »

Et, selon son habitude, il demandait, dans un post-scriptum, des idées à ses amis, pour enrichir son œuvre :

« Ne voyez-vous pas des cas qui pourraient se présenter lors de l'achat d'âmes mortes ? Ce me serait très agréable, car votre imagination aperçoit sûrement ce qui échappe à la mienne. Parlez-en à Pouchkine, peut-être trouvera-t-il quelque chose. Je voudrais épuiser complètement le sujet de tous côtés. Je possède nombre de matériaux dont je n'avais aucune idée auparavant. Néanmoins, vous pouvez encore m'apporter beaucoup, car chacun voit les choses à sa façon. Ne dites à personne en quoi consiste le sujet des Ames mortes. Vous pouvez communiquer le titre à tout le monde, mais trois personnes seulement doivent savoir de quoi il s'agit : vous, Pouchkine et Plétnev (1). »

Plus il croyait à la valeur exceptionnelle de sa nouvelle

_____
(1) Lettre du 12 novembre-31 octobre 1836.

œuvre, plus il s'irritait d'entendre louer les anciennes. Prokopovitch ayant eu le malheur de lui écrire que *le Révizor*
continuait à se jouer avec succès en Russie, il lui répondit
furieusement, le 25 janvier 1837 :

« Dis-moi pourquoi, je t'en prie, vous me parlez tous du
Révizor. Dans ta lettre, comme dans celle que Danilevsky a
reçue hier de Pachtchenko, il est dit que *le Révizor* se joue
chaque semaine, que le théâtre est plein, etc. Que signifient
ces simagrées ? Je ne comprends absolument pas où vous
voulez en venir. Premièrement, je crache sur *le Révizor*.
Deuxièmement, je considère que tout cela est inutile... J'ai
peur de songer à tous mes barbouillages. Ils se présentent
comme de terribles accusateurs à mes yeux. L'oubli, un long
oubli, voilà ce que demande mon âme. Et si quelque mite
pouvait dévorer d'un seul coup tous les exemplaires du *Révizor*, et avec eux *les Arabesques, les Veillées du Hameau*,
toutes ces absurdités que j'ai écrites, si plus personne ne
parlait de moi, si rien ne s'imprimait sur mon compte pendant longtemps, je remercierais le destin. Le vrai poète ne
songe qu'à la gloire posthume (pour laquelle, hélas ! je n'ai
encore rien fait jusqu'à présent). Quant à la gloire dont on
jouit de son vivant, elle ne vaut pas un kopeck. »

Cette aspiration vers l'excellence, il la retrouvait en fréquentant les poètes polonais exilés, Adam Mickiewicz et Bogdan
Zalesky. Certes, les vues politiques de Mickiewicz — nationaliste farouche, ennemi de la domination russe en Pologne et
révolutionnaire dans l'âme — ne pouvaient que heurter le
conservatisme prudent de Gogol. Mais il y avait en cet homme
une telle élévation de pensée, qu'il n'était pas nécessaire de
partager ses opinions pour respecter son attitude. En outre,
il était d'un mysticisme fervent qui en imposait à ses proches.
A travers lui, Gogol commençait à s'intéresser au catholicisme. De nouveau il songeait à Rome. Et non seulement à
Rome, mais au Vatican. Partir, rester ? On était en plein
carnaval. Masques, serpentins, confetti, défilés de chars, bals
populaires, lampions et flonflons. Toute la ville avait la danse
de Saint-Gui. Soudain une nouvelle terrible arriva de Russie :
Pouchkine venait d'être tué en duel par le chevalier-garde
Georges d'Anthès. La mort remontait au 29 janvier 1837.

Etonné par le choc, Gogol eut l'impression que l'univers entier s'écroulait sur sa tête et l'ensevelissait sous ses décombres. Autour de lui, ses amis éplorés parlaient d'intrigue amoureuse, de lettres anonymes, de complot aristocratique. C'était, disait-on, pour défendre l'honneur de sa femme que le poète était allé sur le terrain. Un échange de balles, et le plus noble génie de la Russie avait cessé de vivre. Comment Dieu avait-il permis qu'un godelureau français fût l'artisan de cette mort tragique ? Etait-il juste que l'idole de tout un peuple pérît de la main d'un étranger admis, par protection, à servir dans l'armée impériale ?

Ces commentaires laissaient Gogol indifférent. Peu lui importait pourquoi, comment avait disparu son ami. Ce qui comptait, c'était ce résultat inadmissible : le monde sans Pouchkine, lui-même sans Pouchkine ! Il dit à Danilevsky : « Tu sais combien j'aime ma mère ; mais, si je l'avais perdue, je ne serais pas plus affligé que je ne le suis maintenant (1). » Et le jeune André Karamzine écrivait à sa famille : « J'ai rencontré Gogol à un dîner chez les Smirnov. Il est touchant et triste de voir l'effet que la mort de Pouchkine a produit sur cet homme. Il n'est plus du tout le même. Il a délaissé ce qu'il était en train d'écrire et songe avec horreur à ce que serait son retour à Saint-Pétersbourg, qui est désormais vide pour lui. »

Saint-Pétersbourg, il y songeait, en vérité, de moins en moins. Un autre voyage le tentait, pour échapper à la douleur. Dans les premiers jours de mars, il partit pour l'Italie. Son idée fixe était de se trouver à Rome au moment des fêtes de Pâques. Il y débarqua juste à temps — après un court séjour à Gênes et à Florence — pour assister à la messe pontificale en la basilique Saint-Pierre. La solennité de la cérémonie le laissa pantois. « Le pape a soixante ans, écrivait-il à sa mère, et il fut porté dans l'église sur un superbe brancard surmonté d'un baldaquin. A plusieurs reprises, les porteurs durent s'arrêter parce qu'il éprouvait des vertiges... » (2) Pas un mot de la peine qu'il avait ressentie à la mort de

---

(1) Chenrok. *Matériaux*. Tome III.
(2) Lettre du 28-16 mars 1837.

Pouchkine. Mais, ce qu'il ne disait pas à sa mère — trop éloignée des préoccupations littéraires et mondaines pour le comprendre — il le disait à Plétnev, dans une lettre écrite le même jour :

« Je ne pouvais recevoir pire nouvelle de Russie. Avec lui, c'est la joie suprême de ma vie qui a disparu. Je n'entreprenais rien sans son conseil. Je n'écrivais pas une ligne sans l'imaginer présent à mes côtés. Que dirait-il, que remarquerait-il, de quoi rirait-il, à quoi donnerait-il son approbation sans appel ? Voilà ce que je me demandais, voilà ce qui m'encourageait. Le frisson secret d'une volupté supraterrestre pénétrait mon âme. Mon Dieu, mon travail actuel inspiré par lui, son œuvre..., je n'ai pas la force de la continuer. J'ai essayé plusieurs fois de reprendre la plume, mais elle m'est tombée de la main. Tristesse inexprimable (1) ! »

Et, deux jours plus tard, à Pogodine :
« Je ne te dirai rien de l'immensité de la perte que nous avons subie. Mais ma perte à moi est plus terrible que celle de quiconque. Tu parles en tant que Russe, en tant qu'écrivain..., et moi... moi je ne puis exprimer la centième partie de ma douleur. C'est ma vie elle-même, ma suprême joie, qui est morte avec lui. Mes seules minutes de bonheur ont été celles où je créais. Or, lorsque je créais, c'était uniquement Pouchkine que j'avais devant les yeux. Tout ce que l'on disait de moi m'était indifférent ; je crachais sur cette populace méprisable que l'on nomme public ; seule m'importait la parole infaillible de Pouchkine. Je n'entreprenais rien, je n'écrivais rien sans son conseil. C'est à lui que je suis redevable de tout ce que j'ai fait de bon. Et mon travail actuel est son œuvre. Il m'avait fait jurer d'écrire cet ouvrage et je n'en ai pas tracé une ligne sans le voir à mes côtés. Je me réjouissais à l'idée qu'il en serait content, je tâchais de deviner ce qui lui plairait davantage, et cette pensée était ma première et ma plus haute récompense. Cette récompense, je dois y renoncer. Qu'est-ce que mon œuvre maintenant ? Qu'est-ce que ma vie ? Tu m'invites à revenir parmi vous. Pour quoi faire ? N'est-ce pas pour que se répète l'éternel

_____

(1) Lettre du 28-16 mars 1837.

destin des poètes dans leur patrie ?... N'ai-je pas assez vu la remarquable collection de nos malappris éclairés ? Ne saurais-je pas ce que c'est qu'un conseiller, à commencer par le conseiller titulaire et à finir par le conseiller privé ? Tu m'écris que tous, même les plus froids, ont été émus de cette perte. Mais de quoi ces mêmes gens ont-ils été capables envers lui, de son vivant ? N'ai-je pas été le témoin des minutes amères que Pouchkine a dû traverser, bien que le monarque lui-même (que son nom soit béni pour cela !) appréciât son talent ? Oh ! quand je pense à nos juges, à nos mécènes, à nos intellectuels avisés, à notre honorable aristocratie... Mon cœur se serre à cette seule idée !... Il faut que les motifs qui m'ont poussé à prendre une décision aussi contraire à mon désir aient été très impérieux. Crois-tu que je ne souffre pas d'être séparé de mes amis par des montagnes ? Crois-tu que je n'aime pas notre terre russe illimitée ?

« Voici près d'un an que je vis sur une terre étrangère, que je vois de beaux ciels, un monde riche en hommes et en œuvres d'art. Mais ma plume a-t-elle décrit une seule fois ces objets propres à étonner n'importe qui ? Je n'ai pu consacrer une seule ligne à cet univers étranger. Je suis rivé par une chaîne indestructible à tout ce qui est nôtre. J'ai préféré notre monde à nous, si pauvre, si terne, avec ses isbas sans cheminée et ses espaces nus, aux ciels les plus radieux qui m'ont accueilli sous leur clarté hospitalière. Peut-on dire, après cela, que je n'aime pas ma patrie ? Mais retourner là-bas, subir la fierté arrogante d'une classe de gens stupides, qui me feront grise mine ou chercheront même à me nuire, — non, vraiment, serviteur ! A l'étranger, je suis prêt à tout supporter, je suis prêt à mendier, la main tendue, s'il le faut. Mais dans ma patrie, jamais. Tu ne saurais comprendre tout à fait mes souffrances. Tu es à l'abri dans un port, tu peux, en homme sage, essuyer les avanies et en rire. Moi, je suis sans abri, les vagues me frappent et me secouent, je ne peux m'appuyer que sur cette ancre de fierté qu'une puissance supérieure a plantée dans mon cœur (1). »

A Prokopovitch, il écrivait le même jour :

_____

(1) Lettre du 30-18 mars 1837.

« Le très grand n'est plus. Toute ma vie est désormais
empoisonnée. Ecris-moi, pour l'amour de Dieu ! Rappelle-moi
souvent que tout n'est pas mort pour moi dans cette Russie,
qui me paraît déjà un tombeau engloutissant impitoyablement
tout ce qui est cher à mon cœur. Tu sais, tu sens l'importance,
pour moi, de cette perte. »

Ces lamentations épistolaires étaient certes entachées de
littérature. En exhalant sa douleur, Gogol ne pouvait s'empêcher de poser au grand écrivain déplorant, en des pages admirables, la mort d'un autre grand écrivain. Par-delà ses correspondants, il s'adressait à la postérité attentive. Et cependant sa tristesse n'était pas feinte. Il y avait en lui, comme
toujours, un mélange de désespoir et de comédie, de spontanéité et d'enflure. La plume à la main, il cédait à l'ivresse des
phrases. Plus il était sincère, plus il parlait faux. Du reste,
en s'analysant, il devait convenir que, ce qui l'avait blessé
dans la mort de Pouchkine, c'était moins la perte d'un ami
que la perte d'un poète et d'un critique irremplaçables. Dans
la vie courante, l'âge, l'éducation, la situation littéraire et
mondaine, le caractère, tout les séparait. Gogol n'avait pas
écrit une seule fois à Pouchkine durant son voyage, alors
qu'il s'était souvent confié à Joukovsky. Pouchkine était pour
lui un personnage hors du commun, le génie à l'état pur,
l'incarnation de sa propre conscience artistique. Dans les
moments de doute, il regardait vers son illustre aîné pour
reprendre confiance. Il lui demandait non seulement des
sujets, des conseils, mais cet encouragement diffus que donne
la présence d'un être supérieur dans la carrière que l'on a
choisie. Mesure, harmonie, sérénité, lucidité, perfection formelle, Pouchkine était tout cela. En outre, bien que son art
limpide et équilibré fût à l'opposé de l'art grotesque et inquiétant de son jeune confrère, jamais il n'avait tenté de lui
imposer ses vues. Il le guidait dans ses lectures, il critiquait
ses écrits, mais en lui laissant sa liberté d'expression. Il l'aidait
à être toujours davantage lui-même. Habitué à se sentir ainsi
épaulé, Gogol se trouva brusquement au milieu d'un grand
vide. Une peur panique s'empara de lui. Saurait-il encore
écrire en l'absence de Pouchkine ? L'envie lui manqua d'abord
de poursuivre son travail. C'était comme si on lui eût retiré,

d'un coup, tout son public. Néanmoins son découragement fut
de courte durée. Tant il est vrai qu'une œuvre porte en elle-
même une exigence plus forte que toutes les considérations
intellectuelles. La nécessité de créer ressurgit dans le cœur
de l'écrivain, aussi puissante que l'instinct de conservation
chez une bête blessée. Ce n'était pas de Pouchkine que *les
Ames mortes* avaient besoin, c'était de lui, Gogol. Le livre
chargeait sa tête au point de la faire éclater. Il ne pouvait le
porter plus longtemps en lui. Fébrilement, il revint à son
manuscrit.

« Je dois poursuivre la grande œuvre que j'ai commencée,
écrivait-il à Joukovsky. Pouchkine m'avait fait jurer de l'écrire,
c'était à lui qu'en appartenait l'idée. Aussi cette œuvre est-elle
devenue pour moi un testament sacré. Chaque minute de mon
existence m'est précieuse à présent, car je ne crois pas que
j'aie encore longtemps à vivre (1). »

Et plus tard, au même Joukovsky :

« O Pouchkine ! Pouchkine ! Quel beau rêve j'ai fait et
combien triste fut mon réveil ! Qu'aurait été ma vie, après
cela, à Saint-Pétersbourg ? Mais, comme à dessein, la main
toute-puissante de la Providence m'a envoyé sous le ciel radieux
de l'Italie, pour y oublier la tristesse, les hommes, tout au
monde, et pour m'y enivrer de ses splendides beautés. L'Italie m'a tout remplacé (2). »

Déjà Pouchkine devenait à ses yeux un thème poétique,
une excuse élégante, un nom à placer en tête de l'œuvre nouvelle, afin d'en souligner l'exceptionnelle importance.

---

(1) Lettre du 18-6 avril 1837.
(2) Lettre du 30-18 octobre 1837.

III

ROME

Le voyage par mer jusqu'à Gênes, puis, par terre, jusqu'à Rome n'avait pas amélioré la santé de Gogol.

« Je sens un malaise dans la partie la plus noble de mon individu : l'estomac, écrivait-il à Prokopovitch dès son installation. Il ne digère presque plus, l'animal ! Je suis tellement constipé que, parfois, je ne sais que faire. Tout cela est la faute du mauvais climat parisien, qui, bien qu'ignorant l'hiver, ne vaut guère mieux que le climat de Saint-Pétersbourg (1). »

Le manque d'argent — il était arrivé avec deux cents francs en poche — le contraignait à surveiller de près ses dépenses. Il logeait, pour trente francs par mois, au numéro 17 de la via di Isidoro, dans une salle pleine de tableaux enfumés et de statues blanches, buvait chaque matin une tasse de chocolat pour quatre sous, dînait copieusement pour six sous et s'accordait le luxe d'une glace onctueuse, crémeuse, fondante, auprès de laquelle les glaces de Tortoni n'étaient, selon sa propre expression, que « de la saleté ». Malgré ce singulier régime d'alimentation, ses troubles digestifs s'atténuèrent. Il attribua le mérite de l'amélioration au climat miraculeux de l'Italie. Depuis le temps qu'il rêvait de ce pays, il aurait pu être déçu par son contact avec les paysages et les hommes. Or il n'en fut rien. La réalité, immédiatement, dépassa ses espérances. Ce

_____
(1) Lettre du 30-18 mars 1837.

qu'il avait proclamé en vers, dans sa prime jeunesse, sans rien connaître de Rome, il le répétait en prose, maintenant, dans ses lettres à ses amis :

« Que te dire de l'Italie ? Elle est admirable. Elle frappe moins du premier coup qu'elle n'agit à la longue. Plus tu la regardes, plus tu te pénètres de sa mystérieuse beauté. Les nuages, au ciel, ont un étrange reflet argenté. Le soleil embrase au loin l'horizon. Et les nuits ! Elles sont splendides. Les étoiles brillent plus que chez nous et semblent même plus grosses, comme des planètes. Et l'air ! Il est si pur que les objets éloignés paraissent proches (1). »

« On tombe amoureux de Rome très lentement, peu à peu, mais c'est pour la vie. Bref, l'Europe entière n'existe que pour être visitée, l'Italie pour y vivre (2). »

« Quiconque a été en Italie n'a plus qu'à dire adieu aux autres pays. Celui qui a été au ciel n'a plus envie de retourner sur terre (3). »

« Ma belle Italie ! Elle est à moi ! Personne ne me l'enlèvera jamais ! Je suis né ici. La Russie, Pétersbourg, la neige, les gredins, le ministère, la chaire, le théâtre, tout cela n'était qu'un rêve. Je me suis réveillé dans ma patrie (4). »

« Il ne peut y avoir de plus beau destin que de mourir à Rome. Ici, l'homme est d'une verste plus près de Dieu que partout ailleurs (5). »

« C'est la patrie de mon âme que j'ai retrouvée, la patrie où mon âme a vécu avant ma naissance... Quel air ! On renifle un grand coup, et il semble que sept cents anges au moins vous entrent en volant dans les narines. Je vous assure que parfois il vous vient une envie irrésistible de vous transformer en un seul nez, de façon qu'il n'y ait plus ni yeux, ni bras, ni jambes, rien qu'un énorme nez aux narines vastes comme des seaux, afin d'aspirer le plus possible les effluves parfumés du printemps (6). »

---

(1) Lettre à Prokopovitch du 30-18 mars 1837.
(2) Lettre à Danilevsky du 15-3 avril 1837.
(3) Lettre à Varvara Balabine du 16-4 juillet 1837.
(4) Lettre à Joukovsky du 30-18 octobre 1837.
(5) Lettre à Plétnev, du 2 novembre-21 octobre 1837.
(6) Lettre à Marie Balabine d'avril 1838.

Toujours cette obsession du nez, détaché du reste de l'individu, promu au rang de personnage indépendant et marchant à travers la ville en quête de bonnes odeurs ! Le climat de Rome convenait à Gogol qui, bien qu'originaire d'une région de la Russie où les hivers étaient rigoureux, n'avait jamais pu s'habituer au froid. Le soleil ranimait ses membres engourdis et chassait ses idées moroses. Agir et penser lui semblait également agréable sous un ciel bleu. Même le paysage, ici, était reposant comme un tableau de maître aux masses savamment équilibrées. Toute la Suisse, avec ses montagnes chaotiques, ses glaciers et ses rocs, ne valait pas la douce campagne romaine. Sur cette terre de mesure et de lumière, ne pouvait naître qu'un art transparent.

Esprit tourmenté, générateur de monstres grimaçants, Gogol tomba en adoration devant Raphaël. A ses yeux, il éclipsait tous les peintres du Quattrocento, tous ceux de la phase classique, tous ceux de l'école baroque. De même, il ne mettait rien au-dessus de l'architecture antique, dont les ruines l'incitaient à de sereines méditations. Sa pensée, habituée aux labyrinthes ténébreux, aux ruptures de niveau, aux gouffres, s'émerveillait devant la noble géométrie des monuments romains. Passant de l'un à l'autre, il décelait dans ces pierres « la rencontre de deux siècles, le siècle païen et le siècle chrétien, représentant les deux plus grandes pensées du monde » (1). Il lui paraissait même, tant cette alliance était séduisante, que, si Dieu lui avait donné à choisir entre l'ancienne Rome, « dans sa grandeur noble et splendide », et la Rome d'aujourd'hui, « avec ses ruines », il eût préféré cette dernière pour y vivre. Et cela non seulement parce qu'une colonne tronquée, recouverte de lierre, à contre-jour sur un ciel bleu, était plus pittoresque à contempler qu'un édifice neuf, mais parce qu'il goûtait une paix profonde à oublier le monde contemporain parmi les vestiges d'une civilisation engloutie.

Plus l'agitation et le bruit de la vie actuelle le heurtaient, plus il se délectait devant la rassurante immobilité des choses d'autrefois. Tout ce qui bougeait, tout ce qui changeait, tout

---

(1) Lettre à Marie Balabine d'avril 1838.

ce qui allait de l'avant dans l'univers de l'art ou de la politique était, se disait-il, une manifestation du mal. Les peuples tournés vers l'avenir n'avaient que sottise et laideur en tête. Leurs mouvements désordonnés étaient grotesques. La seule musique consolante pour l'âme montait de l'abîme des âges révolus. A Rome, le flot des jours contournait un îlot sacré. Cette ville avait bien mérité le surnom de « Ville éternelle », car elle était hors du temps.

« Partout ailleurs, écrivait Gogol à Danilevsky, je n'ai vu jusqu'à présent que l'image du changement. Ici, tout s'est arrêté sur place et ne va pas plus loin (1). »

Avec une soif insatiable de découverte, il courait les musées, les églises, les palais, visitait les ruines, rêvait dans le Colisée, au clair de lune, s'extasiait devant une colonne de porphyre perdue au milieu d'une poissonnerie malodorante, tombait sur des restes de thermes, de temples, de tombeaux épars dans la campagne, admirait le panorama, à l'heure du couchant, du haut d'une terrasse de Frascati ou d'Albano, s'inclinait devant des statues brisées, confondait dans un même amour l'arc de triomphe, le fronton enfumé, les arbustes enracinés dans de vieux murs, le marché criard parmi de silencieux colosses de pierre, la légère baraque d'un limonadier devant le Panthéon (2). Dans son exaltation, il datait ses lettres de l'an 2588e après la fondation de la ville. Même la Rome moderne, greffée sur la Rome antique et la Rome médiévale, le comblait de joie. Il s'enfonçait avec volupté dans les rues tortueuses, humait les odeurs poivrées des échoppes, souriait à la vue d'un troupeau de chèvres broutant l'herbe entre les pavés ou d'un groupe de gamins haillonneux se prélassant au soleil, près d'une fontaine murmurante, suivait de l'œil, avec respect, un abbé en tricorne, bas et souliers noirs, saluait un capucin, « dont la robe couleur de chameau s'enflammait soudain au soleil », s'écartait pour laisser passer un carrosse de cardinal aux armoiries dorées. La crasse, la misère, avaient ici une vertu esthétique incomparable. Une venelle, harnachée de linges multicolores, devenait un tableau de maître. Un étalage

---

(1) Lettre du 15-3 avril 1837.
(2) Cf. *Rome*.

de vessies, de citrons, de feuillages et de chandelles donnait
envie de saisir un pinceau et de peindre. Les conversations
en plein air, sur les places, dans les cafés, sonnaient gaiement
aux oreilles de l'étranger. « Peu importaient, ici, la baisse des
fonds, les débats des Chambres, les affaires d'Espagne, écrivait
Gogol. En revanche, on se passionnait pour la récente découverte d'une statue antique, pour les mérites des grands maîtres, pour la valeur controversée des œuvres d'un nouveau
peintre, pour les fêtes populaires. C'étaient là de ces causeries
amicales où l'homme se révèle tout entier et qui ont été
remplacées, dans les autres pays d'Europe, par des discussions politiques et des considérations sociales ennuyeuses,
qui effacent des visages toute émotion venue du cœur (1). »
    Oui, le peuple romain plaisait à Gogol par son sens inné
du beau, sa dignité foncière, son mépris des vaines richesses,
son indolence comparable à l'indolence ukrainienne. Il louait
ces descendants des anciens quirites d'avoir échappé au « gla-
cial venin » des civilisations modernes. Leur chance — ils ne
s'en doutaient pas ! — était de vivre sous l'autorité despotique du pape Grégoire XVI. Dominés par une administration
tâtillonne, privés de tout droit politique, surveillés de près
par la police, ils étaient, en contrepartie, déchargés de l'ennuyeuse obsession des affaires de l'Etat. Quoi de plus enviable,
de nos jours, pensait Gogol, que l'enfantine insouciance d'une
nation opprimée ?
    « Le régime clérical lui-même, écrivait-il, cette survivance
fantomatique des temps passés, ne s'est sans doute maintenu
ici que pour préserver le peuple de toute influence étrangère,
pour empêcher, de la part de ses ambitieux voisins, tout atten-
tat à sa fière personnalité, pour permettre à celle-ci de s'épanouir dans l'ombre (2). »
    Cet hommage rendu à l'immobilisme des Romains était
d'autant plus étrange, que Gogol ne pouvait ignorer la sourde
révolte de toute l'Italie contre la domination autrichienne.
Le pape Grégoire XVI avait fait appel aux puissances étrangères lors des soulèvements déclenchés dans les Etats ponti-

(1) Ibid.
(2) Ibid.

ficaux. Farouchement hostile aux idées républicaines, il haïssait Mazzini, apôtre de l'émancipation et fondateur, en exil, de la société « la Jeune-Italie ». De même il avait condamné Lamennais et son journal *l'Avenir*. Le libéralisme européen lui paraissait aussi dangereux que le patriotisme italien. Mais le mouvement de résurrection était lancé. Les conspirations naissaient l'une de l'autre. Théoriciens, poètes, hommes d'action, se groupaient en secret pour soutenir la cause de l'indépendance. Contre toute évidence, Gogol dédaignait cette agitation, qui eût contredit sa conception d'une nation heureuse, préservée des remous de l'histoire. Seuls les intellectuels, pensait-il, étaient malades — comme à Paris — de la politique. Le menu peuple, lui, avait la sagesse de vivre engourdi dans une quiétude patriarcale. « Ce menu peuple, je suis maintenant plein du désir de le connaître en profondeur, écrivait-il à Marie Balabine, de pénétrer son caractère ; je le scrute dans toutes ses manifestations ; je lis toutes les publications populaires qui portent son reflet ; et je puis dire que c'est le premier peuple au monde qui soit doué d'un pareil sens esthétique (1). »

Il avait déménagé et habitait strada Felice, au numéro 126, un appartement « en plein soleil (2) ». Résolu à ne pas vivre en touriste, il complétait son vocabulaire italien, s'exerçait à écrire des lettres dans cette langue, étudiait la littérature du pays, bavardait avec les gens du quartier, qui le connaissaient bien et l'appelaient *il signor Nicolo*. A leur contact, il se persuada que l'Italie, tout en restant éloignée de l'Europe, avait un rôle brillant à jouer dans l'avenir. Certes elle était à présent divisée, affaiblie ; il ne subsistait rien de sa splendeur et de sa puissance d'autrefois ; mais à sa défection sur le plan de la réalité répondait une mission de la plus haute importance sur le plan moral. Elle était un rempart vivant contre le « froid matérialisme » dont les autres nations se voyaient menacées. Par sa rayonnante permanence, elle

---

(1) Lettre d'avril 1838.
(2) La strada Felice a été rebaptisée depuis via Sistina. Une plaque de marbre, fixée à la façade de la maison, qui porte toujours le numéro 126, rappelle que Gogol y habita.

rappelait aux Français, aux Allemands, aux Anglais, qu'ils avaient tort de s'abandonner à de mesquines préoccupations politiques au lieu de tourner leur pensée vers l'art et vers la foi. A ce point de vue, le peuple italien avait de nombreux traits communs avec le peuple russe, qui, lui aussi, selon Gogol, avait échappé à la contagion du progrès. Nul doute, se disait-il, que la Providence avait réservé à cette grande nation du Nord et à cette petite nation du Sud la même vocation messianique. C'était pour cela, assurément, qu'il se sentait chez lui dans les rues de Rome !

Chose curieuse, il aurait dû, en tant qu'Ukrainien, pour qui le Polonais était l'ennemi héréditaire, n'éprouver que de la méfiance envers le catholicisme. Or, bien que patriote et orthodoxe, il était séduit par cette religion de grâce et de mesure. Au début, ce qui l'attira dans les églises, ce fut la beauté des œuvres d'art. Son engouement pour la Rome antique et la Rome des papes le disposait à mieux se pénétrer de la majesté des lieux de prière. Il écrivait à sa jeune amie, Marie Balabine :

« J'ai résolu aujourd'hui d'entrer dans une de ces belles églises romaines que vous connaissez, où règne une pénombre sacrée et où le soleil, du haut d'une coupole ovale, descend dans la nef comme l'Esprit saint... Deux ou trois silhouettes agenouillées ne distraient nullement l'attention et donnent même des ailes à la prière et à la méditation. Là, j'ai prié pour vous, car c'est à Rome que l'on prie vraiment. Dans les autres villes, on fait seulement mine de prier... Prier à Paris, à Londres, à Saint-Pétersbourg, c'est prier sur la place du marché (1). »

Peu à peu cependant ses idées se précisaient et il prenait conscience de la différence qui séparait le christianisme tel qu'il se pratiquait en Russie du christianisme tel qu'il se pratiquait ici. L'Eglise orthodoxe lui apparaissait comme une sorte d'administration solennelle, figée dans des rites immémoriaux et dépourvue d'ascendant direct sur les âmes, alors que l'Eglise romaine était, grâce à ses prêtres, une institu-

_____

(1) Lettre d'avril 1838.

tion active, militante, omniprésente, dont l'influence débordait l'enceinte sacrée pour pénétrer dans les maisons et commander la vie des individus. Toutes deux se réclamaient du Christ, mais la première pour en préserver le mystère, la seconde pour le rendre compréhensible à tous. Laquelle valait mieux ? Question absurde. Gogol se refusait à choisir. Avertie de son inclination pour le catholicisme, sa mère, inquiète, l'adjura par lettre de rester fidèle à la religion de ses pères. Il répondit aussitôt :

« Vous avez eu parfaitement raison de dire à vos interlocuteurs que je ne changerai jamais de religion. C'est tout à fait exact. Parce que notre religion et la religion catholique ne font qu'un et qu'il n'y a aucune raison de passer de l'une à l'autre. Les deux sont vraies (1). »

Cependant, corrigeant *Tarass Boulba* pour une nouvelle édition, il y ajouta la description d'un office catholique d'imploration chez les Polonais assiégés. Dans ce passage, il notait la noblesse de la cérémonie, les jeux de la lumière matinale à travers les vitraux, la musique majestueuse de l'orgue : « André, bouche bée, restait muet d'admiration... » Là encore, il avouait l'importance des éléments extérieurs dans sa piété. Son mysticisme était d'abord esthétique. Une sorte de disposition à percevoir les mystères de l'au-delà, hors de toute préoccupation doctrinale.

Cette sensibilité à la présence divine fut fort appréciée par certaines de ses amies. Varvara Ossipovna Balabine avait un fils jésuite. Sa fille, Marie, bien qu'orthodoxe, fréquentait assidûment les églises catholiques. Enfin, peu après son arrivée à Rome, Gogol avait fait la connaissance de la princesse Zénaïde Volkonsky, que ses admirateurs appelaient autrefois « la Corinne du Nord ». Femme de talent et de culture, poétesse, musicienne, chanteuse, elle avait conservé, à quarante-cinq ans, la beauté de ses traits et la fougue de son caractère. Alexandre Iᵉʳ avait eu pour elle un tendre sentiment et Pouchkine l'avait célébrée en vers. Après avoir brillé à la cour et dans tous les congrès où se décidait le sort de l'Eu-

_____

(1) Lettre du 22-10 décembre 1837.

rope, elle s'était retirée à Moscou et avait adopté la religion
catholique. Immédiatement, le nouveau tsar, Nicolas Ier, lui
avait dépêché un prêtre orthodoxe pour la ramener dans le
droit chemin. Ebranlée par la semonce, elle était tombée
malade mais sans revenir sur sa décision. Une fois rétablie,
elle avait quitté la Russie et s'était définitivement installée
à Rome, dans une superbe villa, sur les hauteurs, derrière
Saint-Jean-de-Latran. Un aqueduc romain traversait le jardin.
Les vignes et les cyprès entouraient la maison, qui s'adossait
à une vieille tour. La vue s'étendait très loin sur la Ville
éternelle, dont les principaux monuments flottaient, comme
déracinés, dans une brume bleuâtre. Sous un arbre, se dressait
le buste sévère d'Alexandre 1er, qui avait honoré la princesse
de son amitié. A côté, dans un massif fleuri, une urne funé-
raire rappelait la mémoire du jeune poète Venévitinov, des
dalles de marbre blanc, celle de Pouchkine et de Karamzine :
le petit Panthéon personnel de la maîtresse de maison. Ce
fut chez elle que Gogol se lia d'amitié avec Stéphane Chévyrev,
professeur de littérature russe, critique slavophile et ami de
Pogodine. Elle aimait réunir ainsi deux grands esprits et
assister au jaillissement d'étincelles qui naissaient de leur
confrontation. Ses amis romains l'avaient surnommée *Beata*,
tant elle mettait d'ardeur à affirmer sa foi nouvelle. Son
salon était, disait-on, une succursale du Vatican. Les membres
de l'aristocratie russe reçus dans sa villa étaient sûrs d'y
rencontrer quelques ecclésiastiques romains, onctueux et pa-
tients pêcheurs d'âmes. Zénaïde Volkonsky protégeait également des prêtres polonais émigrés, à la suite du soulèvement
de leur pays en 1830. Deux d'entre eux, Pierre Semenenko et
Jerôme Kajsiewicz, s'étaient mis en tête de convertir Gogol. Ils
le voyaient souvent à dîner chez la princesse. La chaleur de
l'accueil, l'abondance de la table le séduisaient. Vivant dans
la pauvreté, il éprouvait un certain réconfort à deviner, derrière son dos, cette bienfaitrice opulente et autoritaire.

« Gogol nous a beaucoup plu par sa conversation, écrivait
Semenenko. Il a un noble cœur et, de plus, il est jeune.
S'il nous était possible, avec le temps, d'approfondir notre
influence sur lui, il ne resterait pas sourd à la vérité et
s'adonnerait à elle de toute son âme. La princesse nourrit

cet espoir, dont nous avons pu, aujourd'hui, nous convaincre nous-mêmes (1). »

Et Kajsiewicz notait dans son journal : « Nous avons fait la connaissance de Gogol, talentueux écrivain russe d'origine ukrainienne, qui dès l'abord a montré un vif penchant pour le catholicisme. »

Non contents de retrouver Gogol à la table de la princesse Volkonsky, les pieux Polonais le relancèrent chez lui. Il les accueillait avec gratitude et discutait des heures avec eux, sur le rôle du christianisme dans la société future. Bientôt cependant les deux prêtres changèrent de tactique et lui rendirent visite séparément, car, ainsi que l'écrivait Semenenko, « des entrevues en tête-à-tête incitent mieux chacun des interlocuteurs à se dévoiler (2) ». Kajsiewicz composa même, en l'honneur de Gogol, un sonnet dont le dernier vers était : « Ne ferme pas ton âme à la rosée du ciel. »

Malgré tant d'insistance, Gogol ne se décidait toujours pas. La princesse Volkonsky s'irritait de ces louvoiements ; le prosélytisme était sa passion ; il lui fallait des âmes à sauver comme à d'autres des cœurs à prendre. Déjà elle avait commencé à circonvenir son propre fils, qui ne tenait plus à l'orthodoxie que par un fil. Et Gogol l'avait approuvée dans cette démarche. « Elle nous a dit, écrivait Semenenko, que, lorsqu'elle avait fait part à Gogol de ses intentions en ce qui concernait son fils, il avait pris l'affaire très à cœur et l'avait encouragée, dans l'espoir que celui-ci se convertirait (3). » Pourquoi cet Ukrainien têtu trouvait-il sage que le jeune prince Volkonsky adoptât la religion catholique et se refusait-il à la même soumission ? Zénaïde Volkonsky ne pouvait résoudre cette contradiction et invitait les deux prêtres à accentuer leurs attaques. Mais ils étaient d'avis qu'il ne fallait jamais brusquer les sentiments d'un catéchumène. Dans cette atmosphère de pieux complot, Gogol évoluait à l'aise. Objet d'un tendre marchandage, il savourait le plaisir des allusions feutrées, des incitations discrètes, des méditations

_____

(1) Lettre du 17 mars 1838 à Bogdan Iansky.
(2) Lettre de Semenenko à Bogdan Iansky du 22 avril 1838.
(3) Ibid.

en groupe sur des textes saints. Il lui en eût coûté de renoncer, tout de go, à son éducation, à son passé, à sa foi. Mais demeurer orthodoxe tout en rêvant de catholicisme, s'aventurer dans une autre religion sans trahir la sienne, quoi de plus grisant pour une intelligence éprise de renouveau ? Devant l'exigeante Zénaïde Volkonsky et ses deux alliés, il tenait bon avec une mollesse élastique.

Comme pour contrebalancer l'effet de ses relations mondaines, Gogol retrouvait souvent au café Greco, dans une atmosphère bruyante et enfumée, de jeunes peintres russes pensionnés par l'Académie des Beaux-Arts de Saint-Pétersbourg. La direction du café servait de poste restante pour le courrier de ces messieurs. Aux murs pendaient des tableaux laissés en paiement par des clients aux poches vides. Qui buvait du chianti et qui du café très fort, en discutant avec passion, les coudes sur la table. Tous ces grands garçons chevelus et barbus, portant la cape et le chapeau de feutre à larges bords, communiaient dans le culte du beau. Il y avait là, entre autres, le sage et besogneux Iordan, l'élégant et charmant Moller, fils du ministre de la Marine, et surtout l'intransigeant Alexandre Ivanov, avec qui, très vite, Gogol se lia d'amitié. L'art, pour Ivanov, était une véritable ascèse. Le ventre creux et la tête enflammée, il refusait les commandes, l'argent, le succès facile, pour se consacrer à une vaste composition : l'Apparition du Christ au Peuple. Somme philosophique et synthèse picturale, ce travail gigantesque le dévorait vivant. Inspiré par Dieu pour la pensée, par Raphaël, Véronèse, Titien et le Tintoret pour l'exécution, il se considérait comme investi d'une mission sainte. Le temps ne comptait pas pour lui. Depuis des années, toujours mécontent de lui-même, il recommençait son tableau, accumulait des esquisses, cherchait la perfection à travers mille études préparatoires, dont l'ensemble eût suffi à remplir une salle d'exposition. C'est ainsi qu'il allait, tous les vendredis, à la synagogue de Rome pour y observer des visages juifs, plantait son chevalet dans les insalubres marais Pontins, dont le paysage désertique devait servir de décor au groupe, copiait infatigablement la tête de l'Apollon du Belvédère et celle d'un Christ byzantin qu'il avait découvert à Palerme, dans l'espoir

que la conjugaison de ces deux physionomies lui donnerait
les traits de son saint Jean-Baptiste.

Gogol aimait lui rendre visite dans son atelier. Une grande
salle au plafond vitré, dont les murs blancs étaient barbouil-
lés de dessins au fusain et à la craie. Par terre, des feuilles
de croquis, des tubes écrasés, des brosses, des torchons gras.
Dans tous les coins, des cartons débordant de paperasses.
Et, sur un énorme support, spécialement construit à cet effet,
le tableau : cinq mètres quarante sur sept mètres cinquante.
Au premier plan, saint Jean-Baptiste, les bras levés, prêchant
et baptisant. Autour de lui, une foule d'hommes nus, sortant
des eaux du Jourdain ou s'apprêtant à y entrer. Parmi eux,
quelques personnages habillés, les futurs disciples. Et au loin,
marchant sur une terre aride, le Christ. Certains le voient
déjà. D'autres pressentent sa venue. D'autres encore se demandent ce que le Précurseur a voulu dire en prononçant les
paroles étranges : « Voici l'Agneau de Dieu qui efface les
péchés du monde (1). » Toutes les figures étaient déjà
en place, dessinées d'un trait ferme, avec quelques touches
de couleur par-ci, par-là. Ivanov portait une blouse maculée.
Ses cheveux longs, emmêlés, tombaient sur ses épaules. Sa
barbe broussailleuse, constellée de taches de peinture, envahissait ses joues. Il n'avait pas dû se raser de deux semaines.
La palette à la main gauche, le pinceau à la main droite, il
considérait son tableau avec désespoir (2).

Gogol attendait qu'Ivanov fût sorti de sa méditation pour
élever la voix. Il comprenait les tourments de son ami, car
lui-même, en travaillant aux *Ames mortes*, éprouvait cet angoissant désir d'excellence. C'est par allusion à son propre cas
qu'il devait écrire, parlant du peintre : « Un artiste dont
le travail, par la volonté de Dieu, s'est transformé en une
véritable entreprise spirituelle, est incapable de vaquer à d'autres travaux, il ne connaît plus d'intervalles dans son labeur,
sa pensée ne saurait se diriger vers autre chose, quelque
contrainte ou violence qu'il exerce sur elle. De même une

---

(1) *Evangile selon saint Jean*. I, 29.
(2) Pour la description de l'atelier d'Ivanov, cf. Pogodine : *un An
à l'Etranger.*

épouse fidèle, réellement éprise de son mari, ne saurait désormais aimer personne d'autre ni vendre à personne ses caresses pour de l'argent, quand bien même elle pourrait, par ce moyen, se sauver elle-même et sauver son mari de la misère (1). »

Avec Ivanov, Gogol discutait de leurs scrupules respectifs et de la nécessité d'une longue préparation en matière de création artistique. Mais, si l'esprit de sacrifice les animait l'un et l'autre, ils se heurtaient souvent sur des points de détail, car il était difficile de trouver deux caractères plus opposés que celui de ce peintre franc, exigeant, irascible, et celui de cet écrivain maladif et dissimulé. A l'exemple d'Ivanov, de Moller et de Iordan, Gogol se mit à la peinture. Il parcourait les rues de Rome avec un carnet de croquis et une boîte d'aquarelle. En copiant un paysage ou une ruine antique, il n'avait pas l'impression de voler du temps aux *Ames mortes.*

Le livre avançait par à-coups. Gogol y travaillait principalement le matin, debout devant son haut pupitre. Très vite le soleil, passant à travers les lames des volets, les criailleries des voisins, l'appel des marchands, le bêlement des chèvres, l'incitaient à sortir. Tous les prétextes lui étaient bons pour poser la plume. D'ailleurs l'importance de l'œuvre entreprise excluait, dans son esprit, l'idée de précipitation. La solidité, pensait-il, est toujours le fruit de la lenteur. Comme Ivanov, il ne voyait pas de fin à sa tâche. Comme Ivanov, il refusait de se laisser distraire de son grand dessein pour se livrer à des besognes lucratives. Comme Ivanov, il se croyait inspiré par Dieu. A ses amis de Saint-Pétersbourg et de Moscou, qui le pressaient d'écrire dans des revues, il répondait fièrement que c'était péché de le lui proposer. En même temps, il les suppliait de lui envoyer quelque argent. Ses difficultés financières s'aggravaient. Les livres qu'il avait publiés jadis, en Russie, ne lui rapportaient rien. Il avait vendu, une fois pour toutes, les droits de représentation de sa pièce. A bout d'expédients, il se tourna vers ses relations romaines, empruntant

_____

(1) *Passages choisis de ma Correspondance avec mes Amis.* Chapitre XXIII.

à droite pour rembourser à gauche. La fréquentation des
jeunes peintres, qui vivaient aux frais du gouvernement, lui
donna soudain l'idée de solliciter une pension pour lui-même.
N'était-il pas, lui aussi, un artiste qui avait besoin du climat
italien pour son épanouissement intellectuel ? Dès le mois
d'avril 1837, il écrivait à Joukovsky :

« Si j'étais un peintre, même médiocre, ma subsistance
serait assurée. Ici, à Rome, il y en a une quinzaine qui ont
été envoyés de chez nous, tout récemment, par l'Académie,
et certains d'entre eux dessinent plus mal que moi. Ils touchent tous trois mille roubles par an. Si j'étais acteur, je
n'aurais également à me soucier de rien. Les acteurs reçoivent
dix mille roubles et plus, et vous savez bien que je n'aurais
pas été un mauvais acteur. Mais je suis un écrivain et, par
conséquent, je dois mourir de faim... J'ai réfléchi, réfléchi,
et n'ai rien trouvé de mieux que de m'adresser à l'empereur.
Il est bienveillant. Je me rappellerai jusqu'au tombeau l'attention qu'il a daigné manifester à mon *Révizor*. J'ai écrit une
lettre que je joins à celle-ci. Si vous estimez que cette lettre
est rédigée en termes convenables, présentez-la vous-même,
soyez mon intercesseur ! Si vous estimez qu'elle est mal tournée, je compte sur sa mansuétude : il pardonnera à son
humble sujet. Dites-lui alors que je suis un malappris, que
je ne sais comment écrire à sa haute personne, mais que je
suis plein à son égard de cette sorte d'amour que seul un
Russe peut éprouver envers son souverain, et que, si j'ai
osé le déranger par cette demande, c'est uniquement parce
que je sais qu'il nous chérit tous comme ses enfants... Si je
pouvais recevoir une pension comme celle que reçoivent les
élèves de l'Académie des Beaux-Arts vivant en Italie ou comme
celle que touchent les diacres desservant notre église, à Rome,
je pourrais rester ici plus longtemps, car la vie, dans ce pays,
est très bon marché. Trouvez une occasion et un moyen de
parler à l'empereur de mes deux récits : *un Ménage d'autrefois* et *Tarass Boulba*. Ce sont deux récits aimables, qui ont
plu à tous les goûts et convenu à tous les tempéraments. Les
défauts dont fourmillent ces deux textes sont passés ina-
perçus de tous, à l'exception de vous, de moi et de Pouchkine...
Si le tsar pouvait les lire !... Il est tellement bien disposé

envers les œuvres où se devine la chaleur du sentiment et qui viennent du fond de l'âme ! Oh ! quelque chose me dit qu'il s'intéressera à mon sort. Mais qu'il en soit fait selon la volonté de Dieu. C'est en Lui et en vous que je mets mon espoir (1). »

Joukovsky ne put obtenir la pension tant espérée, mais, sur ses instances, l'empereur fit envoyer cinq mille roubles à Gogol. Aussitôt celui-ci explosa de gratitude.

« J'ai reçu le subside qui m'a été accordé par notre empereur généreux, écrivit-il à Joukovsky. La reconnaissance est forte dans ma poitrine, mais son épanchement n'atteindra pas les abords du trône. Comme un dieu, notre tsar sème à pleines mains les bienfaits et refuse d'entendre nos remerciements. Mais peut-être la parole d'un pauvre poète parviendra-t-elle jusqu'à la postérité, ajoutant un trait attendrissant à la gloire du souverain. En tout cas, ma gratitude peut parvenir jusqu'à vous. Vous, toujours vous ! Votre regard empreint d'amour veille sur moi (2). »

Délivré, pour un temps, de ses soucis d'argent, il s'abandonna avec moins de scrupule encore au farniente. Sa « paresse ukrainienne » s'épanouissait au soleil de Rome. *Les Ames mortes* s'enlisaient. Lorsque, de nouveau, les ressources de Gogol s'épuisèrent, il fit appel à Pogodine : « Si tu es en fonds, envoie-moi, s'il te plaît, une lettre de change pour deux mille roubles. Je te les rembourserai dans un an ou un an et demi (3). »

Pogodine, Aksakov et quelques autres amis de Moscou se cotisèrent, non sans difficulté, et expédièrent la somme. Emu aux larmes, Gogol répondit à Pogodine :

« Je te remercie, mon cher ami, mon ami fidèle !... Le souci que vous prenez de moi m'a touché jusqu'au fond de l'âme ! Que d'amour ! Que de soins ! Pourquoi Dieu m'aime-t-il à ce point ?... Dieu ! je ne suis pas digne d'un tel amour ! Qu'ai-je fait pour le mériter ? Mon talent est si pauvre ! Pourquoi

---

(1) Lettre du 18-6 avril 1837.
(2) Lettre du 30 octobre 1837.
(3) Lettre du 20 août 1838.

n'ai-je pas reçu la santé en partage ? Quelque chose s'est échafaudé dans cette tête et dans cette âme : est-il possible qu'il ne me sera pas donné d'exprimer fut-ce la moitié de ce que j'ai conçu ? J'avoue que ma santé m'inquiète (1). »

Il en voulait à son corps de se laisser si difficilement oublier. Alors qu'il eût souhaité n'être qu'un pur esprit, à chaque minute des gargouillements, des tiraillements, des brûlures suspectes le ramenaient aux réalités de la chair. A coup sûr, il n'était pas construit comme les autres. Ses entrailles, ses nerfs, ses veines. ses os s'agençaient, pensait-il, d'une façon particulière, qui posait un problème à la science. Les médicaments habituels n'agissaient pas sur lui. Il devait inventer sa propre thérapeutique. Pas un jour sans souffrance. Le plus désagréable était qu'il ne pouvait transpirer. En pleine chaleur, sa peau demeurait sèche. Et ses intestins bouillonnaient. Les médecins parlaient toujours de malaises d'origine hémorroïdale. Qu'en savaient-ils ?

« Je crains l'hypocondrie, qui est maintenant à mes trousses, écrivait Gogol à Prokopovitch. Mon estomac va on ne peut plus mal et refuse absolument de digérer, bien que je mange très modérément. Mes constipations hémorroïdales ont repris... et, si je ne sors pas un peu, durant toute la journée je sens mon cerveau comme coiffé d'un bonnet qui m'empêche de réfléchir et met de la brume dans mes pensées... J'ai l'estomac lourd et la poche légère (2). »

Et à Danilevsky :

« Aide-moi à choisir ou à me commander une perruque. J'ai envie de me raser les cheveux — cette fois non pour les faire pousser, mais si cela pouvait aider à la transpiration et en même temps à l'inspiration, qui se trouverait ainsi libérée !... Elle languit, mon inspiration ! J'ai souvent la tête couverte d'un lourd nuage, que je dois constamment m'efforcer de dissiper, et cependant j'ai encore tellement à faire (3). »

Et au prince Viazemsky :

---

(1) Lettre du 1ᵉʳ décembre 1838.
(2) Lettre du 19-7 septembre 1837.
(3) Lettre du 16-4 mai 1838.

« L'Italie a prolongé ma vie mais a été incapable d'arracher le mal qui règne despotiquement sur mon organisme et qui est devenu ma seconde nature. Et si je n'arrivais pas à achever mon œuvre ! O, loin de moi cette affreuse pensée ! Elle met en moi tout un enfer de tourments, tels que Dieu préserve un mortel de les éprouver (1). »

Cependant, entre deux crises, il faisait bonne figure. On le voyait, tantôt silencieux, crispé, l'œil tragique, la main sur le ventre, tantôt rayonnant d'optimisme, vêtu de façon excentrique, le pas vif, la parole facile, le rire éclatant et l'appétit ouvert. Habitué des *trattorie*, il humait, de son long nez, les odeurs de cuisine, et se délectait d'avance des plats qu'il allait choisir.

« Je dîne maintenant chez Falcone, près du Panthéon, où les agneaux grillés valent ceux du Caucase, où le veau est plus nourrissant que partout ailleurs et où une certaine *crostata* aux cerises est capable de faire saliver, trois jours de suite, le plus fieffé des goinfres », écrivait-il à Danilevsky (2).

Ayant fini de dîner posément et copieusement, il lui arrivait d'aviser, non loin de lui, un client qui commençait son repas. Aussitôt, l'eau à la bouche, il commandait la même chose que son voisin et se remettait à manger (3). Souvent même, rentré chez lui, il se préparait quelque « gâterie » pour égayer la soirée : du lait de chèvre bouilli, additionné de sucre et de rhum. Des maux d'estomac succédaient à ces accès de gloutonnerie. Il se jurait de tenir désormais la diète. Et, la souffrance passée, il cédait de nouveau à la gourmandise. Ainsi allait-il, partagé entre le goût des grandes idées et celui des petits plats, l'amour de l'Italie intemporelle et la nostalgie de la Russie exécrable, le culte du beau et la disposition à peindre le laid, la prétention d'être sincère et le besoin de geindre, de mentir, de se dédoubler, pour échapper au jugement de ses contemporains. Ses amis, qui croyaient le connaître, ne savaient jamais en le voyant s'ils auraient affaire, ce

_____

(1) Lettre du 25-13 juin 1838.
(2) Lettre du 31-19 décembre 1838.
(3) Cf. Récit de Zolotarev, transcrit par Odoïevsky.

jour-là, au bon vivant ou à l'ascète, au prédicateur ou à l'amateur de billard. Il ne pouvait supporter longtemps la solitude. Dès son arrivée à Rome, il insista pour que Danilevsky vînt le rejoindre. Puis ce fut le jeune Zolotarev qui logea quelque temps chez lui, au numéro 126 de la strada Felice.

Tout en considérant la Ville éternelle comme sa seconde patrie, Gogol s'en échappait souvent. Au mois de juillet 1837, il rallia, à Baden-Baden, un groupe d'amis, parmi lesquels Alexandra Ossipovna Smirnov, but un grand nombre de verres d'eau glacée, se promena à petits pas, avec la jeune femme, dans les allées du parc et accepta de lire en public les premiers chapitres des *Ames mortes*. A peine eut-il commencé sa lecture dans un cercle de connaissances, qu'un fracassant orage éclata. Le tonnerre déchirait le ciel. La pluie cinglait les vitres avec fureur. Un torrent dévalait de la colline qui dominait la maison. Gogol s'arrêta un moment, inquiet, reprit sa lecture, puis y renonça tout à fait et demanda à André Karamzine de le raccompagner chez lui, parce que, disait-il, des chiens méchants hantaient le quartier. « Il n'y avait pas de chiens là-bas, écrira Mme Smirnov, mais je suppose que l'orage avait ébranlé les faibles nerfs de Gogol et qu'il endurait ces souffrances intolérables qui sont le lot des personnes nerveuses. »

De Baden-Baden, il se rendit à Strasbourg, à Karlsruhe, à Francfort, à Genève, où il retrouva Danilevsky et Mickiewicz. Puis il passa les Alpes, en traîneau-diligence, par le col du Simplon.

« Les masses de ces montagnes sauvages, effrayantes, défilaient tout au long de la route derrière les vitres de la diligence, écrivait-il à sa mère, des cascades étincelantes nous assourdissaient et nous entouraient de poussière d'eau. Pendant une demi-journée, nous nous élevâmes ainsi vers le Simplon — l'un des plus hauts cols — par une route en lacet d'où l'on découvrait des chaînes d'autres montagnes... Soudain, tout se trouva au-dessous de nous, les sommets, que naguère nous pouvions à peine regarder en renversant la tête, paraissaient maintenant minuscules, les pics, les gouffres, les cascades, tout était à nos pieds. Notre route passait souvent

à travers le rocher, par un corridor taillé dans l'épaisseur de
la pierre (1). »

A la descente, la neige disparut. Les voyageurs quittèrent
le traîneau pour une voiture à roues. Le lac Majeur éblouit
Nicolas Gogol par sa lisse majesté. Milan, par son animation,
lui rappela Paris. Il visita en coup de vent Florence, « petite
ville à la beauté sévère (2) ». Enfin, il arriva à Rome, avec
le sentiment d'avoir choisi, pour y vivre, le seul lieu au
monde dont les habitants n'eussent rien à envier à personne.

L'année suivante, il repartit cependant pour Naples. En
touriste consciencieux, il admira la baie calme, aux montagnes vaporeuses, le Vésuve fumant, la campagne environnante,
traîna dans les rues étroites, se rendit à Capri, fit un tour
en canot dans la grotte d'Azur : « Nous nous y glissâmes en
barque, tête courbée, et soudain nous nous trouvâmes sous
une énorme voûte... L'obscurité était presque totale, mais les
eaux, d'un azur extrêmement vif, semblaient illuminées par
en-dessous au moyen de quelque flamme bleue (3). » Pourtant
Naples, avec sa poussière, sa saleté, sa bousculade et ses
gamins voleurs le fatigua bientôt. Il habitait à Castellammare,
dans la villa de la princesse Répnine. De là, il gagna Livourne.
Puis, en septembre 1838, il fit un saut jusqu'à Paris, où Danilevsky, dépouillé de son dernier argent par des aigrefins, l'appelait à la rescousse. Grâce à Pogodine et aux Répnine, il put
renflouer son ami et, ensemble, ils passèrent quelques jours
à traîner dans les cafés et les restaurants.

De Paris, il revint à Rome, par Lyon, Marseille et Gênes.
Il prétendait qu'il n'était jamais aussi bien inspiré qu'en
voyage. Le changement de décor, la rupture des habitudes,
le mouvement saccadé de la course fouettaient son imagination. Ainsi racontait-il qu'il avait eu un véritable accès d'enthousiasme dans une petite auberge située entre Genzano et
Albano : « Je ne sais pourquoi, à la minute où j'entrai dans
cette auberge, j'eus envie d'écrire. Je demandai une table,
m'installai dans un coin, ouvris ma serviette, et, parmi l'atmo-

---

(1) Lettre du 24 novembre 1837.
(2) Cf. *Rome*.
(3) Lettre de Gogol à sa mère du 30 juillet 1838.

sphère enfumée et étouffante, le vacarme des voyageurs, le bruit des billes de billard entrechoquées, les allées et venues des servantes, je m'isolai dans un rêve étonnant et rédigeai d'un trait tout un chapitre sans quitter ma place. Je mets ces lignes au nombre des meilleures que j'aie jamais écrites. Rarement il m'a été donné de créer avec autant de verve (1). »

Comme au retour de son précédent voyage, il revit Rome avec soulagement. La seule chose qu'il regrettait, c'étaient les restaurants parisiens. Mais ses repas trop lourds lui avaient détraqué l'estomac. « De quelque côté que je jette les yeux, il me semble voir des temples (des restaurants), écrivait-il à Danilevsky. Ma pensée n'a pu s'arracher encore tout à fait de Montmartre et du boulevard des Italiens... Malheureusement, dans mon estomac habite je ne sais quel diable qui m'empêche de voir les choses comme je le voudrais et me rappelle à tout moment un dîner ou un déjeuner, bref quelque manifestation pécheresse, malgré la sainteté des lieux où je me trouve, l'admirable soleil et les beaux jours (2). »

La fin de l'année fut marquée pour lui par une joie immense. Le 18 décembre 1838, le grand-duc héritier Alexandre Nicolaïevitch, âgé de vingt ans, arriva à Rome, escorté de son précepteur, Joukovsky, et de toute une suite. Un autre membre de son entourage, le jeune comte Joseph Vielgorsky, que l'empereur lui avait donné comme compagnon d'études, avait dû le quitter, souffrant de phtisie, au milieu du voyage, et avait poursuivi seul sa route vers le Sud, allant de ville d'eaux en ville d'eaux. Parvenu à Rome peu avant le grand-duc, Joseph Vielgorsky était descendu chez la très charitable princesse Volkonsky. Ce fut là que Gogol le vit, épuisé et crachant le sang. Il l'avait déjà rencontré à Saint-Pétersbourg, au début des années 30. Mais il lui semblait le découvrir dans sa maladie. Ce visage diaphane, dont le regard brûlait de fièvre, le charmait. Cependant il était trop heureux de retrouver Joukovsky pour accorder une longue attention au nouveau venu.

Bien entendu Joukovsky raconta à Gogol les derniers moments de Pouchkine. Ensemble ils pleurèrent sur cette dispa-

_____

(1) Récit de Gogol, noté par Berg. *Antiquité russe*, 1872.
(2) Lettre de la deuxième quinzaine d'octobre 1838.

rition absurde, qui privait le monde du plus grand des poètes et eux-mêmes du meilleur des amis. Puis ils parlèrent de leurs travaux respectifs, de leurs relations communes, des dernières nouvelles littéraires de Russie et des *Ames mortes* qui avançaient avec lenteur et sûreté. Les jours suivants, Gogol entraîna Joukovsky dans une visite approfondie de la ville. Marcheur infatigable et cicerone exalté, il communiquait son enthousiasme au poète. Forum, Colisée, Panthéon, églises, musées, ruelles pittoresques, tout y passa. Les deux hommes emportaient toujours du papier et une boîte de couleurs dans leurs promenades, et s'arrêtaient souvent pour peindre un paysage, une ruine, un gamin loqueteux à l'œil moqueur. Gogol s'émerveillait qu'un personnage officiel de l'importance de Joukovsky pût rester aussi simple dans ses manières et aussi chaleureux dans ses sentiments. Il l'appelait un « envoyé du ciel ». Lorsque « l'envoyé du ciel » l'eut quitté pour retourner en Russie, il écrivit à Danilevsky : « Il m'a laissé ici comme un orphelin et, pour la première fois, je me sens triste à Rome (1). »

Mais, trois semaines après cette séparation, il eut une nouvelle surprise. Cette fois, c'était Pogodine qui annonçait sa prochaine arrivée. Il débarqua à Rome, le 8 mars 1839, avec sa femme. Aussitôt Gogol les prit en main, comme il l'avait fait naguère pour Joukovsky. Avec une joie puérile, il leur montrait *sa* capitale, courant les rues dans la poussière et le bruit, jusqu'à ce que les voyageurs exténués, écœurés, finissent par demander grâce. A deux heures de l'après-midi, il les conduisait dans un restaurant, près de la piazza di Spagna, mais refusait lui-même de manger, disant que ses maux d'estomac lui coupaient l'appétit et qu'il se contentait généralement d'une légère collation vers six heures du soir. Cette « légère collation », Pogodine voulut en être le témoin. A l'insu de Gogol, quelques-uns de ses amis romains se réunirent dans l'arrière-salle de la *trattoria* Falcone dont il était l'habitué et surveillèrent sa venue. Il arriva, s'assit et aussitôt les *camerieri* s'empressèrent. « Il ordonne : des macaroni, du fromage, du beurre, du vinaigre, du sucre, de la moutarde,

---

(1) Lettre du 12 février 1839.

des ravioli, des broccoli..., écrivait Pogodine. Les gamins courent en tous sens et lui apportent tantôt ceci, tantôt cela. Gogol, le visage rayonnant, reçoit les ingrédients des mains des serveurs et donne des instructions avec une jubilation intense. Voici devant lui des montagnes de verdure, des flacons pleins de liquides clairs... On dépose sur sa table un énorme plat de macaroni, et, le couvercle retiré, une vapeur épaisse s'en échappe. Gogol jette sur les pâtes un morceau de beurre qui fond aussitôt, poudre le tout de fromage, prend la pose d'un prêtre qui se prépare à offrir un sacrifice, saisit un couteau, se met en devoir de couper... A l'instant, notre porte s'ouvre avec bruit. Nous courons en riant vers Gogol. Je m'écrie : « Ah ! c'est ainsi, mon vieux, que tu manques d'appétit, que ton estomac est dérangé ? Pour qui donc as-tu préparé tout cela ? » D'abord interloqué, Gogol se ressaisit très vite et répliqua avec humeur : « Pourquoi criez-vous ainsi ? De toute évidence, je n'ai pas un véritable appétit. L'appétit que vous constatez est artificiel. Je m'efforce de l'éveiller par quelque chose de bon. Mais le diable m'emporte si j'y arrive ! Je mangerai contre mon désir, et ce sera comme si je n'avais rien mangé. Asseyez-vous plutôt avec moi. Je vais vous régaler !... Eh ! *cameriere*, apporte la suite... » Le festin commença dans la gaieté. Gogol mangeait comme quatre et nous démontrait que tout cela ne signifiait rien, et qu'il avait bel et bien des maux d'estomac (1). »

Enfin Pogodine et sa femme repartirent à leur tour. Ils se rendaient à Paris, où les attendait Danilevsky. « A propos, écrivait Gogol à ce dernier, j'ai entendu dire que des espions avaient fait leur apparition chez vous, à Paris. J'avoue qu'il fallait s'y attendre, étant donné le nombre de Russes qui séjournent dans cette ville, plus ou moins légalement... Sois prudent. Je suis sûr que les noms de presque tous les Russes sont portés dans le livre noir de notre police secrète (2). »

Ayant souhaité bonne route aux voyageurs, il retourna chez la princesse Volkonsky. Elle paraissait maintenant moins pressée de l'attirer dans la religion catholique. Sans doute avait-

---

(1) Pogodine : *Extraits de Mémoires.*
(2) Lettre du 14 avril 1839.

elle fini par se convaincre qu'il ne se laisserait dominer par personne. Tout en le recevant avec la même bienveillance que jadis dans sa villa, elle ne pouvait lui pardonner de l'avoir si longtemps abusée. Chez elle, il voyait chaque jour le jeune comte Joseph Vielgorsky, dont la phtisie avait fait des progrès inquiétants. Pâle, les traits tirés, le regard chargé d'une douce mélancolie, ce garçon de ving-trois ans se traînait dans le jardin, « respirait l'air pur » comme les médecins le lui recommandaient, ou se réfugiait dans une petite grotte pour lire. Passionné d'histoire et de littérature, il parlait souvent avec Gogol du passé de la Russie. Et, d'une conversation à l'autre, l'écrivain devinait chez son interlocuteur une fraîcheur, une élévation, un courage tranquille, qui le séduisaient. Bientôt Vielgorsky, à bout de forces, dut s'aliter, et Gogol prit l'habitude de s'asseoir à son chevet et d'y rester des heures entières, dans une tendre contemplation.

« Je crois que Joseph Vielgorsky est décidément en train de mourir, écrivait-il à Pogodine. Le pauvre, le doux, le noble Joseph !... Il n'y a pas de place, en Russie, pour les gens admirables ! Seuls les cochons y vivent (1) ! »

Et, à Marie Balabine :

« Je passe maintenant des nuits sans sommeil au chevet de mon pauvre ami Joseph Vielgorsky, qui est en train de mourir... Vous n'avez pu connaître son âme admirable, ses beaux sentiments, son caractère presque trop ferme pour son jeune âge, ni son intelligence remarquablement profonde. Et tout cela sera la proie de la mort... Je ne vis plus maintenant que pour lui, j'épie ses dernières minutes. Un sourire fugitif, une expression plus joyeuse sur son visage, voilà les seuls événements de mes journées monotones... Etrange, incompréhensible, je le jure, est le destin de tout homme de valeur, en Russie. A peine en surgit-il un, que la mort le ravit. Je ne crois plus en rien maintenant, et, si j'entrevois quelque chose de beau, je cligne des yeux, j'essaie de ne pas le regarder, car je sens l'odeur de la tombe. Tout cela n'existe que pour un bref instant, me souffle une voix assourdie. Cela t'est donné uniquement pour te faire éprouver l'angoisse éter-

_____

(1) Lettre du 5 mai-23 avril 1839.

nelle du regret, pour que ton âme souffre et se tourmente (1). »

En face de cet adolescent que la maladie détruisait à vue d'œil, Gogol éprouvait, pour la première fois de sa vie, le besoin de se dévouer totalement. La menace inéluctable de la mort facilitait, en quelque sorte, l'épanchement de ses sentiments les plus secrets. Ce qu'il n'aurait jamais osé exprimer devant un être appelé à survivre, il le pensait et le disait devant celui-ci qui était condamné à disparaître demain. La froide lumière de l'au-delà purifiait tout, excusait tout à ses yeux. Libéré des contraintes habituelles par le tragique même de la situation, il prenait conscience d'une tendresse qu'aucune femme ne lui avait encore inspirée. Avec celles qu'il admirait le plus, il était sur ses gardes. Comme s'il eût craint que leur amitié ne se transformât, par une insensible dégradation, en coquetterie, voire en amour. Jamais il ne se serait laissé aller auprès de l'une d'elles à cette frémissante dévotion qu'il connaissait dans la chambre du malade. Jamais il ne leur aurait ouvert son cœur comme il le faisait ici, car il les savait créatures de chair, avides de conquêtes et de péchés. Même les plus croyantes ! Même celles qui paraissaient les plus détachées des plaisirs terrestres ! En présence de Joseph Vielgorsky il pouvait, en revanche, céder à cet instinct humain de communion, de fusion, tout en restant moralement et physiquement intact. Il pouvait être amoureux en toute sécurité. Car c'était bien d'amour qu'il s'agissait entre eux. Non point d'amitié, mais d'amour. Un amour fraternel, immatériel et désespéré, dont Gogol notait les étapes, fiévreusement, sous le titre : *les Nuits de la Villa :*

« Elles étaient tendres et accablantes, ces nuits d'insomnie. Il était assis, malade, dans un fauteuil... Quelle douceur d'être auprès de lui et de le regarder ! Depuis deux nuits déjà, nous nous disions *tu.* Comme il était devenu, depuis, plus proche de moi ! »

Et, plus tard :

« Je n'étais pas auprès de lui, cette nuit-là... Je me hâtai, le lendemain matin, et vins à lui comme un criminel. Il était dans son lit quand il me vit. Il me sourit, de ce sourire

---

(1) Lettre du 30-18 mai 1839

d'ange qui était devenu le sien. Il me tendit la main et serra la mienne avec amour. « Traître, me dit-il, tu m'as trahi ! » « Mon ange, lui dis-je, pardonne-moi. J'ai souffert moi-même de ta souffrance, j'ai été au supplice, cette nuit. Mon repos n'a été qu'inquiétude. Pardonne-moi ! » Oh ! sa douceur. Il me serra la main... Je me mis à l'éventer avec une branche de laurier. « Ah ! comme c'est frais, comme c'est agréable ! » dit-il... A dix heures, je revins le voir. Je l'avais laissé trois heures plus tôt pour me reposer... Il était assis, seul. L'accablement de l'ennui se lisait sur son visage. En m'apercevant, il me fit un léger signe de la main. « Tu es mon sauveur », me dit-il. Ces mots résonnent encore à mon oreille. « Mon ange, tu t'ennuyais ? » dis-je. « Oh ! comme je m'ennuyais ! » me répondit-il. Je lui mis un baiser sur l'épaule. Il me tendit sa joue. Nous nous embrassâmes. Il continuait à me serrer la main. »

Plus tard encore, lors de « la huitième nuit » :

« Cette nuit-là, le docteur lui avait ordonné le repos. A contrecœur il se leva et, s'appuyant à mon épaule, alla à son lit. Mon chéri ! son regard las, sa robe de chambre aux vives couleurs, le lent mouvement de ses pas... Il me dit à l'oreille, en s'inclinant sur mon épaule et en me désignant le lit : « Maintenant je suis un homme perdu. » — « Nous ne resterons qu'une demi-heure au lit, lui dis-je. Ensuite nous reviendrons à ton fauteuil... » Je te regardais, ma chère, ma tendre fleur ! Durant tout le temps que tu dormais ou que tu sommeillais sur ton lit ou dans ton fauteuil, je suivais tes mouvements, tes changements d'expression, rivé à toi par une force incompréhensible. Comme ma vie était alors étrangement nouvelle et comme, en même temps, j'y lisais la répétition de quelque chose de lointain, qui remontait à bien longtemps ! Mais je sens qu'il est difficile d'en donner une idée : c'était, revenant à moi, un frais, un fugace moment de ma jeunesse, de ce temps où l'âme novice cherche parmi les gens de son âge une amitié fraternelle, une de ces amitiés résolument juvéniles, pleine de puérils et charmants petits riens et de signes de tendre attachement distribués à l'envi... O Dieu ! Pourquoi ? Je te regardais. Ma jeune fleur chérie ! Ce frais souffle de jeunesse m'a-t-il enveloppé uniquement pour que je m'abîme ensuite de nouveau dans le grand froid où s'engourdissent les sentiments, pour que je vieillisse d'un seul coup de quelques dizaines d'années, pour que je constate avec plus de détresse et de désespoir l'évanouissement de ma propre existence ? »

Ayant eu connaissance de la tendre amitié qui s'était établie entre le malade et Gogol, Alexandra Ossipovna Smirnov écrivait : « Je n'ai pas cherché à savoir quand et comment s'étaient formées ces relations. Je trouvais leur rapprochement *comme il faut*, tout à fait naturel et simple (1). » Pour qu'elle éprouvât le besoin de souligner le caractère *comme il faut* des rapports entre les deux hommes, il fallait que certaines personnes, dans son entourage, fussent d'un avis différent. Mais Gogol, ivre de chagrin et de sollicitude, se moquait du qu'en-dira-t-on.

Les forces de Vielgorsky déclinant très vite, Gogol courut, sur sa demande, chercher un prêtre à l'église orthodoxe. Le jeune homme se confessa et reçut l'extrême-onction dans le jardin. Puis on le transporta dans sa chambre. Il étouffait mais gardait encore assez de lucidité pour remercier et sourire. Lorsqu'il fut sur le point de perdre conscience, la princesse Volkonsky, qui avait de la suite dans les idées, fit venir un prêtre catholique, l'abbé Gervais, et lui chuchota vivement : « Voici le moment de le convertir au catholicisme. » L'abbé refusa avec dignité. « Dans la chambre d'un mourant, il faut, dit-il, que règnent le silence et la paix. » Furieuse, la princesse n'insista pas. Pourtant, le 21 mai 1839, quand Vielgorsky rendit le dernier soupir, elle ne put s'empêcher de s'écrier : « J'ai vu que l'âme qui l'a quitté était catholique (2) ! » Et, à dater de cet instant, elle battit froid à Gogol.

Lui, cependant, était si profondément ébranlé par cette fin, que la colère de la princesse le laissait indifférent. C'était la première fois qu'il assistait, impuissant, à l'agonie d'un être cher. Pouchkine avait succombé loin de lui. Sa disparition était abstraite comme une opération mathématique. Seul un

---

(1) A.O. Smirnov : *Notes.*
(2) Princesse Répnine. Récit rapporté par Chenrok dans ses *Matériaux.*

jeu de l'esprit permettait d'imaginer ses souffrances. Avec Vielgorsky, la mort était entrée dans la vie de Gogol. Il l'avait vue à l'œuvre dans ce corps qui se débattait. Il en avait senti le froid dans ses propres veines. Toute activité humaine n'était-elle pas grotesque devant le prodigieux silence de la tombe ? A quoi bon les hochets de la gloire, l'effort du peintre et de l'écrivain, les douceurs et les fureurs de l'amour, la bonne chère, puisque chacun de nous finirait seul, un jour, dans un trou de terre ?

« Je viens d'enterrer l'ami que le sort m'a donné à une période de la vie où justement l'on ne se fait plus d'amis, écrivait Gogol à Danilevsky. Je parle de mon cher Joseph Vielgorsky. Nous nous connaissions et nous nous estimions depuis longtemps, mais nous ne nous sommes liés étroitement, indissolublement et d'une manière définitivement fraternelle que pendant sa maladie (1). »

Au comble du désespoir, Gogol ne tarda pas à se convaincre que, pour guérir, il lui fallait fuir le lieu où il avait souffert. Il s'embarqua à Civitavecchia pour Marseille, avec l'intention d'y rencontrer la mère de Vielgorsky. Sur le bateau, il fit la connaissance de Sainte-Beuve. Comment purent-ils se comprendre, Sainte-Beuve ne parlant pas le russe et Gogol s'exprimant mal en français ? Toujours est-il que le critique devait écrire, quelques années plus tard, au sujet de cette conversation, qu'elle avait été « forte, précise et riche d'observations de mœurs prises sur le vif », et lui avait permis de « saisir un avant-goût de ce que devaient contenir d'original et de réel » les œuvres mêmes de l'auteur (2). Et aussi, dans une lettre au prince Augustin Pétrovitch Golitzyne : « Je me suis trouvé sur le bateau à vapeur en compagnie de Gogol et, dans ces deux jours, j'ai pu apprécier, à travers son français un peu difficile, sa distinction rare, son originalité, sa force d'artiste (3). »

---

(1) Lettre du 5 juin-24 mai 1839.
(2) *Revue des Deux Mondes*, 1845. XII. Cité par Sophie Laffite, dans *Oxford Slavonic Papers*, vol. XI, 1964.
(3) Lettre de Sainte-Beuve du 16 mars 1857, également citée par Sophie Laffitte, dans *Oxford Slavonic Papers*, vol. XI, 1964.

A Marseille, après avoir accompli son devoir en racontant
à la mère de Joseph Vielgorsky les derniers moments de son
fils, Gogol prit la diligence pour user son chagrin dans les
fatigues et les surprises du voyage. Il se rendit à Vienne, puis
à Hanau, où il fit la connaissance du poète slavophile Iasykov,
et à Marienbad, où il retrouva les Pogodine. Ceux-ci le présentèrent à un certain D.E. Bénardaki, personnage étrange,
qui s'était enrichi dans la spéculation sur les blés, avait acheté
des terres, des usines, et possédait à présent une fortune
énorme qu'il gérait avec intelligence. Propriétaire foncier de
la nouvelle école et homme d'affaires avisé, il avait des idées
claires sur l'exploitation agricole, le développement de l'in-
dustrie, les bienfaits et les méfaits du servage, l'administration des villes, le fonctionnement de l'appareil judiciaire, le
contrôle du crédit, les progrès de l'instruction publique. A
travers ses propos, émaillés d'aphorismes et d'anecdotes,
Gogol découvrait l'univers impitoyable de la concurrence, du
profit, de la lutte pour la conquête des marchés. L'éloquent
et habile Bénardaki devenait pour lui l'incarnation de l'esprit
pratique. Il fallait que l'homme russe de demain fût comme
celui-ci clairvoyant, hardi et intègre. Quel beau personnage
de roman on eût pu tirer de ce millionnaire chrétien (1) !
Chaque jour, après le bain, Gogol et Pogodine se promenaient
en devisant avec lui, dans la campagne. Mais, si la conversation de Bénardaki était édifiante, les eaux de Marienbad
demeuraient sans effet sur l'organisme de l'écrivain. Déçu, il
retourna à Vienne.

Plongé à nouveau dans cette grande ville populeuse et gaie,
il ne fut sensible ni à la beauté des palais, ni à la fraîcheur
de la forêt environnante, ni à l'amabilité des habitants.
« O Rome ! Rome ! écrivait-il à Chévyrev. Il me semble que je
n'y suis pas retourné depuis cinq ans. Il n'y a pas un second
Rome en ce monde... » Sa santé le préoccupait toujours autant.
Quand il se regardait dans une glace, il s'inquiétait de sa
maigreur. N'avait-il pas abusé des eaux minérales ? « J'ai
l'air d'une momie, affirmait-il à Marie Balabine, ou plutôt

---

(1) Nicolas Gogol devait s'inspirer de Bénardaki pour camper le
personnage de Kostanjoglo, dans la deuxième partie des *Ames mortes.*

d'un vieux professeur allemand dont les chaussettes tombent sur des chevilles sèches comme des cure-dents (1). » Non, à la réflexion, c'était le chagrin qui le minait. Il n'avait plus la force d'espérer, ni le goût de vivre. « Il est pénible, poursuivait-il, de se trouver vieux à un âge qui appartient encore à la jeunesse ; horrible, de découvrir en soi un tas de cendres à la place des flammes, et de constater l'impuissance de l'enthousiasme... Mon âme, privée de tout ce qui l'élevait naguère (quelle affreuse perte !) n'a conservé que la faculté de ressentir la tristesse de son état... Ayant lu ma lettre, déchirez-la en morceaux, je vous en prie. Personne d'autre ne doit lire cela ! »

Il n'aimait pas les Autrichiens qui l'entouraient. Ou plutôt il les mettait dans le même sac que les Allemands. Et il ne pouvait pardonner aux Allemands de les avoir admirés dans sa jeunesse. « A cette époque-là, je confondais la science allemande, la philosophie allemande, la littérature allemande avec les Allemands eux-mêmes », écrivait-il (2). Et encore : « Tout Vienne s'amuse, les Allemands d'ici passent leur temps à s'amuser. Mais les Allemands s'amusent — c'est bien connu ! — de façon ennuyeuse : ils boivent de la bière et demeurent assis à des tables de bois sous les marronniers — c'est tout (3) ! » Si, du moins, il avait pu écrire !... Mais la solitude le paralysait. Il lui fallait une atmosphère amicale, des distractions, le mouvement du voyage, pour réchauffer son inspiration engourdie.

« C'est étrange, écrivait-il à Chévyrev, je suis absolument incapable de travailler quand je suis voué à la solitude, quand je n'ai personne avec qui bavarder, quand je n'ai aucune occupation accessoire, quand je dispose d'un espace de temps illimité et indéfini. J'ai toujours été surpris par Pouchkine, qui, pour écrire, avait besoin de se retirer seul, dans un village, et de s'y cloîtrer. Moi, tout au contraire, je n'ai jamais rien pu faire au village, et, en général, je ne puis rien faire lorsque je suis isolé et que je m'ennuie. Car je m'ennuie à

---

(1) Lettre du 5 septembre-24 août 1839.
(2) Ibid.
(3) Lettre à Chévyrev du 10 septembre-29 août 1839.

Vienne... Tous les péchés de jeunesse que j'ai publiés à ce jour sont des textes qui ont été écrits à Saint-Pétersbourg, lorsque j'étais pris par un autre métier, que je manquais de loisirs et que je subissais la vivacité et la diversité de mes occupations... L'œuvre que j'ai commencée n'avance pas. Pourtant je sens qu'elle pourrait être d'importance... Je fonde mon espoir sur le voyage. C'est en voyage que, d'habitude, se développe en moi le contenu de mes écrits. Presque tous mes sujets, je les élabore en route (1). »

Malgré sa répulsion à reprendre la plume, il avait, durant ces derniers mois, retravaillé *Tarass Boulba, le Portrait, le Nez, Vii, le Révizor,* mis au point *le Procès* et *l'Antichambre,* scènes détachées de l'ancien *Saint-Vladimir,* commencé *Annunziata,* nouvelle romaine qui devait rester inachevée sous le titre de *Rome,* refondu pour la troisième fois sa comédie *Hyménée* sans parvenir à un résultat satisfaisant et conçu l'idée d'un drame héroïque, tiré de l'histoire des Cosaques zaporogues. De Rome à Marienbad et de Marienbad à Vienne, ces besognes fragmentaires l'éloignaient des *Ames mortes.* Fallait-il qu'il retournât en Italie pour ranimer en lui l'envie de continuer sa grande entreprise ? Il le pensait sincèrement, mais le souci croissant que lui causait sa famille l'empêchait de réaliser son rêve. Sa mère lui envoyait des lettres désespérées : elle était à bout de ressources, les créanciers menaçaient de faire vendre Vassilievka. Sa sœur cadette, Olga, à demi sourde, recevait à la maison une éducation médiocre. Sa sœur aînée, Marie, veuve de Trouchkovsky, s'était mis en tête, l'année précédente, de se remarier. Comme le parti ne paraissait pas des plus brillants, Gogol lui avait écrit, en son temps, une lettre sévère : « Tu dois t'armer de la plus grande sagesse, considérer que tu n'es plus une jeune fille et admettre que seul un parti très très avantageux mérite que tu changes de situation et aliènes ta liberté (2). »

Et à sa mère :

« Si la situation matérielle du prétendant n'est pas meilleure que la sienne, c'est qu'il ne dispose pas de grand-chose.

---

(1) Lettre du 10 septembre-29 août 1839.
(2) Lettre du 22-10 décembre 1837.

Il faut qu'elle se dise qu'elle aura des enfants, qu'ils seront cause de mille soucis et de mille exigences, et qu'elle ne devra pas regretter par la suite l'état qu'elle aura quitté. On admet qu'une jeune fille de dix-huit ans préfère à tout un physique agréable, un bon cœur, un caractère sensible, et méprise la fortune et les moyens d'existence qu'elle procure. Mais une veuve de vingt-quatre ans, démunie d'argent, est impardonnable de se limiter à de telles pensées (1). »

Ainsi admonestée, Marie avait fini par éconduire son prétendant. Mais n'allait-elle pas se raviser ? Ces revirements sont chose fréquente chez les amoureux. Surtout en province, par manque de distraction. Il importait de reprendre en main la malheureuse, de la secouer pour faire tomber ses rêves, de lui expliquer de vive voix qu'elle ne serait jamais aussi tranquille qu'à Vassilievka, entre sa mère et son fils, et dans le souvenir de son époux. Pourtant le problème le plus grave était encore posé par les deux autres sœurs, Elisabeth et Anne, qui terminaient leurs études à l'Institut patriotique. En sortant de cet établissement, elles seraient livrées à elles-mêmes. Bon gré mal gré, Gogol devait rentrer en Russie pour s'occuper de leur avenir. Un bref séjour suffirait. Et après, de nouveau, l'Italie. Bien qu'il eût décidé de se mettre en route, il repoussait toujours la date du départ. Installé à l'auberge *zum römischen Kaiser*, chambre 27, il attendait l'arrivée des Pogodine, qui avaient promis de repasser par Vienne avant de se rendre à Moscou. Il lui semblait qu'avec ce ménage ami le retour dans sa patrie serait moins pénible.

« Est-il possible que je sois sur le point de retourner en Russie ? écrivait-il à Chévyrev. Je ne puis presque le croire. J'ai peur pour ma santé. A présent, j'ai tout à fait perdu l'habitude des grands froids. Comment les supporterai-je ? Cependant les circonstances qui m'entourent sont telles, que je dois absolument aller là-bas : mes sœurs sortent de l'Institut et il faut que je règle leur sort, car je ne puis charger personne de le faire à ma place... Mais, une fois que j'aurai arrangé mes affaires..., je volerai vers Rome de nouveau (2) ! »

(1) Lettre du 5 février-24 janvier 1838.
(2) Lettre du 10 septembre-29 août 1839.

Et à ses sœurs Anne et Elisabeth :

« A cause de vous, j'ai décidé d'aller à Saint-Pétersbourg. Vous rendez-vous compte seulement du sacrifice que je m'impose ainsi ? Savez-vous que, si ce n'était vous, je n'aurais pas consenti pour des millions à ce voyage (1) ? »

A sa mère, il évitait prudemment de donner une date probable d'arrivée. Même à distance, il ne pouvait s'empêcher d'être agacé par elle. Tout en la respectant, tout en la plaignant, tout en s'accusant d'être un mauvais fils puisqu'il n'avait pas su la mettre à l'abri du besoin, il l'égratignait dans ses lettres, comme s'il eût voulu se venger sur elle du trop grand amour qu'elle lui portait. S'avisait-elle de lui raconter qu'elle avait parlé de son talent avec des voisins ? et il lui ordonnait de ne plus jamais se lancer dans des conversations littéraires, mais de répondre simplement : « Je ne puis être juge de ses œuvres ; mon verdict serait partial car je suis sa mère ; tout ce que je puis dire, c'est qu'il est un fils bon et aimant, et que cela me suffit (2). »

Croyait-elle l'attendrir en lui annonçant qu'elle avait fait coudre des chemises à son intention ? et il s'étonnait de cette initiative absurde : « Vous avez eu tort de faire coudre des chemises pour moi. Je suis sûr que je ne pourrai pas les porter, parce qu'elles ne seront pas cousues comme j'ai l'habitude qu'elles le soient. Il aurait mieux valu attendre que vous ayez une de mes chemises comme modèle (3). »

Faisait-elle allusion à un « merveilleux parti » qu'elle avait en vue pour Anne, à sa sortie de l'Institut ? et il la raisonnait durement : « Les mariages se concluent entre gens du même rang, et il faudrait être un imbécile ou un original déclaré pour aller à l'encontre de ses parents, de ses intérêts, de ses relations dans le monde, et choisir pour épouse une jeune fille pauvre et inconnue ; ou bien alors, cette jeune fille devrait être une somme parfaite de beauté et d'intelligence, ce qui n'est évidemment pas le cas de notre Anne,

---

(1) Lettre du 15-3 septembre 1839.
(2) Lettre du 11 décembre-29 novembre 1838.
(3) Lettre de juin 1839.

qui, du reste, est une bonne fille et pourrait faire une bonne
épouse (1). »

Et aussi, parlant de la timidité maladive de ses sœurs, que
sa mère attribuait à un trop brusque dépaysement : « Comment pouvez-vous être injuste à ce point ? Tout au contraire,
c'est par ce moyen que leur timidité a été réduite. En arrivant
du village, elles étaient de vraies sauvageonnes, dont un étranger ne pouvait tirer un seul mot. Aujourd'hui, du moins,
savent-elles ouvrir la bouche et prononcer quelques paroles
sensées (2). »

A l'évidence, pour Gogol, Marie Ivanovna, malgré ses quarante-huit ans, était une fillette attardée, pleine de songes
illogiques et incapable de mettre un pied devant l'autre.
Anne, Elisabeth, Olga, Marie étaient plus désarmées encore
devant le flot bouillonnant de l'existence. Lui seul pouvait
leur éviter le naufrage. Cinq femmes sur les bras. Et la
responsabilité d'une grande œuvre. Sauveteur et créateur. Cette
double tâche, imposée par Dieu, ne serait-elle pas au-dessus
de ses forces ? Il avait beau compter et recompter ce qu'il
avait en poche, et ce qu'il recevrait lors de l'éventuelle réédition de tel ou tel de ses livres, la somme était toujours insuf-
fisante au regard des dépenses qu'il prévoyait pour l'établissement de ses sœurs.

L'arrivée des Pogodine dissipa quelque peu ses inquiétudes.
Grâce à Dieu, il avait de bons amis. Quoi qu'il advînt, ils
ne l'abandonneraient pas. On se cotisa pour acheter deux
voitures. Dans l'une montèrent Mme Pogodine et Mme Chévyrev, qui se trouvait également de passage à Vienne ; dans
l'autre, Pogodine et Gogol. Le départ eut lieu le 22 septembre 1839, en pleine nuit (3). Six jours plus tard, après avoir
traversé Olmütz et Cracovie, les voyageurs arrivèrent à Varsovie. De là, Gogol écrivit à Joukovsky :

« La sortie de mes sœurs (qui quittent l'Institut) exige
absolument ma présence personnelle... Une chose me tourmente maintenant. J'ai besoin, pour leur équipement, pour le

_____

(1) Lettre du 12 mars-30 avril 1839.
(2) Lettre de juin 1839.
(3) Autrement dit le 10 septembre d'après le calendrier julien.

paiement du professeur de musique qui leur a donné des leçons pendant tout le temps de leur séjour là-bas, etc., d'environ cinq mille roubles, et j'avoue que cela m'anéantit complètement... Me voici contraint de m'adresser de nouveau à vous. Peut-être, d'une façon ou d'une autre, l'impératrice, aux frais de qui mes sœurs ont été éduquées, voudra-t-elle bien laisser tomber sur elles quelques miettes de sa main bienveillante ?... Je sais qu'il est honteux et outrecuidant de ma part de solliciter encore celle qui a déjà chargé mon cœur d'une telle dette de reconnaissance que je suis impuissant à l'exprimer. Mais je ne trouve, je ne connais, je ne vois, je ne puis imaginer aucun autre moyen de me tirer d'affaire, et je sais que j'aurais des remords si justement je ne me montrais pas quelque peu impudent en l'occurrence (1). »

Le jour suivant, 17 septembre 1839 (selon le calendrier julien), les voyageurs repartirent, toujours en deux équipages, pour Bialystok, où ils arrivèrent le soir même. Le 23 septembre, ils atteignaient Smolensk. Et le 26, à la tombée de la nuit, les voitures crottées s'arrêtaient côte à côte devant la barrière à bascule qui marquait l'entrée de Moscou. Un fanal à la flamme mourante éclairait une guérite rayée, un agent avec sa hallebarde, une flaque d'eau. Des voix russes entouraient la calèche. Où étaient Rome et son ciel bleu ?

---

(1) Lettre du 28-16 septembre 1839.

IV

RETOUR EN RUSSIE

A Moscou, Gogol descendit chez les Pogodine, qui habitaient une vaste maison blanche, au fond d'un immense jardin, en bordure du champ des Vierges. Sa chambre, au premier étage, était de grande dimension, confortablement meublée, avec cinq fenêtres ouvrant sur la rue. Le soir même de son installation, il écrivit à sa mère. Mais ce ne fut pas pour lui annoncer son arrivée. Il avait trop peur qu'en l'apprenant elle ne décidât de le rejoindre. Tout en l'aimant, il n'était pas pressé de la revoir. Avec elle, il savait qu'il retomberait dans une atmosphère de tracas financiers, de racontars provinciaux, de sotte adoration, de projets matrimoniaux absurdes. Pour la décourager de venir, il eut recours, une fois de plus, à la mystification. Comme d'autres se soulagent en disant la vérité, lui respirait à l'aise dans l'imposture. Au lieu de dater sa lettre de Moscou, il la data de Trieste, 26 septembre 1839. Sa plume courait vite sur le papier :

« En ce qui concerne mon retour en Russie, je n'ai encore rien entrepris. Je suis à Trieste, où j'avais commencé à prendre des bains de mer, qui semblaient me faire le plus grand bien, mais je dois les arrêter, parce que je m'y suis mis trop tard ; je les reprendrai au printemps prochain. Si je me rends en Russie, ce ne sera sûrement pas avant le mois de novembre, et cela seulement si l'occasion s'en présente et si ce voyage ne me ruine pas... N'était l'obligation de régler au mieux, dans la mesure du possible, le sort de mes sœurs à leur sortie de l'Institut, je ne commettrais pas une telle imprudence et ne risquerais pas de compromettre ma santé, ce pour quoi, certainement, en mère avisée, vous seriez la première à me réprimander... Ainsi je ne veux pas vous flatter d'un vain espoir. Peut-être nous verrons-nous cet hiver, et peut-être pas. Si nous nous voyons, ce ne sera — ne m'en veuillez pas — que pour un temps très court. Demain je pars pour Vienne, afin d'être un peu plus près de vous. »

Parvenu à ce point, il buta sur un problème délicat : quelle adresse indiquer à Marie Ivanovna pour la réponse ? Eh ! l'adresse de Pogodine, parbleu ! Une fois admis le premier mensonge, les autres suivent, comme tirés par un fil :

« Adressez votre lettre à Moscou, au nom de M. Pogodine, professeur à l'Université, habitant au champ des Vierges. Mais n'interprétez pas cette adresse comme un signe de ma prochaine arrivée à Moscou. Je vous la donne simplement pour que vos lettres me parviennent plus vite : elles me seront transmises de Moscou par courrier officiel. »

Maintenant, pour donner plus de vraisemblance à l'ensemble, il fallait évoquer cette ville où il était supposé se trouver :

« Trieste est une cité commerciale très animée, dont la moitié de la population est composée d'Italiens et l'autre moitié de Slaves, qui parlent presque le russe, ou du moins une langue proche de l'ukrainien. La merveilleuse mer Adriatique s'étend devant moi et ses vagues m'apportent la santé. Il est dommage que j'aie commencé si tard ma cure de bains... Au revoir, ma maman chérie... A présent, vous pourrez m'écrire plus souvent : vos lettres mettront moins de temps à m'atteindre. Votre fils aimant et reconnaissant. Nicolas (1). »

Quelques semaines plus tard, se trouvant toujours à Moscou, il devait envoyer à sa mère une nouvelle lettre, datée cette fois de Vienne, et annonçant son prochain départ pour la Russie. Il ne comptait pas, disait-il, la revoir avant deux mois, car son voyage menaçait d'être très long. Mais elle pouvait, dès maintenant, lui expédier chez Pogodine les chemises qu'elle

_____

(1) Lettre du 26 septembre 1839.

avait fait coudre. « Si elles ne me conviennent pas, je les mettrai comme chemises de nuit (1). »

Certes, il y avait un risque dans cette tromperie prolongée : Marie Ivanovna pouvait apprendre, par une indiscrétion, que son fils était depuis longtemps de retour au pays. Bah ! s'il était démasqué, il inventerait sur-le-champ quelque nouvelle excuse. Sa mère était si crédule et il avait tant d'imagination ! A tout hasard pourtant, il recommanda à ses amis de tenir son arrivée secrète. « Je suis à Moscou, écrivait-il à Plétnev. Ne le dites, pour l'instant, à personne. »

Et, Plétnev ayant récemment perdu sa femme, il poursuivait :

« J'ai appris votre deuil et en ai eu du chagrin... Savez-vous que j'ai pressenti cette mort ? Quand j'ai pris congé de vous, quelque chose m'a dit, confusément, que je vous reverrais veuf. Je ne sais pourquoi, j'ai acquis maintenant le don de prophétie. Il y a cependant un événement que je n'ai pu prévoir : la mort de Pouchkine. Je l'ai quitté comme si je me séparais de lui pour deux jours. Que c'est étrange ! Mon Dieu ! que c'est étrange ! La Russie sans Pouchkine ! J'arriverai à Saint-Pétersbourg, et Pouchkine ne sera pas là ! Je vous verrai, vous, et je ne verrai pas Pouchkine (2) ! »

Oui, l'absence de Pouchkine était plus sensible dans ce milieu où il avait vécu, qu'en Italie où il n'avait jamais pu se rendre. En revoyant ceux qui avaient été leurs amis communs, Gogol éprouvait chaque fois une impression de vide. Il se trouvait devant un puzzle auquel manquait la pièce essentielle. Son entourage s'inquiétait de ses sautes d'humeur. Impossible de savoir dix minutes d'avance s'il serait jovial et disert, ou renfermé, muet, hargneux. Il n'aimait pas les visages nouveaux et se renfrognait souvent devant les dames. Pourtant les Pogodine entouraient leur hôte de toute la prévenance souhaitable. S'ils avaient pu, ils auraient arrondi les angles de leurs meubles pour éviter qu'il ne se blessât au passage.

Le matin, il restait dans sa chambre, écrivant, lisant ou tricotant une écharpe pour se calmer les nerfs. A l'heure du

---

(1) Lettre du 26 octobre 1839.
(2) Lettre du 27 septembre 1839.

déjeuner, il descendait, la mine reposée, l'œil vif, et s'enqué-
rait du menu. S'il y avait des macaroni, il exigeait de les
préparer lui-même, et la famille le regardait officier avec
attendrissement. Puis il remontait chez lui pour faire un
somme. A sept heures du soir, il se montrait de nouveau,
ouvrait les portes de toutes les pièces du rez-de-chaussée,
disposées en enfilade, y compris celles du bureau où travaillait Pogodine, et commençait à marcher. Aux deux extrémités
du corps de bâtiment où il se livrait à cet exercice, la maîtresse
de maison avait fait placer une carafe d'eau fraîche sur un
guéridon. Toutes les dix minutes, il s'arrêtait et buvait un
verre. Ces allées et venues ne dérangeaient nullement Pogodine, qui ne levait même pas le nez de ses papiers. Quant à
son fils, encore tout enfant, il regardait avec stupeur, dans
la lumière tremblante des bougies, l'étrange personnage, sec
et crochu, qui déambulait à grands pas, se hâtant on ne
savait où, et dont l'ombre d'oiseau escaladait les corniches.
« Il marchait toujours très vite et d'une manière saccadée,
écrira-t-il, ce qui faisait un tel déplacement d'air, que les
bougies de stéarine coulaient, au grand mécontentement de
ma grand-mère... Parfois elle criait à sa servante : — « Groucha ! Groucha ! donne-moi un châle : l'Italien (ainsi appelait-
elle Gogol) fait tant de vent en marchant que c'est insupportable ! » — « Ne vous fâchez pas, grand-mère, disait Gogol.
Je finirai la carafe et m'en irai. » Et, en effet, ayant vidé
la deuxième carafe d'eau, il remontait chez lui. Quand il
marchait ainsi, et même en temps normal, il tenait la tête
inclinée sur le côté. Pour ce qui était de la toilette, il accordait
son attention principalement aux gilets. Ceux qu'il portait
étaient toujours en velours, soit bleu, soit rouge. Il sortait
peu et n'aimait pas recevoir, bien que son caractère fût cordial. Je crois que la célébrité le fatiguait et qu'il lui était
désagréable de constater que chacun captait ses paroles et
s'efforçait de l'inciter à entrer en conversation (1). »

De fait, Gogol, « l'Italien », éprouvait une crainte maladive
dans le monde. Il avait soif de compliments et se hérissait

_____

(1) D.M. Pogodine : *Séjour de Gogol dans la Maison de mon Père.*
(*Gogol dans les Souvenirs de ses Contemporains*).

devant les gens qui lui en prodiguaient. Or, en dépit des consignes de silence, le bruit de son arrivée s'était répandu très vite à travers la ville. Le premier qui le vit, après son installation chez les Pogodine, fut l'acteur Chtchépkine, son admirateur inconditionnel, qui triomphait depuis des mois dans le *Révizor*. Ensemble, ils se rendirent, le 2 octobre, chez Serge Timoféïevitch Aksakov, qui venait lui-même d'arriver à Moscou. Tous les Aksakov, jeunes et vieux, avaient voué une adoration quasi religieuse à celui que Serge Timoféïevitch, toujours exalté, honorait du titre d'« Homère russe ». En entendant annoncer le visiteur, la famille, qui était réunie à table, se dressa dans un mouvement de stupeur joyeuse. On n'attendait pas Gogol pour le déjeuner. On lui fit une place. On lui servit les meilleurs morceaux. Tous les regards étaient fixés sur lui avec gratitude. Dans son enthousiasme, Aksakov devait donner de lui ce portrait flatteur :

« Physiquement, il avait tellement changé qu'on avait peine à le reconnaître. Il n'y avait plus trace en lui de l'élégant jeune homme bien rasé, aux cheveux coupés court — sauf un toupet sur le front — et vêtu d'un frac à la mode. Ses magnifiques cheveux blonds et épais lui descendaient maintenant presque aux épaules. Une belle moustache et une barbiche, en mouche, sur le menton, parachevaient la transformation. Tous les traits du visage avaient pris une autre signification. Ses yeux, lorsqu'il parlait, exprimaient la gaieté, la bonté et l'amour de tout le monde ; et, lorsqu'il se taisait ou s'abîmait dans ses réflexions, on y lisait une grave aspiration vers quelque chose de très haut. Une ample redingote, qui ressemblait à un manteau, avait remplacé le frac, qu'il ne mettait plus qu'en de rares occasions. Toute sa silhouette était devenue plus digne. Ses plaisanteries, que l'on ne saurait relater, étaient si originales et si drôles, qu'elles provoquaient l'hilarité générale, alors que lui, quand il les lançait, ne souriait jamais (1). »

Cependant le fils aîné d'Aksakov, Constantin, ayant demandé à Gogol s'il avait rapporté quelques écrits de son séjour en Italie, s'entendit répondre d'une voix tranchante : « Rien. »

---

(1) Aksakov. *Histoire de mes Relations avec Gogol.*

Et la femme de Panaev (1), après sa première entrevue avec le grand homme, lui trouva l'air « furibond et capricieux ». Il prit l'habitude d'aller déjeuner presque chaque jour chez les Aksakov, qui l'accueillaient comme le messie. C'était lui qui présidait le repas, assis dans un fauteuil Voltaire.

« Devant son couvert, il y avait un verre de cristal taillé et un flacon de vin rouge, écrira Mme Panaev. On lui servait un pâté en croûte spécial, un rôti à part, auquel les autres n'avaient pas droit. La maîtresse de maison lui offrait tantôt ceci, tantôt cela, mais il mangeait peu et répondait à ses questions d'un ton capricieux. Assis, le dos rond, silencieux, taciturne, il regardait son entourage d'un œil sombre. Parfois un sourire sarcastique effleurait ses lèvres... Quand on se leva, il s'isola dans le bureau pour faire la sieste. Nous nous installâmes sur la terrasse pour prendre le café. La maîtresse de maison recommanda aux domestiques de ne pas faire de bruit en débarrassant la table (2). »

Quant au mari de la narratrice, il écrira de son côté :

« Le physique de Gogol me procura une impression désagréable. Au premier regard, ce qui me frappa le plus, ce fut son nez, mince, long, pointu comme le bec d'un oiseau de proie. Il était vêtu avec une certaine prétention à l'élégance, ses cheveux étaient ondulés et un toupet bouffait assez haut sur son front, en forme de boucle, selon la mode de ce temps-là. En l'observant, je me désenchantais de plus en plus, car je m'étais fait une image idéale de l'auteur de *Mirgorod* et Gogol ne ressemblait en rien à ce personnage-là. Je n'aimais même pas ses yeux petits, perçants et intelligents, mais dont le regard était rusé et peu aimable (3). »

Et aussi :

« Gogol parlait peu, d'un ton monocorde et à contrecœur. Il paraissait pensif et triste. Il ne pouvait pas ne pas voir l'admiration, la vénération dont on l'entourait ; et il acceptait

---

(1) Avdotia Iakovlevna Panaev, épouse de Panaev, puis maîtresse de Nékrassov ; elle est l'auteur de romans médiocres et d'intéressants souvenirs littéraires.
(2) Avdotia Iakovlevna Panaev : *Souvenirs.*
(3) Ivan Ivanovitch Panaev : *Souvenirs littéraires.* Panaev était un journaliste appartenant au cercle de Bélinsky.

tout cela comme son dû, s'efforçant de cacher son plaisir d'amour-propre sous un air d'indifférence. Dans sa manière d'être, il y avait quelque chose de tendu, d'artificiel, qui était désagréablement perçu par ceux qui ne le considéraient pas comme un génie mais comme un homme... Ce sentiment d'une déférence illimitée envers le talent de Gogol se manifestait dans la famille Aksakov par une spontanéité et une naïveté quasi enfantines, qui parfois devenaient comiques (1). »

Aksakov finit par arracher à Gogol la promesse de venir lire chez lui une de ses dernières œuvres, le 14 octobre, après un déjeuner qui réunirait quelques amis. Au jour dit, les invités, parmi lesquels Nachtchokine, Panaev et Chtchépkine, s'assemblèrent, pleins d'une affectueuse impatience, dans le salon. Mais les minutes passaient, l'inquiétude gagnait les cuisines, la maîtresse de maison pâlissait, rougissait, lorgnait la porte, et Gogol ne se montrait toujours ·pas. Il n'arriva que vers quatre heures de l'après-midi, et s'excusa, à son habitude, d'être légèrement en retard. A table, il s'assit, selon le rite établi, à la place d'honneur, dans le fauteuil Voltaire, accepta d'être servi en premier, but son vin personnel sans sourciller, dans un verre de cristal rose, écouta les conversations avec ennui et ne dit pas un mot lui-même. Après le repas, il s'allongea sur le canapé d'Aksakov, inclina la tête et s'assoupit. Aussitôt le maître de maison, marchant sur la pointe des pieds, entraîna ses hôtes dans le salon et les supplia de parler à voix basse. Les dames étaient dans l'angoisse : se réveillerait-il de bonne humeur ou morose ? Consentirait-il ou non à lire ? Aksakov surveillait le dormeur par une fente de la porte. Enfin Gogol émit un bâillement, s'étira, se leva, rejoignit le groupe.

— « Je crois que j'ai somnolé ! » dit-il en bâillant encore.

Après quelques hésitations, Aksakov osa balbutier :

« — Vous nous avez, je crois, fait une promesse... Ne l'avez-vous pas oubliée ? »

« — Quelle promesse ? rétorqua Gogol. Ah ! oui ! Mais je ne

_____
(1) Ibid.

suis pas en train aujourd'hui. Je lirais mal. Epargnez-moi cette épreuve... »

Cependant Aksakov renouvela sa prière avec un tel tremblement dans la voix, que Gogol se laissa fléchir. Tous les visages s'illuminèrent. Les dames chuchotaient : « Il va lire ! Il va lire ! » Le héros de la fête s'assit nonchalamment sur un divan, devant une table ovale, jeta un regard morne à son auditoire et soudain lâcha un rot, puis un autre et un autre encore. Les dames tressaillirent, les hommes, gênés, détournèrent la tête.

— « Qu'est-ce que j'ai ? marmonna Gogol. On dirait des renvois. Le dîner d'hier m'est resté sur l'estomac. Ces champignons et ce potage froid au kwass et au poisson... On mange, on mange, c'est bien simple ! le diable sait ce qu'on ne mange pas ! »

Il éructa de nouveau, à la consternation générale, puis tira un manuscrit de sa poche, l'ouvrit et continua en lisant :

— « Voilà que ça revient ! Encore ! Encore une fois !... Voyons, si je parcourais *l'Abeille du Nord...* »

Alors seulement l'assistance comprit que renvois et commentaires étaient le début d'une scène théâtrale inédite, et le soulagement se peignit sur tous les visages. On osa échanger des regards admiratifs. A la fin, les applaudissements éclatèrent (1).

Satisfait de l'accueil fait à ce fragment de comédie intitulé *le Procès*, Gogol annonça qu'il allait lire maintenant « un grand chapitre » des *Ames mortes*.

Cette fois, l'enthousiasme fut porté à son comble. Le talent de l'auteur dépassait celui du lecteur. Au fil des phrases, un univers à la fois véridique et grotesque, grisâtre et hallucinant, s'ouvrait devant les auditeurs ahuris. « Après la lecture, écrira Panaev, Serge Timoféïevitch Aksakov, bouleversé, allait de long en large dans la pièce, s'approchait de Gogol, lui serrait les mains, nous lançait à tous des regards significatifs et répétait : « Génial ! génial ! » Les petits yeux de Constantin Aksakov (le fils de Serge Timoféïevitch) étincelaient, il tapait du poing sur la table en disant : « Une force homérique !

_____

(1) Pour les détails de cette scène, voir Panaev : *Souvenirs littéraires.*

homérique ! » Les dames s'extasiaient, poussaient des soupirs, se répandaient en exclamations (1). »

Cependant les amis de Gogol rêvaient pour lui d'une consécration plus ostensible encore. Depuis son arrivée, ils le pressaient d'assister à une représentation du *Révizor*, au théâtre Bolchoï de Moscou. Les acteurs, disaient-ils, étaient fâchés qu'il résidât en ville sans daigner les voir interpréter sa pièce. La direction du théâtre se déclarait prête à mettre l'œuvre au programme le jour qu'il choisirait. Pouvait-il résister à tant d'appels sans passer pour un orgueilleux ? Il céda, malgré sa répugnance, et se rendit au théâtre, dans la soirée du 17 octobre 1839, en espérant passer inaperçu.

Mais tout Moscou savait déjà que l'auteur serait présent. Bien avant le lever du rideau, l'immense salle, blanc et or, était bondée du parterre aux galeries. Gogol pénétra subrepticement dans la baignoire des Tchertkov (2), la première à gauche, et se recroquevilla sur une chaise, dans l'ombre, derrière le dos des autres occupants. Dans une baignoire voisine, se trouvait toute la famille Aksakov. Le spectacle commença dans une atmosphère électrisée. Sachant que Gogol était là, les acteurs tenaient à se surpasser. Chtchépkine, dans le rôle du gouverneur, et Samarine, dans le rôle de Khléstakov, faisaient un sort à chaque réplique. Le public riait et applaudissait. Mais cette gaieté bruyante offusquait Gogol. Il assistait à un vaudeville. Son succès reposait sur un malentendu. Lui-même était un malentendu. Un égaré dans la littérature de son temps. Un intrus parmi les hommes. Pourquoi était-il venu ?

Au premier et au deuxième entractes, il se rencoigna pour échapper aux regards des spectateurs qui le cherchaient partout. Mais, au troisième entracte, le critique Pavlov, l'ayant découvert dans la baignoire des Tchertkov, le désigna aux ovations. Mille cris éclatèrent : « L'auteur, l'auteur ! » Constantin Aksakov hurlait plus fort que les autres. Devant cette multitude, dont l'enthousiasme ressemblait à de la fureur,

_____

(1) Ibid.
(2) Gogol avait fait la connaissance des Tchertkov à Rome. Tchertkov était un archéologue réputé.

Gogol fut saisi de panique. Il n'avait jamais pu supporter la vue de la foule. Elle lui donnait le vertige, comme la mer démontée que l'on découvre du haut d'un promontoire. Certes il avait besoin d'admiration pour vivre. Mais, chaque fois qu'elle se manifestait, elle le prenait à rebrousse-poil. Ce n'était pas ainsi qu'il voulait être adulé. Les compliments étaient trop forts ou trop faibles. Ils venaient trop tôt ou trop tard. Ils ne portaient pas au bon endroit. Ils s'adressaient à une œuvre qu'il n'aimait plus. Leur caresse lui faisait mal. Assez ! Assez ! Le rugissement de la salle s'amplifiait. Les mains claquaient, les bouches s'ouvraient dans la masse rose et fractionnée des visages. Frissonnant de peur, Gogol se glissa hors de la loge. Aksakov le rattrapa et le supplia de se montrer au public. Il refusa. Autant lui demander de se jeter dans les flots. Tandis qu'il s'enfonçait au plus épais de la nuit, un acteur paraissait devant le rideau et annonçait que « l'auteur ne se trouvait pas dans la salle ». Un murmure de désapprobation parcourut l'assistance. Jamais on n'avait vu un écrivain faire fi à ce point de l'admiration des spectateurs et de l'amitié de ses interprètes. Quelle gifle pour les uns et pour les autres !

— « Votre Gogol fait trop l'important ! dit Pavlov à Constantin Aksakov. Vous l'avez gâté (1) ! »

Le lendemain, conscient d'avoir blessé nombre de ses admirateurs, Gogol rédigea un projet de lettre au directeur du théâtre, Zagoskine. Cette lettre, qu'il demandait à Zagoskine de rendre publique, contenait des excuses et des justifications également embarrassées. S'il s'était enfui le soir de la représentation, c'était, disait-il, parce qu'il avait reçu, quelques heures auparavant, des nouvelles de sa mère particulièrement affligeantes. Ainsi, malgré les applaudissements du public, n'avait-il pas eu le courage de paraître devant le rideau en triomphateur. Pogodine et Aksakov, ayant pris connaissance de ses explications, les jugèrent tellement invraisemblables, qu'ils lui déconseillèrent de les présenter sous sa signature. Quelle était cette mystérieuse communication de sa mère qui

_____

(1) Panaev : *Souvenirs littéraires*, et Aksakov : *Histoire de mes Relations avec Gogol*.

ne l'avait pas empêché, malgré sa tristesse, d'aller au théâtre, mais lui avait interdit de répondre aux acclamations des spectateurs ? Personne ne croirait à son histoire. D'ailleurs il n'y croyait pas lui-même. Il en convint de mauvaise grâce et renonça à envoyer la lettre. Déjà, du reste, sa pensée se détournait de Moscou.

Suivant le plan qu'il s'était fixé, il devait aller chercher ses sœurs à Saint-Pétersbourg. Mais il manquait d'argent. Par chance, Aksakov s'apprêtait à partir lui-même pour la capitale, afin de placer son fils cadet, Michel, âgé de quatorze ans, au Corps des pages de Sa Majesté. Sa fille aînée, Véra, les accompagnerait. S'il y avait de la place pour trois, il y en aurait pour quatre, dans la voiture !

Le jeudi 26 octobre 1839, on se mit en route. Aksakov avait loué une « diligence particulière », formée de deux compartiments. Dans le compartiment arrière, avaient pris place Aksakov et Véra, dans le compartiment avant, Gogol et Michel. Une petite fenêtre, dans un cadre de bois à glissières, permettait de communiquer d'un coupé à l'autre. Pelotonné dans son coin, Gogol avait frileusement relevé le col de son manteau sur ses oreilles, enfilé sur ses bottines de gros bas de laine et, par-dessus, chaussé des bottes de fourrure d'ours. La plupart du temps, il lisait un livre (le théâtre de Shakespeare en français), ou somnolait, appuyé sur un sac de voyage. Ce sac, dont il ne se séparait même pas aux relais, contenait son nécessaire de toilette. « Il y avait là, écrira Aksakov, une pommade dont il enduisait ses cheveux, sa moustache, sa mouche, plusieurs brosses, dont l'une, grande et courbée, lui servait à brosser ses longs cheveux, des ciseaux, des pinces à ongles... » Parfois il ouvrait la fenêtre intérieure et échangeait avec Aksakov des considérations passionnées sur la façon de jouer le Révizor, la signification divine de l'art ou les beautés de l'Italie. A l'auberge de Torjok, les voyageurs se firent servir à dîner une douzaine de « côtelettes Pojarsky (1) » et, les ayant goûtées, découvrirent des cheveux blonds mélangés à la chair de la volaille. Tandis qu'on

_____
(1) Croquettes de volaille hachée.

allait chercher le cuisinier pour une explication, Gogol
annonça d'un air prophétique :

— « Je sais ce qu'il dira : « Des cheveux ? Où voyez-vous
des cheveux ? Comment des cheveux pourraient-ils se trouver
là ? Ce n'est rien, absolument rien, des plumes de poulet,
peut-être, du duvet... »

Le cuisinier se présenta et répéta, presque mot pour mot,
le petit discours de Gogol. Les voyageurs pouffèrent à son
nez et il se retira vexé. Véra, ne pouvant s'arrêter de rire,
faillit se trouver mal.

A chaque relais, Gogol découvrait ainsi une raison de se
divertir. Il bavardait avec les serveurs, avec les voyageurs,
avec les cochers. L'extrême monotonie du voyage agissait heureusement sur son caractère. La longue route droite conduisant de Moscou à Saint-Pétersbourg était celle-là même que
Pouchkine avait si souvent suivie et célébrée. Les grelots tin-
taient. Des bornes rayées fouettaient le regard à intervalles
égaux. Derrière les vitres embuées, défilaient de molles plaines
grises, un village aux isbas enlisées dans la boue épaisse de
l'automne, des gamins en haillons jouant autour d'un tas de
fumier, une telègue conduite par un moujik à la barbe broussailleuse et, de nouveau, des champs à perte de vue sous une
nappe de brouillard. Ainsi pendant cinq grands jours.

Le 30 octobre, à huit heures du soir, la voiture pénétra
enfin dans les rues de la capitale, où des lanternes brillaient,
ça et là, au bout de leurs potences. Gogol prit congé des
Aksakov, empoigna son sac de voyage, plein de brosses et de
livres, et se rendit chez Plétnev, qui s'était offert à l'héberger.
Peu de temps après, il emménageait dans l'appartement de
fonction que Joukovsky occupait au palais d'Hiver.

Cet appartement avait la somptuosité solennelle et froide
d'un musée. On y accédait par un escalier de marbre, bordé
de statues. Des laquais en livrée se tenaient en faction sur
les paliers. Dans les pièces, hautes de plafond, le visiteur
instinctivement marchait à pas feutrés et parlait à voix basse.
La vie de Joukovsky était aux trois quarts dévorée par des
obligations officielles. Précepteur de l'héritier du trône, il
était de tous les dîners d'apparat, de tous les bals, de toutes
les cérémonies. Mais, dès qu'il avait une heure de loisir, il

chaussait ses pantoufles, revêtait sa robe de chambre chinoise et s'asseyait à sa table de travail, pour griffonner quelques vers, à la sauvette.

Le jour de l'arrivée de Gogol, il écrivit dans son journal : « Gogol est descendu chez moi. » A côté, il avait noté ses entrevues avec le grand-duc Constantin Nicolaïevitch, la tasse de thé qu'il avait bue avec le grand-duc héritier, un dîner chez la grande-duchesse... Malgré l'affectueux accueil de son hôte, Gogol se sentait mal à l'aise sous les lambris dorés du palais d'Hiver. A peine installé, il se précipita à l'Institut patriotique pour revoir ses sœurs.

Il les trouva semblables à deux novices de couvent, dans leurs robes brunes. Après six ans et demi passés à l'Institut, sans même en sortir pour les vacances, elles avaient une telle ignorance du monde extérieur, que la seule idée de franchir la porte de l'établissement les paralysait. Leur univers, c'étaient les classes, la cour de récréation, le dortoir, les petites camarades, les professeurs, les surveillantes... Anne, qui avait dix-huit ans, était encore plus engourdie qu'Elisabeth qui en avait seize. Toutes deux craignaient les visages nouveaux, le bruit de la rue, les souris, l'obscurité, les orages. Après s'être réjouies de retrouver leur frère, elles s'inquiétèrent de la vie qu'il leur promettait. Avec son dernier argent, il leur acheta des robes, du linge, des peignes, des chaussures, courant les magasins, choisissant selon son goût, se trompant, échangeant un article contre un autre, maudissant les complications de la mode féminine, parmi des flots d'étoffes et de rubans. Enfin il tira les deux jeunes filles de leur retraite et les installa chez son amie, la princesse Elisabeth Pétrovna Répnine, née Balabine, en attendant de les emmener à Moscou.

Dans cette maison étrangère, Elisabeth et Anne se sentirent irrémédiablement perdues. Serrées l'une contre l'autre, elles roulaient des yeux effarés, ne parlaient à personne, refusaient de mettre le nez dehors et se nourrissaient à peine. « On nous demandait si nous voulions déjeuner et nous refusions, malgré notre grande faim, dira Elisabeth. Mais, quand nous nous retrouvions seules, nous nous approchions du poêle, volions un morceau de charbon et le grignotions, tellement nous étions affamées, tout cela par la faute de notre absurde timidité. Pendant le dîner, nouvelle torture. Je ne mangeais rien, d'autant que j'étais assise à côté de l'un des fils Balabine. Je me servais sans regarder ce qu'il y avait dans le plat. Un jour, Balabine me fit observer que je venais de prendre un os ; du coup, je laissai tomber ma fourchette et fondis en larmes (1). » Elisabeth, la plus jeune des deux, avait des manière alertes et un visage gracieux, mais l'aînée, Anne, avec son long nez plongeant, son front bas et ses petits yeux d'oiseau était le vivant portrait de son frère. Quand elle entrait à l'improviste dans une pièce, on croyait voir Gogol déguisé en femme. L'une et l'autre, parées de leurs beaux atours, produisirent sur Aksakov une impression affligeante : « Elles ne savaient pas se tenir dans leurs nouvelles robes longues, écrira-t-il, s'empêtraient à chaque instant, trébuchaient, tombaient, et, cette maladresse augmentant leur confusion, ne répondaient pas un mot aux questions qu'on leur posait. Il était pénible, à ce moment-là, de regarder le pauvre Gogol (2).»

En venant à Saint-Pétersbourg, Gogol avait espéré que Joukovsky obtiendrait pour lui une petite subvention de l'impératrice. Mais celle-ci étant souffrante, il ne pouvait être question de la déranger pour l'instant. Devant le désarroi de son « génial ami », Aksakov n'hésita pas à lui offrir deux mille roubles, qu'il emprunta lui-même au richissime Benardaki. Tant de générosité bouleversa Gogol, qui serra les mains d'Aksakov à les briser et le regarda longuement dans les yeux, en silence, avec tendresse. Maintenant il pouvait, pensait-il, repartir pour Moscou avec ses sœurs. Cependant, après avoir payé ses dettes, il ne lui resta pas assez d'argent pour le voyage. Bon gré mal gré, il lui fallut attendre de pouvoir profiter, comme à l'aller, de la voiture d'Aksakov. Or Aksakov, n'ayant pas encore réglé ses affaires personnelles, n'était guère pressé de quitter Saint-Pétersbourg.

Ce retard exaspérait Gogol, qui s'ennuyait et pestait contre le froid, dans sa grande chambre mal chauffée du palais d'Hiver. Aksakov l'y surprit un jour, emmitouflé des pieds aux mâchoires dans des châles, et le crâne coiffé d'un bonnet

_____

(1) Récit d'Elisabeth Vassilievna Gogol. (*La Russie*, 1885, n° 26).
(2) Aksakov : *Histoire de mes Relations avec Gogol.*

mauve comme en portent les Finlandais. Il était de méchante
humeur, l'inspiration ne venait pas, sa gorge brûlait, son nez
coulait, ses sœurs étaient mal élevées, il manquait d'argent,
il souhaitait mourir, il rêvait de Rome... « Je ne comprends
pas ce qui se passe avec moi, écrivait-il à Pogodine, ni comment s'écoule ma vie à Saint-Pétersbourg. Je ne puis penser
à rien, rien ne me vient en tête. Quand je songe que j'ai
déjà perdu tout un mois ici, quelle horreur ! Tout cela, c'est
la faute d'Aksakov ! Il m'a tiré d'embarras et il m'y replonge.
J'aurais eu très envie de revenir avec lui à Moscou. Je me
suis mis à l'aimer sincèrement, de toute mon âme. De plus
il y a chez lui, pour mes sœurs, toute la compagnie et tout le
service nécessaires. Bref la raison me commandait d'attendre.
D'ailleurs il me laissait espérer un prompt départ : dans une
semaine, et encore dans une semaine. Mais voici déjà un mois
de passé... De mon côté, tout est prêt : mes sœurs sont habillées, leurs bagages sont bouclés. Ah ! quelle tristesse ! J'ai
déjà eu le temps de tomber malade. J'ai pris froid, j'ai mal
à la gorge, aux dents, aux joues... Je ne puis tenir en place.
O Dieu ! Dieu ! quand quitterai-je Saint-Pétersbourg (1) ? »
    Pour tromper son attente, il rendait visite à quelques cama-
rades d'autrefois. Ainsi lut-il, chez Prokopovitch, quatre chapitres des *Ames mortes*. Ailleurs, il rencontra le jeune critique Bélinsky, dont l'admiration lui était acquise, mais qui,
en le voyant, ne lui témoigna aucune chaleur, comme si
l'homme le décevait par comparaison avec l'écrivain. Un soir,
ses amis voulurent l'entraîner à voir *le Révizor*, joué par la
troupe de Saint-Pétersbourg. Il refusa avec horreur : l'expérience de Moscou lui avait suffi.
    Enfin Aksakov, ayant casé son fils Michel au Corps des
pages, annonça qu'il était prêt à prendre la route. Cette fois,
les passagers étant plus nombreux, il loua deux « diligences ».
Une de quatre places, où il monta lui-même avec sa fille
Véra, Anne et Elisabeth. L'autre, de deux places, où s'installèrent Gogol et un certain Vasskov, ami de la famille. Souvent,
du reste, Gogol permutait avec Aksakov pour rejoindre ses
sœurs dans la grande voiture. Elles avaient, en effet, besoin

_____

(1) Lettre du 27 novembre 1839.

de sa surveillance. Capricieuses et sottes, elles criaient de peur à chaque cahot, frissonnaient de froid ou se plaignaient d'être trop couvertes, pleuraient de fatigue, avaient envie de vomir, puis, oubliant leurs nausées, se chamaillaient pour un rien. Aux relais, elles rechignaient devant les plats, sous prétexte qu'elles avaient été habituées à une autre nourriture chez les dames de l'Institut patriotique. Le conciliant Aksakov ravalait sa colère et évitait de regarder celles qu'il avait surnommées ironiquement « les patriotes ». Gogol, aidé de Véra, s'évertuait à les raisonner entre deux crises de larmes. « Il était triste et comique de voir Gogol, écrira Aksakov. Il ne comprenait rien à cette affaire, et tous ses efforts, tous ses conseils se révélaient inefficaces, tombaient à côté ou à contretemps, si bien que le poète génial se montrait en cette occasion plus maladroit que le plus benêt des simples mortels (1)... »

Partis le 17 décembre 1839 de Saint-Pétersbourg, les voyageurs arrivèrent le 21 décembre à Moscou. Après une nuit passée chez les Aksakov, l'écrivain et ses sœurs s'installèrent chez Pogodine. L'intention de Gogol était de confier Anne et Elisabeth à quelque personne sûre, qui saurait leur enseigner les usages du monde, et de repartir ensuite, la conscience tranquille, pour l'Italie. Hélas ! qui voudrait se charger de veiller sur ces deux sauvageonnes ? Pour l'instant, il vivait avec elles confortablement, dans les chambres mises à leur disposition au premier étage de la belle maison du champ des Vierges. N'était-ce pas son lot d'habiter chez les autres, de voyager aux frais des autres, de manger à la table des autres ? Un pique-assiette, voilà ce qu'il était ! Mais, en se refusant à écrire pour de l'argent, il préservait la liberté de son génie. Tout, même l'amour-propre, devait être sacrifié à la majesté de l'art. Si seulement il avait pu achever en paix *les Ames mortes !*... Des âmes vivantes l'en détournaient. Lui, d'habitude si irritable, était d'une infinie patience avec Anne et Elisabeth. Il les obligeait à travailler sur un devoir de russe ou d'arithmétique, leur conseillait d'entreprendre une broderie, et, en récompense, leur achetait des bonbons, des noix, des prunes glacées, un flacon, un nécessaire de couture. Souvent elles

_____

(1) Aksakov : *Histoire de mes Relations avec Gogol.*

entraient dans sa chambre à l'improviste, ouvraient ses tiroirs, feuilletaient ses manuscrits et, bien que leur sans-gêne l'agaçât, il les laissait faire avec un mélange de rogne et de tendresse. La nuit, si Elisabeth, apeurée, refusait de fermer les yeux, il s'asseyait à son chevet et ne se retirait qu'après qu'elle se fût endormie.

Pour former l'intelligence et le goût des jeunes filles, il descendait avec elles parfois dans le cabinet de travail de Pogodine, vaste salle en rotonde, éclairée par une coupole de verre. Les murs de cette pièce étaient couverts, de bas en haut, de vieux livres aux reliures précieuses. Une collection de manuscrits anciens dormaient sur des rayons, ou à plat sur des tables. A voix basse, Gogol expliquait, commentait ces trésors pour les deux donzelles abasourdies. Ou bien il les emmenait à des réunions littéraires chez les Khomiakov, les Elaguine, les Kiréevsky (1). Elles s'y ennuyaient à périr, dans les robes de mousseline blanche dont il les avait, une fois pour toutes, affublées. En les voyant si gauches, l'œil éteint et les bras ballants, dans une société de beaux esprits, il se demandait quel homme pourrait s'intéresser à elles.

« Elles habiteront Moscou, écrivait-il à Danilevsky, je les caserai quelque part chez des amis, mais il ne faut à aucun prix qu'elles retournent à la maison (à Vassilievka), elles s'y perdraient complètement. Tu sais que ma mère, sans s'en rendre compte, fait toujours le contraire de ce qu'elle voudrait faire. Souhaitant le bonheur de ses filles, elle préparerait leur malheur, et ensuite rendrait Dieu responsable de tout, disant que ce qui est arrivé a été voulu par Lui. Il est inutile de penser à trouver pour elles des partis dans notre région, compte tenu de notre situation difficile, alors qu'ici elles peuvent encore espérer. En tout cas, ici plus qu'ailleurs on pourrait découvrir un homme de bien qui ne rechercherait pas principalement son avantage personnel... Je ne sais comment arranger les affaires de notre propriété que menace une ruine totale. Ce fait est d'autant plus surprenant, que le

---

(1) Khomiakov, l'un des chefs du mouvement slavophile ; Kiréevsky, critique slavophile ; Mme Elaguine, mère du précédent, nièce de Joukovsky ; elle tenait un salon littéraire à Moscou.

domaine peut être considéré comme excellent sous tous les rapports. Les moujiks sont riches ; il y a de la terre en abondance ; nous avons quatre foires par an, dont la foire aux bestiaux, en mars, qui est l'une des plus importantes du gouvernement... Il faut vraiment vouloir donner des ordres exprès pour tout gâcher à ce point (1). »

Ayant ainsi imputé à sa mère la déconfiture de la famille, il ne songea pas une seconde à se rendre sur place pour rétablir la situation. Son affaire était de critiquer, non d'agir. D'ailleurs il ne pouvait être partout à la fois. Il avait maintenant pris ses habitudes chez les Pogodine, où il logeait, et chez les Aksakov, où il déjeunait au moins trois fois par semaine. La plupart du temps, il arrivait chez ces derniers à l'improviste, apportait un paquet de macaroni et les préparait — beurre, sel, poivre, parmesan — devant les convives émerveillés. Un jour, il se présenta ainsi chez les Aksakov en annonçant qu'il s'était permis d'inviter le comte Vladimir Sollogoub. Malgré son infatigable amabilité, le maître de maison fit la grimace. Il n'avait aucune sympathie pour Sollogoub et trouvait le procédé cavalier. « Si quelque autre de mes amis avait agi de cette façon-là, je me serais fâché, écrira Aksakov. Mais tout ce qui était agréable à Gogol ne pouvait que m'être agréable, à moi... Sans doute n'avait-il pas compris l'indélicatesse de sa conduite (2)... » Par amour pour Gogol, il accueillit Sollogoub à sa table, et on mangea, une fois de plus, des macaroni.

Cependant les macaroni, même préparés à l'italienne, ne suffisaient pas à remplacer l'Italie. De plus en plus, Gogol rêvait de Rome, l'irremplaçable. « O que je m'évade vite, pour l'amour de Dieu et de tous les saints, que j'aille à Rome, et mon âme, là-bas, se reposera, disait-il à Pogodine. Vite ! Vite ! Je crèverai ici (3) ! »

Où trouver l'argent nécessaire au voyage ? Le plus simple eût été de publier quelque chose. Mais Gogol n'avait dans ses tiroirs que des fragments d'œuvres en cours, dont il ne voulait pas se défaire. Il se remit donc à la révision de ses textes

_____

(1) Lettre du 29 décembre 1839.
(2) Aksakov : *Histoire de mes Relations avec Gogol.*
(3) Lettre du 25 janvier 1840.

anciens en vue d'une édition complète. Le libraire-éditeur Smirdine, de Saint-Pétersbourg, avec qui il essaya d'abord de traiter, lui offrit un prix dérisoire. Déçu, il se tourna vers des libraires de Moscou qui, eux aussi, le sachant dans la gêne, lui proposèrent des conditions inacceptables. Le problème était simple : pour gagner de quoi assurer son avenir et celui de sa famille, il devait terminer *les Ames mortes* ; pour terminer les *Ames mortes*, il devait se rendre à Rome ; pour se rendre à Rome, il devait se procurer, coûte que coûte, quatre mille roubles ; et, pour se procurer quatre mille roubles, il ne devait compter que sur ses amis. S'ils avaient confiance en son talent, ils ne refuseraient pas de former une sorte de société de secours dont il serait l'unique bénéficiaire. Cette idée l'enchanta et, dès le 4 janvier 1840, il écrivit à Joukovsky en lui exposant sa situation sous les couleurs les plus noires :

« Tout va mal ! Notre pauvre lopin de terre, refuge de ma mère, sera bientôt vendu à l'encan, et je ne sais où elle pourra dorénavant reposer sa tête. Mon espoir de placer mes sœurs chez quelqu'un s'écroule également. Je me trouve moi-même dans un état dont l'horreur m'insensibilise et me fige comme jamais... Il faudrait, d'une façon ou d'une autre, que je parte au plus vite pour Rome, où mon âme mortellement blessée ressuscitera comme elle a déjà ressuscité l'hiver précédent, que je me mette vaillamment au travail, et, si possible, que je termine mon roman (*les Ames mortes*) en un an. Voici ce que j'ai imaginé : rassemblez de l'argent ; cotisez-vous, vous tous qui m'êtes sincèrement attachés ; réunissez une somme de quatre mille roubles et prêtez-la moi pour un an. Je vous donne ma parole que, dans un an, si mes forces ne me trahissent pas et si je ne suis pas mort, je vous rembourserai le tout avec intérêt. »

Au reçu de cette supplique, Joukovsky, plutôt que de battre le rappel des amis, dont bien peu étaient à leur aise, préféra s'adresser directement à son élève, le grand-duc héritier, Alexandre Nicolaïevitch.

« Gogol est dans la misère, lui écrivit-il. Il a pris ses sœurs qui étaient pensionnaires à l'Insitut. Son petit domaine familial va être perdu pour lui. Il a besoin de quatre mille roubles.

J'aurais voulu les réunir, mais je n'y parviens pas. Ne pour-
riez-vous me prêter cette somme. Je l'enverrais à Gogol et vous
rembourserais à la première possibilité, c'est-à-dire dans le
courant de l'année ou dans un an (1). »

Après s'être fait quelque peu tirer l'oreille, le grand-duc
héritier consentit à prélever l'argent sur sa cassette personnelle. Victoire ! L'étau se desserrait autour de Gogol. Sûr
maintenant de pouvoir retourner en Italie, il résolut de faire
venir sa mère à Moscou pour un bref séjour. En repartant,
elle emmènerait Anne, qui décidément, jugeait-il, était de
caractère trop farouche et supportait mal le climat de la
ville. Quant à Elisabeth, il ne désespérait pas de la donner
en garde à quelque famille hospitalière. Son dévolu tomba
d'abord sur Mme Elaguine, nièce de Joukovsky. Mais celle-ci,
inquiète à l'idée d'une telle responsabilité, écrivit à son oncle
pour lui demander conseil. Malgré toute sa bienveillance
envers l'auteur des *Ames mortes*, Joukovsky répondit avec
colère : « Vous ne devez à aucun prix accepter une telle
proposition : ce serait faiblesse et inconséquence de votre
part. Gogol se conduit souvent en égoïste capricieux. Pogodine lui offre de prendre ses sœurs ; Aksakov de même. Non,
notre homme ne veut en faire qu'à sa tête et, sans la moindre
délicatesse, essaie de vous mettre les jeunes filles sur les bras,
à vous qui avez déjà une famille et qui ne possédez ni la
santé ni les moyens d'assumer une charge aussi lourde (2). »

Ainsi chapitrée, Mme Elaguine rassembla son courage et
refusa à Gogol le service qu'il lui demandait. Mais elle inter-
vint avec chaleur auprès d'une amie, Mme Raïevsky, quinqua-
génaire riche et pieuse, qui, n'ayant pas d'enfants, dispensait
sa tendresse à des jeunes filles méritantes, recueillies par
charité. Et Mme Raïevsky, elle, consentit à prendre Elisabeth
sous sa protection. De ce côté-là, donc, tout marchait bien.
Elisabeth pourrait emménager dans son nouveau foyer quand
son frère le jugerait bon. Bien entendu, on attendrait pour
cela qu'elle eût revu sa mère.

Marie Ivanovna Gogol débarqua peu avant la semaine sainte,

---

(1) Lettre du début janvier 1840.
(2) Lettre de Joukovsky à Mme Elaguine du 26 février 1840.

avec sa fille cadette Olga, âgée de quatorze ans, et, comme de juste, prit pension, elle aussi, chez les Pogodine. Sa fille aînée, Marie, était restée à Vassilievka avec son fils. Sans doute Gogol avait-il renouvelé, entre-temps, à ses amis la recommandation de tenir secrète la date exacte de son retour en Russie. Pas une seconde, sa mère ne le soupçonna de supercherie. Il est vrai qu'elle avait en lui une foi capable de surmonter l'évidence. En la voyant, tout le monde fut surpris par son air de jeunesse et l'aisance de ses manières. Bien en chair, les traits réguliers et le regard vif, elle paraissait être, à cinquante ans, « la sœur aînée de son fils ». Elle le contemplait à la dérobée avec une voracité amoureuse. Lui, de son côté, se montrait avec elle déférent, protecteur et affectueux. Mais, visiblement, il ne pouvait supporter longtemps ni ses compliments ni ses doléances. Quand il sortait, le soir, pour se rendre chez des amis, elle restait assise devant un samovar avec la mère de Pogodine, et les deux femmes discutaient à perdre haleine des mérites respectifs de leurs rejetons.

Si Marie Ivanovna avait, le moins du monde, douté du génie de son fils, l'atmosphère d'adulation qui régnait autour de lui chez les Aksakov et les Pogodine l'eût immédiatement rassurée. Sans doute assista-t-elle à l'une des nombreuses lectures qu'il fit de ses œuvres, dans un cercle d'amis. Le 17 avril, notamment, veille de Pâques, il lut, dans le bureau d'Aksakov, le chapitre VI des *Ames mortes,* où apparaît, pour la première fois, l'avare Pliouchkine. Ce fut un triomphe. Toutes les personnes présentes congratulèrent l'auteur et promirent une destinée exceptionnelle à un livre si brillamment commencé. Le plus enthousiaste était un nouveau venu, le jeune écrivain slavophile Basile Panov, qui semblait étourdi par une surnaturelle révélation. Apprenant que Gogol comptait bientôt partir pour l'Italie, il s'offrit spontanément à l'accompagner en supportant la moitié des frais du voyage. Or Gogol venait précisément de publier, dans *les Nouvelles moscovites,* une annonce ainsi conçue : « Ne possédant pas d'équipage personnel, cherche un compagnon de voyage qui en possède un, pour aller jusqu'à Vienne en partageant les dépenses. Champ des Vierges ; dans la maison du professeur Pogodine ; demander Nicolas Vassiliévitch Gogol. »

La proposition de Basile Panov tombait à pic. Le garçon, pâle, maladif, fluet, avec de longs cheveux raides dans le cou et un regard naïf de myope derrière ses besicles, inspirait confiance. Gogol accepta. On scella cet accord en allant en groupe, à minuit, voir les processions religieuses de Pâques sortir, toutes ensemble, des églises du Kremlin. Une foule immense, ponctuée par la flamme de mille petits cierges, grouillait, épaisse et sage, sur la place. Chaque cortège, aux bannières scintillantes et aux chasubles dorées, rampait selon un itinéraire différent entre les fidèles qui se signaient sur son passage. Les chœurs chantaient à pleine voix. Soudain les cloches d'Ivan Véliky s'ébranlèrent, donnant le signal des réjouissances chrétiennes. Un tintement énorme et mélodieux emporta les oreilles. Le sol se mit à vibrer. D'autres cloches — bronze léger et bronze lourd — se répondirent au loin. Dans la multitude, les embrassades commencèrent, entre parents, entre inconnus :

— « Christ est ressuscité.

— « En vérité, il est ressuscité. »

Gogol échangea le triple baiser pascal avec ses amis. Son cœur était en fête : le Christ était réellement ressuscité, puisque le voyage en Italie devenait possible.

Après avoir beaucoup pleuré, Marie Ivanovna quitta Saint-Pétersbourg, le 27 avril, emmenant Anne et Olga. Elisabeth fut confiée à Mme Raïevsky. Et Gogol se lança dans les préparatifs de son départ. Là-dessus, toujours préoccupé par l'organisation matérielle de son séjour en Italie, il s'avisa qu'un certain Krivtsov, parent des Répnine, avait été nommé directeur de l'Académie des jeunes artistes russes pensionnés, à Rome. Il se fit un déclic dans sa tête. Une fois de plus, il se tourna vers Joukovsky, son intercesseur attitré auprès des grands de ce monde, et lui écrivit :

« Comme il y a toujours un secrétaire auprès des directeurs, pourquoi ne serais-je pas son secrétaire, à lui (Krivtsov) ?... Cela me serait fort utile, car on me paierait probablement dans les mille roubles argent par an. Oh ! comme cela éloignerait de moi les noires et torturantes pensées ! Pourquoi, alors que la plupart des gens gagnent quelque chose au service de l'Etat, m'est-il refusé à moi, pauvre hère, d'en faire autant ?...

Vous pourriez exposer mon cas à l'héritier du trône, le disposer en ma faveur et écrire vous-même à Krivtsov (1). »
   Au vrai, il ne croyait guère à la réussite de ce projet, mais
il ne coûtait rien d'essayer. Joukovsky, pensait-il, n'était pas
à une démarche près.

   Pour remercier les amis et connaissances qui lui avaient
marqué leur sympathie durant son séjour à Moscou, il décida
de les réunir, le 9 mai, à l'occasion de la Saint-Nicolas. Chaque
année, il s'efforçait de célébrer ainsi sa fête patronymique en
joyeuse compagnie. Cette fois il convint, avec Pogodine, de
donner un grand déjeuner dans le jardin, malgré la température un peu fraîche et les risques de pluie. Simon, le vieux
cuisinier de la maison, étant manifestement incapable de
comprendre ce qu'on exigeait de lui, on fit appel au fameux
Porphyre, cuisinier du club des Marchands de Moscou, qui
avait une ample connaissance des spécialités ukrainiennes.
Dès le matin, de longues tables furent dressées dans l'allée
des tilleuls. Aux cuisines, Porphyre officiait devant Gogol,
qui soulevait les couvercles des casseroles, humait avec délices
le fumet qui s'en échappait, surveillait d'un œil amoureux la
cuisson des chapons et des cailles, goûtait gravement une
sauce, croquait un échantillon de pâte croustillante et donnait
des conseils. Les invités arrivèrent plus tôt que prévu, avec
un air d'appétit et d'amitié sur le visage. Il y avait là Chtchépkine et son fils, le prince Viazemsky, Nachtchokine, Kiréevsky,
Chévyrev, Zagoskine, le professeur Armfeld, Pavlov, Dmitriev,
Sadovsky, Rédkine, d'autres encore. Aksakov lui-même était
venu, malgré une rage de dents.

   Parmi tous ces civils aux vêtements sombres, se détachait
la silhouette d'un jeune officier d'infanterie, « de petite taille,
en tenue de campagne, avec un col rouge sans insignes (2) ».
C'était le poète Michel Lermontov. Exilé pour la seconde fois
de Saint-Pétersbourg, à la suite d'un duel avec Ernest de
Barante, fils de l'ambassadeur de France, il s'était arrêté à
Moscou avant de rejoindre son régiment au Caucase. Son
premier exil, en 1837, avait eu pour motif les vers qu'il avait

---

(1) Lettre du 3 mai 1840.
(2) Mechtchersky : *Souvenirs*.

écrits sur la mort de Pouchkine, véritable cri de haine contre
la haute société dont le poète avait été la victime (1). Tous
les amis de Pouchkine lui étaient reconnaissants de sa prise
de position. Gogol, en outre, l'admirait comme poète et comme
prosateur. Il venait de lire *Un Héros de notre Temps* et
voyait dans ce roman l'une des plus grandes œuvres de la
littérature russe. Mais l'heure n'était pas aux compliments.
Les invités s'impatientaient. On passa à table. L'animation et
le bruit croissaient à mesure que se succédaient les plats.
A tour de rôle, chacun des convives proposait un toast. On
but à la santé du héros de la fête, du maître de maison, des
écrivains russes en général et des personnalités présentes en
particulier.

Après le repas, de petits groupes se formèrent dans le
jardin. Cédant à la prière de l'entourage, Lermontov lut un
fragment de son poème *le Novice*, qui enchanta les auditeurs.
Puis Gogol prépara du punch sous la tonnelle. Il était très
gai, très affairé, mais se forçait, semblait-il, à l'entrain. Quelques dames arrivèrent dans la soirée, pour prendre le thé,
à l'intérieur de la maison. La réunion se termina peu avant
minuit. Exténué mais content, Gogol avait l'impression de
s'être acquitté, par ce déjeuner, d'une dette de reconnaissance
envers toutes les personnes qui lui voulaient du bien.

Le jour du départ approchait rapidement. Mme Aksakov
préparait déjà des provisions pour les voyageurs : pâtés en
croûte, galettes, saucisson, balyk... De son côté, Gogol chargeait sa sœur Elisabeth de lui acheter trois livres de sucre,
qu'elle devait casser en morceaux, deux livres de bougies et
une livre de café (2).

Le 18 mai 1840, il prit place avec Basile Panov dans un
tarantass, surchargé de valises et de paquets ; Aksakov et
son fils, Chtchépkine et son fils, Pogodine et son gendre,
montèrent dans deux voitures pour accompagner les voyageurs
jusqu'au premier relais après Moscou. En arrivant sur la
hauteur de Poklonny, tout le monde mit pied à terre. Moscou
s'étalait en contrebas, de part et d'autre de la rivière, dans

---

(1) Cf. Henri Troyat : *L'étrange Destin de Lermontov*. (Plon).
(2) Lettre à Elisabeth de mai 1840.

un extraordinaire entassement de toits, de tours et de coupoles. Gravement, Gogol et Panov s'inclinèrent pour saluer
la ville qu'ils quittaient. Puis on se remit en route. A la station de Perkhouchkov, nouvel arrêt, cette fois pour se res-
taurer. Les visages étaient tristes. Pogodine évitait de regarder
Gogol, comme s'il lui en voulait de préférer l'Italie à la
Russie ; Aksakov soupirait, se mouchait ; Chtchépkine avait
les larmes aux yeux ; les trois autres baissaient la tête ; ému
lui-même, Gogol promit de revenir dans un an, sans faute,
et de rapporter le premier tome des *Ames mortes* prêt pour
l'impression. Le soleil déclinait à l'horizon. Un vent léger
agitait les branches des bouleaux, de l'autre côté de la chaussée. Le cocher s'impatientait. On s'assit une dernière fois,
pour une minute de silence et de recueillement, comme il est
d'usage en Russie avant les départs. Puis tous se levèrent,
se signèrent, s'embrassèrent fraternellement. Gogol et Panov
se hissèrent de nouveau dans leur tarantass, qui s'éloigna,
grinçant et craquant, sur la route de Varsovie. Quand l'équipage eut disparu, ceux qui restaient regagnèrent leurs voitures.

Sur le chemin du retour, levant la tête, Aksakov aperçut
de gros nuages noirs qui couvraient la moitié du ciel. « Tout
s'assombrit, écrira-t-il, et une impression de mauvais augure
s'empara de nous. Nous parlions tristement, associant au futur
destin de Gogol ces nuées lugubres qui voilaient le soleil.
Mais, moins d'une demi-heure plus tard, nous fûmes surpris
par le brusque changement de l'horizon. Un vent vif, venu
du nord-ouest, déchiquetait et chassait les nuages sombres ;
en quinze minutes, le ciel fut nettoyé, le soleil reparut dans
tout son éclat et descendit avec magnificence vers le couchant.
Un sentiment d'allégresse emplit nos cœurs (1). »

_____

(1) Aksakov : *Histoire de mes Relations avec Gogol.*

V

DEUXIÈME SÉJOUR A ROME

Comme toujours, le voyage eut, sur Gogol, un effet apaisant. Il plaisantait avec Panov, dont la juvénile admiration le flattait, déballait gaiement aux relais les provisions préparées par Mme Aksakov et ne paraissait guère pressé d'arriver à destination. Par petites étapes, à travers les immenses plaines russes, le tarantass atteignit Varsovie. De là, Gogol écrivit à Aksakov pour lui demander une documentation juridique nécessaire, disait-il, à la poursuite de son travail sur *les Ames mortes*. Puis, ayant visité la ville, il repartit avec Panov à destination de Vienne, en passant par Cracovie.

A Vienne, ils descendirent à l'hôtel et se plongèrent, dès le lendemain, dans la vie brillante et bruyante de la rue. Cafés, théâtres, kiosques à musique, derrière cette allégresse apparente, se devinait le lourd silence de l'administration impériale, dominée par Metternich. Gogol, qui aimait tant l'Italie, aurait pu souffrir de se trouver en visite chez les oppresseurs du peuple italien. Mais il n'avait décidément pas la tête politique. Le despotisme en gants blancs, la surveillance policière, l'asservissement de la presse ne le gênaient pas. N'en allait-il pas de même en Russie ? Pour peu que l'ordre régnât dans un pays, il était content. Il se rendait à l'Opéra pour écouter les meilleurs chanteurs italiens et buvait de l'eau de Marienbad, en bouteilles, pour guérir son estomac détraqué par les plantureux dîners de Moscou.

« Je suis ici tout seul, écrivait-il à Aksakov, nul ne me trouble. Les Allemands, je les considère comme les inévitables insectes de toute isba russe. Ils courent autour de moi, rampent sur moi, mais ne me gênent pas ; et, si l'un me grimpe sur le nez, une chiquenaude et le voilà parti !... Vienne m'a accueilli impérialement ! Il n'y a que deux jours que l'Opéra fait relâche. Pendant deux semaines entières, les meilleurs chanteurs d'Italie m'ont ému, transporté, en produisant un bienfaisant bouleversement de mes sens. Grandes sont les grâces divines. Je vais revivre (1) ! »

Et à Pogodine :

« L'eau de Marienbad m'a fait beaucoup de bien : j'ai commencé à sentir le retour d'une vigueur juvénile, mes nerfs se sont éveillés, je suis sorti de l'oisiveté intellectuelle, quasi léthargique, de ces dernières années... Des idées se sont mises à s'agiter dans ma tête comme un essaim d'abeilles dérangées. Mon imagination s'est aiguisée. Oh ! quelle joie ce fut pour moi, si tu pouvais savoir ! Le sujet que, depuis quelque temps, je gardais paresseusement dans mon esprit, n'osant même pas m'y atteler, se développait devant moi dans une telle grandeur, que je fus traversé d'un frisson délicieux... et me mis au travail, oubliant que cela est justement contre-indiqué quand on prend des eaux et qu'il faut alors un repos mental complet (2). »

Ce sujet était celui du drame ukrainien *la Moustache rasée*, qu'il ne devait jamais, du reste, mener à bien. Vers la même époque, il acheva la première rédaction de sa nouvelle *le Manteau*, corrigea une fois de plus *Tarass Boulba* et révisa l'adaptation d'une comédie italienne de Giovanni Giraud (imitateur de Goldoni) *l'Oncle embarrassé*. Cette pièce, qu'il destinait à Chtchépkine, avait été traduite autrefois, à Rome, par les jeunes artistes russes de sa connaissance. Elle raillait les conséquences d'une éducation trop rigide.

Lui-même, depuis qu'il avait revu ses sœurs, était préoccupé des problèmes éducatifs. Imbu de ses responsabilités, il leur écrivait longuement pour les guider à distance. Chacune de

---

(1) Lettre du 7 juillet-25 juin 1840.
(2) Lettre du 17-5 octobre 1840.

ses lettres était une leçon de morale. A Elisabeth, il reprochait
sa tendance à se plaindre de malaises imaginaires, comme si,
de son côté, il ne décrivait pas avec complaisance, à ses
amis et à sa mère, ses états d'âme et ses douleurs d'estomac :
« Qu'as-tu fait, Elisabeth ? Maman est au bord des larmes.
Pourquoi lui as-tu écrit que tu es tombée de voiture, que,
depuis, tu as mal dans la poitrine, que tu t'ennuies terriblement ? N'as-tu pas honte de ta sottise ? Tu devrais t'employer
à calmer maman et tu lui écris de pareilles lettres (1) ! »
    Quant à Anne, qui, selon l'usage des paysannes de Vassi-
lievka, s'était abstenue de coudre pendant les fêtes religieuses,
elle s'attirait une semonce plus retentissante encore. Comment
osait-elle se plier à ces sottes pratiques de la campagne ? Elle
devait écouter la voix de Dieu — et celle de son frère — au
lieu de céder aux superstitions d'un entourage arriéré. « Ainsi,
je t'ordonne de travailler, lui écrivait-il, et de t'occuper précisément pendant les fêtes, sauf bien entendu durant les heures
consacrées à Dieu. Et si quelqu'un te fait observer que c'est
mal, n'entre dans aucune explication, n'essaie même pas de
prouver le contraire, dis simplement, brièvement et fermement ceci : « C'est la volonté de mon frère. J'aime mon frère,
et c'est pourquoi son moindre désir doit être ma loi. » Après
cela, personne ne s'avisera de te tourmenter (2). »
    Au début du mois d'août, convaincu que les eaux de Marien-
bad le stimulaient, il décida de prolonger sa cure et laissa
partir Panov, lui donnant rendez-vous, en septembre, à Venise.
Resté seul, dans sa petite chambre d'hôtel, il éprouva soudain une angoisse étouffante. Dehors, le soleil brillait, la
ville bourdonnait. Et il lui semblait que cette lumière, ce
bruit ne le concernaient pas, que, peu à peu, il s'exilait de
la vie, qu'il devenait étranger à lui-même. Une douleur lui
broyait la poitrine. Ses nerfs tressaillaient sous sa peau. Sa
tête flambait. Impossible de réfléchir. Dès qu'il faisait un
pas, il était pris de vertige. Et, s'il s'allongeait sur son lit, il
revoyait le pauvre Vielgorsky haletant, crachant, et sentait le
froid de la mort monter dans ses veines. Seul. Irrémédiable-

---

(1) Lettre du 10 août-29 juillet 1840.
(2) Lettre du 13-1er octobre 1840.

ment seul. En pays inconnu. Aucun de ses amis, ni Aksakov,
ni Pogodine, ni Plétnev, ni Joukovsky, ne se doutaient de
son agonie. Au secours ! Il appela un médecin. Quelque Allemand aux lunettes cerclées d'or. Des mots savants et pas
une explication plausible. Devait-il comprendre qu'il était
condamné ? Et son œuvre, sa grande œuvre, qu'il n'avait pas
eu le temps de finir ? Et sa mère, ses sœurs ?... Dieu ne pouvait
le rappeler avant qu'il n'eût mis de l'ordre dans ses affaires.
D'autres docteurs vinrent en consultation à son chevet. Il
écrira à Pogodine :

« Ma surexcitation nerveuse s'accrut terriblement, le poids
sur ma poitrine se fit plus lourd que jamais. Heureusement
les médecins trouvèrent que je n'avais pas de phtisie, que
c'était un dérangement de l'estomac, un arrêt de la digestion
et une extraordinaire excitation nerveuse. Cela n'arrangeait
guère la situation, car il était dangereux de me soigner : ce
qui était bon pour l'estomac était mauvais pour les nerfs,
et les nerfs, à leur tour, agissaient sur l'estomac. A cela
s'ajoutait une angoisse maladive, indescriptible. J'étais dans un
tel état, que je ne savais où me fourrer, à quoi me raccrocher.
Je ne pouvais rester deux minutes en place, ni au lit, ni
assis, ni debout. Oh ! c'était effrayant, c'était la même angoisse
où j'avais vu le pauvre Vielgorsky dans les dernières minutes
de sa vie... Je rassemblai mes forces et griffonnai un semblant
de testament pour qu'au moins mes dettes fussent payées
après ma mort. Mais mourir parmi les Allemands me paraissait épouvantable (1). »

Plus tard, il donnera cette autre description de son mal
à Marie Balabine :

« Je sentais monter à mon cœur une émotion qui transformait en un monstre géant chaque image passant dans mes
pensées, qui muait le plus petit sentiment agréable en une
joie si effrayante que la nature humaine ne peut le supporter,
et chaque sentiment sombre en un chagrin pesant, torturant,
à quoi succédaient des évanouissements et, enfin, un état
tout à fait somnambulique (2). »

---

(1) Lettre du 17-5 octobre 1840.
(2) Lettre du 17 février 1842.

Alors que Gogol se sentait abandonné de tous, un miracle se produisit. Dans sa chambre d'hôtel apparut un Russe, de passage à Vienne, Nicolas Pétrovitch Botkine, ami de Pogodine et fils d'un riche marchand de thé. En voyant dans quel état de misère physique et morale se trouvait l'auteur du *Révizor*, il fut pris de pitié et se transforma en infirmier bénévole. Supportant les sautes d'humeur et les plaintes du malade, il le soigna, le raisonna, le persuada que sa mort n'était pas pour demain. Peu à peu, Gogol reprit force et confiance. Mais il avait l'impression d'être devenu un autre homme. Un homme qui avait vécu dans sa propre chair les affres de l'agonie. Un homme qui revenait de la rive opposée. Nouveau Lazare, titubant, ébloui, il considérait ses semblables comme des ignorants. Sa seconde naissance lui donnait sur eux une supériorité messianique. Si le Seigneur l'avait rendu au monde, pour peu de temps, c'était, pensait-il, afin qu'il pût achever son œuvre. Il décida que, pour guérir définitivement, il devait continuer sa route. Botkine eut beau lui représenter que c'était folie, il s'entêta : à l'entendre, les cahots remettaient ses nerfs en place et le changement de paysage aidait à sa digestion. Inquiet, Botkine consentit néanmoins à partir avec lui pour Venise.

« Arrivé à Trieste, je me sentais déjà mieux, écrira Gogol. Le voyage, mon unique remède, avait, cette fois encore, produit son effet... Le grand air, malgré la chaleur désagréable qui régnait alors, me refraîchit. Oh ! comme j'aurais voulu faire quelque long voyage. Je sentais, je savais, que cela eût définitivement rétabli ma santé. Mais je n'avais pas les moyens d'aller loin (1). »

Le 2 septembre (2), en arrivant à Venise, il se rendit tout droit sur la place Saint-Marc et se trouva nez à nez avec Panov, qui venait d'arriver lui-même. Un autre Russe, le peintre fameux Aïvazovsky, se joignit à eux. Il notera dans ses *Souvenirs* :

« Petit, maigrichon, le nez long et effilé du bout, avec des boucles blondes retombant souvent sur ses yeux minuscules

_____

(1) Lettre à Pogodine du 17-5 octobre 1840.
(2) Autrement dit le 21 août d'après le calendrier julien.

et plissés, Gogol rachetait cette apparence déplaisante par la
gaieté et les traits d'humour qui marquaient sa conversation
dans un cercle d'amis. L'apparition d'un visage inconnu ame-
nait une ombre sur sa figure aimablement souriante, comme
si un nuage fût passé au-dessus de lui. »

Bien que très faible, Gogol parcourait la ville en gondole
avec ses compagnons, visitait les musées, les églises, rêvait
devant les palais de marbre, s'installait place Saint-Marc,
sur une chaise, au clair de lune, et se laissait pénétrer par
cet univers d'eau, de pierres et de reflets, irréel à force de
légèreté et de silence. Dix jours de promenades, et on repartit
à quatre (Gogol, Botkine, Panov et Aïvazovsky) pour Florence,
via Bologne. Dans la voiture spacieuse et bien suspendue,
les passagers jouaient aux cartes, un coussin servant de table.
De Florence, ils se rendirent à Rome, par Livourne et Civitavecchia. Panov, qui surveillait Gogol, du coin de l'œil, pendant
le voyage, devait écrire à Aksakov : « Il n'était préoccupé que
de son estomac et du rétablissement de sa santé. Et cependant
personne d'entre nous ne pouvait manger autant de macaroni
qu'il en avalait certains jours... En général, il me semble que
Gogol se trompe quand il pense qu'il lui suffit de se rendre
à l'étranger pour retrouver les forces et l'activité qu'il croyait
perdues... Malheureusement son malaise ne dépend ni du climat ni du lieu et ne peut facilement guérir. Peut-être son
organisme s'est-il détérioré progressivement depuis dix ans,
et le voici aujourd'hui horriblement dégradé. »

A Rome, Gogol eut la chance de pouvoir louer de nouveau
l'appartement où il avait vécu, 126 strada Felice. Il retrouva
avec attendrissement le haut pupitre, les deux grandes fenêtres
aux volets intérieurs, le lit poussé près de la porte, la table
ronde trônant au centre de la pièce, l'étroit canapé canné,
l'armoire branlante, la lampe romaine à huile, au bec effilé,
et le sol de mosaïque, qui sonnait clair sous les talons. Dans
la chambre voisine, il installa Panov. Etait-ce le bonheur ?
Il le crut d'abord et sortit dans la rue pour renouer connaissance avec les pierres et les visages... Rien n'avait changé, et
pourtant c'était un autre monde. Un monde où l'angoisse
affleurait sous la beauté des formes et l'éclat des couleurs.
Le ciel bleu, le dôme de Saint-Pierre, les ruines du Forum,

le Colisée, le lac d'Albano, les tableaux de Raphaël, tout maintenant parlait de mort. La pérennité même des paysages rappelait à l'homme la brièveté de son existence terrestre. Vite
fatigué, Gogol finit par écourter ses promenades. Il ne lui
restait presque rien des quatre mille roubles avancés par le
grand-duc héritier. A tout hasard, il avait lancé de Vienne un
second message de détresse pour obtenir la place de secrétaire
auprès de Krivtsov, à l'Académie russe de Rome. Cette fois,
ce n'était plus Joukovsky mais Plétnev qu'il avait chargé
d'appuyer sa requête :

« J'ai écrit à Joukovsky pour qu'il use de son influence
auprès du grand-duc héritier, parce que Krivtsov est précisément redevable à ce dernier de la place qu'il a obtenue. De
toute évidence, si le grand-duc héritier le demande à l'empereur, l'affaire est dans le sac. Mais j'ai réfléchi qu'il serait
bon que vous en parliez aux grandes-duchesses. Si la grande-
duchesse Marie Nicolaevna pouvait dire un mot pour moi, ce
serait naturellement encore plus efficace (1). »

Joukovsky et Plétnev manquèrent-ils de persuasion dans
leurs plaidoiries ? Les grands-ducs et les grandes-duchesses
furent-ils irrités par les sempiternelles réclamations de cet
auteur russe qui ne pouvait vivre que hors de Russie ? Aucun
ordre ne venait d'en haut. Et Krivtsov, aux dernières nouvelles, désirait avoir comme secrétaire « une personnalité
européenne célèbre pour ses connaissances artistiques (2) ».
Comprenant qu'il n'obtiendrait jamais ce poste, Gogol se
résigna à emprunter encore de l'argent, par petites sommes,
à des connaissances. Dans son dénuement et son inquiétude, il
se surprenait à regretter d'avoir quitté la Russie. Ah ! comme
il aimait son pays, de loin !

« O Russie ! Russie ! écrivait-il dans *les Ames mortes*. Je
t'aperçois des beaux, des merveilleux lointains où je réside.
Tu es pauvre, désordonnée et inhospitalière. Nulle merveille
de l'art ne vient s'ajouter à celles de la nature pour égayer
ou effrayer le regard. On cherche en vain, chez toi, ces villes
avec leurs hauts palais percés de mille fenêtres et suspendus

---

(1) Lettre du 25 juin 1840.
(2) Lettre à Pogodine du 17 octobre 1840.

au-dessus d'un précipice, ces maisons tapissées de lierre, ombragées d'arbres pittoresques et rafraîchies par la poussière d'eau des cascades grondantes ; on n'a pas à renverser la tête pour contempler des blocs de pierre entassés à une hauteur vertigineuse ; on ne voit point, à travers une enfilade d'arcades sombres, où s'entrelacent le pampre, le lierre et l'églantine, resplendir au loin les lignes immuables des montagnes qui se découpent dans la transparence du ciel argenté. Tout est désert, plat et uniforme, chez toi. Tes villes sont basses et se détachent comme des points, comme des signes à peine visibles sur tes plaines infinies. Rien n'enchante le regard, rien ne le retient. Mais quelle est cette force mystérieuse et incompréhensible qui m'attire vers toi ? Pourquoi retentit sans cesse à mes oreilles la chanson plaintive qui, d'une mer à l'autre, vibre partout sur ta vaste étendue ? Que veut dire cet appel qui sanglote et vous prend l'âme ? Quels sons s'insinuent comme une caresse douloureuse jusqu'à mon cœur et l'obsèdent continuellement ? Qu'attends-tu donc de moi, Russie ? Quel lien secret nous unit l'un à l'autre ? Qu'as-tu à me regarder ainsi ? Pourquoi tout ce qui se trouve en toi tourne-t-il vers moi des yeux pleins d'attente (1) ? »

Maintenant, quand Gogol pensait à la Russie, sa nostalgie se compliquait de remords. Il s'accusait d'avoir été désagréable, égoïste, distant avec ses amis de Saint-Pétersbourg et de Moscou, il se demandait comment il pouvait vivre, séparé d'eux.

« Ni Rome, ni le ciel, ni rien de ce qui m'avait enchanté jadis n'agit plus sur moi, écrivait-il à Pogodine. Je ne les vois plus, je ne les sens plus. Je rêve d'une route, d'une route boueuse, sous la pluie, à travers les bois, à travers les steppes, d'une route qui me conduirait au bout du monde. J'étais parti (de Moscou) plein de vaillance et de fraîcheur, pour travailler, pour produire. Et maintenant... Dieu ! Tant de sacrifices ont été faits pour moi par mes amis... Quand les rembourserai-je ? Et moi qui croyais que, cette année, je terminerais l'ouvrage qui, d'un seul coup, me tirerait d'affaire et ferait tomber le poids qui charge ma malhonnête conscience !... Me

_____

(1) *Les Ames mortes.* Première Partie. Chapitre XI.

voici sans espoir et sans ressources pour rétablir ma santé...
Souvent, dans ma situation actuelle, je me demande : « Pourquoi suis-je allé en Russie ?... » Mais, quand je me rappelle
mes sœurs, je me dis : « Non, mon voyage n'a pas été inutile. »
Je le jure, j'ai fait beaucoup pour elles... Fou que j'étais, je
songeais en me rendant dans mon pays : « Il est bon que
je retourne en Russie, car je commence à sentir que se refroidit cette petite hargne, si nécessaire à l'auteur, contre l'ivraie
qui envahit le sol de la patrie. Je vais ainsi renouveler mes
impressions et tout se représentera plus vivement à mes
yeux. » Mais qu'ai-je rapporté de mon voyage ? Tout ce qui
était mauvais s'est effacé de ma mémoire, même ce que j'avais
remarqué autrefois, et il ne reste en moi qu'une notion de
beauté et de pureté qui me vient de mes rencontres avec mes
amis (1). »

Et, le même jour, à Mme Pogodine :

« Vous ne pouvez vous rendre compte à quel point me
tourmente l'idée que j'ai été si dur, si figé, si ennuyeux à
Moscou, que j'ai si peu manifesté mon inclination sincère,
que je me suis montré involontairement si dissimulé, si hypocrite, si insensible, si sec. Si vous saviez comme j'ai regretté,
en partant de Moscou, de m'être conduit si mal ! L'opinion
des gens m'est indifférente, mais l'opinion de mes amis... Et
ils m'aiment encore, bien que j'aie été simplement insupportable (2) ! »

Tout en gémissant sur sa mauvaise santé et son mauvais
caractère, Gogol se remit au travail. Panov lui servait de secrétaire, recopiant avec déférence les pages de brouillon qui
tombaient de sa main. *Les Ames mortes* avançaient, des personnages nouveaux prenaient corps d'un chapitre à l'autre.
Pour soutenir son effort à un niveau élevé, l'auteur lisait
saint François d'Assise, Dante, Homère. Avant même d'avoir
achevé le premier tome de son roman — qu'il voulait appeler
« poème », à l'instar de *la Divine Comédie* — il entrevoyait
le second. Rien que d'y penser, il lui venait dans l'esprit une

---

(1) Lettre du 17-5 octobre 1840.
(2) Lettre du 17-5 octobre 1840.

disposition solennelle. Dieu était mêlé de quelque façon à l'encre où il trempait sa plume.

« Console-toi, annonçait-il à Pogodine. La miséricorde divine est merveilleuse : me voilà en bonne santé. Plein d'entrain, je m'occupe de corrections et rectifications sur le texte des *Ames mortes*, et même je songe à la suite. Je vois que le sujet devient de plus en plus profond. J'envisage de publier le premier volume l'année prochaine, si la force divine qui m'a ressuscité le veut bien. Beaucoup de choses se sont passées en moi, en un temps très court ; mais je ne puis les exprimer encore, je ne sais pourquoi... Oh ! tu dois comprendre que celui qui est né pour créer dans le fond de son âme, pour vivre et pour respirer à travers ses œuvres, doit paraître souvent étrange à son entourage... Mais assez là-dessus. Je suis tranquille... Tellement tranquille, que j'en oublie que je n'ai pas un kopeck. Je vis je ne sais comment, à crédit. Tout m'est égal (1). »

Le même jour, il adressait à Aksakov une lettre plus enthousiaste encore :

« Je procède actuellement à une complète révision du premier tome des *Ames mortes*. Je modifie, j'élague, je refais maint passage et constate que l'impression de l'ouvrage ne peut s'effectuer en mon absence. Cependant la suite du livre s'élabore dans ma tête avec plus de netteté et de majesté, et je vois maintenant qu'il peut en résulter quelque chose de colossal, si toutefois ma chétive santé ne me trahit pas. En tout cas, peu de gens, assurément, savent à quelles idées vigoureuses et à quelles images profondes peut conduire un sujet insignifiant, dont vous connaissez les modestes premiers chapitres (2). »

Et, au nom de ces « idées vigoureuses », de ces « images profondes », il enjoignit, de nouveau, à ses amis de le secourir. Dieu lui dispensait l'inspiration ; aux hommes de lui dispenser les moyens matériels de la mettre en œuvre. Il se préparait à leur offrir un tel cadeau, qu'il était, dès à présent, leur créancier à tous.

---

(1) Lettre du 28-16 décembre 1840.
(2) Lettre du 28-16 décembre 1840.

« Je dois vous parler d'une affaire importante, écrivit-il au même Aksakov quelques mois plus tard. Mais Pogodine vous mettra au courant. Entendez-vous avec lui sur la meilleure façon de tout arranger. Je demande directement et en toute franchise qu'on me vienne en aide. J'en ai le droit, je le sens dans mon for intérieur. Oui, mon ami, je suis profondément heureux. Malgré mon état maladif, qui s'est quelque peu aggravé de nouveau, j'éprouve et je connais des minutes divines. Une œuvre merveilleuse s'élabore et s'édifie dans mon âme, et mes yeux sont souvent baignés de larmes de gratitude. La sainte volonté de Dieu m'apparaît ici clairement. Une inspiration pareille ne vient pas de l'homme ; l'homme n'aurait jamais imaginé un tel sujet ! Oh ! si je pouvais disposer de pareilles minutes pendant trois ans encore ! Je réclame juste le temps de vie nécessaire pour achever mon œuvre : pas une heure de plus (1). »

Cet argent, que ses amis ne pouvaient refuser de lui envoyer, il le leur rendrait, pensait-il, dès la publication du premier volume des *Ames mortes*, c'est-à-dire au plus tard dans un an. Il était même décidé à retourner en Russie pour défendre le livre devant la censure et en surveiller l'impression. Mais sa faible complexion l'inquiétait.

« Je crains un peu, poursuivait-il, de faire le trajet tout seul. Il m'est pénible et presque impossible de subir les soucis, les petits ennuis d'un voyage. Je dois conserver mon calme et une disposition d'esprit heureuse et gaie. Il faut maintenant que l'on me préserve de tout tracas et que l'on me cajole. »

Et il suggérait, le plus naturellement du monde, que l'acteur Chtchépkine et le fils d'Aksakov, Constantin, vinssent le chercher à Rome :

« Ils devront prendre soin de moi, pas pour moi personnellement, oh ! non, certes ! Mais ils accompliront une œuvre utile ; ils rapporteront avec eux un vase d'argile, tout fendillé, il est vrai, très vieux et qui tient à peine, mais ce vase contient un trésor. Donc il faut veiller sur lui (2). »

A Moscou cependant, Aksakov et Pogodine se consultaient.

---

(1) Lettre du 5 mars 1841.
(2) Ibid.

Les continuelles demandes d'argent de Gogol les embarrassaient l'un et l'autre. Pogodine qui, depuis janvier 1841, publiait une nouvelle revue, *le Moscovite*, estimait qu'en échange des sommes avancées « l'Italien » aurait pu lui envoyer quelques pages inédites. Timidement Aksakov exposa ce point de vue dans une lettre. En la lisant, Gogol s'indigna. Ecrire sur commande ? Pour qui le prenait-on ? Sans doute ses amis de Moscou n'avaient-ils pas compris le caractère sacré de sa tâche. Il répondit à Aksakov :

« Vous m'écrivez afin que j'envoie quelque chose à Pogodine pour sa revue. Dieu, si vous saviez combien cette exigence est pénible et funeste pour moi, comme elle m'emplit soudain de tristesse, comme elle me torture ! A présent m'arracher, ne fût-ce qu'un seul instant, à ma tâche sacrée est pour moi une catastrophe. Quiconque se rendrait compte de quoi il me prive ne me ferait pas une seconde fois semblable proposition... Je le jure, c'est un péché, un grand péché de me détourner de mon travail. Seul est capable d'agir ainsi celui qui ne croit pas à mes paroles et demeure fermé aux pensées sublimes. Mon œuvre est grande et salvatrice. Je suis mort désormais pour tout ce qui est petit... Embrassez Pogodine et dites-lui que je pleure, que je ne puis lui être d'aucune utilité pour sa revue et que, s'il y a en lui un sentiment russe d'amour pour la patrie, il doit exiger que je ne lui envoie rien (1). »

En mars et avril 1841, Pogodine publia dans *le Moscovite*, sans l'autorisation de Gogol, quelques scènes du *Révizor* dans une version nouvelle et un fragment de lettre à Pouchkine. Il notait dans son journal : « Lettre de Gogol qui demande de l'argent. Je ne voudrais pas lui en envoyer. » Il lui en envoya cependant. Trop peu selon son correspondant, qui attendait le double.

« Merci beaucoup pour l'argent, écrivait-il. J'ai reçu la somme. Mais ce n'est, tu le sais bien, que la moitié. J'ai réglé mes dettes, mais je demeure sur place. Si tu ne m'as pas envoyé les deux mille roubles restants avant de recevoir cette lettre, alors malheur, malheur à moi, car je serai obligé

_____

(1) Lettre du 13-1er mars 1841.

de rester à Rome pour la partie la plus chaude de l'été (1). »

Une autre circonstance le préoccupait : Aksakov venait de perdre son fils Michel et, frappé par ce deuil, son autre fils, Constantin, ne voulait pas quitter ses parents, fût-ce pour servir de compagnon de voyage à l'écrivain qu'il admirait le plus. De même Chtchépkine avait déclaré ne pouvoir se rendre en Italie. Et Panov s'apprêtait à partir de Rome pour Berlin. Brusquement Gogol se sentit abandonné de tous. Il lui paraissait inconcevable qu'il ne se trouvât pas quelque Russe assez dévoué pour faire route avec lui à la date choisie.

« Je suis désolé et la peur me prend, écrivait-il dans la même lettre à Pogodine, quand je pense qu'il me faudra revenir seul. Le voyage en voiture de poste et tous les soucis de la route, qui même autrefois n'étaient pas si faciles à supporter, me semblent, dans mon état actuel, particulièrement accablants... Je plains profondément les Aksakov, non seulement parce qu'ils ont perdu un fils, mais parce que l'attachement infini et délicieux à quoi que ce soit dans cette vie est déjà une source de malheur. »

Les fêtes de Pâques, qu'il s'apprêtait à passer dans la tristesse, lui apportèrent cependant une grande joie. Tout à coup il vit débarquer dans son appartement un petit homme rondouillard et moustachu, au menton marqué d'une mouche : c'était son ami Annenkov, surnommé « Jules Janin ». Il était de passage à Rome et se rendait à Paris. Immédiatement Gogol lui expliqua que Paris était un cloaque en comparaison de la Ville éternelle, et l'adjura de rester quelques semaines au moins par amour de l'art et par amitié. Justement, Panov étant parti pour l'Allemagne, sa chambre était libre. Annenkov s'y installa et s'offrit à transcrire *les Ames mortes* sous la dictée de Gogol. Il fut décidé qu'ils travailleraient ensemble une heure par jour. Le reste du temps, en principe, chacun s'occuperait de son côté. En fait, ils se voyaient souvent à l'extérieur et, même quand ils se trouvaient à la maison, la porte de communication, entre les deux pièces, demeurait ouverte.

Gogol se levait tôt et écrivait, debout devant son haut pupi-

_____

(1) Lettre du 15-3 mai 1841.

tre. De temps à autre, il posait sa plume et buvait un verre d'eau froide. Il lui arrivait ainsi d'assécher deux ou trois carafes dans la matinée. Depuis sa maladie, à Vienne, il avait décidé que seul l'usage des eaux pouvait le soulager. Son organisme, disait-il à Annenkov, ne ressemblait en rien à celui des autres individus ; il avait notamment « un estomac déformé ». « Vous ne pouvez pas le comprendre. Mais c'est ainsi. Je me connais... » Cela ne l'empêchait pas, ayant noirci quelques pages, de se rendre au café *del Buon Gusto* et d'y prendre un petit déjeuner copieux. Il était particulièrement difficile sur la qualité de la crème qu'il mettait dans son café. Après avoir bu et mangé, il s'allongeait sur la banquette pour un court repos. A l'heure convenue, les deux amis se retrouvaient à la maison pour le travail en commun. Gogol fermait les volets, pour se protéger contre la flamboyante chaleur de la rue, s'asseyait à la table ronde, ouvrait son cahier et commençait à dicter. « Il dictait, écrira Annenkov, posément, solennellement, avec un tel sentiment, une telle plénitude d'expression, que les premiers chapitres des *Ames mortes* ont conservé une couleur toute particulière dans ma mémoire. Nicolas Vassiliévitch Gogol attendait patiemment que j'eusse écrit le dernier mot, et se lançait dans une nouvelle phrase, de la même voix pénétrée. Souvent le braiement d'un petit âne italien traversait la pièce, puis on entendait le bruit d'un bâton frappant ses flancs et un cri furieux de femme : « *Ecco ladrone !* » (Tiens ! bandit !) Gogol s'arrêtait, disait en souriant : « Qu'il est donc devenu douillet, le coquin ! » et reprenait la deuxième partie de la phrase, avec la même force, la même conviction qu'au début (1). »

A certains passages, particulièrement comiques, Annenkov éclatait de rire en se renversant sur le dossier de sa chaise.

— « Essayez de ne pas rire, Jules », lui disait Gogol sévèrement.

Pourtant lui même, parfois, ne pouvait retenir son hilarité. Dans d'autres cas, au contraire, il prenait en dictant une figure de visionnaire. Ses yeux exorbités regardaient au delà du mur, ses mains voletaient comme ébauchant les lignes

(1) Annenkov : *Gogol à Rome. Souvenirs littéraires.*

d'un paysage vaporeux. Ainsi décrivit-il, dans une sorte d'hallucination, le jardin de l'avare Pliouchkine. Quand il eut fini de dicter, Annenkov s'écria :

— « Je considère ce chapitre comme une chose géniale ! »

Gogol referma son cahier, le roula en tube et répondit doucement :

— « Croyez bien que les autres ne sont pas inférieurs à celui-ci. »

Puis, tout content d'avoir émerveillé son copiste, il l'entraîna dans une marche à travers la ville. Sa bonne humeur, ce jour-là, était telle que, dans une ruelle perdue, derrière le palais Barberini, il entonna une chanson ukrainienne, esquissa un pas de danse et brisa, dans sa gesticulation, le parapluie qu'il avait emporté à tout hasard.

Mais le plus souvent, son tour d'esprit, en promenade, était didactique. Il conduisait Annenkov dans les musées, dans les églises, au Colisée, s'asseyait sur une pierre au milieu du Forum, commentait à voix basse les monuments qui l'entouraient ou se plongeait dans une muette contemplation qui pouvait durer plusieurs heures. Ils prenaient leurs repas dans des auberges, chez Lepre, chez Falcone, où ils rencontraient des peintres russes : Ivanov, Moller, Iordan... Gogol critiquait la préparation de chaque plat, mais mangeait avec une voracité surprenante. « Il se penchait tellement sur son assiette, écrira Annenkov, que ses cheveux blonds trempaient dedans. Et il avalait (le riz) cuillerée après cuillerée avec cette passion et cette rapidité qui sont les caractéristiques, dit-on, des individus atteints d'hypocondrie. » On buvait le meilleur café au *Buon Gusto*, sur la piazza di Spagna. Vers sept heures, la fraîcheur descendait du ciel. Il faisait bon marcher dans les rues. Parfois, on croisait une procession conduite par quelque gros abbé. La foule s'assemblait autour d'un autel dressé en plein air. Le soleil couchant dorait les visages, ensanglantait les bannières saintes. La nuit venue, mille lumières brillaient dans les cafés, des lanternes multicolores éclairaient les éventaires des marchands de fruits et de boissons, des jeunes gens en manches de chemise passaient en bandes dans les rues, chantant et riant, une guitare bourdonnait sous un balcon, des femmes se chamaillaient dans

une cour, toutes les fenêtres étaient ouvertes, Gogol exultait.
Cependant, lorsque l'haleine brûlante du sirocco enveloppait
la ville, il se sentait pris de malaise. « Sa peau se désséchait,
écrira Annenkov, une rougeur montait à ses joues. Il cherchait
la fraîcheur, le soir, au croisement des rues. Appuyé sur une
canne, la tête renversée, le visage tourné vers le ciel, il paraissait vouloir capter le moindre courant frais qui traverserait
l'atmosphère (1). »

Parfois, au lieu de se promener ou de traîner dans les
cafés, on se réunissait à l'appartement, avec les peintres,
pour jouer au « boston ». Personne ne connaissant au juste
les règles du jeu, Gogol dirigeait la partie à son idée, changeait les conventions selon les circonstances et notait les
levées sur un bout de papier, quitte à les contester ensuite.
La fameuse lampe romaine, allumée par ses soins, éclairait
à peine les cartes dans les mains des joueurs. A ceux qui se
plaignaient de n'y rien voir, il rappelait que, dans l'antiquité,
le même lumignon veillait sur les travaux et les plaisirs des
consuls, des sénateurs et des courtisanes. Pour ranimer les
courages, il empoignait une fiasque, rejetait la goutte d'huile
qui flottait à la surface en guise de bouchon — toujours à
la mode du bon vieux temps — et versait du vin léger à la
régalade. Peu à peu la discussion s'animait. Aussi longtemps
qu'il s'agissait d'art, de littérature, tout le monde était d'accord. Mais, dès que la politique était en cause, Gogol se trouvait en contradiction avec Annenkov. Défenseur fanatique de
la tradition, il ne pouvait supporter que son ami considérât
la France comme un pays d'avenir, capable de répandre, à
travers l'Europe, les idées de liberté, d'égalité, de justice,
nées sur son sol au temps des encyclopédistes. Il voyait en
elle, avec horreur, un principe destructeur de toute « la poésie
du passé ». Il la redoutait comme une empoisonneuse publique. Lorsqu'il parlait d'elle, c'était, aux dires d'Annenkov,
« d'un ton sec, despotique, saccadé ». Il est vrai qu'il n'aimait
pas davantage l'Allemagne qui, selon lui, n'était « qu'un renvoi
puant de mauvais tabac et de bière détestable (2) ». Quant

(1) Annenkov : *Gogol à Rome. Souvenirs littéraires.*
(2) Ibid.

à l'Italie, il admirait surtout l'image fausse qu'il s'en faisait, sous les espèces d'une nation désinvolte et satisfaite de son état. Annenkov lui ayant fait observer un jour qu'il existait à Rome bien des gens qui souhaitaient avec passion un changement de régime, il s'était contenté de soupirer tristement : « Eh oui ! mon cher, il y a des gens comme ça !... »

Ces conversations l'agitaient tellement, qu'après le départ de ses invités il avait de la peine à s'endormir. Au lieu de se mettre au lit, il s'allongeait sur l'étroit canapé canné et passait ainsi une partie de la nuit, à la lueur de la lampe à huile. Ou bien il s'asseyait au chevet d'Annenkov et prolongeait la veillée jusqu'au moment où son ami, fatigué, soufflait la bougie. Alors il retournait dans sa chambre, se couchait et luttait contre la peur d'être pris d'un malaise dans l'obscurité. Le souvenir de la mort de Vielgorsky le hantait. Un jeune architecte russe de sa connaissance étant tombé gravement malade, à Rome, il refusa de lui rendre visite, par crainte d'être trop impressionné à sa vue. Puis, apprenant la mort du malheureux, il sembla très préoccupé à l'idée qu'il lui faudrait assister à la cérémonie funèbre. La veille de l'enterrement, il annonça à Annenkov qu'il était lui-même au plus mal. « Sauvez-moi, au nom de Dieu ! balbutiait-il d'un air désemparé. Je ne sais ce qui se passe en moi. Je meurs. J'ai failli rendre l'âme, cette nuit, à la suite d'une crise de nerfs. Emmenez-moi quelque part, au plus vite. J'espère qu'il n'est pas trop tard (1) ! »

Affolé, Annenkov loua un fiacre et se fit conduire, avec Gogol, à Albano. « Aussi bien pendant la route que dans la petite ville où nous descendîmes, Gogol me parut parfaitement tranquille et ne fit pas allusion une seule fois à ses propos désespérés, comme s'il ne les avait jamais tenus devant moi », écrira-t-il.

A quelque temps de là, Annenkov prit froid après une baignade dans le Tibre et s'alita avec une forte angine. Malgré les médicaments, la fièvre ne baissait pas. Très contrarié, Gogol était partagé entre la pitié que lui inspirait son ami et la terreur de la contagion. Quand on portait dans sa tête

_____
(1) Ibid.

une œuvre aussi importante que *les Ames mortes*, on n'avait pas le droit, pensait-il, de s'exposer à des risques de maladie. Brusquement il partit pour la campagne, laissant Annenkov à la garde d'une servante et du propriétaire de l'appartement. Il écrivit à ce dernier, en italien, pour le prier de s'occuper de *nostro povero ammalato* (1).

« Je crois que le spectacle de la souffrance lui était intolérable comme le spectacle de la mort, notera Annenkov. La vue de la détresse humaine, si elle ne le plongeait pas dans une humeur de tristesse lyrique, comme ce fut le cas pour lui, en 1839, au chevet du comte Joseph Vielgorsky, le chassait au loin... En général, bien que son cœur fût capable d'une compassion profonde, il était privé de ce don et de cette science qui permettent à certains de toucher de leurs propres mains les plaies d'un être proche... Il transposait la peine ou les soucis des autres dans le langage raisonnable d'un bon intermédiaire, aidait un ami par des conseils, par un appui, par le jeu de ses relations, mais ne vivait jamais réellement l'amertume de ses tourments et n'était jamais avec lui en communion vivante. Il pouvait donner à un homme dans le malheur sa pensée, sa prière, le souhait chaleureux de son cœur, mais ne se donnait jamais lui-même (2). »

Au bout de quelques jours, Annenkov se rétablit, et Gogol, soulagé, réintégra son domicile. Jamais il ne fut question entre eux de cette fugue. L'un par déférence, l'autre par dissimulation naturelle, taisaient le fond de leur pensée.

Comme lors de son premier séjour en Italie, Gogol rendait fréquemment visite à Ivanov dans son atelier. *L'Apparition du Christ au Peuple*, commencée quatre ans plus tôt, avançait lentement. Chaque visage, chaque brin d'herbe, chaque caillou soulevait un problème. Le peintre avait demandé à l'écrivain de poser pour l'un des personnages de sa toile. Dans un groupe, à l'arrière-plan, se dressait maintenant un homme maigre, au masque aigu et aux cheveux longs, le corps enveloppé d'une ample chlamyde de couleur brune. C'était Gogol,

------

(1) Notre pauvre malade.
(2) Annenkov : *Gogol à Rome. Souvenirs littéraires.*

la tête légèrement tournée, comme s'il eût pressenti l'arrivée, derrière lui, du Christ (1).

Parlant de cette figure, Ivanov disait qu'elle était « la plus proche du Sauveur ». Il avait intentionnellement choisi une place privilégiée pour son ami. Et celui-ci avait accepté avec gratitude d'être représenté symboliquement parmi ceux qui allaient recevoir la révélation. Ne se sentait-il pas, à la lettre, éclairé par Dieu dans certains moments de son activité littéraire ? Il ne ferait que tenir dans le tableau le rôle qu'il tenait dans la vie. Du reste l'*Apparition du Christ au Peuple* complétait *les Ames mortes*. Le tableau comme le livre étaient destinés à produire un choc moral sur la foule et à orienter le destin historique de la Russie. En se vouant totalement à leur œuvre, le peintre et l'écrivain accomplissaient la volonté de Dieu. Les empêcher de travailler, c'était faire injure au Très-Haut. « Rappelez-vous qu'on ne peut servir à la fois Dieu et Mammon (2) », disait Gogol.

Ivanov exécuta encore quelques croquis et deux portraits à l'huile de Gogol. Le peintre Moller en fit d'autres, à la même époque. Son modèle lui avait demandé de le peindre souriant, « car un chrétien ne doit pas avoir l'air triste ». Hors de la toile, surgit un visage aux longs cheveux soyeux descendant de biais sur le front. Le nez est pointu, les lèvres sourient sous une légère moustache blonde, cependant que les yeux, petits et obliques, regardent droit devant eux avec mélancolie. Quand il contemplait ce tableau, traité avec une extrême délicatesse de touche, Gogol pouvait se trouver presque beau.

Il avait une réelle affection pour les peintres, les recommandait à des amis influents, tâchait d'obtenir pour eux quelques commandes. Apprenant que l'un d'eux, Chapovalov, ami d'Ivanov, de Moller et de Iordan, avait vu sa pension brusquement supprimée par une décision de la Société d'encouragement aux artistes, il résolut d'organiser une lecture publique du *Révizor* à son bénéfice. La princesse Volkonsky prêta sa villa ;

----

(1) Le tableau d'Ivanov, commencé en 1837, terminé en 1856, se trouve actuellement à la Galerie Trétiakov, à Moscou.
(2) Lettre à Ivanov du 10 janvier 1844.

le prix des places fut fixé à cinq scudos (1) ; au jour dit, toute
la haute société russe de Rome se trouva rassemblée dans les
salons de la princesse.

En s'asseyant à une grande table, devant cet auditoire huppé,
Gogol sentit comme une rangée de piques qui s'abaissaient
vers lui et dut se dominer pour ne pas courir à la porte.
Sûrement il n'y avait pas une personne sur dix qui l'estimât
dans l'assistance. Il lut mal, sans entrain, d'une voix monocorde. Ses amis étaient consternés. Après le premier acte,
peu de gens applaudirent, on se leva, des serviteurs en livrée
passèrent boissons et biscuits. Quand la lecture reprit, la
moitié des sièges étaient vacants. A chaque entracte, le salon
se vidait un peu plus. Des messieurs importants disaient
entre haut et bas : « Il nous a déjà régalés de cette platitude
à Saint-Pétersbourg ! Et le voilà qui la transporte à
Rome (2) ! » A la fin, seuls restaient, fidèles au poste, quelques
artistes amis de l'écrivain. Ils l'entourèrent pour le féliciter
et le remercier, au nom de Chapovalov. « Gogol, l'air désemparé, gardait le silence, racontera Iordan. Il était cruellement
offensé et affligé. Son amour-propre, si chatouilleux, souffrait démesurément. »

Pourtant, à la réflexion, cette avanie le confirmait dans
l'idée qu'il était en avance sur son temps. La preuve de son
exceptionnel destin, ces mondains la lui administraient en
refusant de le comprendre. Certes le Révizor, pensait-il, n'était
pas une pièce sans défauts. Mais c'était tout de même « du
Gogol ». C'est-à-dire la manifestation d'une puissance prophétique. De plus en plus, il se persuadait qu'il était né pour
instruire ses semblables. Il avait commencé par admonester
sa mère, ses sœurs ; il étendait maintenant sa prédication
aux amis. Danilevsky lui ayant confié qu'il s'ennuyait à la
campagne, dans sa propriété, et songeait à chercher un
emploi dans une grande ville, il s'enflamma d'une indignation
fraternelle. Peu lui importait que Danilevsky, qu'il connaissait
pourtant mieux que quiconque, fût d'un caractère facile et
enjoué, aimant la société, friand de spectacles, et tout à fait

_____

(1) Ancienne monnaie d'argent en Italie.
(2) *Souvenirs*, de Iordan.

inapte à supporter la monotonie de la vie rurale. Il n'essayait pas de s'identifier à son ami ni même de peser ses raisons. Incapable de sortir de lui-même, il jugeait les autres d'une manière abstraite, théorique. Ses leçons s'adressaient non à des individus de chair, mais à des entités atteintes de tel ou tel mal qu'il fallait dénoncer avec force. Et, plus il aimait ses correspondants, plus il se croyait autorisé par Dieu à les faire profiter de son expérience. Sa rage de charité ne reculait pas devant le risque de blesser ceux qu'il prétendait guérir. Vraiment, par cette chaude journée d'été, en envoyant sa lettre à Danilevsky, il avait conscience d'accomplir un devoir pastoral :

« Est-il possible que tu ne voies pas, jusqu'à présent, à quel point ton activité à Sémérienky (propriété de Danilevsky) peut être supérieure à n'importe quelle vie de service et de clinquant, avec toutes les commodités, tout le confort, etc. Ecoute-moi ! Tu dois maintenant écouter ma parole, car ma parole a double pouvoir sur toi, et malheur à celui, quel qu'il soit, qui n'écoute pas ma parole. Abandonne tout pour un temps, absolument tout ce qui trouble ta pensée aux minutes d'oisiveté, si séduisante que soit cette agitation. Soumets-toi et occupe-toi, ne fût-ce qu'un an, de ta propriété... Un an seulement, et jamais plus tu ne l'oublieras ! Je jure que ce sera l'aube de ton bonheur. Exécute donc sans murmure et sans objection ma prière. Tu ne le feras pas seulement pour toi ; à moi aussi, tu rendras un grand service. N'essaie pas de savoir en quoi il consistera. Tu n'as pas à le savoir, mais, quand le temps sera venu, tu remercieras la Providence de t'avoir donné l'occasion de me rendre service... O crois en ma parole. Elle est désormais revêtue d'un pouvoir supérieur. Tout peut te décevoir, te tromper, te trahir, tout, sauf ma parole... Je ne t'écris rien des événements de Rome dont tu me demandes des nouvelles. Je ne vois plus rien devant moi, et il n'y a plus dans mon regard l'attention frémissante du novice. Tel le voyageur qui, ayant bouclé sa valise, attend, fatigué mais calme, la voiture qui l'emportera sur une route longue, sûre et désirée, ainsi moi, ayant fait mon temps d'épreuves et m'étant préparé par une vie tout intérieure, retranchée du monde, me voici prêt à m'engager paisiblement, sans hâte, l'âme fortifiée, dans la voie qui m'a été désignée d'en-haut (1). »

Un mois et demi plus tard, c'était au poète Iasykov qu'il adressait son prêche :

« O crois en ma parole ! Je ne puis rien te dire d'autre que cela : crois en ma parole. Moi-même, je suis obligé d'y croire. Il y a là quelque chose de miraculeux et d'incompréhensible. Les larmes dont est pleine mon âme reconnaissante et inspirée m'empêchent de l'expliquer. Ma bouche est muette. Nulle pensée humaine n'est capable d'imaginer, ne fût-ce que la centième partie de l'immense amour que Dieu porte à l'homme. Tout est là. Dorénavant, que ton clair regard soit toujours courageusement levé vers le ciel... Et si jamais l'ennui te domine et que, te souvenant de moi, tu n'aies pas la force de le surmonter, c'est que tu ne m'aimes pas. Et si la maladie s'empare soudain de toi et que ton esprit faiblisse, c'est que tu ne m'aimes pas. Mais je prie, je prie de toutes mes forces pour que cela ne t'arrive pas... et pour que règne autant que possible dans ton âme cette lumière qui m'enveloppe tout entier en cet instant (2). »

Et à Ivanov :

« Marchez vaillamment, ne perdez jamais courage, sinon cela voudra dire que vous ne vous souvenez pas de moi et que vous ne m'aimez pas, car celui qui se souvient de moi porte en soi puissance et fermeté d'âme (3). »

Ayant ainsi libéré son ardeur mystique, Gogol revenait aux *Ames mortes* avec une extraordinaire disposition à l'humour. On eût dit que, chez lui, le goût du sermon et celui de la caricature se superposaient sans se nuire. Dès qu'il quittait les êtres réels pour se mêler à des personnages imaginaires, le comique reprenait le dessus. Mais il souffrait parfois de s'être condamné, par le sujet qu'il avait choisi, à une âpre et constante raillerie de ses semblables. Il enviait Ivanov, qui peignait de belles figures d'hommes attentifs à la venue du Christ. Quand pourrait-il, lui aussi, tremper son pinceau dans

_____

(1) Lettre du 7 août-26 juillet 1841.
(2) Lettre du 27-15 septembre 1841.
(3) Lettre du 25 décembre 1841.

des couleurs claires ? Pour l'instant il devait travailler dans
la grimace et la fange.

Avec un sentiment complexe d'écœurement, d'exaltation et
de devoir, il termina le premier tome des *Ames mortes* et
entreprit la révision de l'ensemble. Annenkov, qui avait prolongé son séjour à Rome au delà de la date prévue, partit pour
Paris ayant achevé sa besogne de copiste. Le manuscrit était
là, au complet : onze grands chapitres. Gogol le feuilletait
avec angoisse. Le temps était venu de livrer au monde le
fruit de six ans de travail. Ses contemporains sauraient-ils
apprécier le cadeau ? Vers la mi-août, il partit à son tour
pour se rendre en Russie, par petites étapes.

Il passa par Florence, Gênes, Düsseldorf et, apprenant que
Joukovsky se reposait à Francfort, poussa jusqu'à cette ville
pour le rencontrer. Le poète venait de se marier, à cinquante-
huit ans, avec une jeunesse de vingt ans, la fille du peintre
von Reutern, et paraissait tout plein de son nouveau bonheur
et de ses nouveaux soucis. Il avait engraissé, s'était déplumé,
mais la même bienveillance brillait dans ses yeux noirs, asymé-
triques. Sans doute parla-t-il à Gogol de l'effet terrifiant produit en Russie par la disparition de Lermontov, tué en duel,
lui aussi, tout récemment, pour une absurde querelle d'honneur (1). C'était le deuxième grand poète russe frappé de
mort violente en l'espace de quatre ans. Et il s'était posé en
défenseur et en continuateur de Pouchkine ! La fatalité semblait s'acharner sur tout ce qui portait la flamme du génie
dans les lettres russes. Gogol était bien de cet avis, lui qui
se sentait constamment menacé dans sa chair et dans son
âme. Mais ce n'était pas un homme qui le défiait en combat
singulier. C'était l'humanité entière. Et il avait Dieu derrière
son dos.

Bien que Joukovsky parût quelque peu distrait, Gogol voulut lui lire son drame ukrainien : *la Moustache rasée*. C'était
après le dîner, à l'heure habituelle de la sieste. Pelotonné
frileusement dans son fauteuil, devant une cheminée allumée,
Joukovsky ne pouvait s'empêcher de trouver la pièce bavarde

_____

(1) Michel Lermontov avait été tué en duel, au Caucase, le 15 juillet 1841, par un certain Martynov, son ancien compagnon d'études.

et ennuyeuse. Il finit par s'assoupir. Quand il se réveilla,
Gogol lui dit :

— « Je vous avais demandé une critique de mon œuvre.
Votre sommeil est la meilleure critique qui soit.

— « Excuse-moi, dit Joukovsky, j'ai eu une telle envie de
dormir soudain !...

— « Si vous avez eu envie de dormir, c'est qu'on peut
brûler la pièce ! »

Et, d'un geste large, Gogol jeta le cahier dans la cheminée.
Les flammes s'étouffèrent sous le papier, puis soudain montèrent, hautes, gaies et dansantes.

— « Tu as bien fait, frère ! » murmura Joukovsky (1).

Cette fois, il n'y eut pas entre les deux hommes ce rapprochement cordial dont ils étaient coutumiers. Sans doute Joukovsky était-il excédé par les manœuvres de Gogol, toujours
en quête d'argent, d'appuis officiels, de recommandations pour
lui-même ou pour tel peintre de ses amis qui crevait de faim
à Rome. Le voici maintenant qui faisait campagne afin
qu'Ivanov obtînt le maintien de sa subvention pendant trois
ans. Il avait même rédigé un projet de lettre à ce sujet au
grand-duc héritier. En revanche, quand on lui offrait une
place de bibliothécaire auprès de Krivtsov, il refusait avec
hauteur, sous prétexte qu'il devait se consacrer à son œuvre.
Il voulait bien être secrétaire du directeur de l'Académie russe
à Rome, mais pas bibliothécaire ! Du reste, la proposition arrivait trop tard ! Pouvait-on avoir autant de talent et être aussi
insupportable ? Joukovsky, jeune marié, avait hâte de voir
partir ce visiteur encombrant. Gogol le sentit et plia bagage.

« Vous aviez à ce moment-là beaucoup de soucis, de distractions, une vie personnelle importante, et n'étiez nullement
intéressé par moi, devait-il écrire au poète. Et moi, de mon
côté, écrasé par mes propres sentiments, je n'avais pas la
force de voler à votre rencontre avec une âme claire. Je me
rappelle que, voulant vous communiquer tant soit peu les pensées délicieuses qui m'emplissaient, je ne trouvais pas de mots
pour le faire au cours de nos conversations et n'émettais que
des sons décousus, qui évoquaient le délire d'un fou, si bien

_____

(1) Récit de Joukovsky, noté par Tchijov et confirmé par Nikitenko.

que, sans doute, maintenant encore, vous vous demandez qui je peux bien être et quel étrange phénomène s'était produit en moi (1). »

De Francfort, il se rendit à Hanau, où il savait pouvoir trouver Iasykov, qu'il avait connu deux ans auparavant, et dont il admirait la poésie musicale et riche, proche parfois de celle de Pouchkine. A trente-huit ans, après une vie dissolue, Iasykov, souffrant du tabès, se traînait d'une ville d'eaux à l'autre. Il s'ennuyait tellement, qu'il accueillit Gogol avec transport. Leurs goûts littéraires étaient les mêmes, et leurs aspirations religieuses, et leurs vues sur la mission sacrée de la Russie parmi les peuples européens dévoyés. Le temps passait si vite en conversations, que les deux hommes, enchantés l'un de l'autre, décidèrent de se retrouver plus tard, à Moscou, et d'y vivre ensemble. Le soir, avant de se coucher, ils s'amusaient à inventer des personnages et à leur trouver des noms caractéristiques de leurs défauts : à ce jeu, Gogol était imbattable. Ils parlaient aussi, bien sûr, de leurs maladies. Celle de Gogol était, à l'entendre, plus inquiétante encore que celle de Iasykov.

« Il m'a raconté les étrangetés de sa maladie, imaginaire sans doute, écrira Iasykov. De même, il m'a décrit la structure tout à fait spéciale de sa tête et la position anormale de son estomac. D'après lui, des médecins célèbres, l'ayant examiné et palpé à Paris, auraient trouvé que son estomac était tourné à l'envers. En général il y a beaucoup de bizarrerie en Gogol. Parfois je ne le comprends pas. Mais il est tout de même très gentil (2). »

Après trois semaines passées avec Iasykov, Gogol se remit en route, avec le frère aîné de ce dernier, Pierre Mikhaïlovitch, qui retournait également en Russie.

« Quel charme étrange, captivant, entraînant, dans ces seuls mots : la route ! lit-on dans *les Ames mortes*. Et comme elle est belle elle-même, cette route ! Un temps clair, les feuilles d'automne, l'air pur et froid... On s'enveloppe bien dans son manteau de voyage, on enfonce son bonnet sur ses oreilles,

_____

(1) Lettre du 26 juin 1842.
(2) Lettre de septembre 1841.

on se blottit plus étroitement, plus confortablement dans le
coin de la voiture. Un dernier frisson saisit vos membres,
et le voilà déjà remplacé par une chaleur agréable. Les chevaux galopent. Une douce somnolence vous envahit, vos paupières se ferment, vous percevez, comme en rêve, la chanson
du cocher : « Ce n'est pas la neige blanche... », le halètement
des chevaux, le bruit des roues, et déjà vous ronflez, appuyé
sur votre voisin. Vous vous réveillez, alors que cinq relais
ont été déjà parcourus. Le clair de lune. Une ville inconnue.
Des églises surmontées d'anciennes coupoles en bois, aux flèches noircies. Des maisons en rondins, toutes sombres ; des
maisons en pierre, toutes blanches. Les rayons de la lune
étalent, dirait-on, des mouchoirs de toile blanche sur les murs,
sur les pavés, dans les rues. Des ombres, d'un noir de charbon, les coupent de biais. Les toits de planche, éclairés obliquement, brillent comme du métal poli. Et pas une âme
dehors. Tout sommeille. C'est à peine si une lueur solitaire
clignote à quelque fenêtre. Un petit-bourgeois peut-être, en
train de recoudre sa paire de bottes, ou un boulanger, occupé
à sa fournée, peu importe !... Dieu ! comme tu es belle
parfois, route, route sans fin ! Combien de fois, sur le point
de périr, de sombrer, j'ai eu recours à toi, et toujours tu
m'as tiré d'affaire ! Et que de projets splendides, que de
rêves poétiques, que d'impressions merveilleuses ne m'as-tu
pas inspirés (1) ? »

Gogol et son compagnon s'arrêtèrent à Dresde pour prendre
un peu de repos, puis à Berlin. De là ils repartirent, par les
mauvaises routes d'automne, en direction de la frontière russe.

_____

(1) *Les Ames mortes*. Première Partie. Chapitre XI.

VI

COMBAT POUR LES AMES MORTES

Dans les premiers jours d'octobre 1841, Gogol arriva à Saint-Pétersbourg. Comme d'habitude, il descendit chez Plétnev, qui le mit immédiatement au courant des dernières nouvelles de la capitale. Un roman de Koukolnik, *le Sergent Ivanov*, avait déplu à l'empereur parce qu'on y voyait des gens de la haute société pétris de défauts par opposition à de petites gens vertueux. Le chef des gendarmes, Benkendorf, avait sévèrement réprimandé l'auteur, tandis que les censeurs recevaient l'ordre de redoubler de vigilance dans l'examen des manuscrits. En général, il semblait que l'atmosphère de la ville fût plus lourde que l'année précédente. Inquiet pour l'œuvre qu'il transportait dans sa serviette, Gogol voulut avoir l'avis de son amie Alexandra Ossipovna Smirnov. Il la trouva évasive au sujet des affaires importantes et prolixe dès qu'il s'agissait de potins mondains. Il apprit d'elle que le « roman » de Nicolas 1er et de la demoiselle d'honneur Nélidov était à son apogée, que tous les amis de l'impératrice en étaient consternés, que celle-ci, du reste, maigrissait à vue d'œil, que le vieux comte Vielgorsky jouait gros jeu au whist, avec le comte Nesselrode et le prince Lobanov, qu'elle-même s'apprêtait à repartir pour l'étranger... En l'écoutant, Gogol avait de moins en moins envie de prolonger son séjour dans la capitale. D'ailleurs la pluie et le vent conjuguaient leurs efforts pour le chasser.

Cinq jours afin de revoir Prokopovitch, d'envisager avec lui une édition de ses « Œuvres réunies », d'apprendre que Bélinsky était toujours bien disposé à son égard — et il repartait pour Moscou.

Ayant su, en consultant la feuille de route, qu'il voyageait avec Gogol, un certain Peiker, son voisin de banquette dans la voiture de poste, voulut entrer en conversation avec lui. Mais Gogol prétendit qu'il s'appelait Gogel, qu'il n'avait rien de commun avec l'écrivain, qu'il venait de perdre ses parents et qu'il tenait à ruminer son chagrin dans le silence. Après quoi, ayant relevé le col de son manteau, il se détourna de l'importun. Quelques jours plus tard, il devait rencontrer chez des amis communs le même Peiker qui, comprenant la supercherie, s'en offensa (1).

En retrouvant Moscou, avec ses rues bariolées, son désordre et sa bonhomie, son ciel automnal, doux et changeant, ses sonneries de cloches, Gogol se sentit d'abord payé de son voyage. Sa chambre l'attendait chez les Pogodine. Un pâle soleil entrait par les fenêtres. Le champ des Vierges s'étalait à perte de vue. On n'entendait pas un bruit de voiture. Rien n'avait changé dans la maison, et cependant il y régnait, semblait-il, une tension inhabituelle. Comme si, pour la première fois, l'hôte n'était pas content de son invité. Sans doute Pogodine ne pouvait-il encore lui pardonner d'avoir refusé son concours à la revue *le Moscovite*. Bah ! il finirait par comprendre et par se résigner !

Le 18 octobre, Gogol rendit visite aux Aksakov, qui l'accueillirent avec délire. Il se sentait plus à l'aise dans leur simple et vaste maison de bois, bourrée de monde, que dans la solennelle demeure des Pogodine, où chaque meuble était un objet de prix. Chez les Aksakov, on n'exigeait rien de lui, on le cajolait sans arrière-pensée, on l'aimait pour ses défauts, alors que, chez les Pogodine, il avait toujours l'impression d'être le débiteur. Il est vrai qu'il n'avait pas encore remboursé à Pogodine le premier kopeck des six mille roubles que celui-ci lui avait prêtés en plusieurs fois, mais ce n'était qu'une question de temps. Tout en se félicitant du retour de

---

(1) Aksakov : *Histoire de mes Relations avec Gogol.*

Gogol, Aksakov notait avec tristesse le changement qui s'était opéré en lui.

« Il s'était desséché, il avait pâli, écrivait-il, et chacune de ses paroles exprimait une douce soumission à la volonté divine. Son inclination gastronomique et son espièglerie d'autrefois semblaient avoir disparu. »

Pour l'instant, Gogol ne voulait penser qu'à la publication des *Ames mortes*. Il en lut les cinq derniers chapitres chez Pogodine, en présence d'Aksakov et de son fils Constantin. A la fin, les deux Aksakov, frappés d'admiration, gardèrent un silence religieux. En revanche, Pogodine fit observer que le « poème » n'avançait pas, que l'auteur « avait construit un long corridor, dans lequel il entraînait le lecteur et son héros Tchitchikov, ouvrant des portes à gauche, à droite, et montrant, dans chaque chambre, un monstre assis ». Aksakov, indigné, voulut défendre la conception de Gogol, mais celui-ci lui coupa la parole. « Vous ne pouvez ou vous ne voulez faire aucune observation par vous-même, lui dit-il, et vous empêchez les autres d'en faire ! » Et il continua d'écouter, avec beaucoup d'attention, les reproches de son contempteur.

Pourtant il ne modifia pas les grandes lignes de son œuvre. Simplement il s'acharna sur les détails : une dernière révision, minutieuse, féroce. Le manuscrit, calligraphié jadis par Panov, puis par Annenkov, se couvrit de ratures et de rajouts. Une nouvelle copie s'imposait. On engagea un scribe, avec ordre de mettre les bouchées doubles.

Pendant qu'il travaillait, Pogodine revint à la charge en exigeant quelque chose d'inédit pour sa revue. Grand, maigre, la face rude, la lippe épaisse, le sourcil broussailleux, il effrayait Gogol par ses éclats de voix. D'un caractère autoritaire et borné, il ne pouvait concevoir de rendre service sans être payé de retour. Pour lui, il n'y avait pas de dons, entre amis, il n'y avait que des échanges. De guerre lasse, Gogol lui abandonna sa longue nouvelle inachevée : *Rome*. Pogodine se calma. Il digérait le morceau. N'allait-il pas, ensuite, manifester d'autres prétentions ? Il avait beaucoup changé depuis qu'il avait pris la direction de cette revue. L'estime que lui témoignait le ministre de l'Instruction publique, Ouvarov, lui était montée à la tête. Dévoué au gouvernement, il se posait en champion de l'ordre impérial et de l'orthodoxie. Même le clan des slavophiles trouvait qu'il avait adopté une attitude rétrograde. Pourtant les slavophiles n'étaient pas très éloignés de ses principes. Eux aussi s'appuyaient sur le passé. Mais c'était pour mieux préparer l'avenir. Au lieu de voir le salut du pays dans l'immobilité, ils se disaient partisans d'un progrés spécifiquement russe, inspiré par les traditions qui régnaient dans le peuple. Rejetant avec horreur les idées européennes, génératrices de désordres, ils condamnaient les occidentalistes, parmi lesquels notamment se classait Bélinsky (1).

Chez les Pogodine, chez les Aksakov, chez les Chévyrev, Gogol n'entendait que des injures à l'adresse du critique qui, depuis peu, s'était installé à Saint-Pétersbourg pour collaborer à la revue libérale : *les Annales de la Patrie*. A leurs yeux, Bélinsky était un « étudiant en rupture d'études », un révolutionnaire, un « fou », un « sabreur » pour qui rien n'était sacré. N'osant les heurter de front, Gogol taisait l'estime qu'il avait pour ce défenseur de son talent. Comment, se disait-il, ne pas détester la politique, alors qu'elle dresse les uns contre les autres des hommes également honnêtes et convaincus ? Dès qu'on agitait devant lui des questions sociales, il avait envie de disparaître dans une trappe. En vérité, il ne voulait pas déplaire à ses amis de Moscou et il ne voulait pas rompre avec ses amis de Saint-Pétersbourg. Comme jadis devant les exigences catholiques de la princesse Volkonsky, il évitait de se compromettre, fuyait les discussions, louvoyait avec une souple et efficace lâcheté.

Enfin *les Ames mortes* furent recopiées de bout en bout, d'une écriture régulière et anonyme, sur des cahiers de fort papier blanc, et Gogol remit le manuscrit, en tremblant, au

---

(1) Les occidentalistes pensaient que la Russie, pour remplir sa mission historique, devait d'abord se mettre à l'école de l'Occident. Il ne s'agissait pas de copier celui-ci servilement, mais de lui prendre ce qu'il avait de meilleur : organisation administrative, réformes sociales, laïcisation. A l'opposé, les slavophiles estimaient que le malaise du pays s'expliquait par le fait qu'il s'était détourné de ses sources spirituelles. L'Eglise orthodoxe, la libre soumission du peuple au tsar, le mir, devaient assurer, disaient-ils, l'originalité de la Russie et sa supériorité par rapport au reste de l'Europe.

censeur Snéguirev, professeur à l'Université de Moscou, qu'il jugeait « plus intelligent que ses collègues ». Celui-ci lut l'ouvrage en deux jours et déclara qu'il était, pour sa part, disposé à le laisser publier moyennant quelques retouches infimes. Gogol crut la partie gagnée. Il se réjouissait trop tôt. Brusquement saisi de scrupules, Snéguirev revint sur sa parole et décida, pour se couvrir, de soumettre la question au comité. Sans doute craignait-il, en assumant seul la responsabilité du visa, d'attirer sur lui, par la suite, les foudres de Benkendorf ou même de l'empereur. On avait vu des censeurs suspendus et mis aux arrêts pour avoir accordé leur consentement à des textes moins subversifs. Les œuvres précédentes du même écrivain ne militaient guère en sa faveur. Qui ne se souvenait de l'indignation soulevée dans la haute société par son *Révizor* ?

Le comité se réunit, bien décidé à passer au crible la prose de ce fauteur de scandales. Dès que le président, Golokhvastov, entendit le titre : *les Ames mortes*, un frisson le parcourut et il s'écria sur un ton de noblesse outragée : « Non, jamais je ne permettrai cela ! L'âme est immortelle. Il ne peut y avoir d'âme morte. L'auteur attaque le dogme de l'immortalité de l'âme ! » On eut grand peine à lui expliquer que les « âmes mortes » dont il s'agissait étaient des serfs décédés entre deux recensements. Sur quoi Golokhvastov explosa de nouveau, soutenu, cette fois, par la majorité de ses collègues : « C'est, à plus forte raison, inadmissible !... Il y a là une critique ouverte de l'institution du servage ! » Patiemment Snéguirev fit observer que l'institution du servage n'était jamais mise en cause dans le livre et que Gogol se bornait à relater de façon comique l'entreprise d'un escroc, nommé Tchitchikov, affrontant des propriétaires fonciers de tout acabit. — « L'entreprise de ce Tchitchikov est donc un délit ! » s'écrièrent certains. — « L'auteur ne songe nullement à la justifier ! » protesta Snéguirev. — « Il ne la justifie pas ! lui répondit-on. Mais il a lancé l'idée ! Maintenant d'autres prendront modèle sur Tchitchikov et voudront acheter des âmes mortes ! » L'un des censeurs, Krylov, désirant démontrer sa largeur de vue « tout européenne », laissa tomber froidement : « Dites ce que vous voulez, mais le prix de deux rou-

bles cinquante que Tchitchikov offre pour chaque âme est
révoltant. La conscience humaine s'insurge contre ce tarif.
Certes, il donne ce prix pour un nom écrit sur un bout de
papier, mais ce nom représente tout de même une âme, une
âme humaine, une âme qui a vécu... Cela serait impossible
en France, en Angleterre, partout ailleurs ! Après cela aucun
étranger n'acceptera de venir en Russie ! » Entre-temps, un
autre censeur, ayant ouvert le manuscrit au hasard, tomba
sur un passage où il était question d'un propriétaire foncier
qui se ruinait en faisant aménager, à Moscou, une maison
dans le goût moderne. « Attention, remarqua le censeur
Katchénovsky, l'empereur aussi est en train de se faire construire un palais à Moscou ! » Snéguirev, à bout d'arguments,
baissait la tête. Contre une certaine bêtise, il n'y avait de
refuge que dans le silence. Après une brève discussion, le
livre fut interdit (1).

En apprenant la nouvelle, Gogol céda au désespoir. Il ne
s'attendait pas à un arrêt aussi brutal. L'idée qu'un livre
auquel il avait consacré tant d'années fût condamné à ne pas
voir le jour l'anéantissait. De quel droit, se demandait-il, une
poignée d'incapables pouvaient-ils s'opposer à la publication
d'une œuvre voulue par Dieu ? Les réflexions des censeurs,
que Snéguirev lui avait répétées, rappelaient celles de certains
personnages des *Ames mortes* devant les propositions de Tchitchikov. Oui, les monstres nés de l'imagination de l'auteur
avaient des frères parmi ses juges. Il avait cru tracer des
caricatures et il avait peint des portraits d'une tragique ressemblance. Que faire maintenant ? Ranger le manuscrit dans un
tiroir ? Non, il fallait se battre. L'affaire ayant échoué à
Moscou, Gogol décida de tenter sa chance à Saint-Pétersbourg.
Mais, cette fois, il était résolu à s'entourer de tous les appuis
officiels possible.

« L'affaire est pour moi très grave, écrivait-il à Plétnev. Vous
savez que ce poème représente toutes mes ressources, tous
mes moyens d'existence. Il semble qu'on ait voulu m'arracher
le dernier morceau de pain de la bouche, ce morceau de pain

---

(1) Cette scène est rapportée, mot pour mot, par Nicolas Gogol,
dans sa lettre à Plétnev du 7 janvier 1842.

qui a été obtenu par sept ans d'abnégation, de refus du monde et de tous ses profits. Je ne puis rien entreprendre d'autre pour assurer ma subsistance. L'aggravation de mon état maladif m'empêche même de continuer le travail que j'ai commencé. J'ai peu de minutes claires et, à présent, le malheur me coupe bras et jambes. Voici ce qu'il faut : vous devez agir maintenant en conjuguant vos forces pour transmettre le manuscrit à l'empereur. J'écris dans le même sens à Alexandra Ossipovna Smirnov. Qu'elle essaie de faire agir les grandes-duchesses ou qu'elle trouve un autre moyen. C'est votre affaire (1) ! »

Justement Bélinsky, la bête noire de Pogodine et de Chévyrev, se trouvait de passage à Moscou. Il était descendu chez Botkine. Gogol ne pouvait le rencontrer ouvertement sans susciter la colère de ses amis du *Moscovite*. Il se rendit donc auprès de lui, en grand secret, l'informa de son échec et le pria d'emporter le manuscrit des *Ames mortes* à Saint-Pétersbourg, afin de le remettre au prince Odoïevsky, dont l'intervention auprès des censeurs pouvait être décisive. Bélinsky accepta volontiers cette mission de confiance. Il était venu à Moscou pour recruter des collaborateurs aux *Annales de la Patrie*. Avec véhémence, il reprocha à Gogol de se cramponner au petit groupe d'hommes de lettres réactionnaires qui entouraient Pogodine. Son devoir de grand écrivain russe était de briser avec la clique des « gouvernementaux » et des slavophiles pour rejoindre la fière troupe des occidentalistes. Pourquoi ne confiait-il pas quelque texte inédit aux *Annales de la Patrie*, comme preuve de son attachement à un idéal de justice et de liberté ? Bousculé, effaré, Gogol jura qu'il avait déjà donné tout ce qu'il avait de disponible au *Moscovite* par suite d'engagements antérieurs, qu'il le regrettait du reste, et que plus tard, si l'occasion se présentait... Bélinsky fit semblant de le croire.

« Je regrette que *le Moscovite* ait pris tout ce que vous aviez et qu'il ne vous reste rien pour *les Annales de la Patrie*, devait-il lui écrire peu après, faisant allusion à leur conversation. Je suis sûr que cela résulte de la fatalité et non de

_____

(1) Lettre à Plétnev du 7 janvier 1842.

votre bienveillante disposition d'esprit à l'égard du *Moscovite* et de votre animosité à l'égard des *Annales de la Patrie.* Le destin joue depuis longtemps un rôle étrange en ce qui concerne tous les grands noms de la littérature russe : il ôte la raison à Batiouchkov, la vie à Griboïédov, Pouchkine, Lermontov, et laisse sains et saufs Boulgarine, Gretch et autres canailles du même genre à Saint-Pétersbourg et à Moscou ; il enrichit de vos œuvres *le Moscovite* et en prive *les Annales de la Patrie* (1). »

Les deux hommes se quittèrent amicalement. Gogol qui, pendant tout l'entretien, s'était comporté, par diplomatie, en sympathisant des occidentalistes, changea de peau en réintégrant la maison de Pogodine. Là, il se devait d'afficher le respect de l'autocratie dans toute sa rigueur, ce qui, au fond, n'était pas pour lui déplaire. Mais quel supplice que l'attente ! Bélinsky était parti, emportant le manuscrit dans ses bagages. Tous les amis de Saint-Pétersbourg étaient déjà alertés. Les relations devaient jouer, comme autant de leviers, pour mouvoir les plus volumineuses personnalités du régime. Et cependant le courrier n'apportait aucune nouvelle encourageante de la capitale. Selon certaines rumeurs, le manuscrit passait de main en main, sans que nul ne s'en occupât réellement. Inquiet, Gogol harcelait le prince Odoïevsky :

« Je suis malade et remue avec peine... On m'arrache mon dernier bien. Il faut que toi et tes amis employiez toutes vos forces pour faire parvenir mon manuscrit au souverain... Lisez-le ensemble, avec Plétnev et Alexandra Ossipovna Smirnov, et voyez comment il vaut mieux agir. N'en parlez à personne pour l'instant (2). »

Au bout de quelques jours, nouveau cri d'alarme :

« Qu'avez-vous tous à vous taire ? Pourquoi n'ai-je pas encore de réponse ? As-tu reçu mon manuscrit ? As-tu pris quelque disposition à cet égard ? Ne me tourmentez pas, pour l'amour de Dieu (3) ! »

Plus tard, payant d'audace, il décida d'agir par lui-même

---

(1) Lettre de Bélinsky à Gogol du 20 avril 1842.
(2) Lettre du début janvier 1842.
(3) Lettre de la mi-janvier 1842.

et rédigea deux lettres : la première au prince Dondoukov-Korsakov, président du comité de censure de Saint-Pétersbourg, la seconde à Ouvarov, ministre de l'Instruction publique. Toutes deux furent envoyées à Plétnev, avec prière de les remettre, au moment le plus opportun, à leurs illustres destinataires. Plétnev, sagement, les garda par-devers lui.

« Je sais que vous avez l'âme noble, écrivait Gogol à Dondoukov-Korsakov, et que vous vous laisserez guider uniquement par le sentiment de l'équité... Vous ne voudrez pas affliger un homme qui, dans un pur élan de son cœur, est resté plusieurs années attelé à son travail, a tout sacrifié pour lui, a supporté le malheur, la misère, et qui ne se serait jamais permis d'écrire quoi que ce soit contre un gouvernement auquel déjà il doit tant ! »

Et à Ouvarov :

« Personne ne veut prendre en considération ma situation actuelle, personne ne veut voir que je suis dans une misère extrême, que le temps passe, alors que mon livre pourrait être déjà publié et se vendre, que cela me prive des ressources dont j'ai besoin pour continuer mon existence et achever mon œuvre, seule raison de ma présence en ce monde. Est-il possible que vous ne soyez pas non plus ému de mon état ? Est-il possible que, vous aussi, me refusiez votre protection ?... Peut-être, malgré le chemin difficile et épineux qui est le mien dans cette vie, mon pauvre nom atteindra-t-il les générations futures ? Vous sera-t-il agréable alors que le tribunal de nos descendants, après vous avoir rendu justice pour votre admirable action dans le domaine des sciences, déclare que, dans le même temps, vous vous êtes montré indifférent aux œuvres de la littérature russe et n'avez pas été touché par la condition d'un pauvre écrivain malade, n'ayant pas un coin où se réfugier dans le monde, cependant que vous auriez pu être son défenseur et son mécène ? Non, vous ne ferez pas cela, vous serez magnanime. Un haut dignitaire russe doit avoir une âme russe (1). »

Il avait décidé également de présenter une supplique à l'empereur pour tâcher d'obtenir un secours, si modique fût-il,

_____

(1) Lettres de la fin février 1842.

en attendant la solution de ses problèmes. Le comte Stroganov, curateur des établissements d'enseignement de l'arrondis-
sement de Moscou, appuya sa demande auprès du chef des
gendarmes Benkendorf :

« Ayant été avisé, par la censure de Moscou, que son œuvre,
les Ames mortes, ne pouvait être autorisée en vue d'une publication, Gogol a décidé de l'envoyer à Saint-Pétersbourg. Je
ne sais le sort qui sera réservé là-bas au manuscrit, mais la
démarche a été entreprise sur mon conseil. En attendant le
résultat, Gogol meurt de faim et s'abandonne au désespoir.
Je ne doute pas une seconde qu'une subvention de Sa Majesté
serait pour lui des plus précieuses (1). »

Benkendorf fit un rapport à l'empereur en rappelant que
Gogol (2) était « célèbre par de nombreuses œuvres et, en
particulier, par *le Révizor* ». Il concluait en disant : « J'ose
solliciter de la haute bienveillance de Votre Majesté l'ordre
d'octroyer au susdit une subvention unique de cinq cents
roubles argent (3). » En marge du rapport, l'empereur traça
le mot : « Accordé. »

En touchant la somme, Gogol reprit espoir : il n'était pas
mal vu des autorités, puisque le tsar lui venait en aide. Cette
première faveur en laissait présager une autre, plus importante : la permission d'éditer *les Ames mortes*. Mais Saint-
Pétersbourg gardait toujours le silence. A la maison, Pogodine
se montrait de plus en plus irritable et pressant. Averti par
quelque indiscrétion des conversations que Gogol avait eues,
derrière son dos, avec Bélinsky, il ne lui pardonnait pas cette
« trahison ». Inconsciemment il considérait qu'ayant secouru
son ami à tant de reprises, il avait acheté le droit de disposer
de sa production. A tout propos, il le tourmentait par de nouvelles demandes de collaboration au *Moscovite* et l'autre,
excédé, brisait là. Ils finirent par éviter de se rencontrer en
dehors des heures de repas. Pour communiquer entre eux,
ils s'écrivaient de brefs billets, qu'un domestique portait en
courant de la chambre de l'un au bureau de l'autre et vice-

---

(1) Lettre du comte Stroganov à Benkendorf, du 29 janvier 1842.
(2) Dans son rapport, Benkendorf écrivait « Gogel ».
(3) Soit environ 1 660 roubles assignats.

versa. Cent questions matérielles — invitation à dîner, paiement d'un copiste, corrections d'épreuves — étaient réglées de la sorte en quelques mots secs. Mais même des événements plus importants étaient annoncés et commentés ainsi pour plus de commodité. Pogodine griffonnait sur un bout de papier : « Sais-tu que Dieu m'a octroyé un fils et à toi un filleul ? » Et Gogol répondait, au dos du même feuillet : « Je te félicite de toute mon âme et de tout mon cœur. Que la bénédiction de Dieu soit sur lui (1). »

Enfin Saint-Pétersbourg donna signe de vie. Une lettre de Bélinsky à Chtchépkine révélait que « l'affaire » était en bonne voie. Odoïevsky avait remis le manuscrit au comte Vielgorsky, lequel n'avait pu joindre le ministre de l'Intérieur, mais s'était immédiatement occupé de circonvenir le censeur Nikitenko. Celui-ci, ayant pris connaissance des *Ames mortes*, se disait disposé à accorder le visa et n'exigeait qu'une trentaine de corrections et la suppression du passage intitulé : « Histoire du capitaine Kopéïkine. » Peu après, une lettre de Plétnev confirma la bonne nouvelle. Puis une lettre de Nikitenko en personne :

« Sans doute avez-vous déjà reçu le manuscrit de vos *Ames mortes*... Cette œuvre, comme vous le voyez, a franchi favorablement l'épreuve de la censure. La voie où elle cheminait était étroite, et il n'est donc pas surprenant que quelques égratignures l'aient marquée et que sa peau tendre et merveilleuse ait été froissée çà et là... Il nous est apparu absolument impossible de laisser passer l'épisode Kopéïkine. Aucune puissance n'aurait pu empêcher sa suppression et je suis convaincu que vous reconnaîtrez vous-même qu'il n'y avait pas moyen d'agir autrement (2). »

Gogol se sentit d'abord prodigieusement heureux, comme si un être cher eût échappé, sous ses yeux, à la mort. Puis, rassuré sur l'essentiel, il se mit à geindre sur l'accessoire. Couper l'épisode de Kopéïkine, équivalait pour lui à une mutilation dans sa propre chair. « C'est un des meilleurs passages du

---

(1) Billet du 24 février 1842. Il s'agit de la naissance du troisième fils de Pogodine : Ivan.
(2) *Antiquité russe*, août 1889.

poème, écrivait-il à Plétnev, et, sans lui, il y a un trou que
je suis incapable de raccommoder ou de masquer. J'ai décidé
de le refaire plutôt que de m'en priver tout à fait. J'ai éli-
miné tous les généraux, j'ai marqué plus fortement le caractère de Kopéïkine, si bien qu'il est clair maintenant qu'il est
lui-même responsable de tout et qu'on a bien agi avec lui (1). »

Plétnev remit cette nouvelle version de Kopéïkine au censeur
Nikitenko avec la lettre suivante : « Pour l'amour de Dieu,
aidez Gogol dans la mesure du possible ! Il est actuellement
malade et je suis sûr que, s'il ne lui est pas donné d'éditer
les Ames mortes, il en mourra. Quand vous aurez définitivement réglé le sort du manuscrit, adressez-le moi sans retard,
pour que je le transmette à notre martyr. Il repose sur mon
cœur comme une lourde pierre (2). »

Le même Nikitenko notait dans son journal intime : « La
situation de notre littérature incite à la mélancolie... On ne
manque pas de talents, chez nous... Mais comment peuvent-ils
écrire, alors qu'on les empêche de penser (3) ? »

Chapitré par Nikitenko, le comité de censure se montra
indulgent. Le Kopéïkine deuxième manière n'était plus un sol
dat révolté par l'ingratitude, mais un simple hors-la-loi, une
méprisable canaille — ce qui témoignait d'un effort louable de
l'auteur pour se plier aux exigences de la morale publique (4).
Rien ne s'opposait désormais à ce que l'ensemble vît le jour.

Toutefois, sur la première page du manuscrit, au-dessus du
titre : *les Ames mortes*, écrit de la main de Gogol, Nikitenko
avait ajouté de sa main : *les Aventures de Tchitchikov, ou...*,
de façon à atténuer le sens macabre — ou peut-être subversif !
— de l'appellation initiale.

Docile, Gogol accepta cette addition et dessina lui-même
la couverture du volume pour l'impression définitive. Il traça
en petits caractères le titre voulu par les censeurs : *les Aventures de Tchitchikov*, en caractères minuscules la conjonc-

(1) Lettre du 10 avril 1842.
(2) Lettre de Plétnev à Nikitenko du 12 avril 1842.
(3) *Antiquité russe*, 1889, livre 9, et *Gogol à Moscou* de Zémenkov.
(4) Bien entendu, dans les éditions récentes des *Ames mortes*, la
version primitive a été rétablie.

tion : *ou*, en caractères gras son titre à lui : *les Ames mortes* (1), et au-dessous, en caractères énormes, blancs sur fond noir, le mot : *Poème*. Ainsi espérait-il suggérer à ses futurs lecteurs le sens largement épique de son entreprise. Il fallait que, pour eux, ce récit fût un chant universel à la manière d'Homère ou de Dante, une sorte d'*Iliade* russe, de *Divine Comédie* de la steppe. Pour mieux les en persuader, il entoura le titre, le nom de l'auteur, la date (1842), d'un fouillis de menus dessins évoquant les thèmes du livre. Une avalanche de crânes aux orbites béantes, une troïka dans un nuage de poussière, une isba avec son puits à potence, des bouteilles et des verres, des tonneaux, des jambons, des poissons, tous les symboles de la joie de vivre mêlés à ceux de la mort.

Restait le problème matériel de l'édition. Gogol n'avait pas d'argent. Pogodine, grognant comme un ours, accepta de fournir le papier. On décida de faire composer le livre à crédit par la « Typographie de l'Université ». Le tirage fut fixé à un chiffre plus que modeste. Sur le manuscrit visé par les censeurs, Gogol avait écrit : « A tirer sur le papier fourni par moi, à 2 400 exemplaires. »

Et le travail sur épreuves commença, d'autant plus lent que l'auteur cherchait la perfection. Il aurait eu besoin, songeait-il, pour mener à bien cette tâche, d'une tranquillité absolue. Mais tout le monde était sur son dos. Bélinsky le relançait de Saint-Pétersbourg, en le priant de réserver « quelque chose » aux *Annales de la Patrie*.

« *Les Annales de la Patrie* sont maintenant, lui écrivait-il, la seule revue en Russie où saurait trouver place et refuge une pensée honnête, noble et, j'ose le dire, intelligente. *Les Annales de la Patrie* ne peuvent en aucun cas être mises sur le même pied que les productions des valets du fameux village de Porétchy... (2) Vous êtes à présent le seul qui nous restez. Mon existence morale, mon amour de l'art créateur sont liés

---

(1) Les éditions récentes ont conservé le double titre.
(2) Porétchy était la propriété du ministre de l'Instruction publique Ouvarov, dont les hôtes assidus étaient, entre autres, Pogodine et Chévyrev.

étroitement à votre sort. Si vous n'existiez pas, je dirais adieu au présent et à l'avenir de la vie artistique de notre patrie. Je ne vivrais plus que dans le passé (1). »

Emu par ces éloges, Gogol n'osa cependant se compromettre en y répondant directement. Pourquoi fallait-il qu'il fût écartelé entre *le Moscovite* et *les Annales de la Patrie*, entre les slavophiles et les occidentalistes, entre les conservateurs et les libéraux, entre Moscou et Saint-Pétersbourg, alors qu'il souhaitait demeurer à l'écart du combat, dans les douces brumes de la neutralité ? Prudemment il écrivit à Prokopovitch : « J'ai reçu une lettre de Bélinsky. Remercie-le. Je ne lui écris pas, parce que, comme il le sait, nous devons parler et discuter de tout cela en tête à tête, ce que nous ferons lors de mon prochain voyage à Saint-Pétersbourg (2). »

De son côté, Pogodine ne lâchait pas prise. Il accablait d'imprécations Bélinsky et ses complices occidentalistes et pressait Gogol d'affirmer ouvertement son appartenance au *Moscovite* en ne galvaudant sa signature dans aucune autre revue. Le ton des billets échangés du premier étage au rez-de-chaussée tournait à l'aigre. A propos d'un différend avec le marchand de papier, Pogodine écrivait :

« Tu me places devant lui, depuis un mois ou deux, dans l'affreuse situation d'un homme insolvable. Et moi, lorsqu'il m'est arrivé d'oublier de m'occuper de la publication d'un de tes articles, tu t'es fâché comme si je t'avais privé de la moitié de ta vie : du moins c'est ce que j'ai entendu dans ta voix et vu dans tes yeux. Il y a en toi un orgueil infini. »

« Laisse-moi, par Dieu, avec tes histoires d'orgueil, répondait Gogol sur le même bout de papier. Ne me tourmente plus, ne serait-ce que pendant deux semaines. Permets à mon âme de se reposer un peu (3) ! »

Mais Pogodine s'entêtait : il voulait maintenant imprimer dans *le Moscovite* un chapitre des *Ames mortes* avant la sortie du volume en librairie. C'était plus que Gogol n'en pouvait supporter ! Déflorer l'œuvre de sa vie par une publication

---

(1) Lettre de Bélinsky à Nicolas Gogol du 20 avril 1842.
(2) Lettre du 11 mai 1842.
(3) Billet du début avril 1842.

fragmentaire, jamais ! A bout de nerfs, les larmes aux yeux, la main tremblante, il écrivit à Pogodine : « En ce qui concerne ta proposition pour *les Ames mortes*, laisse-moi te dire que tu es impudent, inflexible, cruel et déraisonnable. Si tu comptes pour rien mes larmes, mes tourments de conscience, mes convictions intimes que tu n'es pas de taille à comprendre, exauce au moins ma prière, au nom du Christ qui a été crucifié pour nous : aie confiance en moi, quoi qu'il t'en coûte, ne serait-ce que pour cinq ou six mois. Dieu ! j'espérais que je serais tranquille, au moins jusqu'à mon départ. Mais tu n'agis que par impulsions. Tu es généreux sur le moment et, trois minutes plus tard, tu es prêt à reprendre la même chanson. Si j'avais tant soit peu d'argent, je donnerais immédiatement toute ma fortune pour ne pas laisser paraître mes œuvres en revue avant leur publication en volume (1). »

Il est vrai que, deux ou trois jours plus tard, sa colère s'étant assagie, il mandait à son tourmenteur : « Tâche d'être ici le 9 mai. Ce jour (la Saint-Nicolas) est très important pour moi et je voudrais te voir à mes côtés. Au revoir. Je t'embrasse (2). »

Ainsi, passant par des hauts et des bas, il souffrait de détester l'homme qui l'hébergeait, le nourrissait, lui prêtait de l'argent, et de n'avoir pas le courage de le fuir. Il aurait pu aller ailleurs, peut-être, chez des amis plus compréhensifs, et il restait là, exaspéré, affaibli, exigeant, indécis, assoiffé d'égards et incapable de se dévouer lui-même. Mendiant revendicatif, il sentait confusément que tout lui était dû et qu'il avait le droit de ne rien donner en échange. Barténiev, l'ayant vu chez ses amis, les Khomiakov, disait de lui : « Il était capricieux à l'extrême, ordonnait à plusieurs reprises d'apporter, puis de remporter un verre de thé, qui n'était jamais à son goût : le thé était ou trop chaud, ou trop fort, ou trop léger ; le verre était trop plein ou pas assez, à la grande colère de Gogol. En un mot, les personnes présentes finissaient

_____

(1) Billet de la seconde moitié du mois d'avril 1842.
(2) Billet du 30 avril 1842.

par être gênées. Il ne leur restait qu'à s'étonner de la patience
des hôtes et de la grande indélicatesse de l'invité (1). »

Même Aksakov, tout en continuant à admirer Gogol, souffrait maintenant de ses manières brusques, de son irritabilité
et de sa dissimulation.

« Pogodine commença bientôt à se plaindre amèrement
de Gogol, écrivait-il, lui reprochant ses caprices, son hypocrisie, même ses mensonges, sa froideur, son manque d'égards
envers lui, sa femme, sa mère, sa belle-mère, qui ne pouvaient
jamais le contenter en rien. Je dois reconnaître, à mon grand
regret, que les plaintes et les accusations de Pogodine paraissaient si vraisemblables, que ma famille et moi-même, ainsi
que Chévyrev, en étions fort troublés. Toutefois, je m'expli-
quais et tentais d'expliquer aux autres la conduite de Gogol
par sa dissimulation et sa retenue naturelles, ainsi que par
sa soumission à une règle datant de son enfance, selon laquelle
il fallait parfois non seulement taire la vérité aux gens, mais
encore inventer n'importe quelle sottise afin de cacher le
plus possible cette vérité... Il m'arrivait souvent de me dire
et de dire aux autres, en commentant les actes de Gogol,
que nous ne pouvions juger Gogol d'après nous-mêmes, que
nous ne pouvions même pas comprendre ses impressions,
parce que son organisme était sans doute agencé d'une
façon différente et que ses nerfs — probablement plus fins
que les nôtres — percevaient ce que nous ne percevions
pas et frémissaient pour des causes inconnues de nous. A
cet exposé, Pogodine répondait avec un ricanement malveillant : « Ça doit être ça ! »... Je me rends compte à présent
qu'avec son caractère rude, dur, grossier, Pogodine ne
pouvait agir autrement envers Gogol, qui était, lui, d'un
naturel poétique, impressionnable et tendre. Pogodine avait
toujours de bonnes intentions et pouvait faire beaucoup de
bien, même à un homme incapable de le lui rendre ; mais,
à peine avait-il constaté que son obligé était en mesure de
le payer de retour, qu'il l'abordait sans cérémonie, le prenait

---

(1) Barténiev : récit rapporté par Chenrok. *Matériaux*, Tome IV.

par le collet et lui disait : « Je t'ai aidé quand tu étais dans le besoin, maintenant travaille pour moi (1). »

Et Aksakov précisait : « Même avec ses amis, Gogol n'était jamais absolument sincère... Peu avant son nouveau départ pour l'étranger, il paraissait un homme différent selon les personnes qu'il fréquentait. Ainsi, par exemple, avec tel ami, il plaisantait, par écrit ou de vive voix..., avec tel autre, il ne parlait que de l'art..., avec tel autre encore, il gardait le silence, et même somnolait ou feignait de dormir... Ainsi l'un disait de lui que c'était un joyeux luron, prévenant et amical, le second le jugeait peu loquace, sombre et même orgueilleux, le troisième le trouvait uniquement préoccupé de problèmes spirituels. En un mot, personne ne connaissait complètement Gogol (2). »

Se connaissait-il lui-même ? En tout cas, il s'analysait avec complaisance à longueur de journée. Et, plus il examinait sa situation à Moscou, chez Pogodine, plus il la jugeait tragique, malgré la publication imminente des *Ames mortes*. Il écrivait à Marie Balabine :

« Depuis que j'ai mis le pied sur le sol natal, il me semble que je me trouve à l'étranger. Je vois des personnes de connaissance et j'ai l'impression qu'elles ne sont pas nées ici, que je les ai vues quelque part ailleurs... Il n'y a plus une seule pensée dans ma tête. Si vous avez besoin d'une forme pour planter dessus votre chapeau ou votre bonnet, je suis entièrement à votre service. Vous pouvez poser sur moi votre chapeau ou ce que vous voudrez, vous pouvez m'épousseter, me passer la brosse sous le nez, je n'éternuerai pas, je ne bougerai pas (3). »

Et à Iasykov :

« Je ne suis pas né pour l'agitation et comprends un peu plus, de jour en jour, d'heure en heure, qu'il n'y a pas de meilleure condition au monde que celle de moine (4). »

(1) Aksakov : *Histoire de mes Relations avec Gogol*.
(2) Ibid.
(3) Lettre de janvier 1842.
(4) Lettre du 10 février 1842.

Et à Plétnev :

« Il est dans ma nature de ne pouvoir me représenter le monde vivant qu'à condition de m'éloigner de lui. Voilà pourquoi c'est seulement à Rome que je suis capable d'écrire sur la Russie... En outre, à Moscou, en plus des circonstances extérieures qui me tourmentent, je sens une incapacité physique à écrire. Ma tête souffre de cent manières : s'il fait froid dans ma chambre, les nerfs de mon cerveau me font mal et se figent, et vous ne pouvez imaginer les douleurs que j'endure chaque fois que j'essaie, dans ces conditions, de me dominer et d'obliger ma tête au travail ; si ma chambre est chauffée, cette chaleur artificielle m'étouffe, le moindre effort intellectuel produit dans mon cerveau une telle coagulation, qu'on dirait qu'il va éclater... Pouvais-je supposer que j'endurerais tant de torture à mon retour en Russie (1) ? »

Tout en se plaignant de sa santé, de son inaction et des mauvais procédés de Pogodine à son égard, il continuait à fréquenter les « maisons amies » de Moscou, se traînait chez les Aksakov, chez les Khomiakov, chez les Elaguine, chez les Chtchépkine, rendait visite à sa sœur, toujours hébergée par Mme Raïevsky. Il trouvait Elisabeth très en progrès sous le rapport de l'intelligence et de l'éducation. A elle, du moins, pensait-il, Moscou aurait été bénéfique. Par Mme Raïevsky, il fit plus ample connaissance avec Nadéjda Nicolaevna Chérémétiev, vieille dame de soixante-sept ans, un peu sourde, charitable et dévote, qui lui voua immédiatement une bouillonnante sympathie. Emue de déceler en lui des aspirations à la vie spirituelle, elle l'incitait à ne pas se contenter d'une religion solitaire et sombre, mais à suivre les voies lumineuses de l'Eglise. Il l'écoutait d'autant plus volontiers, quelle n'était pas subjuguée par ses qualités d'écrivain. Pour elle, il était d'abord un homme tourmenté, en quête d'un appui. Pauvre elle-même et vivant comme lui chez les autres, elle avait tout, lui semblait-il, pour deviner le cheminement de sa pensée mystique. Il disait d'elle qu'elle était « sa mère spirituelle » (2).

---

(1) Lettre du 17 mars 1842.
(2) Anne Vassilievna Gogol. Récit noté par Chenrok. *Matériaux.* IV. 127.

Elle savait, sans qu'il eût besoin de le lui expliquer, la grande tâche qu'il avait commencée sous le regard du Seigneur.

En tout cas, à mesure qu'il corrigeait les épreuves des *Ames mortes*, il comprenait mieux la nécessité de donner une suite radieuse à ce début caricatural. Après avoir peint les vices de ses contemporains, il devait exalter les vertus auxquelles l'homme russe pouvait atteindre. Ayant désigné l'abîme, il fallait qu'il désignât le sommet. Il écrivait à Plétnev :

« Mon œuvre est importante et vaste. Tu ne peux en juger par la partie que je me prépare à livrer au monde. Ce n'est rien de plus que le perron du palais qui s'élève en moi (1). »

Pour se purifier l'âme avant d'aborder ce travail, il éprouvait le besoin de recevoir une bénédiction spéciale. Justement, l'archevêque Innocent, célèbre pour sa piété, sa droiture et sa simplicité, était de passage à Moscou. Gogol lui rendit visite. Innocent le reçut avec bienveillance, l'encouragea dans ses projets, le bénit et lui remit une icône. Bouleversé, Gogol se précipita chez les Aksakov, l'image sainte sous le bras, et se heurta à son ami qui partait — ô futilité ! — pour passer la soirée au club. Devant la famille assemblée, il déclara, l'œil mouillé et la voix tremblante :

— « J'attendais toujours que quelqu'un me bénît avec une image sainte. Mais personne ne le faisait. Enfin Innocent m'a donné sa bénédiction. A présent je peux vous annoncer où j'ai l'intention de me rendre : sur le tombeau du Seigneur. »

« J'avoue que je ne fus guère satisfait ni du visage inspiré de Gogol en cette minute ni de son projet de visiter les Lieux saints, écrira Aksakov. Tout cela me semblait la conséquence d'un état de tension nerveuse, particulièrement inquiétant pour lui en tant qu'artiste. Je partis pour mon club (2). »

Resté seul avec la famille d'Aksakov, Gogol fut soumis à un feu roulant de questions. Tour à tour la femme, la fille, le fils de son ami le sommèrent de préciser ses intentions. Etait-il venu en Russie pour y demeurer ou « pour dire adieu » ? — « Pour dire adieu », s'écria-t-il avec flamme.

---

(1) Lettre du 17 mars 1842.
(2) Aksakov : *Histoire de mes Relations avec Gogol.*

Combien de temps resterait-il absent ? — « Deux ans, répondit-il, ou peut-être dix ! » Enverrait-il à ses amis une description de la Palestine ? — « Oui, soupira-t-il, mais pour cela je dois me purifier, me rendre digne... »

Il était pâle, tourmenté, exalté. Jamais encore il n'avait éprouvé à ce point la double certitude de détenir la vérité et d'être incompris de ses proches. Ils le houspillaient au nom de minuscules intérêts littéraires, alors qu'il portait en lui la parole divine. Analysant le malentendu qui le séparait d'eux, il écrira à Alexandra Ossipovna Smirnov :

« Mes amis littéraires avaient fait connaissance avec moi à l'époque où j'étais un autre homme et, même à ce moment-là, ils me comprenaient assez mal. D'après mes conversations, tous étaient persuadés que je ne m'intéressais qu'à la littérature et que rien d'autre n'existait pour moi au monde. Or, depuis que j'avais quitté la Russie, une transformation capitale s'était opérée en moi. L'âme était devenue mon unique préoccupation... A mon retour en Russie, tous mes amis littéraires m'accueillirent à bras ouverts. Chacun d'entre eux, occupé de quelque travail journalistique ou autre, et servant avec passion une idée quelconque en opposition avec des idées d'un autre bord, m'attendait comme une sorte de Messie, convaincu que je partagerais ses opinions et ses croyances et le soutiendrais devant ses adversaires. Cela leur paraissait à tous la première condition et le premier effet de l'amitié, et ils ne se doutaient pas, en toute innocence, que de pareilles exigences étaient non seulement sottes mais inhumaines. Sacrifier mon temps et mes travaux pour défendre leurs idées préférées m'était impossible, d'abord parce que je ne partageais pas entièrement ces idées, ensuite parce qu'il me fallait gagner de quoi assurer ma pauvre existence et que je ne pouvais pas distribuer mes articles dans leurs journaux, mais devais les publier séparément, dans toute leur fraîcheur et leur nouveauté, pour en tirer profit... Ils prirent ma froideur envers leurs intérêts littéraires pour une froideur envers eux-mêmes... Une sorte de jalousie se fit jour en eux, à mon endroit. Chacun me soupçonna de l'avoir trahi pour un autre... Je reçus des lettres étranges, dans lesquelles tel ou tel d'entre eux, après s'être mis en avant et m'avoir assuré de la pureté de ses sentiments à mon égard, dénigrait et calomniait malhonnêtement les autres, m'assurant qu'ils ne me flattaient que par calcul, qu'ils ne me connaissaient pas, qu'ils m'aimaient pour mes œuvres et non pour moi-même. En même temps, ils m'adressaient de tels reproches, de si basses accusations, que je n'aurais, je le jure, jamais osé en accabler l'individu le plus vil ! Ces malentendus conduisaient à des soupçons tellement injurieux, les coups que l'on me portait étaient tellement grossiers et affectaient en moi des fibres tellement sensibles et fragiles (dont ceux qui me frappaient n'imaginaient même pas l'existence), que mon âme en était navrée et excédée : je n'en pouvais plus (1). »

Malgré sa rancune envers tant d'amis importuns, Gogol résolut, cette fois encore, de célébrer parmi eux sa fête patronymique, le 9 mai. Que Pogodine fût en froid avec lui ne l'empêcha pas d'organiser un déjeuner dans le jardin de la maison du champ des Vierges, comme en 1840. Suivant le même programme, il écrivit à sa mère pour l'inviter à venir avec sa sœur Anne. Elles logeraient, comme de juste, auprès de lui, chez Pogodine, et repartiraient en emmenant Elisabeth, qui, après un séjour de deux ans dans l'ombre tutélaire de Mme Raïevsky, n'avait plus rien à faire à Moscou.

Quant à lui, aussitôt après il reprendrait le chemin de Rome. Là-bas, au soleil, loin de ses amis et de ses ennemis qu'il confondait dans la même réprobation, il écrirait la deuxième partie des *Ames mortes*. Le voyage à Jérusalem serait la récompense de ce pieux travail. Evidemment il aurait pu y aller pour chercher l'inspiration sur le tombeau du Seigneur. Il préférait s'y rendre une fois sa tâche achevée, sans arrière-pensée littéraire, pour se reposer l'âme. Afin de rassurer sa mère, inquiète qu'il voulût quitter de nouveau la Russie, il lui affirma que le tsar, dans son infinie bonté, l'avait attaché à l'ambassade, à Rome, avec un traitement tout à fait honorable (2). Qui sait, se disait-il, si ce mensonge ne devien-

---

(1) Lettre de Nicolas Gogol à Mme Smirnov. Cf. Veressaïev. *Gogol dans la vie*, p. 288-289.
(2) Lettre à sa mère du 22 mars 1842.

dra pas, un jour, vérité ? Dieu était si proche de lui, qu'il devait s'habituer aux miracles.

La réunion amicale du 9 mai commença moins joyeusement que deux ans auparavant. Certes il y avait là beaucoup de monde, les Aksakov, les Kiréevsky, les Elaguine, Nachtchokine, Pavlov, Samarine, les professeurs d'université Armfeld, Rédkine, Granovsky... Cependant le maître de maison et Gogol ne s'adressaient presque plus la parole. Cette brouille inavouée mais évidente embarrassait leurs amis. Heureusement, l'arrivée, en voiture de poste, dans la cour même de la maison, de Marie Ivanovna Gogol et de sa fille réchauffa l'atmosphère. Elles avaient été retardées en cours de route et avaient bien cru manquer la fête. Embrassades, larmes de bonheur, signes de croix, compliments... Vite, des nouvelles de Vassilievka ! Nicolas, le fils de Marie (1), donnait toute satisfaction, mais elle-même, depuis un an, était bien malade. On craignait qu'elle ne fût phtisique. Olga poussait comme une belle plante, malgré sa demi-surdité. Anne s'ennuyait à la campagne. Les affaires de la propriété étaient toujours aussi mauvaises... On parlerait de tout cela à tête reposée. Pour l'instant, il fallait s'occuper des invités, de plus en plus nombreux. Catherine Khomiakov et Elisabeth Tchertkov firent une entrée remarquée à cheval, en amazones. Elles déjeunèrent à l'intérieur avec les autres dames, les messieurs déjeunant dans le jardin. Il faisait beau. Gogol se dépensait avec la gaieté factice d'un organisateur professionnel. Après le repas, il prépara du punch, comme jadis, sous la tonnelle. Une fois que le mélange — rhum et champagne — se fût embrasé, il compara poétiquement le bleu de la flamme au bleu de l'uniforme des gendarmes et décréta que c'était leur chef, Benkendorf, qui allait ainsi descendre dans les estomacs pour y rétablir l'ordre. Des rires saluèrent cette innocente boutade. La fête s'acheva mieux qu'elle n'avait commencé.

Au lendemain de cette grande journée, Gogol se mit à organiser son départ. *Les Ames mortes* n'allaient pas tarder à sortir des presses. Raison de plus, pensait-il, pour déguerpir.

---

(1) Nicolas Trochtchinsky, fils de Marie Vassilievna, la sœur aînée de Nicolas Gogol.

Le souvenir du brouhaha qui avait accueilli son *Révizor* eût suffi à le chasser de Russie. Bonnes ou mauvaises, les critiques ne pouvaient que l'irriter. Or il avait besoin de tout son calme pour entamer la suite de l'œuvre. Quant aux questions matérielles de l'édition et de la vente, ses amis de Saint-Pétersbourg et de Moscou veilleraient, en son absence, à défendre ses intérêts. Il leur donnait déjà ses instructions de vive voix et par écrit :

« Je n'ai jamais confié de livres en dépôt, à commission, aux libraires. Ainsi tu peux leur annoncer qu'ils devront te verser l'argent au moment où ils recevront les volumes. Sinon, ils n'obtiendront rien (1). »

Il dressait aussi la liste de ses dettes et chargeait Chévyrev de les rembourser au fur et à mesure des rentrées d'argent. « Les premières sommes devront être affectées, notait-il, aux paiements suivants : Sverbéïev — mille cinq cents roubles ; Chévyrev — mille neuf cents ; Pavlov — mille cinq cents ; Khomiakov — mille cinq cents ; Pogodine — mille cinq cents... Ayant réglé cela, payer mes autres dettes : Pogodine — six mille roubles ; Aksakov — deux mille (2). »

A relire cette suite de noms et de chiffres, une frayeur le prenait. Vendrait-il jamais assez d'*Ames mortes* pour se libérer de ses créanciers ?

Il avait fixé le 23 mai comme date de son départ. Le 21, il reçut les premiers exemplaires, fraîchement reliés, de son livre. Minute solennelle : ce qui avait été si longtemps son rêve quotidien était devenu un objet commercial, que n'importe qui pouvait acquérir pour quelques roubles. Il feuilletait les pages imprimées, respirait l'odeur de l'encre d'imprimerie et une angoisse débilitante se mêlait à sa joie. Ainsi, *les Ames mortes* existaient en dehors de lui-même. Il ne pouvait plus rien pour elles ni contre elles. Qu'il le voulût ou non, elles allaient poursuivre leur destin parmi la foule des lecteurs, séduisant les uns, révoltant les autres. Il se sentait à la fois dépossédé et enrichi. Déjà *les Nouvelles moscovites* publiaient, dans leur numéro 41, un avis annonçant la mise en vente d'un

---

(1) Lettre à Prokopovitch du 15 mai 1842.
(2) *Gogol à Moscou*, par Zémenkov, p. 67.

ouvrage intitulé *les Aventures de Tchitchikov ou les Ames mortes*, « poème de N. Gogol, grand in-octavo, papier vélin, 473 pages, Moscou, 1842, prix sous belle couverture : dix roubles cinquante kopecks. »

Au seuil de cette grande expérience, Gogol éprouva le besoin de renouer avec celui qui avait bien voulu bénir son entreprise : l'archevêque Innocent. Dans une minute d'enthousiasme mystique, il lui envoya même sa propre bénédiction. Le 22 mai, il écrivait à l'archevêque :

« L'âme et le cœur en émoi, je vous serre la main par lettre et, raffermi par votre bénédiction, je vous bénis moi-même. Suivez sans faiblesse et avec fermeté votre route pastorale. Une puissance illimitée nous domine. Rien ne se passe dans le monde sans son intervention. Notre rencontre était fixée d'En Haut. Elle est le gage d'une parfaite communion devant le tombeau du Seigneur. Ne faites aucune démarche et ne vous préoccupez pas de savoir comment cela aura lieu. Je sens en moi qu'une entrevue significative nous attend... Adieu. Acceptez le puissant baiser de mon âme... L'icône que vous m'avez donnée ne me quitte pas ! »

Le lendemain, 23 mai 1842, Gogol prit congé des Pogodine. Il le faisait avec une sorte de rancune attristée, de soulagement hargneux. Pogodine, de son côté, était impatient de le voir partir. Longtemps après, il devait écrire à Gogol : « Quand tu as refermé la porte sur toi, je me suis signé et j'ai poussé un soupir de délivrance, comme si une montagne venait de tomber de mes épaules. Tout ce que j'ai appris par la suite n'a fait qu'augmenter mon tourment et tu m'es apparu, mis à part quelques beaux moments, comme un personnage abominable (1). »

Quant à Gogol, il évoquera ainsi, cinq ans plus tard, dans une lettre à Pogodine, le différend qui les sépara :

« Avant même de venir à Moscou, j'avais écrit de Rome à S.T. Aksakov... pour le prier de t'avertir que tu ne devais rien exiger de moi pour ta revue. En arrivant à Moscou, je

---

(1) Lettre de Pogodine à Gogol, de septembre 1843. Cf. Veressaïev : *Gogol dans la vie*, p. 294.

descendis chez toi avec crainte, comme si je pressentais que des désagréments allaient surgir entre nous. Dès le premier jour, je répétai devant toi ma prière... Je te dis que mon œuvre serait si importante, que tu en pleurerais et que bien des gens en pleureraient avec toi dans toute la Russie... Je te demandai, les larmes aux yeux, de me croire. Tu fus ému alors et tu me dis : « Je te crois. » Je te demandai à nouveau de ne rien exiger de moi pour ta revue. Tu me donnas ta parole. Mais le troisième ou le quatrième jour, tu commenças à réfléchir... Deux semaines plus tard, lorsque tu déclaras, comme s'il n'y avait rien eu entre nous, que je devais te remettre un article, cela me stupéfia et me fâcha tout ensemble. Et quand tu me le rappelas, trois semaines après, disant que je devais m'exécuter parce que, quoi qu'il en soit, j'habitais dans ta maison et que tes proches te demandaient comment il se faisait que, vivant chez toi, je ne travaillais pas pour toi dans ta revue — cette insistance me parut vile, malhonnête et indélicate. Oui, il me parut vil de rappeler à un homme que l'on héberge qu'il doit vous en être reconnaissant ; il me parut malhonnête, ayant donné sa parole d'honneur, de la reprendre ; il me parut indigne d'une âme haute de ne pas croire aux larmes d'un être qui vous supplie, et encore plus de lui dire : « Je te crois », et ensuite de douter de lui. En un mot, tout cela me sembla si lâche et si bas, que je me mis à te mépriser. Je n'essayai même pas de cacher devant toi mon mépris. Tout au contraire, je te le montrai ostensiblement, à chaque occasion. Ne devinant pas quelle en était la cause, tu le prenais simplement pour la manifestation de ma fierté et, voyant l'expression courroucée de mon visage en différentes circonstances, même secondaires, tu en concluais que je cachais en moi le démon de l'orgueil sous sa forme la plus satanique, tu pensais que c'était là ma nature profonde, que je me conduisais ainsi avec tout le monde, alors que, je te l'avoue, en vérité, je ne me suis comporté avec personne aussi mal qu'avec toi... A partir de ce moment, tout est allé de travers entre nous. Voyant comme tu te trompais et t'embrouillais dans tes déductions à mon égard, je me disais : « Embrouille-toi donc, puisque c'est ainsi ! » Et je me suis mis à agir exprès contrairement à ma nature, avec le désir de te dépiter davantage (1). »

Ce fut dans cet état d'esprit que Gogol franchit le seuil de la maison du champ des Vierges. Il avait embrassé sa mère et ses sœurs qui comptaient rester quelques jours encore à Moscou. Marie Ivanovna était inquiète du sort qui attendait les Ames mortes. Si le livre ne remportait pas le succès que, sans aucun doute, il méritait, quelle douleur pour son fils ! Et il serait loin d'elle, loin de ses amis pour supporter le choc. Elle le plaignait et souffrait de lui être inutile. Quand il fut parti, elle se rendit avec ses filles et Mme Aksakov, en deux équipages, au couvent de Troïtsa, à quelque soixante-cinq verstes de Moscou, pour prier Dieu en faveur de celui qui allait s'exiler (pourquoi ?) au bout du monde.

Cette fois Pogodine se garda bien d'accompagner Gogol jusqu'au premier relais, comme il l'avait fait deux ans plus tôt. Mais Aksakov et Chtchépkine, flanqués de leurs fils, continuèrent la tradition. La vieille Mme Chérémétiev les rejoignit à la barrière Tverskaïa, bénit le voyageur d'un signe de croix et s'en retourna chez elle. Les autres poursuivirent leur route jusqu'à la station de Khimki, à treize verstes de Moscou. Là, tout le monde mit pied à terre. En attendant l'arrivée de la diligence, on se promena au bord de la rivière, dans un petit bois de bouleaux. Gogol fit promettre à Aksakov de lui communiquer à Rome toutes les critiques écrites ou orales sur les Ames mortes, « surtout les mauvaises ». L'important, disait-il, était de savoir ce que pensaient de lui ses ennemis. Il comptait se rendre d'abord à Saint-Pétersbourg, afin d'envisager la publication de ses « Œuvres réunies ». Et, de là, en Italie, par l'Allemagne et l'Autriche. Son attitude dénotait une nervosité extrême. Visiblement il n'était pas à son aise entre Aksakov et Chtchépkine. Sa joie de fuir Moscou était assombrie par l'idée de laisser une impression défavorable à ses meilleurs amis. Il s'en voulait de les avoir déçus et il leur en voulait de l'avoir contraint à le faire. « Il sentait qu'il avait trompé notre espoir et qu'il partait trop tôt, trop précipitamment, après nous avoir promis de rester pour toujours à Moscou, écrira Aksakov. Il se

_____

(1) Lettre du 8 juillet 1847.

rendait compte que nous, qui ignorions le fond de son âme et sa situation torturante dans la maison de Pogodine, contre la conduite duquel il se devait de réagir, nous avions le droit de l'accuser de bizarrerie, d'inconstance, de caprice, de passion pour l'Italie et de froideur envers Moscou et la Russie. »

La diligence tardant à venir, on se mit à table. Malgré le champagne, dont Gogol avait apporté quelques bouteilles, la conversation languissait. Personne n'osait dire ce qu'il avait sur le cœur. Enfin la voiture arriva, dans un joyeux tintement de grelots. Gogol bondit sur ses pieds et s'inquiéta de ses bagages. Son voisin, dans le coupé, était un gros militaire, qui portait un nom à consonance allemande. « Bien que je fusse irrité depuis longtemps par la façon d'être de Gogol, écrira Aksakov, en cette minute j'oubliai tout et n'éprouvai qu'une profonde tristesse à voir un grand artiste abandonner son pays et nous-mêmes. Un sentiment amer m'envahit quand se refermèrent en claquant les portières de la diligence. L'image de Gogol disparut à mes yeux et la diligence partit sur la route de Saint-Pétersbourg (1). »

A Saint-Pétersbourg, Gogol descendit chez Plétnev, rendit visite à Alexandra Ossipovna Smirnov et rencontra secrètement Bélinsky, dont l'appui, en tant que critique, pouvait être important pour le lancement des *Ames mortes*. Mais surtout il s'occupa, avec Prokopovitch, de préparer une édition en quatre tomes de ses « Œuvres réunies » (à l'exclusion des *Ames mortes)*. Tandis qu'il travaillait à la mise au point de son projet, ses amis de Moscou s'indignaient qu'il en eût confié la réalisation à un homme de « l'autre bord ».

« Nous n'avions pas une réelle confiance en Gogol, écrira Aksakov. Son caractère hypocrite, son départ inattendu de Moscou, sans nous avoir consultés au préalable, l'édition de ses œuvres à Saint-Pétersbourg, la mission de mener à bien une entreprise aussi importante confiée à un personnage dénué d'expérience (Prokopovitch), alors que Chévyrev réunissait toutes les conditions nécessaires pour être un bon éditeur, sans compter son amitié et son dévouement, enfin les rencontres de Gogol à Saint-Pétersbourg avec des gens qui

---

(1) Aksakov : *Histoire de mes Relations avec Gogol.*

nous étaient hostiles et sur lesquels il partageait notre opinion (comme par exemple Bélinsky, Polévoï, Kraïevsky), tout cela renforça notre défiance à tous, même à Chévyrev et à moi. Quant à Pogodine, il voyait là une confirmation de son idée que Gogol était un être fourbe et qu'on ne pouvait jamais le croire (1). »

En une semaine, Gogol régla ses affaires à Saint-Pétersbourg. Pour le détail de l'édition, il laissa de très larges pouvoirs à Prokopovitch, qui se chargerait même de la correction des épreuves. Il n'avait pas de temps à perdre en menus travaux de ce genre. La veille de son départ, il écrivit deux lettres : l'une à Mme Pogodine (et non à Pogodine lui-même !) pour l'assurer de sa fidèle amitié, à laquelle elle devait croire, car « le cœur d'une femme est moins sujet au scepticisme et à la défiance que le cœur des hommes (2) » ; l'autre à Aksakov pour le mettre au courant de ses dernières démarches à Saint-Pétersbourg et lui confirmer qu'il partait l'âme haute :

« Les quatre tomes des « Œuvres réunies » paraîtront certainement en octobre prochain. L'exemplaire des *Ames mortes* n'a pas encore été présenté à l'empereur... Je vous embrasse plusieurs fois. Soyez fort et vaillant dans votre âme, car la force et la vaillance règnent dans l'âme de celui qui vous adresse ces lignes ; tout se communique entre deux âmes qui s'aiment ; et c'est pourquoi une partie de ma force doit pénétrer dans votre âme à vous. Ceux qui croient en la lumière verront la lumière ; les ténèbres n'existent que pour les incroyants (3). »

Le lendemain, 5 juin 1842, Gogol bouclait de nouveau ses valises. Il en avait fini avec la Russie et avec le premier tome des *Ames mortes*. A l'étranger, il retrouverait sa vraie patrie. Celle que l'on ne voit pas avec des yeux de chair.

---

(1) Ibid.
(2) Lettre du 4 juin 1842.
(3) Lettre du 4 juin 1842.

Maison familiale de Gogol, à Vassilievka. Cliché APN (Agence de presse « Novosti »).

Le père de Gogol.
Cliché Dictionnaire des auteurs,
Laffont-Bompiani.

La mère de Gogol.
Cliché Dictionnaire des auteurs,
Laffont-Bompiani.

Page de titre du manuscrit
des **AMES MORTES**
soumis à la censure.
Cliché Flammarion.

Couverture de la première édition
des **AMES MORTES**,
exécutée d'après le dessin de Gogol.
Cliché Flammarion.

Gogol lisant **LES AMES MORTES** à des amis. Dessin de Mamonov. 1839. Cliché **X.**

Gogol, portrait au crayon de Rabus. 1840.
Cliché Flammarion.

Gogol dans son cercueil, portrait au crayon par Mamonov. 1852. Cliché Flammarion.

VII

LES AMES MORTES

Sur aucune de ses œuvres Gogol n'a travaillé avec autant d'acharnement, d'angoisse et d'espoir que sur *les Ames mortes*. Très vite l'anecdote de cet escroc, achetant au rabais des âmes de moujiks décédés pour les engager ensuite, comme des serfs vivants, au Crédit foncier, a excité son imagination. Il s'est mis à l'ouvrage dans l'enthousiasme, sans mesurer l'ampleur ni la direction de son effort.

« Pouchkine estimait que le sujet des *Ames mortes* me convenait particulièrement, parce qu'il me permettait de parcourir toute la Russie en compagnie de mon héros et de mettre en scène une foule de caractères très divers, écrira-t-il dans la *Confession d'un Auteur*. Je me mis donc au travail, sans m'être fixé de plan détaillé et sans me rendre compte de ce que devait être le héros même du roman. Je pensais simplement que l'entreprise à laquelle se livrait Tchitchikov me ferait découvrir, en cours de réalisation, des personnages et des caractères variés, que ma propre envie de rire me suggérerait des épisodes comiques auxquels je voulais mêler des passages touchants. »

Ainsi, de son propre aveu, Gogol ne voit au début, en Tchitchikov, qu'un personnage divertissant, et, en sa quête d'âmes mortes, qu'un procédé facile pour introduire le lecteur chez quelques hobereaux aux ridicules accentués. C'est la formule du roman picaresque, illustrée par Lesage dans *Gil*

Blas et reprise par plusieurs écrivains russes du début du siècle, notamment par Boulgarine, dont l'*Ivan Vyjiguine* connut un succès retentissant. Gogol songe aussi, bien sûr, au *Don Quichotte* de Cervantès, autre roman migrateur. Et à *la Divine Comédie*. Et à *l'Iliade* et à *l'Odyssée*. Ces grands exemples lui donnent le vertige. Plus il réfléchit à son sujet, plus il en découvre la profondeur. Il rêve d'écrire, lui aussi, un poème, une épopée. L'épopée de la platitude et de la grisaille provinciales. Car l'affaire, bien entendu, doit se dérouler en province. Cette province dont Gogol sait si peu de chose ! Ne vit-il pas, depuis l'âge de dix-neuf ans, à Saint-Pétersbourg, à Moscou, à l'étranger ? Les petites villes russes, il les connaît comme peut les connaître un voyageur faisant halte, pour quelques heures, dans une auberge. La monotone campagne russe, il l'a surtout vue à travers les vitres de sa diligence. Et pourtant les récits des autres, mêlés à de fugitives impressions personnelles, lui permettent d'imaginer avec force ce monde de propriétaires fonciers et de fonctionnaires subalternes où il n'a guère pénétré.

Dans *le Révizor* déjà, il a évoqué une de ces bourgades somnolentes et boueuses. Avec *les Ames mortes*, nous retrouvons le même décor banal, le même ciel pluvieux, la même population vouée à la paresse, à la vanité, au mensonge, à la crasse et à la concussion. Comme dans *le Révizor*, dans *les Ames mortes* cet aimable cloaque est brusquement agité de remous par l'apparition d'un personnage mystérieux, que nul ne connaît et qui arrive sans doute de la brumeuse et lointaine capitale. Le premier avait nom Khléstakov, le second s'appelle Tchitchikov. Mais, dans *le Révizor*, par suite des conventions théâtrales, c'étaient tous les protagonistes de la comédie qui venaient trouver Khléstakov, alors que, dans *les Ames mortes*, c'est Tchitchikov qui va trouver, un à un, tous les protagonistes du roman. Ce Tchitchikov, dont le nom se détend comme un ressort à boudin, qui est-il au juste ?

Un imposteur, comme Khléstakov, puisqu'il ne cessera de mentir à son entourage. Mais Khléstakov avait le mensonge léger, absurde et grisant. Tchitchikov, lui, a le mensonge avisé, pesant, pratique. L'auteur constate tout à coup que cette tractation sur des âmes mortes, envisagée d'abord comme un simple prétexte à visites domiciliaires, porte en soi un sens philosophique inquiétant. N'y a-t-il pas quelque aberration dans l'idée d'acquérir des individus qui n'existent plus et de leur redonner vie, pour un temps, sur le plan administratif ? Et celui qui se mêle de cette étrange résurrection n'est-il pas un peu plus qu'un faussaire ? Si Tchitchikov s'était contenté d'acheter des serfs vivants en roulant ses vendeurs, il eût été un filou comme tant d'autres. Mais en achetant des serfs décédés, il ajoute une note surnaturelle à sa friponnerie. Cette fois, en dehors presque de la volonté de l'auteur, ce n'est pas le caractère du héros qui commande l'action, mais l'action qui, par contrecoup, impose une couleur insolite au caractère du héros. Autour de Tchitchikov, Gogol flaire une odeur de soufre. Il écrira à Chévyrev : « Depuis bien longtemps déjà, je ne me préoccupe que d'une chose : faire en sorte qu'après avoir lu mon œuvre l'homme puisse rire du diable tout son saoul (1). »

Pourtant, s'il pense au diable en créant Tchitchikov, c'est à un diable très particulier, à un diable secondaire, au diable de la mesquinerie et du confort. Non point le Lucifer flamboyant, spécialisé dans les grandes négations et les crimes tragiques. Mais son délégué besogneux, propret, banal, « le diable en veston », qui se nourrit de menues compromissions et de plats mensonges. Ce diable-là ne s'attaque pas aux êtres exceptionnels. Ni les saints ni les meurtriers ne l'intéressent. Sa clientèle est le tout-venant de l'humanité. Il est de plain-pied avec elle. Son aspect physique est rassurant. Ses propos sont ceux de tout le monde. Il est prodigieusement « n'importe lequel d'entre nous ». Et c'est pourquoi il n'éveille pas la méfiance.

Du reste, il ne cherche pas, comme son grand maître, à induire les mortels en tentation pour le seul plaisir de perdre leur âme, mais pour tirer quelque profit personnel de son commerce avec eux. Cette préoccupation terrestre témoigne de l'appartenance de Tchitchikov à l'espèce humaine. En s'incarnant, il a assumé toutes les servitudes et toutes les délices de la chair. Il est à la fois diable et homme. Diable dans la

_____

(1) Lettre du 27 avril 1847.

mesure où il représente ce qu'il y a de plus bas dans l'homme. Homme-diable, comme le Christ est homme-Dieu. De même qu'Ivanov a peint, pendant des années, l'apparition du Christ au peuple, de même Gogol a peint, lui, l'apparition du diable au peuple. Le diable du juste milieu. Tchitchikov, dit-il, n'est « ni beau ni laid, ni gras ni maigre ; on ne peut dire qu'il soit vieux et cependant il n'est pas très jeune ». A peine installé dans l'auberge de la petite ville de N., il cherche à entrer en contact avec les notables de l'endroit. Ses manières aimables lui gagnent aussitôt toutes les sympathies. Changeant de vocabulaire et d'attitude selon les interlocuteurs, il tient à chacun le langage qui peut le mieux flatter son amour-propre et endormir ses soupçons.

« La conversation roulait-elle sur les haras, il parlait de haras, écrit Gogol ; parlait-on chiens, il glissait dessus quelques judicieuses remarques ; s'agissait-il d'une enquête opérée à la cour des Comptes, il se montrait au courant des péchés de dame Justice ; discutait-on billard ou punch, il s'affirmait connaisseur en billard et en punch ; vertu, il en discourait les larmes aux yeux ; douane, il traitait le sujet en vieux douanier. En un mot, il était partout à sa place (1). »

Et quand Tchitchikov, rasé de près et vêtu de son habit zinzolin moucheté, entreprend ses visites aux propriétaires fonciers de la région, cette faculté d'adaptation confine à l'acrobatie mentale. Dès qu'il pénètre dans une nouvelle demeure, il en prend, pour ainsi dire, la couleur. Cependant, malgré ces métamorphoses, il ne perd jamais de vue le motif de ses démarches : acheter des âmes mortes. Bien entendu il varie, selon les cas, la façon de proposer ce marché macabre. Et les réponses qu'il reçoit sont, elles aussi, très diverses et très révélatrices. Sous le choc de la surprise, chaque propriétaire foncier, tapi au fond de sa tanière, a une réaction qui découvre sa vraie nature. Toutefois aucun d'entre eux ne proteste contre l'odieux d'une telle machination. Ils se montrent, suivant leur tempérament, stupéfaits, méfiants, amusés, retors, ils demandent à réfléchir, ils exigent un prix exorbitant, mais ils ne s'indignent jamais. Seul le nommé

_____

(1) *Les Ames mortes*, chapitre premier.

Manilov s'inquiète de savoir si l'opération ne serait pas
« contraire aux institutions et aux vues subséquentes de la
Russie ». Tchitchikov le rassure d'autant plus aisément que
l'autre a horreur des complications. Là encore, on dirait que
la brume venue du Nord enveloppe le cerveau des interlocuteurs de Tchitchikov. La pratique ancestrale du servage les a
préparés à l'idée que tout est à vendre dans un homme :
le corps et l'âme. Ils ne sentent pas l'inconvenance funèbre
d'un contrat qui prolongerait l'esclavage du moujik dans le
repos éternel. L'exercice d'une certaine logique les conduit
aux bornes de l'absurde. Leur goût des réalités tangibles les
empêche de voir qu'ils sont en pleine irréalité. Tchitchikov
les persuade l'un après l'autre. Ils dressent des listes de
paysans décédés, à tant la tête. Un prix dérisoire. Mais n'est-ce
pas une aubaine, quand il s'agit de cadavres qui ne peuvent
plus rien faire de leurs dix doigts ?

A mesure que ce cheptel de défunts s'accroît, Tchitchikov
se raffermit dans l'optimisme. Tous ces fantômes, dont le
voici devenu propriétaire, il les installera fictivement sur quelque terre déserte, achetée pour une bouchée de pain dans le
gouvernement de Tauride ou le gouvernement de Kherson. Il
appellera ce village inexistant Tchitchikovo. Et il engagera
l'ensemble, sans difficulté, il en est sûr, au Crédit foncier.
Alors, à lui la fortune et les plaisirs qu'elle procure. Car
Tchitchikov ne se contente pas d'être un « accapareur », selon
le mot de Gogol. L'argent, pour lui, n'est pas une fin en soi.
Tout au plus un moyen de prendre ses aises dans la société.

« En lui, écrit Gogol, il n'y avait pas d'attachement proprement dit à l'argent en tant qu'argent. L'avarice, la ladrerie lui
étaient étrangères. Il rêvait d'une vie future pleine de tous
les contentements, de toutes les aises : voitures, maison bien
montée, dîners fins, voilà ce qui lui trottait par la tête. Pouvoir
enfin, avec le temps, goûter, sans faute, à tous ces plaisirs...
Tout ce qui respirait l'opulence et le bien-être produisait sur
lui une impression qu'il ne comprenait pas lui-même (1). »

En véritable positiviste, Tchitchikov nie la valeur absolue
du bien et du mal. Aucun mensonge ne lui coûte, du moment

---

(1) *Les Ames mortes*, chapitre XI.

qu'il s'agit d'accroître sa richesse et par conséquent son
confort. Il est aussi soucieux de propreté physique qu'il
l'est peu de propreté morale. « Il changeait de linge tous les
deux jours, écrit Gogol, et chaque jour en été, pendant les
chaleurs : toute odeur tant soit peu désagréable lui offusquait
les narines. Aussi, chaque fois que Pétrouchka (son valet à
l'odeur puissante) venait le déshabiller et lui ôter ses bottes,
il se mettait un œillet sous le nez (1). » Son savon préféré est
un savon français « qui procure à la peau une extraordinaire
blancheur et de la fraîcheur aux joues ». Il voudrait ne porter
que des chemises fines de Hollande. Quand il se regarde
dans une glace, il fond de tendresse devant son visage où tout
est lisse, régulier, habituel, convenable. Il se fait des mines.
« Vois comme j'ai le menton rond ! » dit-il en se rasant. Et il
s'émerveille d'être devenu si prospère après avoir connu des
débuts si difficiles. Tout son passé n'est qu'une succession de
courbettes, d'entortillages, de coups de pied au derrière et de
pots-de-vin. Ses exploits ont commencé à l'école où il grugeait
ses camarades, se sont développés dans l'administration des
douanes où il prélevait un droit de passage sur les contre-
bandiers et, malgré quelques poursuites judiciaires sans lendemain, ont trouvé leur épanouissement dans l'idée séduisante du rachat des âmes mortes. Cette fois encore, il se sera
enrichi sans rien créer de ses mains. Prestidigitateur trans-
vasant du vide, il rit tout seul en constatant la réussite de
son aventure. Mieux, devant sa cassette ouverte, il gam-
bade en chemise de nuit courte, et se frappe les fesses avec
ses talons. Ces cabrioles diaboliques d'un monsieur rose et
dodu préludent à la transcription de la liste des morts. Il les
détaille amoureusement et se laisse aller à des rêves de
mariage et de progéniture. Le problème de sa descendance le
préoccupe. Il ne peut admettre que « sa semence » se perde
sans lendemain. Sa seule chance de survie, c'est la procréation.
Puisqu'il n'y a rien dans l'autre monde, mourir sans avoir
engendré, c'est, pense-t-il, accepter qu'un zéro figure au bas
de l'addition finale. Il se représente, selon sa propre expression, « une fraîche et rose jeune personne..., un joli petit

---

(1) Ibid.

polisson, une ravissante fillette, ou encore deux garçonnets, deux ou même trois petites filles... pour que tout le monde sache qu'il existe réellement et qu'il n'est pas simplement passé sur la terre comme une ombre ou un fantôme quelconque ». Il a peur de « disparaître telle une bulle à la surface de l'eau, sans laisser de trace ». Et cette obsession rejoint celle du vieillard diabolique, héros de la deuxième partie du *Portrait*, qui exige d'être peint avec précision pour ne pas mourir complètement, pour être, même après sa disparition, « présent dans le monde ». Tchitchikov déclare : « J'aimerais gagner assez de sous..., afin de laisser de l'argent à la femme, aux enfants que je voudrais avoir pour le bien de la patrie. » Et, au moment où l'une de ses escroqueries menace de mal tourner, il s'écrie, pensant à cette épouse et à ces descendants hypothétiques : « Que diront plus tard mes enfants ? Notre cochon de père, diront-ils, ne nous a laissé aucune fortune (1) ! »

Ainsi Tchitchikov justifie-t-il l'achat d'âmes mortes par les exigences d'âmes qui ne sont pas nées. Il prend prétexte de ce qui n'existe pas pour acquérir ce qui n'existe plus. Il tient son équilibre en s'appuyant sur deux manques, sur deux mensonges. Mais sa fortune, bien que fondée sur le néant et destinée au néant, apparaît, elle, comme une réalité. Une petite place chaude au bord d'un gouffre. Sans plus. Ses ambitions sont celles d'un honnête bourgeois. Un logis confortable, des serviteurs dévoués, une garde-robe élégante, un bel équipage, le respect des voisins, l'amitié de quelques hauts fonctionnaires... Surtout qu'on ne cherche pas en lui un génie de l'imposture ivre de sa toute-puissance. S'il triche au jeu de la vie et de la mort, c'est pour un bénéfice très minime. S'il déploie une ingéniosité extraordinaire, c'est pour amasser un capital très ordinaire.

D'ailleurs, par un étrange effet de l'art, la figure de Tchitchikov n'est pas foncièrement antipathique au lecteur. En le suivant dans ses visites, nous souhaitons, à notre insu, le voir triompher de ses interlocuteurs réticents. Chaque fois qu'il a acquis un nouveau paquet d'âmes mortes, nous nous réjouis-

---

(1) *Les Ames mortes*, chapitre XI.

sons, avec lui, de sa réussite. Dès qu'un obstacle surgit en travers de sa route, nous redoutons qu'il ne soit démasqué et puni. En vérité, tout en blâmant Tchitchikov, nous sommes de son bord. Et cela pour trois raisons.

Premièrement, en accaparant des âmes mortes, même pour quelques kopecks, Tchitchikov ne vole pas ses vendeurs, puisque les paysans en cause reposent au cimetière et ne représentent aucune valeur dans l'économie du domaine. Bien mieux, en les transférant au compte de Tchitchikov, les propriétaires fonciers se trouvent dispensés de payer des impôts sur les défunts. Seul l'Etat aura à pâtir de la transaction, au moment où Tchitchikov donnera une liste d'êtres inexistants comme garantie d'un prêt substantiel. Or l'Etat n'a pas de visage. L'Etat est un principe. Quiconque veut condamner le héros de Gogol ne peut le faire au nom d'une victime précise, mais seulement au nom d'un principe. En achetant des êtres abstraits, Tchitchikov ne porte préjudice qu'à une abstraction.

Deuxièmement, comment pourrait-on reprocher à Tchitchikov d'acheter des âmes mortes dans un pays où il est légal d'acheter des âmes vivantes ? N'est-il pas plus grave de réduire des vivants en esclavage que de transférer des morts d'un registre dans l'autre ?

Troisièmement, les fantoches que Tchitchikov aborde successivement pour leur demander de lui céder des âmes mortes sont d'une qualité morale si basse, que le héros du livre en est, par opposition, excusé dans ses entreprises. Il ne peut se développer et prospérer que grâce à la bêtise, à la vulgarité, à la suffisance, à la paresse des habitants de la petite ville et de ses environs.

Cette petite ville est évidemment symbolique. Pour l'auteur, elle représente la Russie. Et la Russie représente le monde. Dans les notes relatives à son roman, Gogol écrit : « La ville et son tourbillon de commérages doit être décrite comme un chaos figuratif de l'oisiveté de l'humanité en général... Comment abaisser le tableau universel du désœuvrement sous toutes ses formes jusqu'à l'assimiler au désœuvrement de la ville, et comment élever le désœuvrement de la ville jusqu'à l'image du désœuvrement mondial ? »

Les interlocuteurs de Tchitchikov, mis côte à côte, consti-

tuent une extraordinaire galerie de monstres. Comme le gouverneur du *Révizor*, le lecteur ne voit plus soudain autour de
lui que « des groins de porc ». Chacun d'entre eux porte un
nom qui le symbolise et le coiffe, tel un chapeau de carnaval.
Ainsi, en russe, le nom de Manilov, le mielleux, évoque l'idée
d'une invite aimable, d'un appel charmeur. Le nom de Nozdrev, ce fanfaron qui a le nez en l'air et la lippe dédaigneuse,
est tiré du mot russe *nozdria*, narine. Le nom de Sobakévitch,
au caractère de chien, dérive du mot russe *sobaka*, qui veut
dire précisément : chien. Le nom de Korobotchka, cette idiote
soupçonneuse, fermée à toutes les suggestions, reproduit simplement le mot russe *korobotchka*, petite boîte. Quant à Pliouchkine, le ladre monstrueux, son nom vient du mot russe
pliouchka, que l'on peut traduire par galette. Et en effet, à
la réflexion, Pliouchkine est autant galette qu'homme, de
même que Korobotchka n'est qu'une petite boîte habillée en
femme, et Nozdrev une narine gigantesque perchée sur une
paire de jambes, et Sobakévitch un chien vigoureux, au poil
hirsute et aux mouvements maladroits.

Il ne faudrait pas en conclure que chacun de ces protagonistes est l'expression d'un vice : Manilov, la sentimentalité
oisive ; Nozdrev, la tricherie ; Sobakévitch, la grossièreté ;
Korobotchka, la bêtise ; Pliouchkine, l'avarice... Non, tout en
créant des types, Gogol a su les enrichir d'un tel poids de chair,
qu'au lieu d'être des mannequins allégoriques ils ont la chaleur et la complexité d'individus réels. Pliouchkine, ce n'est
pas « l'avare », mais un certain avare, très particulier,
reconnaissable entre mille. Personne ne pourrait confondre
Nozdrev avec un autre hâbleur. Korobotchka est unique, bien
qu'elle incarne l'imbécillité femelle, et Sobakévitch n'a pas
son pareil, bien qu'il incarne la virile pesanteur. Pourtant ils ont tous un trait en commun. Vendeurs d'âmes mortes,
ils sont eux-mêmes des âmes mortes. Ils parlent, se déplacent,
dorment, mangent comme des vivants, mais, derrière cette
apparence trompeuse, il n'y a pas la plus petite parcelle de
conscience. « Il semblait que ce corps fût dénué d'âme », écrit
Gogol à propos de Sobakévitch. Il pourrait en dire autant de
tous les personnages de son livre. Et cette constatation fait
paraître plus atroce encore le contraste entre la nullité morale

des propriétaires fonciers et leur situation privilégiée de possesseurs de vies humaines.

Le premier à recevoir la visite de Tchitchikov est Manilov, blond, doucereux, paresseux et inconsistant jusqu'à la nausée. Son cœur déborde de mansuétude pour l'univers entier. Mais une étrange atrophie de la volonté l'empêche de mettre un pied devant l'autre. Perdu dans des rêveries sans fin, il se dit « qu'il serait bon de créer un passage souterrain qui mènerait de la maison au village, ou bien de jeter sur l'étang un pont de pierre, flanqué de boutiques où se débiteraient les menus objets d'usage courant parmi les villageois... » Il garde dans son bureau un livre marqué d'un signet à la page 14, et « dont la lecture dure depuis deux ans ». Il dit du bien de tout le monde. Penché sur l'épaule de Tchitchikov, il soupire : « Comme il serait agréable de vivre ensemble sous un même toit ou de philosopher à l'ombre d'un ormeau ! » Mais, lorsque celui-ci lui révèle le but de sa visite, il a un haut-le-corps :

— « Comment ? Excusez-moi... je deviens un peu dur d'oreille... J'ai cru entendre une chose étrange...

— « Je voudrais acheter des morts, répète Tchitchikov, lesquels, du reste, seraient encore portés comme vivants sur les rôles de recensement... Vous paraissez embarrassé !...

— « Moi ? non, balbutie Manilov, pas précisément... Mais je n'arrive pas à comprendre... Excusez... Je n'ai, bien entendu, pas reçu une aussi brillante éducation que celle que trahit, pour ainsi dire, chacun de vos gestes ; je ne possède pas le grand art de la parole... Peut-être votre phrase contient-elle un sens caché ?... Peut-être vous êtes-vous exprimé ainsi pour la beauté du style ?...

— « Non, non, dit Tchitchikov, je ne parle pas au figuré ; il s'agit bien d'âmes mortes... Nous les mentionnerons comme vivantes, ainsi qu'elles figurent sur la feuille de recensement... J'ai l'habitude de ne pas me départir des formes légales... La loi, je suis muet devant la loi. »

Ces paroles suffisent à apaiser les scrupules de Manilov, qui ne veut même pas entendre parler de prix. « Comment pourrais-je accepter de l'argent pour des âmes qui ont, pour ainsi dire, terminé leur existence ? »

Tout autre est la réaction de la stupide Korobotchka. Si
Manilov est un rêveur, elle a, elle, les deux pieds sur la
terre.

— « Des âmes mortes ?... s'écrie-t-elle. Voudrais-tu les déter-
rer, par hasard ?... Vraiment il ne m'est jamais arrivé de
vendre des défunts... Je crains, pour une première affaire, de
subir des pertes... Peut-être cherches-tu à me rouler, petit
père ?... Peut-être valent-elles plus cher que tu ne le dis ?...

— « Ecoutez ! Que vous êtes bizarre ! Combien voulez-vous
que cela coûte ? C'est de la poussière, comprenez-vous ? Rien
que de la poussière ! »

Malgré ces bonnes raisons, la vieille se méfie. Elle préfére-
rait vendre du miel, du chanvre ou des paysans vivants, parce
que du moins, pour ces denrées, elle connaît les tarifs.

— « En vérité, dit-elle, je ne suis qu'une pauvre veuve
inexpérimentée. Je ferais mieux d'attendre. Qui sait, il se peut
que des marchands passent par ici. Je comparerai les prix. »

Finalement elle cède tous les trépassés de son domaine
pour quinze roubles assignats, et Tchitchikov dresse la liste.

Et voici Nozdrev, le fanfaron intégral, avec « ses joues
vermeilles », ses dents blanches et ses favoris « noirs comme
jais ». Un fêtard, un bavard, un vantard, un chercheur de
querelles, une brute au rire éclatant. Il se lie d'amitié avec
vous en cinq minutes et passe le reste de son temps à vous
dénigrer et à vous nuire. Incapable de rester en place, il veut,
à tout moment, tenir un pari, jouer aux cartes, se jeter dans
une aventure ou troquer quelque chose contre n'importe quoi.
« Fusil, chien, cheval, tout est pour lui objet d'échange. » Le
mensonge sort de lui comme la fumée d'un toit. Passé maître
en supercherie, lorsque Tchitchikov lui parle d'âmes mortes,
il flaire immédiatement une affaire louche, le somme de
s'expliquer et refuse de croire ses prétextes. « Tu mens ! Tu
mens ! » s'écrie-t-il joyeusement. Et il propose, après mille
combinaisons extravagantes, de jouer les âmes mortes aux
dames. De guerre lasse, Tchitchikov accepte. Mais son adver-
saire triche. Une dispute éclate. Nozdrev, cramoisi et brandissant une lourde pipe de merisier, veut faire rosser son visiteur par ses valets. Tchitchikov leur échappe de justesse,
grâce à l'arrivée inopinée d'un capitaine de police. Cette fois,

il repart bredouille. Pas une âme morte dans son carnier.

L'étape suivante l'amène devant l'énorme Sobakévitch, pareil à « un ours de taille moyenne ». « Comme pour compléter cette similitude, écrit Gogol, il portait un habit dont la couleur imitait à s'y méprendre celle d'une fourrure d'ours ; les manches et les jambes du vêtement avaient une longueur démesurée ; quand il marchait, il posait ses pieds au petit bonheur et écrasait constamment les pieds des autres. » Sombre, compact, bestial, malveillant, Sobakévitch — à l'opposé de Manilov — médit de tous ses voisins. Sa principale préoccupation est la pitance. Il ne mange pas, il engloutit.

« Goûtez-moi ce carré de mouton au sarrasin, dit-il à Tchitchikov. C'est autre chose que les fricassées qu'on accommode chez vos grands seigneurs avec les laissés-pour-compte qui ont traîné quatre jours au marché. Belle invention des médecins allemands et français ! S'il ne tenait qu'à moi, je les ferais pendre ! Ils ont inventé la diète, la cure par la faim ! Ces gringalets croient pouvoir y plier des estomacs russes !... Non, tout cela n'est que duperie... Chez moi, il en va autrement. Chez moi, quand on sert une oie, un mouton, un porc, on les sert tout entiers. Je préfère ne manger que deux plats, mais en avaler autant que mon âme l'exige. »

Ainsi, chez Sobakévitch, ce n'est pas l'estomac qui se restaure à table, c'est l'âme. Les nourritures matérielles lui tiennent lieu de nourritures spirituelles. Pourquoi serait-il surpris lorsque Tchitchikov lui propose son étrange transaction ? Des âmes mortes ? Oui, il en a. Et, sans sourciller, il en demande cent roubles pièce. Tchitchikov proteste, indigné.

— « Pourquoi lésinez-vous ? dit Sobakévitch. Ce n'est pas cher du tout. Un autre vous aurait roulé en vous vendant n'importe quoi à la place des âmes. Tandis que moi, je vous livre une marchandise triée sur le volet. Ceux qui ne sont pas des artisans sont tout de même des gens robustes. Jugez-en vous-même. Prenez, par exemple, le charron Mikhéïev. Il ne faisait que des voitures à ressorts. Et pas comme on les fait à Moscou, de façon qu'elles ne tiennent pas plus d'une heure. Non, c'est du solide ! Et c'est encore lui qui les tapisse et qui les vernit... Et Probka, Stépan, le menuisier. Je vous donne ma tête à couper que vous ne trouverez pas son pareil !

Quelle force !... Et Miliouchkine, le briquetier, capable de dresser une cheminée dans n'importe quelle maison ! Et Maxime Téliatnikov ! D'un coup d'alène, il vous fait une paire de bottes, chaque paire de bottes étant une perfection. Et pas une goutte d'alcool !...

— « Oui, mais permettez, dit enfin Tchitchikov, surpris par ce flot de paroles qui semblait intarissable, pourquoi énumérez-vous toutes leurs qualités ? Puisqu'ils sont morts, on ne peut rien en tirer. Un cadavre ne pourrait même servir à étayer une clôture, dit le proverbe.

— « Oui, bien entendu, ils sont morts, répliqua Sobakévitch qui parut soudain se rappeler cette circonstance. D'ailleurs, ajouta-t-il, à quoi servent ceux qui sont encore inscrits comme vivants ? Des hommes ? Non, plutôt des mouches !

— « Du moins existent-ils encore, dit Tchitchikov, tandis que ceux-là ne sont qu'un souvenir !

— « Ah ! non ! pas un souvenir ! Je vous dirai ce qu'était Mikhéïev. Vous n'en trouverez pas de pareil. Un colosse à ne pas pouvoir entrer dans cette chambre ! »

Finalement Tchitchikov oblige Sobakévitch à baisser son prix de cent roubles à deux roubles cinquante.

Après avoir affronté Sobakévitch, il se tourne vers Pliouchkine, l'avare, qui le surprend par son visage de vieille femme, son œil aigu, sa souquenille crasseuse. La richesse de cet homme a les apparences de la pauvreté. Son goût de l'argent est tel, qu'il ne peut se résoudre à dépenser un liard pour améliorer l'état de son domaine. Devenu imperméable à tout sentiment humain, il a rompu avec ses amis, avec ses enfants, et vit dans la solitude, en tête à tête avec des chiffres. Il laisse ses paysans mourir de faim. Ses domestiques n'ont à leur disposition qu'une seule paire de bottes, toujours déposée dans l'antichambre. « Quand l'un d'eux s'entendait appeler, il traversait pieds nus toute la cour en sautillant, mais chaussait les bottes avant de pénétrer dans l'appartement », écrit Gogol. Et encore : « Pliouchkine avait déjà oublié le compte de ses richesses, mais se rappelait que, dans tel recoin du buffet, un carafon contenant un reste de quelque liqueur portait une marque faite par lui pour empêcher ses gens de le vider en cachette. » Devant la perspective de vendre des

âmes mortes, le vieillard exulte. Voilà une affaire comme il
les aime ! Un peu de vent contre de la monnaie sonnante et
trébuchante. Pourtant il marchande âprement son accord.
Tchitchikov finit par lui acheter non seulement des âmes
mortes mais des « âmes en fuite », autrement dit des paysans
vivants, qui ont disparu du domaine et rôdent on ne sait où,
échappant à tous les contrôles. Pour Tchitchikov, serfs en
fuite ou serfs morts, c'est tout comme, puisqu'il n'a pas à les
nourrir et que leur nom figure sur les rôles de recensement.

Rentré à l'auberge, harassé et content de lui, il soupe d'un
cochon de lait, se couche et s'endort « du merveilleux sommeil, apanage des heureux mortels qui ignorent les hémorroïdes, les puces et l'excès d'intelligence (1) ». Le lendemain,
il s'éveille frais et dispos, s'installe devant son écritoire, et
rédige les contrats de vente et les inventaires, afin de les
faire enregistrer au plus vite. Cette besogne l'enchante comme
un acte de création.

« Lorsqu'il jeta un coup d'œil sur les listes, écrit Gogol,
sur ces moujiks qui avaient été jadis de vrais moujiks, travaillant, labourant, s'enivrant, trompant leurs maîtres — ou de
simples braves gens peut-être — un étrange sentiment, incompréhensible pour lui-même, s'empara de lui. Chaque liste semblait avoir un caractère particulier dont bénéficiaient les moujiks mêmes qui la constituaient. Les moujiks de Korobotchka
étaient presque tous affublés d'un surnom et d'un sobriquet.
La liste de Pliouchkine se signalait par la brièveté des dési-
gnations... Le relevé de Sobakévitch était extraordinairement
complet et circonstancié. Pas une qualité du moujik n'y était
omise. On disait de l'un qu'il était « bon menuisier » ; d'un
autre « qu'il connaissait son métier et ne buvait pas d'alcool...»
Ces détails donnaient aux listes je ne sais quel air de fraîcheur.
On aurait pu croire que, la veille encore, ces moujiks étaient
en vie... Ayant longuement contemplé leurs noms, Tchitchikov
s'attendrit et proféra en soupirant : « Mes bons amis, comme
vous êtes nombreux ! Qu'avez-vous fait, mes braves, au cours
de votre existence ? Comment avez-vous vécu ?... »

Mais cette émotion de Tchitchikov est de courte durée.

_____

(1) _Les Ames mortes_, chapitre VI.

Placé à la tête d'une légion de défunts, il se découvre riche et puissant. En outre, il ne se juge pas coupable. Qu'a-t-il fait de mal ? En bon citoyen, il s'est soumis aux indications contenues dans les registres officiels. Si l'administration estime que les moujiks qu'il a achetés sont vivants, c'est qu'ils sont vivants, malgré les messes pour le repos de l'âme et les croix dans les cimetières. De même, si des paysans vigoureux sont consignés, par la faute d'un scribe, dans la colonne des défunts, c'est qu'ils ont cessé d'exister, bien que chacun puisse les voir au travail dans leur village. Pour Tchitchikov, ce qui fait foi en matière de vie et de mort, ce n'est pas le recensement opéré par Dieu, mais le recensement opéré par les fonctionnaires. Le passage de la vie à la mort n'est pas un phénomène terrible, où se reconnaît la volonté du Très-Haut, mais un jeu d'écriture que dirige la main d'un comptable. La frontière entre la présence et l'absence s'efface. L'être et le non-être échangent leurs signes respectifs. Et, sur cette confusion monstrueuse, Tchitchikov, rondouillard, souriant et alerte assied son triomphe.

Cependant le subterfuge de l'honnête « acquéreur » est sur le point d'être découvert. Le bavard Nozdrev alerte fortuitement l'opinion publique. Puis c'est Korobotchka qui arrive en ville, aux premières lueurs de l'aube, pour tâcher de savoir « le cours exact des âmes mortes dans la région » et si elle n'a pas cédé les siennes « au tiers de leur prix ». Les langues vont leur train. De graves fonctionnaires s'étonnent. Des dames respectables soupçonnent Tchitchikov de tramer quelque sombre complot en vue d'enlever la fille du gouverneur. Toute la bourgade sort de sa léthargie ancestrale. Dérangés par ce tremblement de terre, des hobereaux campagnards, qui dormaient dans leurs trous comme des marmottes, mettent le nez dehors et clignent des yeux. On voit apparaître dans les salons des gens qui ne les fréquentaient plus depuis des années et que l'on croyait morts. Le nombre des voitures s'accroît dans les rues. La panique monte dans les esprits. Les hommes maigrissent. On cherche à comprendre... « Toutes les enquêtes menées par les fonctionnaires, écrit Gogol, aboutirent simplement à leur révéler qu'ils ne savaient rien de Tchitchikov et que pourtant Tchitchikov devait assurément être quelqu'un ou quelque chose... Mais était-ce quelqu'un qu'il fallait arrêter et emprisonner pour ses mauvaises intentions ou quelqu'un qui pouvait les arrêter et les emprisonner tous comme suspects ? »

Ainsi, Tchitchikov a brouillé tant de cartes, compromis tant de propriétaires, roulé tant de fonctionnaires, que sa petite personne rose s'enfle, s'élève, se balance dangereusement dans la brume des cerveaux. Les gens en apparence les plus sensés se consultent pour tenter de savoir s'il agit dans son intérêt personnel ou dans l'intérêt général, s'il est un ennemi du genre humain ou un représentant de l'Etat en service commandé, s'il faut le poursuivre en justice ou rechercher sa protection. Le directeur des Postes croit qu'il n'est autre qu'un bandit célèbre, le capitaine Kopéïkine, et raconte tout au long l'histoire de ce dernier : le seul hic, c'est que Kopéïkine est manchot et unijambiste, alors que Tchitchikov a ses deux bras et ses deux jambes. Certains vont plus loin encore et prétendent que Tchitchikov, c'est Napoléon évadé de Sainte-Hélène, ou même l'Antéchrist. La fable s'enfle. Le peuple illettré et superstitieux murmure. Le procureur est tellement impressionné par tout ce remue-ménage, qu'il en meurt subitement. Quand le médecin accourt pour pratiquer une saignée, il se trouve devant un corps inanimé. « Alors seulement on s'aperçut que le procureur avait une âme : par modestie sans doute, il n'en avait jamais fait montre de son vivant », écrit Gogol. Déjà quelques portes se ferment au nez de Tchitchikov. Pressentant l'orage, celui-ci boucle ses valises. Comme le Khléstakov du *Révizor*, il s'enfuit en troïka, laissant derrière lui un monde troublé par ses phantasmes. Mais alors que, dans *le Révizor*, l'auteur restait en ville pour peindre le désarroi des « victimes », dans *les Ames mortes*, il suit son héros, lancé sur les routes de Russie. La voiture qui l'emporte roule si vite, qu'elle semble tirée par des chevaux surnaturels, aux sabots de feu. Le paysage vole, de part et d'autre, déchiré horizontalement par le vent de la course. Les rayons des roues se confondent au regard et ne font plus qu'un cercle vide.

« Et toi, Russie, écrit Gogol, ne t'élances-tu pas en avant comme l'une de ces rapides troïkas que rien ne saurait distancer ? Sous ses pas, la route fume, les ponts tonnent, tout est dépassé, tout reste en arrière. L'observateur s'arrête, comme frappé d'un miracle de Dieu : n'est-ce point la foudre qui vient de tomber du ciel ? Que signifie ce mouvement terrifiant ? Et quelle force mystérieuse recèlent ces coursiers que le monde n'a jamais vus ? O coursiers, coursiers sublimes !... Quels tourbillons cachent vos crinières ? Y a-t-il une oreille attentive dans chacune de vos fibres ? Vous entendez, venue d'en haut, une chanson familière et, bombant ensemble vos poitrails d'airain, effleurant à peine le sol de vos sabots, ne formant plus que trois lignes tendues qui fendent l'air, vous voilà lancés comme sous l'inspiration de Dieu. O Russie, où cours-tu ainsi ? Réponds ! Pas de réponse. La clochette tinte mélodieusement. L'air déchiré en lambeaux gémit et devient ouragan. Tout ce qui se trouve sur terre est dépassé au vol, et les autres nations, les autres pays, jettent un regard de biais à la troïka, et s'écartent d'elle pour lui livrer passage. »

Cette envolée lyrique qui clôt le livre est, en réalité, un tour de passe-passe. Il n'était pas facile de soustraire Tchitchikov à un juste châtiment et de masquer en même temps aux yeux des lecteurs ce qu'une telle impunité avait de scandaleux. La troïka, folle de vitesse, n'aide pas seulement Tchitchikov à fuir, elle détourne notre attention des motifs de sa fuite. Au vrai, comment des lois humaines auraient-elles pu sanctionner les entreprises d'un émissaire du diable ? Il fallait qu'il échappât à ses dénonciateurs, dans un nuage de poussière, dans un tintement de clochettes, impondérable, frétillant, anonyme, et prêt pour d'autres aventures. Son plus bel exploit, du reste, ce n'est pas d'avoir berné les habitants de la petite ville de N., mais les censeurs de Saint-Pétersbourg. Séduits par le ton patriotique des dernières pages du « poème », ces messieurs ne se sont pas avisés de l'atteinte à la morale traditionnelle que constituait l'escamotage du coupable. Bien mieux, ils n'ont pas relevé ce qu'avait d'étrange la comparaison de la Russie avec une troïka emportant un escroc ! La magie des mots a permis à Tchitchikov de prendre le large et à l'auteur de tirer son épingle du jeu.

Cette invocation poétique dédiée à la troïka n'est pas la

seule de l'ouvrage. Très souvent Gogol coupe son récit par des explosions d'éloquence, des méditations sublimes, qui sont comme autant d'interventions musicales dans un texte parlé. On a calculé que les digressions en général constituent un huitième du volume et que celles de caractère proprement lyrique sont au nombre d'une dizaine. Ainsi, à propos des aventures de Tchitchikov, l'auteur célèbre-t-il le charme des voyages en diligence, la fraîcheur des souvenirs de jeunesse, les rapports mystérieux qui l'unissent à la Russie, ou ses souffrances d'écrivain, contraint à décrire des monstres alors que sa préférence va aux créatures angéliques. Il attend avec impatience l'instant où, débarrassé des masques hideux qui l'entourent, il pourra enfin, comme Ivanov, ne peindre que des figures illuminées par l'approche du Christ. Il écrit :
« Heureux l'auteur qui, s'écartant des personnages plats et rebutants, surprenants dans leur affligeante réalité, approche ceux qui incarnent les nobles vertus humaines, celui qui, dans le grand tourbillon d'images changeantes dont il est chaque jour entouré, ne choisit que quelques êtres d'exception... On le proclame grand poète universel, on le place bien au-dessus de tous les autres génies du monde, comme l'aigle l'emporte sur tous les oiseaux de haut vol... Une vie et un sort différents attendent l'écrivain qui a osé évoquer toutes les choses qui sont constamment devant nos yeux mais sur lesquelles les regards indifférents ne se posent pas, toute la vase horrible et inquiétante des menus faits qui compliquent notre existence, toute la profondeur des caractères froids, mesquins, désagrégés, qui pullulent sur notre chemin terrestre ennuyeux et amer... Il ne connaîtra pas les applaudissements populaires, il ne verra pas luire des larmes de gratitude, il n'éveillera pas dans les âmes cette admiration unanime ; ce n'est pas vers lui que volera telle jeune fille de seize ans, la tête tournée par le culte du héros... ; il n'échappera pas enfin au jugement de ses contemporains hypocrites et insensibles, qui accuseront les créatures nées de son esprit de bassesse et d'indignité, le relégueront dans un coin humiliant, au rang des écrivains qui insultent l'humanité, lui attribueront la moralité de ses propres personnages et lui dénieront tout : cœur, âme et la divine flamme du talent... Quant à moi, conduit par une puissance

surnaturelle, je suis destiné à cheminer longtemps encore, bras dessus bras dessous, avec mes étranges héros, à contempler l'immense et houleux déroulement de la vie à travers un rire que tous peuvent observer et des larmes que personne ne voit. Et il est encore loin le temps où, cédant à l'impulsion d'une force jaillie d'une source différente, la tourmente formidable de l'inspiration naîtra de mon front ceint de terreur sacrée et de lumière, et où les humains, tremblants de confusion, entendront le tonnerre majestueux d'un autre langage... »

Ayant de la sorte prévenu le lecteur des joies morales qui les attendent dans le second volume des *Ames mortes*, s'ils ont le courage de traverser le bourbier du premier, Gogol revient à son histoire : « En route ! En route ! Disparaissez, ride venue creuser mon front et obscurité austère descendue sur mon visage. Plongeons-nous dans la vie, avec son fracas sourd et ses grelots, et voyons ce que fait Tchitchikov. »

Mais, à la fin du même chapitre (1), nouvelle digression. Cette fois merveilleusement prosaïque. Quittant en pleine nuit Tchitchikov et ses âmes mortes, l'auteur s'intéresse soudain à une fenêtre éclairée. Derrière cette fenêtre, un lieutenant, dont on ne sait rien et qu'on ne verra jamais plus, essaie une paire de bottes qu'il vient d'acheter à Riazan. « En vérité, ces bottes étaient bien faites et, pendant un long moment encore, il continua à lever son pied et à examiner la coupe suprêmement élégante et le fini du talon. »

De même, quand le « scandale Tchitchikov » est sur le point d'éclater, on voit surgir, au détour d'une phrase, des gens qui semblent venus là par erreur, égarés, fantomatiques, prêts à se dissoudre, emportés par un coup de vent : « On vit apparaître je ne sais quels Sysoï Paphnoutiévitch et Mac Donald Karlovitch, dont nul n'avait jamais entendu parler ; on aperçut dans les salons un individu long et maigre, d'une taille invraisemblable, la main percée par une balle. » Devant la fille du gouverneur, Tchitchikov évoque cent personnes sans importance, dont les noms dégringolent dans la conversation comme les perles d'un collier au fil rompu. Toutefois le comble du bavardage et de la vanité est atteint par les

_____

(1) Chapitre VII.

deux dames volubiles — la « dame charmante » et la « dame
charmante à tous égards » — qui échangent pêle-mêle leurs
opinions sur la mode et sur l'inqualifiable conduite de Tchitchikov. Les échos de ce caquetage retentiront bientôt d'un
bout à l'autre de la ville. Ainsi deux personnages périphériques influeront-ils sur le sort des personnages centraux. Ces
personnages périphériques foisonnent dans le livre, avec leurs
trognes, leurs tics, leurs odeurs. Certains d'entre eux sont
définis en quelques mots, tel le gouverneur, qui « portait
l'ordre de Sainte-Anne autour du cou, était brave homme et
brodait même quelquefois sur tulle », ou tel le procureur, « qui
avait de gros sourcils noirs et dont l'œil gauche clignait comme
pour dire : « Viens dans la pièce voisine, mon vieux, là-bas
je te dirai quelque chose. »

Non seulement les gens mais les objets, vus par Gogol,
subissent une déformation hallucinante. Ils participent à
la vie des personnages et aident à les mieux situer. La tabatière « en argent et émail » de Tchitchikov, au fond de laquelle
gisent deux violettes, « pour le parfum », son habit « zinzolin
moucheté », le poulet rôti qui est sa nourriture en voyage,
son flacon d'eau de Cologne et son coffret aux multiples
compartiments, tout cela, mystérieusement, explique l'homme.
La maison de Sobakévitch, le rustre, est à l'image de son
propriétaire, solide, trapue, à l'épreuve du temps et, dans le
salon, on voit des gravures représentant des héros grecs, qui
ont tous « des cuisses si fortes et des moustaches si longues,
qu'il vous en vient un frisson à fleur de peau ». Dans une
cage, un merle moucheté de blanc « ressemble fort à Sobakévitch ». Et, plus Tchitchikov examine la pièce, plus il se
persuade que tous les objets qu'elle contient « présentent,
par leur aspect robuste, mastoc et peu maniable, une similitude avec le maître des lieux. Dans un angle, un bureau de
noyer ventru, posé sur quatre pieds biscornus, avait l'air d'un
ours de chair et d'os. Table, chaises, fauteuils, tout était d'un
modèle pesant et incommode. En un mot, chaque objet, chaque siège, semblait dire : « Moi aussi, je suis Sobakévitch ! »
Ou : « Moi aussi, je ressemble à Sobakévitch ! » L'intérieur de
Manilov, le doux paresseux, le rêveur impuissant, révèle au
premier coup d'œil la négligence de celui-ci : « Une somptueuse

étoffe de soie, qui avait dû coûter fort cher, tapissait le beau mobilier du salon, mais il n'y avait pas eu assez de tissu, et deux fauteuils demeuraient là, recouverts simplement d'un morceau de natte. Depuis plusieurs années, le maître de céans avait soin d'avertir chaque fois ses visiteurs : « Ne vous asseyez pas dans ces fauteuils, ils ne sont pas encore prêts. » Certaines pièces restaient vides, bien qu'il eût dit à sa femme, dès la lune de miel : « Mon cœur, il faudra que je songe à meubler cette chambre, tout au moins provisoirement... » Le cabinet de travail de Nozdrev, le fanfaron, le bretteur, est, lui aussi, comme une matérialisation de son âme ; on n'y voit pas de livres, pas de papiers, mais des sabres, des poignards, des fusils, une collection de pipes, un chibouk à bout d'ambre, et « une blague à tabac brodée à son intention par une certaine comtesse, qui s'était amourachée de lui à un relais de poste ». Le parc abandonné de Pliouchkine, les isbas décrépites de ses moujiks, les bouts de papier, les plumes usées, les morceaux de cire qu'il collectionne, son encrier plein d'une encre boueuse où flottent des cadavres de mouches nous renseignent sur son avarice mieux que ne le ferait une confession. Et l'extravagante guimbarde de Korobotchka, bourrée de coussins et de victuailles, semble avoir été secrétée par cette femme obtuse et économe comme un cocon autour d'une horrible larve.

Si Gogol est dur envers les possédants, il ne l'est pas moins envers le menu peuple. Que ce soit Pétrouchka, le serviteur de Tchitchikov, gaillard paresseux, taciturne et puant, ou Sélifane, le cocher, à la cervelle étroite, ou les stupides oncle Mitiaï et oncle Miniaï, ou les deux moujiks du premier chapitre évaluant la solidité des roues de la calèche, ou Prochka, le valet de Pliouchkine « bête comme une oie », ou Pélagie, la fillette serve du domaine de Korobotchka, « qui ne sait pas distinguer sa droite de sa gauche » — aucun paysan, aucun domestique n'échappe à l'ironie de l'auteur. Son rire est sans tendresse ; il juge de haut les gens de toute condition ; pour tout dire, il n'aime pas ses semblables. Sa mission, pense-t-il, est de dénoncer leurs vices en les ridiculisant pour les inciter à s'amender par la suite. Fustigeant les hommes, jamais il ne critique les institutions. Le servage est pour lui une tradition

respectable et utile. Cependant une leçon terrible se dégage,
à son insu, de cette succession d'éclats de rire. En évoquant
l'imbécillité animale des moujiks et l'insensibilité patriarcale
des maîtres, c'est la structure sociale de la Russie qu'il
condamne. Les Prochka, les Pélagie, les Sélifane sont les tristes
produits de l'esclavage. A travers la fable drolatique des *Ames
mortes*, toute l'horreur de la servitude éclate aux yeux du
lecteur.

De même que, rêvant de peindre des anges, Gogol ne réussit
à peindre que des pourceaux, de même, conservateur résolu,
il donne malgré lui un tour subversif à son œuvre. En fait,
cet architecte a une âme de démolisseur. Il s'en rend compte
d'ailleurs et il en souffre. Nul n'a plus que lui cherché à se
justifier dans des préfaces, des lettres ouvertes, des avertisse-
ments et des commentaires de toutes sortes. Parlant de la
conception des *Ames mortes*, il écrira dans *Passages choisis
de ma Correspondance avec mes Amis* :

« Aucun de mes lecteurs ne s'est douté qu'en riant de mes
héros c'était de moi-même qu'il riait. Il n'y avait pas en moi
de vice particulièrement apparent qui dominât tous mes
autres vices, de même que je n'avais pas de brillantes vertus
capables de donner du relief à ma personne. En revanche, je
réunissais en moi une collection complète de toutes les vilenies
possibles, mais à petites doses ; et cela en telle quantité, que
je n'en ai encore jamais vu autant chez aucun être humain.
Dieu m'a donné une nature où il y a de tout... Au fur et à
mesure que je découvrais mes défauts, par une merveilleuse
inspiration venue d'en haut le désir grandissait en moi de
m'en débarrasser... Je me mis à doter mes héros, outre leurs
turpitudes personnelles, de ma propre boue. Voici comment
cela se passait : je prenais un de mes défauts et je le pour-
suivais en lui conférant une autre forme, en le plaçant dans
une autre condition ; je m'efforçais de me le représenter sous
les traits d'un ennemi mortel qui m'avait cruellement offensé ;
je l'accablais de ma colère, de mes sarcasmes ; je le frappais
avec tout ce qui me tombait sous la main. Si quelqu'un avait
pu voir les monstres qui, au début, pour moi seul, étaient
enfantés par ma plume, il en aurait sûrement frémi... Ne me
demande pas pourquoi la première partie de mon œuvre

devait être consacrée exclusivement à la platitude et pourquoi tous mes personnages, sans exception, sont des êtres
plats : les volumes suivants t'apporteront la réponse, un point
c'est tout !... Ce livre n'est qu'un enfant né avant terme... Ne
t'imagine pas, après cette confession, que je sois un monstre
du même genre que mes héros... Non, je ne leur ressemble pas.
J'aime le bien, et je le recherche... Déjà je me suis débarrassé
de nombre de mes vilenies en les passant à mes héros, je les
ai ridiculisées en eux, j'ai forcé autrui à en rire... »

Certes les explications apologétiques de Gogol, rédigées
après la publication du livre, sont sujettes à caution. Il n'avait
nulle intention moralisatrice en commençant à écrire, dans la
joie, *les Ames mortes*. C'est peu à peu, à force de s'interroger
sur l'utilité de son œuvre, que lui est venue l'idée de cette
double opération spirituelle. Il était rassurant pour lui de
penser qu'il travaillait tout ensemble à la régénération de
ses contemporains en les obligeant à rire d'eux-mêmes et à
sa propre régénération en incarnant chacun de ses défauts
dans un héros imaginaire. Qu'il se soit réellement purifié de
la sorte, il est permis d'en douter. Mais il dit sûrement vrai,
lorsqu'il affirme avoir projeté tel ou tel trait de son caractère dans les différents personnages des *Ames mortes*. Pétris
de ses péchés, ils sont devenus ses boucs émissaires. Chacun
d'entre eux est un morceau de lui-même. « L'histoire de mon
âme », écrit-il. Sa géographie plutôt. Un *mea-culpa* en images.
En l'un il a placé sa forfanterie, son goût du mensonge, sa
dissimulation maladive, en l'autre, son appétit des biens
matériels, sa gourmandise énorme, en un troisième, sa disposition à l'oisiveté et à la rêverie. Mais aucune de ses créatures
n'a reçu en partage sa fâcheuse propension à prêcher ses
semblables. Il manque à sa galerie de grotesques le faux
directeur de conscience, qui se croit en toute occasion inspiré
par Dieu. Ne considérait-il pas cette particularité comme un
travers ? Non, sans doute, puisque, de son aveu, *les Ames
mortes* sont, avant tout, une leçon destinée aux hommes qui
se fourvoient. Certes, pour peindre toutes ces figures, il a
également emprunté quelques détails psychologiques à des
amis, à des connaissances, mais ces détails ne l'ont frappé
que dans la mesure où ils répondaient à sa propre inclination

d'esprit. Il a moins observé ce qui se passait autour de lui que ce qui se passait en lui. C'est son monde intérieur qui ressort dans *les Ames mortes*. Tirés de lui pour l'essentiel, héros et comparses, bêtes et gens, meubles et paysages, ont en commun quelque chose de lourd, de somnolent, de pourri.

Cet air de famille est encore accentué par l'admirable unité du style. Qu'il s'agisse d'évoquer un visage ou une cassette, un geste de la main ou le dessin d'un feuillage, c'est la même précision incisive, la même richesse de vocabulaire. Bien entendu, nulle traduction ne saurait rendre la truculence de cette langue épaisse, ondoyante, surchargée d'épithètes. En passant du russe au français, quelle que soit la fidélité de l'adaptation, les couleurs pâlissent.

Quant aux métaphores dont l'auteur parsème son œuvre, elles ont ceci de particulier que, chaque fois, elles conduisent à une scène sans rapport direct avec le récit. Ce sont autant d'échappées sur un univers secondaire. Des tableautins entourant le tableau. Ainsi, parlant de la soirée du gouverneur, au début du livre, Gogol écrit :

« Les habits noirs papillotaient et voltigeaient, séparément ou par groupes, de-ci, de-là, comme des mouches sur un pain de sucre d'un blanc éblouissant, que, par une chaude journée de juillet, une vieille femme de charge casse et divise en fragments étincelants près de la fenêtre ouverte. Tous les enfants se réunissent autour d'elle et épient avec curiosité les gestes de ses mains rudes qui lèvent le marteau, tandis qu'un essaim de mouches, portées par l'air léger, entrent hardiment et, maîtresses absolues des lieux, profitent de l'extrême myopie de la vieille et du soleil qui l'éblouit pour se répandre sur les morceaux succulents, tantôt isolément tantôt en masse (1). »

Subitement le lecteur quitte la réception chez le gouverneur pour se retrouver, tout surpris, en plein été, dans une maison de campagne inconnue, aux côtés d'une vieille femme cassant du sucre. Ou bien, alors qu'il roule en calèche avec Tchitchikov vers la maison de Sobakévitch, une comparaison

---

(1) *Les Ames mortes*, chapitre premier.

inattendue engendre dans son cerveau l'image d'un joueur de
balalaïka :

« Quand sa voiture approcha du perron, il remarqua deux
visages qui, presque simultanément, étaient apparus à la fenêtre : l'un, celui d'une femme en bonnet, était aussi étroit et
long qu'un concombre ; l'autre, celui d'un homme, était rond
et large comme une de ces courges de Moldavie qu'on appelle
gorlianki et dont on fait en Russie des balalaïkas, légères, à
deux cordes, joie et orgueil du jeune et leste paysan de vingt
ans, le coq du village, qui sifflote et décoche des œillades aux
belles filles à la gorge et au cou laiteux, réunies autour de
lui pour l'entendre râcler son modeste instrument (1). »

Et les deux dames qui, dans la même phrase, deviennent
deux fillettes ! « Les deux dames se prirent les mains, s'embrassèrent, poussèrent des cris de joie, comme deux amies de
pension auxquelles leurs mamans n'ont pas encore expliqué
que le père de l'une est inférieur en rang et en fortune à
celui de l'autre (2). »

Et les yeux de Pliouchkine, dont nous nous désintéressons
brusquement pour nous pencher sur des souris !

« Ses petits yeux encore vifs couraient sous la barre touf-
fue des sourcils, comme des souris lorsque, risquant hors de
leurs trous sombres leur museau pointu, elles guettent, oreilles
dressées, moustaches frétillantes, si le matou ou quelque fri-
pon d'enfant n'est point caché dans le voisinage, et hument
l'air avec méfiance (3). »

Et ce ciel d'une couleur indéfinissable qui nous conduit,
par un étrange détour, dans une ville de garnison :

« Le temps lui-même s'était complaisamment accordé au
décor : la journée n'était ni lumineuse ni sombre, elle avait
cette teinte gris clair qu'on voit aux uniformes usés des sol-
dats de garnison, armée somme toute pacifique, qui ne se
saoule que le dimanche (4). »

Si cette avalanche de métaphores tend à dépayser le lecteur
et à amener un sourire sur ses lèvres, c'est encore dans les

---

(1) *Les Ames mortes*, chapitre V.
(2) *Les Ames mortes*, chapitre IX.
(3) *Les Ames mortes*, chapitre VI.
(4) *Les Ames mortes*, chapitre II.

dialogues que Gogol affirme sa verve avec le plus d'éclat.
Non seulement Tchitchikov, comme nous l'avons vu, change de
ton selon les circonstances, mais encore chacun de ses interlocuteurs a son langage propre. Qu'il s'agisse de personnages
importants ou de comparses, leurs propos sont toujours
l'expression directe de leur caractère. La façon de parler brutale et lourde de Sobakévitch ne ressemble en rien aux discours mellifues et prétentieux de Manilov, lesquels se distin-
guent évidemment des hennissements joyeux de Nozdrev, qu'il
est impossible de confondre avec le babillage vieillot de Korobotchka ou les répliques sèches et méfiantes de Pliouchkine.
Les moujiks aussi ont leur jargon juteux, à l'opposé de celui
des dames de la ville, dont le vain caquetage a manifestement
amusé l'auteur :

« — Je viens d'envoyer à ma sœur un amour d'étoffe, une
pure merveille. Je renonce à la décrire. Figurez-vous, ma chère,
des raies fines, fines, aussi fines que votre imagination peut
les concevoir, sur un fond bleu, et, entre les raies, des yeux
et des pattes, des yeux et des pattes, des yeux et des pattes...

« — C'est bien voyant, ma chère !

« — Mais non, ce n'est pas voyant !

« — Mais si, c'est voyant !

« — A propos, mes compliments, on ne porte plus de
volants !

« — Pas possible ?

« — Non, on les remplace par des festons.

« — Des festons, ce n'est guère joli !

« — Oui, des festons, rien que des festons : festons à la
pèlerine, festons sur les manches, festons sur les épaulettes,
festons sur la bordure, partout des festons (1)... »

Quel lecteur, avant d'avoir ouvert *les Ames mortes*, aurait
pu supposer qu'il y eût autant de façons pour les hommes
d'être plats ? C'est avec une délectation cruelle que l'auteur
a étalé devant nos yeux cet échantillonnage de mesquinerie.
Mais, le volume terminé, il ne sait plus au juste ce qu'il a
voulu dire. Croyant moquer le diable, il a célébré son triomphe,
cherchant à exalter la grandeur de la Russie, il en a montré

---

(1) *Les Ames mortes*, chapitre IX.

les petitesses, revendiquant le droit d'enseigner ses semblables, il les a divertis, et les voici qui rient au lieu de baisser la tête. Et cependant, avec leur ligne mal définie, leurs contradictions et leurs digressions, *les Ames mortes* constituent l'œuvre la plus achevée de Gogol. Un univers en soi, clos de partout et riche à craquer de mystère. Dès qu'on y pénètre, on est saisi par son climat étouffant et sa lumière fausse. Il faut apprendre à respirer sur cette noire planète. Objets et visages y sont déformés. Les voix résonnent comme dans un tonneau. A chaque pas, peut s'ouvrir une trappe. En quittant Tchitchikov, que sa troïka emporte vers un hypothétique enfer, le lecteur éprouve quelque peine à reprendre pied dans le monde réel. Désormais il ne verra plus les êtres et les choses avec ses yeux d'autrefois. Un sixième sens lui a été donné, qui lui permet de percevoir le chaos derrière les paravents. Il est devenu un habitué de l'irrationnel. Pourquoi a-t-il aimé *les Ames mortes* ? La question ne signifie rien pour lui. Son engouement dépasse l'intelligence. Ce livre touffu, aux intentions superposées, comique en surface, tragique en profondeur, à la fois épopée et pamphlet, satire et cauchemar, confession et exorcisme, ne se laisse ni définir ni classer sur un rayon de bibliothèque. Il règne, entouré d'un halo maléfique, dans les plus hautes régions de la littérature, entre *Don Quichotte* et *la Divine Comédie*. Une étrange franc-maçonnerie unit à travers le monde tous ceux qui, certains soirs, ont puisé dans ses pages des raisons de rire et de s'inquiéter.

Six ans s'étaient écoulés depuis la première représentation du *Révizor*. Six ans de silence. Et soudain, *les Ames mortes*. La publication de l'ouvrage fit l'effet d'un coup de talon dans une fourmilière. La foule anonyme des lecteurs fut saisie d'une folle agitation. Les piles de volumes baissaient dans les librairies. Partisans et détracteurs du livre s'affrontaient dans les salons. Avec plus de violence peut-être qu'au lendemain du *Révizor*. On était pour ou contre Tchitchikov, pour ou contre Gogol.

« Un livre surprenant, notait Herzen dans son journal à la
date du 11 juin 1842, un amer reproche à la Russie actuelle,
mais non sans espoir. Là où le regard peut traverser le sale
brouillard des exhalaisons du fumier, on distingue un esprit
national hardi et plein de vigueur. Ses portraits sont étonnamment réussis, la vie est exprimée dans toute sa plénitude...
La tristesse règne dans l'univers de Tchitchikov. »

La critique, immédiatement, se divisa. Les ennemis habituels
de Gogol se retrouvèrent au coude à coude, face à la troupe
résolue des champions du gogolisme.

Pour Boulgarine, le tout-puissant directeur de *l'Abeille du
Nord, les Ames mortes* étaient une œuvre superficielle, bâclée,
une « caricature de la vraie réalité russe », et son auteur, un
feuilletoniste « inférieur à Paul de Kock ». Dans la revue *la
Bibliothèque pour la Lecture*, Senkovsky raillait Gogol d'avoir
présenté comme un « poème » cette histoire abracadabrante
et vulgaire : « Un poème ? Allons donc ! Paul de Kock par le
sujet ! Paul de Kock par le style... Pauvre, pauvre écrivain qui
prend Tchitchikov pour la vie réelle !... » Page après page, le
critique épluchait le texte des *Ames mortes*, relevant les fautes
de syntaxe, les solécismes, les pléonasmes, les impropriétés...
De son côté, Polévoï, dans *le Messager russe*, au nom d'une
conception romantique et patriotique de la littérature, refusait au roman de Gogol le titre « d'œuvre d'art ». « *Les Ames
mortes*, écrivait-il, constituent une caricature grossière... Les
personnages en sont tous, sans exception, invraisemblables,
exagérés, et forment un ensemble de canailles répugnantes et
de plats imbéciles... Le récit est surchargé de tant de descriptions que parfois vous rejetez involontairement le livre. »

En revanche, les critiques amis de Gogol — qu'ils fussent
occidentalistes ou slavophiles — entonnèrent un chant à sa
gloire. Dans le clan des occidentalistes, Bélinsky salua *les
Ames mortes* comme un chef-d'œuvre immortel et railla les
pâles folliculaires qui osaient reprocher à l'auteur la trivialité
de ses peintures et l'incorrection de son style. Il écrivait avec
son emphase coutumière :

« En plein triomphe de la mesquinerie, de la médiocrité, de
la nullité, de l'incapacité, parmi tous ces fruits secs, toutes
ces bulles de pluie de la littérature, entre tant de projets

enfantins, de pensées puériles, de sentiments faux, nés d'un patriotisme pharisaïque et d'un populisme doucereux, subitement, tel un éclair rafraîchissant au milieu de la sécheresse étouffante et pestilentielle, apparaît une œuvre purement russe, nationale, tirée des replis de la vie populaire, aussi vraie que patriotique, dévoilant impitoyablement la vérité et pénétrée d'un amour passionné, instinctif, viscéral pour cette graine féconde de la vie russe ; une œuvre d'une indéfinissable qualité artistique par sa conception et sa réalisation, par le caractère des personnages et les détails des mœurs russes qui s'y trouvent évoqués, enfin par la profondeur de la pensée sur le plan social, public, historique. »

Et, devant les lecteurs des *Annales de la Patrie*, Bélinsky se félicitait d'avoir été le premier à signaler le grand talent de l'auteur. Ce *satisfecit* qu'il s'accordait publiquement ne fut pas du goût des amis de Gogol appartenant à l'autre bord. Dans *le Moscovite*, Chévyrev s'en prit d'abord personnellement à Bélinsky, le comparant à un pygmée criard et gesticulant : « Tout heureux de l'occasion de se complimenter lui-même en complimentant un grand talent, il (Bélinsky) se plante devant l'œuvre, gonfle son corps malingre pour tâcher de la masquer et vous la découvre ensuite comme pour vous persuader que c'est lui qui vous l'a désignée, que, sans lui, vous ne l'auriez même pas vue. » Puis, se tournant vers *les Ames mortes*, Chévyrev loua le réalisme de l'œuvre et lui pardonna la vulgarité de quelques descriptions en faveur des intentions profondes du romancier qui étaient — il le savait de source sûre — moralisatrices, patriarcales et patriotiques. Les digressions lyriques exaltant le sentiment national lui plaisaient par-dessus tout. Au contraire de Bélinsky, il ne voyait pas de satire sociale dans le poème, mais un hymne à la Russie éternelle. Même les figures les plus hideuses lui paraissaient excusables, parce qu'elles étaient russes et que, derrière elles, se dessinait déjà la promesse d'un renouveau.

« Outre sa valeur artistique, écrivait-il, une œuvre de ce genre peut encore prétendre à être considérée comme un acte de patriotisme. D'ailleurs, aux types négatifs de la première partie, l'auteur fera certainement succéder des apparitions plus sereines. Nous le croyons capable de donner plus d'enver-

gure à sa fantaisie. Alors elle embrassera la vie non seulement
de la Russie, mais de toutes les nations. »

Dans *le Contemporain*, Plétnev, sous un pseudonyme, décernait à l'auteur le titre de premier écrivain russe contemporain
et l'approuvait d'avoir « incarné dans la réalité les phénomènes de sa vie intérieure ». Il indiquait d'ailleurs que ce
volume n'était qu'un « lever de rideau destiné à expliquer
l'étrange démarche du héros ».

Mais c'était encore chez les Aksakov que l'enthousiasme
était le plus vif. Le vieil Aksakov avait lu *les Ames mortes*
deux fois d'affilée pour lui-même, et une fois, tout haut, à sa
famille. Son fils Constantin, dans son ardeur de néophyte
slavophile, rédigea un article dithyrambique sur le livre,
tenta en vain de le faire publier par *le Moscovite* et finit,
vexé, par l'éditer à ses frais, en brochure séparée. Avec la
maladresse et l'emportement du jeune âge, il proclamait que
les Ames mortes étaient une résurrection de l'épopée antique
et que Gogol ne pouvait être comparé qu'à Homère et à Shakespeare. C'était le pavé de l'ours. Croyant servir la renommée
de son idole, le critique débutant ne réussit qu'à susciter des
sarcasmes de tous côtés. Même ceux qui plaçaient très haut
le talent de Gogol désavouèrent cet hommage, jugé excessif
pour un écrivain vivant. Bélinsky notamment, en tant qu'occidentaliste, ne pouvait accepter de se rencontrer avec un
slavophile dans l'appréciation d'une œuvre. Il avait ses
raisons de priser l'auteur et refusait d'admettre celles des
autres. Tout compliment procédant d'une vue politique
opposée à la sienne lui était plus insupportable qu'un blâme.
Bien qu'il eût déjà donné son avis sur *les Ames mortes*, il
reprit la plume et, en deux articles ironiques, démolit, point
par point, l'argumentation de Constantin Aksakov. *Les Ames
mortes* n'avaient, écrivait-il, rien à voir avec l'épopée antique
ni Gogol avec Homère : « En tant que poème, *les Ames
mortes* sont diamétralement opposées à *l'Iliade*. Dans *l'Iliade*
la vie est célébrée en apothéose, dans *les Ames mortes* elle est
rabaissée au rang de pourriture, elle est dénigrée. » Mais,
tout en félicitant Gogol d'avoir « dénigré » cette vie, autrement dit d'avoir condamné la structure sociale inique de son
pays, Bélinsky se demandait déjà si l'auteur ne se préparait

pas à trahir la cause du libéralisme dans les prochains volumes : « Qui sait ce que sera la suite des *Ames mortes* ? On nous promet des êtres comme il n'en fut point encore et devant lesquels les grands hommes étrangers ne seront que des fantoches... »

Ainsi, penché sur *les Ames mortes*, chacun y trouvait ce qu'il voulait : attaque contre le servage, glorification de la Russie et de sa mission, peinture réaliste du milieu des propriétaires fonciers, vision de cauchemar dénuée de tout fondement, insulte à la patrie et au gouvernement, farce désopilante et sans signification politique, poème profondément chrétien, entreprise diabolique... D'un côté, les amis libéraux et conservateurs, occidentalistes et slavophiles se disputaient l'honneur d'avoir Gogol comme champion de leur cause, tandis que, de l'autre côté, ses adversaires lui déniaient le titre de grand écrivain russe et de sujet respectueux du tsar. Cependant, pareil à Tchitchikov fuyant les ragots de la petite ville, l'auteur fuyait Saint-Pétersbourg et la tempête qu'il y avait déchaînée.

Chaque tour de roue l'éloignait du théâtre des opérations. Au delà des frontières, il n'entendait pas les appels de trompette et les clabauderies de ses compatriotes. Même, il pouvait croire que *les Ames mortes* étaient tombées dans l'indifférence générale. Fallait-il s'en réjouir ou s'en inquiéter ? Des villages heureux, de sages cités aux toits de tuiles se succédaient à travers la poussière du voyage. Dans les chambres d'auberge, il n'y avait pas de punaises. Quelle paix sur les routes de Prusse !

TROISIÈME PARTIE

I

LA QUADRATURE DU CERCLE

Arrivé à Berlin, le 8 juin 1842 (1), Gogol envisagea d'abord de continuer sa route jusqu'à Düsseldorf, où Joukovsky, devenu père de famille, menait une existence retirée, entre sa jeune femme et sa petite fille. Mais Mme Joukovsky avait, disait-on, les nerfs malades, et le ménage pouvait fort bien avoir quitté la ville pour se rendre dans quelque station thermale.

Assis dans sa chambre d'hôtel, Gogol étudia la carte et s'effraya de la longueur du trajet jusqu'à Düsseldorf. Craignant d'entreprendre un tel voyage pour rien, il préféra envoyer au poète un exemplaire des *Ames mortes*, accompagné d'une de ces lettres à double face, mi-humble mi-orgueilleuse, dont il était coutumier.

« De jour en jour, d'heure en heure, écrivait-il, il y a plus de clarté et de solennité dans mon cœur. Mes voyages, mon éloignement du monde, n'ont pas été sans but et sans signification. Ils ont servi à l'édification imperceptible de mon être. Plus pure que la neige des montagnes, plus claire que le ciel doit être mon âme : alors seulement j'acquerrai la force d'entreprendre ma sainte carrière, alors seulement se résoudra l'énigme de mon existence... Je vous envoie *les Ames mortes*. C'est la première partie... Comparée à celles qui vont suivre, elle est comme le perron qu'un architecte provincial cons-

_____

(1) Le 20 juin 1842 d'après le calendrier grégorien.

truit en hâte pour le palais, qui, d'après le projet, doit avoir
des proportions colossales... Pour l'amour de Dieu, faites-moi
connaître vos observations. Soyez le plus sévère, le plus impitoyable possible. Vous savez combien cela m'est nécessaire...
Ne lisez pas sans avoir un crayon et un bout de papier à
portée de la main, et, sur ce bout de papier, notez immédiatement vos remarques. Puis, après la lecture de chaque chapitre, écrivez vos impressions sur l'ensemble de celui-ci.
Ensuite passez à l'étude des rapports entre les différents chapitres. Enfin, après avoir achevé le livre, jugez-le en entier.
Toutes ces considérations, particulières et générales, devront
être rassemblées par vous, enfermées et cachetées dans un
paquet et expédiées à mon adresse. On ne saurait me faire,
à l'heure actuelle, de cadeau plus précieux (1). »

Le lendemain, Gogol remontait dans une diligence et partait
pour Gastein. Trois jours de voyage. Au bout de la route,
des montagnes sévères, couvertes de forêts, un air très pur,
une rivière bouillonnante, un établissement thermal bien acha-
landé et, dans une petite maison, à l'écart, le pauvre Iasykov,
cloué par le tabès sur une chaise longue. Son état avait empiré
en moins d'un an. Il ne se déplaçait plus qu'à grand peine.
Une grimace de souffrance marquait par instants son visage
enfantin et bouffi. Il accueillit Gogol avec joie et le pria de
s'installer chez lui.

Chaque matin, Gogol allait boire son eau, faisait quelques
pas dans le parc, respirait l'air à pleins poumons, rêvait en
contemplant les nuages accrochés aux sommets et rentrait
travailler à la maison. Tout en prenant des notes pour la
suite des *Ames mortes*, il mettait au point quelques textes
dont Prokopovitch avait besoin en vue de leur publication
dans les « Œuvres réunies » : *les Joueurs*, des extraits de
la Croix de Saint-Vladimir et surtout *la Sortie du Théâtre
après la Représentation d'une nouvelle Comédie*, qui, manifestement, lui avait été inspirée par *la Critique de l'Ecole des
Femmes* de Molière. Dans cette succession de scènes, il évoquait les affres d'un auteur comique écoutant, caché dans le
vestibule du théâtre, les commentaires des spectateurs sur sa

---

(1) Lettre du 26-14 juin 1842.

pièce : « Pas un caractère vrai ! Rien que des caricatures... »
« C'est une odieuse moquerie de la Russie... »

Ces propos, Gogol ne les avait pas inventés, il les avait
entendus lui-même ou lus dans la presse après *le Révizor*.
En les plaçant dans la bouche de ses personnages, il révélait
la hargne et la sottise des reproches qui lui avaient été adressés jadis. Il y répondait aussi, par la voix de tel « Monsieur B. », ou de tel « homme très modestement vêtu ».

« Je suis consolé, disait ce dernier, par la simple pensée
que la bassesse ne reste pas chez nous dissimulée ou regar-
dée d'un œil complice, qu'ici, aux yeux de tous les hommes
bien nés, elle est accablée sous les railleries, qu'il s'est trouvé
une plume qui ne recule pas à dévoiler nos vils penchants,
si peu flatteur que ce soit pour notre fierté nationale, et qu'il
existe un gouvernement généreux qui permet de montrer cela
à tous ceux à qui il faut le montrer, en pleine lumière... »

Et « Monsieur B. » affirmait qu'après une telle pièce « on
ne risquait pas de perdre le respect des fonctionnaires ni
des charges, mais des fonctionnaires qui remplissaient mal
ces charges ».

Quant à l'auteur, après que la foule se fût dispersée, il
tirait la leçon de ces jugements contradictoires :

« C'est étrange : je regrette que nul n'ait remarqué le personnage honnête de ma pièce. Oui, il y avait là un personnage honnête et noble, tout au long de l'action. Ce personnage honnête et noble, c'était *le rire*... Personne n'a pris la
défense de ce rire. Auteur comique, je l'ai servi loyalement...
Le rire est plus chargé de sens, plus profond qu'on ne le
croit. Non pas le rire engendré par une irritation momenta-
née, par une disposition bilieuse, maladive, du caractère ; ni
le rire léger des futiles divertissements ; mais le rire qui fuse
de la nature lumineuse de l'homme, où il a sa source éternellement jaillissante, le rire qui va au fond des choses...
Même celui qui ne craint plus rien au monde redoute le
rire. Seule une âme profondément bonne a le pouvoir de rire
d'un bon rire clair... Courage donc et en route !... Qui sait,
peut-être sera-t-il admis plus tard par tous qu'en vertu des
mêmes lois selon lesquelles un homme orgueilleux et fort
se montre nul et faible dans le malheur, tandis qu'un homme

faible grandit à la taille d'un géant au milieu de l'adversité,
en vertu de ces mêmes lois, celui qui verse souvent des larmes
jaillies du fond de son âme est aussi celui qui semble rire
plus que n'importe qui au monde. »

En traçant ces phrases, Gogol pensait non seulement au *Révizor*, mais encore, mais surtout, aux *Ames mortes*. Le sort de
son livre le tourmentait. Il lui semblait que ses amis faisaient
preuve de négligence en ne lui communiquant pas, jour par
jour, les échos de la publication. Quiconque le tenait pour un
grand écrivain était moralement obligé d'oublier ses propres
préoccupations pour le servir. Comme d'habitude, ce n'étaient
pas les éloges qui l'intéressaient, mais les reproches. Car les
reproches seuls pouvaient lui donner « la température » du
pays et, par conséquent, l'aider à concevoir la ligne de son
œuvre future.

Certes il eût été plus simple pour lui de rester en Russie,
puisqu'il tenait tant à connaître les réactions de ses compatriotes. Toutefois, là-bas, les coups, lancés à bout portant,
lui auraient fait trop mal. La distance ne le mettait pas à
l'abri des insultes, mais les amortissait. Il ne voulait pas en
ignorer une seule, mais il préférait les recevoir à retardement, affaiblies par une longue course. Ainsi la souffrance,
qu'il appelait à grands cris, était-elle supportable tout en
demeurant salutaire. Il harcelait Joukovsky, dont le verdict
sur son livre se faisait attendre :

« Si vous m'aviez écrit une seule ligne au sujet des *Ames
mortes*, quel bien vous m'auriez fait et combien de joie il y
aurait eu à Gastein ! Jusqu'ici je n'ai encore rien entendu à
leur sujet, si ce n'est quelques vagues louanges qui, je vous
le jure, m'ont indisposé et irrité comme jamais. Mes péchés,
montrez-moi mes péchés, mon âme a soif de les connaître.
Si vous saviez quelle fête c'est pour moi, lorsque je découvre
dans mon cœur quelque vice qui m'avait encore échappé !
Personne ne peut me faire un plus beau cadeau... Vous seul
pouvez tout me dire sans être arrêté par la timidité ou la
crainte d'offenser mon amour-propre d'auteur. Attaquez-moi
donc aux endroits les plus sensibles de mon système nerveux.
Cela m'est tellement nécessaire ! Mais peut-être avez-vous déjà
lu mon livre et, depuis lors, bien des impressions se sont

effacées de votre mémoire. Cela ne fait rien, sacrifiez-moi encore quelque temps, relisez le livre ou, du moins, parcourez-en le plus grand nombre de passages possible (1). »

Et à Prokopovitch :

« Sans doute des propos circulent-ils au sujet des *Ames mortes*. Au nom de notre amitié, fais-les moi connaître, quels qu'ils soient et d'où qu'ils viennent. Ils me sont tous indispensables. Tu ne peux même pas te représenter à quel point ! Il serait bon également de m'indiquer quelle bouche les a prononcés (2). »

Et à Marie Balabine :

« Notez tout ce qu'il vous arrivera d'entendre dire à mon sujet... Priez également vos frères, dès qu'ils entendront un jugement sur mon compte — justifié ou inique, pertinent ou non — de l'inscrire dans la minute, tout chaud encore, sur un bout de papier, et de glisser ce bout de papier dans votre lettre (3). »

Et à Chévyrev :

« Tu m'écris que je dois aller hardiment de l'avant sans me préoccuper d'aucune critique. Mais je ne puis aller hardiment de l'avant qu'après avoir pris connaissance de ces critiques-là. La critique me donne des ailes. Après la critique, la rumeur publique et les contradictions de jugements, je me représente toujours plus clairement mon œuvre. Même la critique d'un Boulgarine m'apporte quelque profit (4). »

Oui, il acceptait avec humilité les attaques violentes de Boulgarine, de Senkovsky, de Gretch, qui lui reprochaient son style incorrect et le plaçaient plus bas que Paul de Kock. Mais, tout en reconnaissant avec eux que le livre publié contenait bien des imperfections, il conservait intacte sa croyance en la valeur morale de l'entreprise. A mesure que les articles hostiles ou flatteurs lui parvenaient de Saint-Pétersbourg et de Moscou, il voyait mieux la nécessité d'élargir son propos. Il avait peint l'enfer de la vie russe dans toute son horreur.

---

(1) Lettre du 20-8 juillet 1842.
(2) Lettre du 10 septembre-29 août 1842.
(3) Lettre du 2 novembre-21 octobre 1842.
(4) Lettre 12 novembre-31 octobre 1842.

Maintenant il allait évoquer le purgatoire, peuplé d'âmes claires et équilibrées, aux nobles aspirations. Et, dans un troisième volume, lorsqu'il serait devenu tout à fait digne de son
sujet, il introduirait ses lecteurs dans la lumineuse certitude
du paradis. Un si vaste dessein ne pouvait être compris, pensait-il, des intellectuels. L'opinion des critiques et des confrères lui importait moins que celle du grand public, car c'était
pour sauver ce grand public que Dieu lui avait mis la plume
à la main.

« Ce qui distingue mes œuvres de celles des autres écrivains,
mandait-il à l'un de ses correspondants, c'est que tout le
monde peut les juger, tous les lecteurs sans exception, parce
que l'objet de mes écrits est la vie de tous les jours et de
tous (1). »

Souvent Gogol discutait avec Iasykov de son grand projet,
et ce dernier, slavophile convaincu, estimait, lui aussi, qu'il
était temps de renoncer à la satire et que la deuxième partie
des *Ames mortes* devait présenter, à travers quelques personnages positifs, l'homme russe idéal, l'homme russe de
demain. Dieu veillait, du haut du ciel, sur le peintre de ce
gigantesque tableau patriotique, et, le moment venu, Il lui
viendrait en aide d'une manière imprévisible. Pour l'instant,
il s'agissait de se purifier en se détachant des biens terrestres.
« Seul l'amour né de la terre et attaché à la terre, seul
l'amour sensuel, lié aux images de l'homme, à un visage, à un
être visible devant nous, seul cet amour ne voit pas le
Christ », écrivait Gogol à Aksakov (2).

Cherchant l'inspiration, il se rendit à Munich, mais il y
faisait si chaud, si étouffant, qu'il retourna vite à Gastein
auprès du malade qui l'attendait avec impatience. Vinrent
les brumes et les pluies de l'automne. Le paysage s'assombrit,
les montagnes se rapprochèrent, sinistres, l'établissement thermal se vida. D'ailleurs Gogol estimait que les eaux ne lui
avaient fait aucun bien. Iasykov s'ennuyait. Pourquoi rester
sous ce ciel bas et gris, alors que le soleil brillait sur l'Italie ?

Les deux hommes se mirent en route. Un domestique serf

---

(1) Lettre à un inconnu (peut-être Benardaki) du 20 juillet 1842.
(2) Lettre du 18-6 août 1842.

accompagnait Iasykov, qui se béquillait, aux relais, avec des contorsions de souffrance. Gogol soignait et encourageait son ami patiemment, en « vrai chrétien ». Venise d'abord. Puis Rome. Ils y arrivèrent, le 27 septembre 1842. Alerté par lettre, Ivanov avait pu louer, toujours au 126 strada Felice, un appartement au troisième étage pour Gogol et un appartement au deuxième étage pour Iasykov. Au quatrième étage s'installa un autre Russe de passage à Rome, Fédor Vassiliévitch Tchijov, professeur adjoint de mathématiques à l'Université de Saint-Pétersbourg.

Il faisait beau, l'air était tiède, les rues animées, des moines au froc brun coudoyaient sur le trottoir des Italiennes plantureuses et criardes, de petits ânes poussaient leur braiement sous les fenêtres... On se réunissait tous les soirs chez Iasykov, qui recevait, affalé dans son fauteuil, les pieds pendants, la tête dans les épaules. Les peintres Ivanov et Iordan arrivaient, les poches pleines de châtaignes grillées. Le domestique apportait une bouteille de vin et des verres. Mais ni le vin ni les châtaignes ne déridaient Gogol. Il buvait, mangeait, comme perdu dans un rêve. De temps à autre, interpellé par quelqu'un, il se ressaisissait et partait dans une déclaration emphatique sur le sens de son œuvre. Ou bien, changeant de ton, il racontait une anecdote graveleuse. La crudité des mots qu'il employait alors étonnait ses amis qui ne reconnaissaient plus en lui le défenseur inspiré de l'art et de la morale (1). Puis il retombait dans un morne silence. « Pourquoi êtes-vous si avare de paroles ? lui disait Iordan. Nous sommes tous ici des travailleurs. Nous peinons toute la journée. Nous venons vous voir, le soir, dans l'espoir de nous distraire, de nous détendre, et vous ne dites pas un mot. Est-il possible que nous ne puissions rien obtenir de vous autrement qu'en achetant vos livres ? » Gogol souriait, soupirait, grignotait des châtaignes et ne répondait pas.

« Je dois avouer, écrivait Iordan, que nos réunions étaient horriblement ennuyeuses. Nous nous retrouvions uniquement, à ce que je crois, parce que nous en avions pris l'habitude et que nous ne savions plus où aller. » Un jour qu'ils étaient

---

(1) Cf. Tchijov. *Mémoires.*

tous effondrés ainsi, muets, somnolents et sombres, autour d'une bouteille à demi-vide, Gogol dit : « On pourrait faire de nous un tableau représentant les gardes endormis devant le sépulcre du Seigneur. » Et, peu après, il ajouta : « Eh bien ! Messieurs, n'est-il pas temps de terminer cette bruyante conversation (1) ? »

L'hiver venait. Iasykov grelottait dans sa chambre. Déçu, il en voulait à Gogol de l'avoir entraîné dans un si long voyage pour un si piètre résultat.

« Il adore prendre des dispositions et vaquer aux soins du ménage, mais il le fait dans le plus grand désordre et en dépit du bon sens, écrivait-il à ses parents. (...) Je me recroqueville, je frissonne, je bâille : Gogol, le nez bleu, va et vient dans la chambre et assure que nous avons chaud... Il ne cesse de se faire rouler par les Italiens, à l'honnêteté desquels il croit et auxquels il voue un respect extraordinaire. Il jette l'argent par les fenêtres, il se démène, il s'affaire, pleinement convaincu qu'il est plus malin que tout le monde et qu'il achète tout meilleur marché que les autres, et il est douloureusement vexé quand on le contredit (2). »

Peu après, Iasykov repartit pour Gastein, non sans s'être fait emprunter deux mille roubles. La somme s'envola très vite, et, de nouveau, Gogol se trouva devant un gouffre. L'impression des *Ames mortes* avait coûté bien plus cher que prévu et le maigre bénéfice de la vente était affecté par priorité au remboursement des dettes de l'auteur, à Moscou et à Saint-Pétersbourg. Quant aux « Œuvres réunies », Prokopovitch, riche de bonne volonté mais pauvre d'expérience, s'occupait fort mal de leur publication. Il multipliait les corrections au point d'affadir le texte original, achetait le papier à un tarif exorbitant, et se laissait voler par l'imprimeur sur le chiffre réel du tirage. Compte tenu des dépenses de fabrication, il était peu probable que l'opération fût commercialement profitable. Peut-être même l'auteur et ses amis en seraient-ils de leur poche. Où trouver l'argent ? Le deuxième volume des *Ames mortes* était encore dans les limbes. Pour

---

(1) Ibid.
(2) Lettre de Iasykov du 9 janvier 1843-28 décembre 1842.

toute fortune, Gogol ne possédait qu'une valise, des paperasses, « un peu de linge, trois cravates ». Il avait, depuis
longtemps, renoncé à sa part sur la propriété de Vassilievka.
Sa mère, ses sœurs étaient dans le besoin et espéraient,
d'année en année, qu'il leur viendrait en aide. Un seul
recours, comme d'habitude : les amis ! Puisque le Très-Haut
leur avait donné la chance de compter Gogol dans leur groupe,
ils devaient le décharger de tout souci et assurer sa subsistance, le temps nécessaire pour qu'il produisît un nouveau
chef-d'œuvre. Dans l'intérêt de leur âme, il leur fallait s'occuper de son corps. Tout ce qu'ils feraient pour lui leur serait
rendu au centuple dans l'autre monde. Le servir, c'était servir
Dieu. Il l'expliqua dans une longue lettre à Chévyrev :

« Mon œuvre est bien plus importante et plus significative
qu'on n'aurait pu le croire d'après les prémices. Et, si le
premier volume, qui embrasse à peine la dixième partie de
ce qu'embrassera le deuxième volume, m'a demandé cinq ans
de travail — ce dont, bien entendu, nul ne s'est rendu compte
— juge toi-même du temps que me demandera ce deuxième
volume... Je mourrai de faim s'il le faut, mais je ne donnerai
pas une œuvre irréfléchie et inconséquente... Lisez cette lettre
ensemble : toi (Chévyrev), Pogodine et Serge Timoféïevitch
(Aksakov)... Je vous demande un sacrifice, et ce sacrifice vous
devez le supporter pour moi. Prenez en charge toutes mes
affaires matérielles pour trois ou même quatre ans. Il existe
mille raisons — des raisons intimes, profondes — pour lesquelles je ne puis et ne dois m'occuper de ces questions-là...
Croyez en ma parole, un point c'est tout... Prenez vos dispositions, comme vous le jugerez bon, en ce qui concerne la
deuxième édition et celles qui suivront peut-être, mais faites-le
de façon à ce que je reçoive six mille roubles par an pendant
trois ans. C'est le budget le plus serré possible. J'aurais pu
dépenser moins en restant sur place, mais les voyages, les
changements de lieux me sont aussi indispensables que le
pain quotidien. Ma tête est si étrangement faite, que parfois
il me faut tout à coup parcourir plusieurs centaines de verstes
pour changer une impression par une autre, éclaircir la vue
de mon esprit et devenir capable d'embrasser et d'unifier tous
les éléments qui me sont nécessaires... L'envoi de l'argent

devra m'être effectué en deux fois, le 1ᵉʳ octobre et le 1ᵉʳ avril, trois mille roubles à chaque échéance, et à l'adresse que j'indiquerai... Pour l'amour de Dieu, que les délais soient respectés. Les difficultés financières sont parfois trop pénibles en terre étrangère... Si la vente de mes œuvres ne produit pas assez d'argent, imaginez quelque autre moyen... Je crois avoir fait assez jusqu'ici pour qu'on m'offre la possibilité d'achever mon œuvre, en me dispensant de courir de tous côtés, de me lancer dans des affaires, alors que chaque minute m'est précieuse... Si vous n'avez pas d'autre ressource, quêtez tout simplement pour moi. Quelle que soit la façon dont on me donnera de l'argent, je l'accepterai avec gratitude. Chaque kopeck qui me sera jeté priera peut-être pour le salut de l'âme du donateur. Mais ne prenez pas ce kopeck, si celui qui me le jette a dû se restreindre pour cela. Je ne dois coûter à personne la privation du nécessaire : je n'en ai pas encore le droit (1). »

Fallait-il comprendre que, ce « droit », il en userait plus tard, lorsque son excellence morale serait reconnue de tous ? Craignant que Chévyrev ne mangeât la consigne, il répéta ses instructions, presque mot pour mot, dans une lettre à Aksakov : six mille roubles par an, pendant trois ans, à échéances fixes. « Unissez-vous à trois, vous (Aksakov), Chévyrev et Pogodine, et chargez-vous de mes affaires pour trois ans... Il y va de ma vie... Si vous ne trouvez pas assez d'argent dans les délais prévus, cherchez-en, s'il le faut, en demandant l'aumône. Je suis un mendiant et n'ai pas honte de l'être. »

Non content de charger ses trois amis de l'entretenir, il leur recommandait d'assister sa mère et ses sœurs de leurs conseils. Marie Ivanovna Gogol se figurait à tort que le succès des *Ames mortes* rapportait à son fils des sommes fabuleuses et que, bientôt, il allait pouvoir la tirer de sa gêne.

« Faites-lui savoir que l'argent ne coule pas vers moi à pleines rivières et que la dépense d'impression du livre est trop forte pour que je puisse jamais m'enrichir, écrivait encore Gogol à Aksakov. S'il reste quelque somme en surplus, envoyez-la lui ; mais sachez que maman, avec toutes ses admirables qualités, est une assez piètre administratrice et que de

---

(1) Lettre du 28-16 février 1843.

telles demandes de sa part peuvent se renouveler chaque année ; c'est pourquoi un conseil intelligent de votre part... peut lui être plus utile qu'une aide pécuniaire (1). »

Ces deux lettres révoltèrent Pogodine, qui était mal disposé envers Gogol depuis le dernier séjour de celui-ci dans sa maison, et plongèrent Aksakov et Chévyrev dans l'embarras. Il n'y avait pas de revenus immédiats à attendre des *Ames mortes*, qui pourtant se vendaient bien, ni des « Œuvres réunies », qui venaient à peine d'être autorisées par la censure et dont le prix élevé (vingt-cinq roubles par volume) risquait de décourager la clientèle. Par ailleurs aucun des trois amis moscovites n'était au large dans ses finances. Vraiment Gogol jugeait tout de son point de vue personnel et comptait pour rien les difficultés des autres. Mais on ne pouvait laisser crever de faim, à l'étranger, un homme de son talent. Geignant et pestant, Aksakov préleva mille cinq cents roubles sur ses économies, en emprunta autant à une connaissance, Mme Démidov, et expédia trois mille roubles à Rome.

*
**

Les « Œuvres réunies », en quatre volumes, comprenaient quelques textes inédits, parmi lesquels une comédie (*Hyménée*), des « fragments scéniques » (*les Joueurs, le Procès, l'Antichambre, la Sortie d'un Théâtre...*) et une nouvelle : *le Manteau*.

La première représentation d'*Hyménée* avait eu lieu à Saint-Pétersbourg, le 9 décembre 1842, alors que Gogol se trouvait déjà à Rome. Il apprit sans trop d'amertume que la pièce avait été mal interprétée et mal accueillie. Reprise à Moscou, le 5 février 1843, avec Chtchépkine et Givokini dans les principaux rôles, elle avait, cette fois encore, dérouté les spectateurs. *Les Joueurs*, qui accompagnaient *Hyménée* à l'affiche, avaient également déplu.

Gogol avait mis neuf ans à parfaire *Hyménée* (la première version datait de 1833 et la dernière de 1842), corrigeant une

_____

(1) Lettre du 18-6 mars 1843.

scène par-ci, rajoutant un personnage par-là. Malgré le soin
qu'il apportait à étoffer cette fable (le prétendant indécis
qu'un ami veut marier de force et qui s'échappe, à la dernière minute, plutôt que de se laisser engager), il n'attachait
guère d'importance à son travail. Pour lui comme pour ses
amis, *Hyménée* était une plaisanterie tout juste bonne à divertir le public. Et, de fait, il n'y a pas de commune mesure entre
cette pièce et un chef-d'œuvre solitaire, étrange et brillant
tel que *le Révizor*. Mais, comme si l'auteur ne pouvait rien
écrire qui fût indifférent, même dans *Hyménée* apparaissent
des figures comiques, représentatives à la fois d'un défaut de
caractère et d'un milieu social. Ce milieu social, c'est celui
des marchands de la ville, qu'Ostrovsky exploitera avec
tant de succès dans la seconde moitié du siècle. Là encore,
Gogol se montre un novateur, ouvrant la voie au théâtre de
mœurs dont l'objet est moins de dérouler une intrigue habile
que de soulever le toit des maisons. Les prétendants qui
défilent devant Agafia, la jeune fille à épouser, se retrouveront
un demi-siècle plus tard dans certains contes de Tchékhov.
Quant au héros, Podkoliossine, qui songe à se marier, n'ose
sauter le pas et n'est heureux qu'allongé sur son canapé, en
robe de chambre et une pipe à la bouche, il est, dans son
énorme paresse et sa douce irrésolution, l'ancêtre du fameux
Oblomov de Gontcharov. Son ami, l'entreprenant Kotchkariov, décide de le marier sans l'aide de Fiokla, la marieuse
professionnelle, qui s'était d'abord chargée des tractations.
Il traîne Podkoliossine chez la jeune fille, manœuvre pour
la convaincre qu'elle ne trouvera pas mieux et, en même
temps, persuade les autres candidats qu'elle représente un
parti déplorable. Il y a parmi eux Yayichnitsa, employé de
chancellerie, homme réaliste, qui ne s'intéresse qu'à la dot,
Anoutchkine, officier d'infanterie en retraite, qui veut une
fiancée bien éduquée et sachant parler le français, Jévakine,
ancien officier de marine, qui souhaiterait une compagne pote-
lée... Tous sont dépassés par Podkoliossine que Kotchkariov
pousse dans le dos. Mais, au moment de savourer sa victoire,
un doute saisit l'heureux élu : « Pour toute sa vie, toute
son existence, se lier à quelqu'un et, ensuite, plus rien, plus
de regret, plus d'échappatoire, rien, tout est fini, tout est

dit... » Il avise une fenêtre ouverte, saute dans la rue, grimpe dans un fiacre et — fouette cocher ! — le voici qui s'enfuit au galop. Comme le Khléstakov du *Révizor*, comme le Tchitchikov des *Ames mortes*.

Malgré la légèreté du prétexte, cette farce est si vivement enlevée, que les personnages du fiancé flottant, de l'ami bonimenteur, de la marieuse outrée, des prétendants grotesques, de la jeune fille molle et anxieuse, constituent un bouquet de caricatures dont il est impossible d'oublier les contours.

Si *Hyménée* est une pièce de situation, dont l'intrigue est pratiquement absente, c'est par l'intrigue surtout que vaut le court lever de rideau des *Joueurs*. La rapidité du mouvement dramatique, la succession des coups de théâtre, le dénouement inattendu en font un modèle du genre. Certes le thème de cette pochade s'apparente au *Joueur* de Regnard, à *Trente ans ou la Vie d'un Joueur* de Ducange et Dinaux, à un roman russe anonyme *la Vie d'un Joueur décrite par lui-même* et à bien des comédies russes de l'époque. Mais, là encore, le dialogue incisif de Gogol confère à l'œuvre une inattaquable originalité. C'est Chtchépkine qui avait conté à l'auteur l'anecdote initiale : comment un extraordinaire « fileur » de cartes, croyant berner des partenaires naïfs, tombe sur des escrocs aussi experts que lui, leur propose une association en vue d'un « grand coup » et se découvre roulé par eux en fin de compte. Ecrite manifestement sans autre prétention que de faire rire un public bon enfant, cette saynète illustre, une fois de plus, l'obsession gogolienne du tricheur. Toujours, comme à son insu, Gogol revient au thème du menteur triomphant. L'un trompe son monde en se faisant passer pour un haut personnage, l'autre en achetant des âmes mortes, le troisième en trichant aux cartes. Et, comme d'habitude, la conclusion de toute l'affaire, c'est la fuite, en voiture, des malfaiteurs. « Ils sont déjà partis... Leur voiture et leurs chevaux les attendaient en bas depuis une demi-heure ! (1) » Dupé, dépouillé, ulcéré, Ikharev, le voleur volé, tire la morale de sa mésaventure : « Il se trouvera toujours un filou plus filou que toi ! Un coquin qui, d'un seul coup, fera crouler l'édifice auquel tu

_____
(1) *Les Joueurs.*

travailles depuis des années ! Le diable m'emporte ! Quelle tromperie que ce monde !... »

A l'opposé de ces deux comédies franchement gaies, *le Manteau*, la plus profonde peut-être des nouvelles de Gogol, touche le lecteur par son accent humain, son humour triste et son trouble mystère. Cet amour des humbles, Dostoïevsky s'en inspirera dans *les Pauvres Gens,* dans *Humiliés et Offensés* et dans tant d'autres de ses romans. « Nous sommes tous issus du *Manteau* de Gogol », dira-t-il, parlant en son nom personnel et au nom de ses contemporains. A l'origine du *Manteau,* se trouve un fait authentique, dont Gogol a entendu le récit, dans un cercle d'amis, vers 1832 : les déboires d'un petit fonctionnaire, qui, au prix de dures privations, réussit à s'acheter un fusil de chasse, le perd dès sa première sortie, et en conçoit un tel désespoir, que ses collègues émus se cotisent pour lui offrir une autre arme (1). Il est curieux de suivre la transformation que l'auteur fait subir à cette histoire pour l'approprier à son génie. Le fusil, objet de luxe, est remplacé par un manteau, objet de première nécessité ; le héros ne perd pas son bien le plus précieux, il se le fait voler ; il ne trouve pas d'amis compatissants pour le secourir dans l'infortune, mais se heurte à l'indifférence générale ; il ne guérit pas, il meurt ; enfin l'aventure réaliste se prolonge par une aventure fantomatique... Ainsi, en passant à travers le cerveau de Gogol, la fable première a gagné en mesquinerie, en cruauté et en fantastique. Il commence à l'écrire en 1839 et la met au point en 1840 et 1841, accusant le caractère du personnage principal Akaky Akakiévitch Bachmatchkine. Ce nom ridicule (*bachmak,* en russe, veut dire savate) est à lui seul un symbole, puisque tout le monde « marche » sur Akaky Akakiévitch. Pâle gratte-papier dans une administration, il accomplit sa besogne depuis si longtemps et avec une telle régularité, qu'il semble avoir toujours occupé la même place et « être venu au monde en uniforme et le crâne chauve ». Souffre-douleur de ses collègues qui se moquent de lui et le bousculent, il proteste parfois faiblement : « Laissez-moi ! Que vous ai-je

---

(1) Voir dans le présent ouvrage : Première Partie, chapitre VI.

fait ? » Son seul plaisir au monde, c'est de copier des rapports. Certaines lettres sont ses favorites, et il jubile en les calligraphiant. « C'est ainsi qu'on pouvait lire sur son visage la lettre que traçait sa plume. » Tout entier plongé dans ce doux rêve d'encre et de papier, il n'éprouve même pas le désir de se distraire en se rendant à quelque soirée amicale. Mais soudain cette existence monotone et repliée de vieux maniaque est troublée par un souci : le manteau d'Akaky Akakiévitch est tellement usé, qu'il décide d'en commander un neuf. Là, sans doute, Gogol se souvient du temps de sa grande misère, en 1830, lorsqu'il grelottait de froid et que son « protecteur » Trochtchinsky finit par lui donner son propre manteau. Dans l'esprit d'Akaky Akakiévitch, l'achat du manteau prend les proportions d'un événement historique. Il met de l'argent de côté en prévision de la dépense. Il ne boit plus de thé, n'allume plus sa chandelle, « marche sur la pointe des pieds pour ménager ses semelles » et ne mange que rarement à sa faim. « Comme il rêvait sans cesse à son futur manteau, cette rêverie lui fut une nourriture suffisante, encore qu'immatérielle. Bien plus, son existence elle-même prit de l'importance ; on devinait à ses côtés la présence d'un autre être, comme une compagne aimable qui aurait consenti à parcourir avec lui la route de la vie... Il devint plus vif et plus ferme de caractère, ainsi qu'il sied à un homme qui s'est fixé un but précis... Une flamme luisait parfois dans ses yeux, les pensées les plus audacieuses, les plus folles lui passaient par la tête : ne pourrait-on garnir de martre le col du manteau ? »

Enfin, après avoir économisé kopeck par kopeck, il peut se commander le manteau dont il a si souvent discuté la teinte et la coupe avec le tailleur. Il l'endosse et s'étonne : une perfection ! Le poids léger de ce vêtement neuf sur ses épaules lui procure une telle joie, qu'il pousse de petits éclats de rire en marchant. Et soudain, c'est le drame : au milieu d'une grande place brumeuse et déserte, des malfaiteurs se précipitent sur lui et lui volent son manteau. Eperdu de douleur, le malheureux se sent comme devenu veuf. Sa raison de vivre a disparu. Il dépose une plainte, puis explique son cas à un personnage considérable, « une Excellence», dont on lui a dit que l'intervention pourrait hâter les recherches de la police.

L'Excellence le reçoit si mal, qu'il croit défaillir de peur. Dans la rue, il prend froid. Et, quelques jours plus tard, il meurt, abandonné de tous. « On emporta le mort, on le mit en terre et Saint-Pétersbourg resta sans Akaky Akakiévitch. Il disparut, cet être sans défense, à qui personne n'avait jamais témoigné d'affection ni porté le moindre intérêt... On le remplaça dès le lendemain. Le nouvel expéditionnaire avait la taille bien plus haute et l'écriture bien plus penchée. »

Ici se termine l'œuvre de Gogol — auteur réaliste ; à la ligne suivante, commence l'œuvre de Gogol — auteur fantastique. Car le fantôme d'Akaky Akakiévitch prend la relève d'Akaky Akakiévitch vivant. Le spectre d'un petit fonctionnaire hante les alentours du pont Kalinkine. Recherchant toujours son bien, il détrousse les passants de leurs manteaux, « que ceux-ci soient ouatés, fourrés, à col de chat, à col de castor... » Un soir, le revenant s'attaque même au « personnage considérable » qui l'a éconduit, et lui dérobe sa pelisse. Le « personnage considérable », terrorisé, rentre chez lui et renonce, du coup, à son arrogance. A dater de cette rencontre, les exploits de l'employé-fantôme cessent complètement. « La pelisse de Son Excellence avait, sans doute comblé ses vœux. »

En fait, la coupure entre le réalisme et l'irréalisme n'est pas aussi nette qu'il semble à première lecture. Même dans la partie apparemment réaliste, mille détails décalés donnent la sensation d'un arrière-fond insolite. L'histoire d'Akaky Akakiévitch se joue sur deux plans. En surface, il s'agit, bien sûr, de la peinture d'un être opprimé, humilié, en butte à la morgue imbécile de ses supérieurs, et toute la nouvelle peut être considérée comme une satire de la bureaucratie russe, ou, mieux encore, comme une protestation contre l'injustice sociale. Mais derrière cette évocation, mi-sarcastique mi-attendrie, du destin d'un homuncule aux doigts tachés d'encre, se découvre l'étrange puissance des forces illogiques. La nullité d'Akaky Akakiévitch est telle que, même de son vivant, il ressemble à un automate, à une « âme morte ».

Dans cet univers de futilité où chefs et subalternes luttent pour la possession d'un hochet toujours plus beau, l'idée du manteau neuf enflamme son cerveau d'une passion mystique. Et nous qui sourions de la disproportion entre le banal objet de ses désirs et l'adoration maladive qu'il lui voue, nous constatons soudain que nos propres engouements ne valent souvent pas mieux. A bien considérer notre existence, nous la découvrons pleine d'élans irraisonnés vers tel ou tel but dont l'importance nous fascine et qui, une fois atteint, nous décevra. Nous croyons nous consacrer à des entreprises essentielles, et, en fait, nous allons de « manteau » en « manteau », vers une fin terrible à laquelle nous ne pensons jamais. Pourtant l'au-delà souffle, de temps en temps, son haleine glacée à travers le tissu de nos jours. Si nous étions tentés de l'oublier, il suffirait de relire l'œuvre de Gogol. Le monde visible, décrit par lui avec tant de détails, cache mal le monde invisible d'où viennent ses héros. Akaky Akakiévitch est, comme Tchitchikov, un personnage mi-chair, mi-fumée. Une preuve de l'absurdité et de la vanité dont souffrent toutes les actions humaines.

*
**

Pour les « Œuvres réunies » comme pour les œuvres isolées, la critique se divisa. Avec plus de hargne encore que naguère, Boulgarine, Senkovsky, Polévoï renouvelèrent leurs attaques contre Gogol, le comparant derechef à Paul de Kock et à Pigault-Lebrun. A l'opposé, les slavophiles et les occidentalistes — chacun à leur manière — lui tressèrent des couronnes.

« Cette œuvre, écrivait Bélinsky dans *les Annales de la Patrie* de février 1843, est ce qui constitue à la minute présente la fierté et l'honneur des lettres russes. »

De telles assertions faisaient sourire Gogol : tout ce qu'il avait publié jusqu'à ce jour n'était rien auprès de ce qu'il s'apprêtait à écrire. Pour se préparer à cette création capitale, il lisait la Bible, *l'Imitation de Jésus-Christ* et les *Pensées* de Marc Aurèle. Il disait de cet empereur à l'âme généreuse : « Je jure, par Dieu, qu'il ne lui manque que d'être chrétien (1). »

Dieu, qu'il priait avec tant de ferveur, lui réserva une grande joie. A la fin du mois de janvier 1843, sa tendre, son incomparable amie Alexandra Ossipovna Smirnov vint s'installer à Rome, où elle avait loué le palazzetto Valentini, sur la piazza Trajana. Gogol et Arkady Ossipovitch Rosset, le frère de Mme Smirnov, s'étaient occupés d'aménager les lieux pour l'arrivée de la jeune femme. Quand elle descendit de voiture, avec ses enfants, à la tombée de la nuit, elle se trouva devant une belle demeure aux fenêtres vivement éclairées. Sur l'escalier d'honneur, apparut Gogol, le visage rayonnant et les mains tendues.

« Tout est prêt ! s'écria-t-il gaiement. Un souper vous attend. Arkady Ossipovitch et moi avons pris toutes les dispositions nécessaires. C'est moi qui ai découvert cette maison. L'air, par ici, est excellent. Le Corso est à deux pas et, ce qui est mieux encore, vous êtes près du Colisée (2)... »

Le lendemain, il revint et tira de sa poche un emploi du temps intitulé « le Voyage d'Alexandra Ossipovna », qui prévoyait, pour tous les jours de la semaine, une série de visites dans les palais, les ruines et les musées de Rome. Chaque visite devait se terminer par un pèlerinage à Saint-Pierre, au Vatican, où il y avait tant à voir, bien que, d'après Gogol, la façade de la basilique rappelât « une commode ». Mme Smirnov suivit avec enthousiasme ce guide au jarret infatigable et à la mémoire de fer. Il portait invariablement un chapeau gris, un gilet bleu pâle et des pantalons d'un mauve mourant, qui évoquaient un plat de « framboises à la crème ». Sa connaissance de la ville était telle, qu'il eût pu, disait sa compagne, en remontrer à n'importe quel professeur. Mais il exigeait d'elle une admiration sans défaut. Trouvant qu'elle ne goûtait pas assez les fresques du palais Farnèse, il prit cette indifférence pour une insulte personnelle et se fâcha. En revanche il la complimenta pour sa stupéfaction devant le Moïse de Michel-Ange. Assise près de lui sur les gradins du

_____

(1) Koulich, d'après le récit de Mme Smirnov : *Notes à propos de la vie de Gogol.*
(2) Ibid.

Colisée, elle voulut savoir en quel appareil Néron se présentait à la foule. Cette question le révolta. « Qu'avez-vous à m'importuner avec cette canaille ? » s'écria-t-il. Puis, se ravisant, il ajouta : « Néron, la crapule, arrivait au Colisée et pénétrait dans sa loge, une couronne de lauriers en or sur le front ; il portait une chlamyde rouge et des sandales dorées. Il était de haute taille, très beau et plein de talent. Il chantait en s'accompagnant sur une lyre. Nous avons vu sa statue, faite d'après nature, au Vatican. » Pour les promenades prolongées, on louait des ânes. Gogol se confiait volontiers au pas paisible de ces bêtes, que le Christ avait aimées. Dans la campagne romaine, il cueillait des herbes, écoutait le chant des oiseaux, s'allongeait sur le sol et murmurait : « Oublions tout, regardons le ciel ! » Ou bien : « A quoi bon parler ? Il faut respirer, respirer à plein nez cet air vivifiant et remercier Dieu qu'il y ait tant de beauté au monde (1). »

Le soir, il rendait souvent visite à Mme Smirnov dans son palazzetto Valentini et, assis l'un en face de l'autre, ils lisaient un livre à haute voix, en se relayant. Un jour que Mme Smirnov lui lisait ainsi, avec sentiment, les *Lettres d'un Voyageur* de George Sand, il montra des signes d'impatience, soupira, fit craquer ses doigts et finit par lui demander si elle aimait le violon. Comme elle répondait par l'affirmative, il dit : « Et aimez-vous entendre jouer faux du violon ? » George Sand, selon lui, parlait de la nature en multipliant les fausses notes. Rien ne le fit démordre de son opinion. En toute circonstance, il affichait devant son interlocutrice une assurance qui ne souffrait pas de réplique. Au détour d'une conversation, il se remit à évoquer son prétendu voyage en Espagne. Elle lui rappela qu'à ce sujet elle l'avait déjà convaincu de mensonge. « Eh bien ! dit-il, si vous voulez savoir la vérité, je ne suis jamais allé en Espagne, mais je suis allé à Constantinople, et cela, vous l'ignorez ! » Et il lui décrivit la capitale de la Turquie avec autant de précision que s'il en était revenu la veille, citant des noms de rues, détaillant les richesses des mosquées, s'extasiant sur la qualité du café turc, s'attendrissant sur la détresse des chiens errants, glissant un mot sur

_____

(1) Ibid.

le mystère deviné derrière les moucharabieh. Il discourut
ainsi pendant une demi-heure et Mme Smirnov, subjuguée,
se laissa convaincre. « Maintenant je suis sûre que vous
êtes allé à Constantinople », dit-elle. Un éclair de malice passa
dans les yeux de Gogol. « Voyez, dit-il, comme il est facile
de vous tromper. Je ne suis jamais allé à Constantinople.
Mais j'ai vu l'Espagne et le Portugal ! » Et Mme Smirnov se
demanda si, cete fois, il n'était pas sincère (1).

Même quand il naviguait ainsi entre le vrai et le faux, elle
continuait à voir en lui un mentor. Il ne la guidait pas seulement dans les rues de Rome, mais dans la vie. Du reste, il
ne plaisantait plus que rarement avec elle et adoptait de
préférence, dans ses discours, un ton paternel et sermonneur
qui la comblait. Il l'exhortait à être meilleure chrétienne, à
renoncer aux vanités des fréquentations mondaines, à cultiver son âme comme un rosier précieux. A tout propos, il
tirait de sa poche l'*Imitation de Jésus-Christ* et en lisait un
passage.

Aux approches de Pâques, il décida d'observer un jeûne
rigoureux. Mais le catholicisme ne l'attirait plus comme autrefois. Son engouement pour la religion apostolique et romaine
avait été déterminé jadis par son admiration pour la Ville
éternelle. A mesure qu'il se détachait du monde extérieur, il
avait moins de goût pour la foi occidentale et se rapprochait
de la foi en usage dans son propre pays. Ayant dédié son
œuvre à la gloire de la Russie, il devait, pensait-il, sous peine
de trahir sa mission, revenir à l'orthodoxie de ses pères. Maintenant il allait prier dans la petite église orthodoxe de l'ambassade russe. Mme Smirnov, qui l'accompagnait parfois, était
surprise de le voir s'écarter des autres fidèles et se plonger
dans de longues méditations solitaires, en face d'une icône.
Il se remit à parler de son voyage à Jérusalem. Il avait écrit
naguère à Aksakov :

« Comment voulez-vous que, dans la poitrine de l'homme
qui a connu des instants de vie céleste, qui a perçu cet amour,
ne naisse pas le désir de voir la terre où se sont posés les
pas de Celui qui a dit le premier cette parole d'amour aux

_____

(1) Ibid.

humains, la terre d'où cet amour s'est répandu sur le reste du monde ?... Avouez que vous avez été surpris, lorsque je vous ai révélé pour la première fois mon intention... Un individu qui ne porte ni capuce ni mitre, qui a fait rire et fait rire encore ses semblables, qui maintenant encore considère comme important de mettre en lumière les choses sans importance et le vide de la vie, un tel individu, n'est-ce pas ? fait preuve d'étrangeté en entreprenant un tel pèlerinage ! Mais n'y a-t-il pas beaucoup d'étrangeté dans le monde ?... Mon âme pressent la béatitude à venir et sait qu'il suffit de notre part d'un élan vers cette béatitude pour que la grâce divine la laisse descendre dans nos âmes... Voilà ce que vous dit l'homme qui fait rire les hommes (1). »

L'idée du voyage en Terre sainte ne quittait plus Gogol, mais il n'était pas pressé de la mettre à exécution. Pour l'instant, il songeait à des trajets plus courts et moins pieux. Mme Smirnov ayant délaissé Rome pour se rendre à Naples, au mois d'avril 1843, il découvrit subitement qu'il s'ennuyait « comme un orphelin » au 126 de la strada Felice et, le 1ᵉʳ mai, se transporta à Florence. De Florence, par Bologne, Modène, Mantoue, Vérone, Trente, Innsbruck, Salzbourg, il se traîna en diligence jusqu'à Gastein, où il retrouva Iasykov. Deux semaines passées avec le malade, et il repartait pour Munich. De là, il écrivit à Prokopovitch, qui avait osé lui demander si le deuxième tome des *Ames mortes* serait bientôt prêt pour l'impression :

« Ne dirait-on pas que *les Ames mortes* sont une galette que l'on peut cuire en un tournemain ?... Non seulement le deuxième tome n'est pas prêt pour l'impression, mais il n'est même pas écrit. Et il ne verra pas le jour avant deux ans, à supposer que je garde mes forces fraîches tout ce temps-là (2). »

Ayant expédié sa lettre, il partit pour Francfort où se trouvaient Joukovsky et sa jeune femme, belle, mélancolique et souffreteuse. De là, tous trois se rendirent à Wiesbaden, puis à Ems, pour suivre une cure thermale. Mais Mme Smirnov venait justement d'arriver à Baden-Baden. Qu'est-ce que deux

---

(1) Lettre du 18-6 août 1842.
(2) Lettre du 28-16 mai 1843.

cents kilomètres pour un cœur ardent ? Gogol se mit en route
dans la grande chaleur de juillet. A Baden-Baden, il but des
eaux, se trempa dans le regard sombre et tendre de Mme Smirnov, lui lut à haute voix des passages de *l'Iliade* et se plaignit
de ne pouvoir rien écrire par lui-même. Le temps de faire un
saut, en voisin, à Carlsruhe pour saluer Mickiewicz et il
retournait à Düsseldorf, chez les Joukovsky. Ces déplacements
continuels ne lui étaient pas inspirés par le désir de changer
de décor. Il ne voyait même plus les paysages qu'il traversait.

« J'aurais été heureux, écrivait-il à Danilevsky, de me réjouir
du frais parfum du printemps, de la vue d'un lieu inconnu,
mais je ne suis plus capable de ressentir rien de pareil. En
revanche je vis entièrement replié sur moi-même, plongé dans
mes souvenirs, dans mon peuple, dans ma terre, que je transporte inséparablement avec moi, et tout ce qui se trouve là
devient de minute en minute plus proche de moi-même (1). »

Et, plus tard, au même Danilevsky :

« Ce qui m'entoure m'est parfaitement indifférent. Le plus
souvent, je voyage pour rencontrer des gens dont mon âme
exige la présence (2). »

Parmi ces gens, il y avait certes le sage, le bon Joukovsky,
partagé entre les soucis que lui causait la santé de sa femme
et la difficulté qu'il éprouvait à traduire *l'Odyssée* en vers.
Auprès de lui, à Düsseldorf, Gogol eût aimé, fouetté par l'émulation, se remettre aux *Ames mortes*. Mais sa tête était lourde
comme du plomb. L'édition de ses « Œuvres réunies », dont
il venait enfin de recevoir quelques exemplaires, le consternait.
Le papier était trop fin, l'impression trop serrée, les volumes
trop minces, trop légers pour le prix. Avait-il donc écrit si
peu en onze ans ? L'oisiveté qu'il subissait en ce moment,
« par la volonté divine », ne l'empêchait pas de juger avec
autorité ses proches et ses amis. Incapable de continuer son
« poème », il retrouvait toute sa flamme dès qu'il s'agissait
d'envoyer une lettre d'admonestation. Laissant courir sa
plume sur le papier, il recommandait à ses correspondants
de s'amender, de lire les Pères de l'Eglise et de croire en sa

---

(1) Lettre du 20-8 juin 1843.
(2) Lettre du 13-1er avril 1844.

parole. Il reprochait à Danilevsky de céder aux brillantes séductions du monde, alors que lui, Gogol, suivait une route étroite. « Tu n'as pas encore commencé à vivre d'une vie intérieure... Non, tu n'as pas encore ressenti la signification mystérieuse et effrayante du mot « Christ » (1) ! »

A Chévyrev, il affirmait : « Malheur à celui qui, placé pour veiller sur la flamme de la vérité, se laisse attirer par le mouvement qui l'entoure (2) ! »

Mais c'était encore à sa mère et à ses sœurs qu'il faisait la leçon avec le plus de sévérité :

« Je me tourne à présent vers mes sœurs : l'une se figure qu'elle n'a aucune obligation, aucune occupation, qu'elle est née précisément pour ne rien faire, qu'elle est inutile et incapable... et que son devoir consiste simplement à se garder du mal... L'autre s'abandonne à des rêveries, considère la réalité avec mépris et s'imagine, déraisonnablement, qu'elle ne peut être heureuse qu'en un autre lieu que celui où elle se trouve... La troisième s'est mise en tête qu'elle est bête et tout juste bonne à des tâches sans importance, qu'elle ne sait rien, alors que, peut-être, elle pourrait accomplir un exploit qui plaise à Dieu et sauve la famille... Une seule d'entre vous a-t-elle jamais demandé à Dieu qu'il l'aide à comprendre le sens et la signification des malheurs qu'il nous envoie afin d'en saisir le côté bénéfique et nécessaire ?... Sachez qu'il n'y a pas de malheur au monde et que, dans tout malheur, réside profondément notre bonheur... Je vous conseille de prier, afin que tout soit non comme vous le souhaitez, mais comme le souhaite Sa sainte volonté (3). »

A ce sermon, les sœurs et la mère de Gogol répondirent par des protestations d'innocence et des reproches de dureté. Magnanime, il voulut bien ne pas prolonger le débat. Mais à une condition : sa lettre devait demeurer un bréviaire pour la famille.

« Donnez-moi votre parole, écrivait-il, que, pendant toute la première semaine du grand carême (je voudrais que vous

---

(1) Lettre du 20-8 juin 1843.
(2) Lettre du 20-8 septembre 1843.
(3) Lettre d'avril 1843.

jeûniez pendant cette première semaine), vous lirez ma lettre,
la relisant une fois par jour afin d'en pénétrer le sens avec
précision, car ce sens ne peut être saisi à la première lecture.
Quiconque m'aime doit accomplir tout ce que je demande.
Après cela, c'est-à-dire après le jeûne, si l'une d'entre vous
éprouve le besoin sincère de m'écrire au sujet de cette lettre,
elle pourra le faire en m'expliquant tout ce qui lui sera dicté
par son âme (1). »

Aux premières pluies d'automne, l'atmosphère de la petite
maison de Joukovsky, confortable et quiète, parut tout à
coup irrespirable à Gogol. De nouveau il rêvait de ciel bleu,
de soleil, d'Italie. Il décida de se rendre à Nice, afin de
retrouver la comtesse Vielgorsky et Mme Smirnov, qui com-
taient y rester l'hiver.

Une partie de l'Allemagne et toute la France à traverser.
Il débarqua, exténué, à Marseille, passa la nuit à l'hôtel et
fut saisi d'un tel malaise, dans sa chambre, qu'il crut sa
dernière heure venue. Une fois de plus, il se prépara, en
priant, à mourir. Mais, à l'aube, son angoisse se dissipa et il
reprit la diligence. Il avait hâte d'arriver à Nice, ville du
Piémont (2), dont il avait souvent entendu vanter la beauté,
le climat et le calme.

D'abord, il fut séduit. Un ciel d'azur au-dessus d'une
mer aux vagues paisibles, les tièdes effluves du printemps en
hiver, le savoureux mélange de la langue italienne et de
la langue française dans les rues... « Nice est un paradis,
écrivait-il à Joukovsky, dès son arrivée. Le soleil s'étend sur
tout, comme une couche d'huile ; les papillons et les mouches
sont en quantité innombrable ; l'air est estival. Une paix absolue (3)... »

Il s'installa chez la comtesse Louise Karlovna Vielgorsky,
qui avait loué la maison d'une dame Paradis, en plein centre de
la ville, non loin de la mer. La comtesse Vielgorsky habitait
là avec ses deux filles, Sophie, comtesse Sollogoub, et Anne.

_____

(1) Lettre du 1er octobre-19 septembre 1843.
(2) Nice ne devait être définitivement rattachée à la France
qu'en 1860.
(3) Lettre du 2 décembre-20 novembre 1843.

Mondaine, froide, pieuse et très préoccupée de sa vie de famille, elle avait gardé une grande reconnaissance à Gogol, qui avait soigné son fils mourant, à Rome, quatre ans auparavant. Pour elle, il n'était pas seulement un écrivain admirable, mais l'homme le plus apte à comprendre son chagrin. Lui cependant ne se sentait jamais tout à fait à l'aise auprès d'elle, écoutait ses plaintes avec ennui et profitait de la moindre occasion pour s'échapper.

Sa joie était de retrouver Alexandra Ossipovna Smirnov, qui pourtant, elle aussi, bien souvent broyait du noir. Elle vivait dans une maison cossue du quartier de la Croix de Marbre et paraissait souffrir de tout, même du luxe de son installation. Lasse de ses succès dans les salons mais supportant mal la solitude, cherchant Dieu mais se regardant encore à tout moment dans une glace, cette femme de trente-deux ans, insatisfaite, inquiète, ne savait ni renoncer au monde ni s'en contenter. Son humeur s'était détériorée en quelques mois jusqu'à la neurasthénie. En l'observant, il était difficile de se rappeler la jeune fille espiègle, à l'œil vif et à la langue pointue, qui avait jadis collectionné les hommages des hommes d'Etat et des écrivains. Certes elle était encore belle et son regard brun et direct avait de l'éclat, mais sa peau avait jauni, ses paupières s'étaient fripées, la ligne de son cou s'était distendue imperceptiblement. Un air de mélancolie, d'incertitude maladive assombrissait parfois son visage. Elle priait beaucoup et lisait Bossuet avant de s'endormir. Puis une fièvre de sorties la reprenait, elle avait envie de se parer, de se montrer, de briller, de plaire. Elle étourdissait son entourage par ses bons mots, le jeu de ses prunelles, la grâce un peu fanée de son sourire, et, soudain, tout s'éteignait en elle, une horreur lui venait de sa futilité, elle retournait à ses pensées moroses et ne voulait plus avoir affaire qu'avec Dieu.

Il ne se passait pas de jour que Gogol n'eût une entrevue avec elle. Après une matinée de travail, dans sa chambre, chez la comtesse Vielgorsky, il allait se promener, seul, au bord de la mer, humait les embruns pour fortifier sa santé, achetait des fruits confits et, son petit paquet à la main, arrivait pour l'heure du déjeuner chez Mme Smirnov. Dès qu'elle le voyait paraître, la cuisinière, une Française, le sachant fine gueule,

criait à pleine voix pour lui annoncer quelque particularité du
menu : « Monsieur Gogo, monsieur Gogo, (ainsi l'appelait-elle),
des radis et de la salade des Pères français ! »

Après le repas, Gogol tirait de sa poche un gros cahier où
il avait transcrit des extraits des Pères de l'Eglise et en faisait
la lecture à son hôtesse, qui l'écoutait, amollie, les larmes
aux paupières. Il avait également copié à son intention quatorze psaumes de David qu'elle lui avait promis d'apprendre
par cœur. Sur son ordre, elle les lui récitait, tête droite, en le
regardant dans les yeux. Si elle se trompait, il disait sévèrement : « Ce n'est pas ça ! » Et il lui commandait de réviser
sa leçon pour le lendemain. Attendrie par son extrême pauvreté, elle voulut, un jour, savoir de quoi se composait sa
garde-robe. Ne manquait-il pas de linge, de cravates ? « Je
vois que vous n'avez aucune perspicacité, dit-il. Je suis un
dandy, tout spécialement sous le rapport des cravates et des
gilets. J'ai trois cravates : une pour les grandes occasions,
une pour tous les jours, une, plus chaude, pour les voyages... »
Et il l'exhorta à renoncer à la plupart de ses robes et de ses
colifichets pour ne conserver, comme lui, que le strict nécessaire. Elle lui jura, sans conviction, de se rappeler son
conseil. Parfois, pour la récompenser, il lui lisait quelques
pages du deuxième volume des *Ames mortes*, auquel il travaillait depuis peu. Pendant l'une de ces lectures, alors que le
temps était à l'orage, il referma brusquement son cahier et,
au même instant, le tonnerre éclata au-dessus de sa tête. Il
pâlit, ferma les yeux et se mit à trembler. L'orage passé,
Mme Smirnov lui demanda de reprendre sa lecture. — « Non,
dit-il, Dieu lui-même n'a pas voulu que je lise ce qui n'était
pas terminé et n'avait pas encore reçu mon assentiment intérieur. Reconnaissez que vous avez eu très peur ! » — « Ce
n'est pas moi qui ai eu peur, mon petit Ukrainien, répliqua-
t-elle. C'est vous ! » — « Je n'ai pas eu peur de l'orage, soupira-
t-il, mais du fait que je vous avais lu quelque chose que je
n'aurais dû lire à personne, et voilà, dans sa colère, Dieu
m'a menacé (1) ! »

Malgré ce coup de semonce du ciel, il poursuivit, vaille que

---

(1) Mme Smirnov, récit noté par Viskovaty (*Antiquité russe*, 1902).

vaille, la rédaction de son roman. « Je rame résolument contre les vagues, je vais à l'encontre de moi-même, c'est-à-dire à l'encontre de l'oisiveté et de l'inquiétude lancinante qui me gagnent (1) », écrivait-il à Iasykov. Et il affirmait à ses amis : « — Il faut se fixer comme règle de passer ne serait-ce que deux heures, chaque jour, devant son bureau, et se contraindre à écrire... » — « Et si l'inspiration ne vient pas ? » lui objecta Sollogoub. — « Ça ne fait rien, saisissez votre plume et écrivez... », répondit-il (2).

Pour l'instant, malgré cette discipline, le deuxième tome se présentait, de son propre aveu, comme un « chaos ». Ce même chaos régnait dans sa tête. Il ne voyait clair ni dans la suite des *Ames mortes* ni dans la suite de sa vie. Le plaisir qu'il éprouvait à rencontrer Mme Smirnov le troublait. Jamais aucune femme n'avait exercé sur lui une telle attirance physique. Il eût souhaité l'aimer uniquement pour son âme, et il devait convenir qu'elle était, en plus, fort agréable à regarder. Pourtant il ne se croyait pas réellement en danger auprès d'elle. Comme lorsqu'il veillait au chevet du jeune et beau Joseph Vielgorsky, le caractère sacré de sa mission le protégeait contre les faiblesses des sens. Sûr de son fait, il goûtait en toute sécurité le léger piment d'une tentation dont il savait qu'elle n'aurait pas de conséquences. Jour après jour, confessant et morigénant sa pénitente, il la déshabillait moralement, tout en s'interdisant avec délices le moindre attouchement, le moindre regard appuyé. Et elle se livrait à lui, s'ouvrait à lui, avec une espèce de coquetterie chrétienne, dosant les aveux, implorant les conseils, gémissant sur sa vie « sans avenir ». Dans ce dialogue exalté, c'était elle, toujours, qui montrait le plus d'imprudence. Pendant l'une de ces conversations, elle osa dire à Gogol, mi-sérieuse mi-amusée : « Ecoutez, vous êtes amoureux de moi !... » Il blêmit de colère, partit en flèche et ne la revit de trois jours (3).

Quand il revint à elle, la petite phrase était oubliée, en apparence. Mais il ne cessait d'y penser avec angoisse et délecta-

_____

(1) Lettre du 2 janvier 1844-21 décembre 1843.
(2) Sollogoub. *Souvenirs.*
(3) Aksakov : *Histoire de mes Relations avec Gogol.*

tion. Ses relations avec Mme Smirnov devinrent plus étroites
encore, tout en restant platoniques. Eût-il voulu franchir le
pas, qu'il en eût été, sans doute, empêché par une subite
déficience. Certains chuchotaient, dans son entourage, qu'il
s'était livré, très jeune, à des pratiques solitaires et que ces
mauvaises habitudes l'avaient éloigné des femmes. D'autres
prétendaient qu'il demeurait chaste par principe. Lui-même
alléguait toujours des raisons morales et religieuses pour
dénoncer les entraînements physiques. Cependant, il aurait dû
alors condamner tous les plaisirs matériels de l'existence. Or,
il était fort gourmand ; il avait la passion des couleurs vives,
des spectacles brillants, des vêtements excentriques ; sa sensibilité olfactive était si aiguisée, qu'à tout propos il parlait de
son nez; il aimait raconter des anecdotes salaces ; il recherchait la compagnie des jolies femmes ; mais, en leur présence,
il se mettait sur la défensive. Incapable de s'unir à elles, il en
appelait à Dieu pour justifier son refus. Pour peu qu'elles
tentassent de le circonvenir, elles devenaient des incarnations
du diable, des amphores du péché. Reculant devant leurs
formes charnelles, il s'isolait de nouveau dans le rêve rassurant
de quelque créature éthérée. La puissance de son imagination
le vengeait d'une réalité trop pressante. Il se consolait avec
un nuage. Mme Smirnov savait être ce nuage, tout en restant
vivante, tangible à ses yeux. Plus il la connaissait, plus il
l'aimait. Dans son enthousiasme, il écrivait à Iasykov : « C'est
la perle de toutes les femmes russes ; il ne m'a jamais été
donné d'en connaître une semblable, et j'en ai pourtant connues
beaucoup qui avaient une belle âme. Je me demande si quelqu'un possède assez de force morale pour la juger à sa valeur...
Elle est devenue mon véritable consolateur au moment où
personne d'autre n'aurait pu me consoler par des paroles.
Nos deux âmes étaient proches l'une de l'autre comme deux
frères jumeaux (1). »

Etonné par cet épanchement lyrique, Iasykov écrivait à son
frère : « Tu as sans doute remarqué, dans la lettre de Gogol,
les louanges qu'il adresse à Mme Smirnov. Ces louanges nous
ont tous étonnés, ici. Khomiakov, qui l'a jadis célébrée sous le

---

(1) Lettre du 5 juin-24 mai 1845.

surnom de « l'Etrangère » ou de la « Jeune fille rose »,
considère qu'elle ne répond pas du tout à l'idée que s'en fait
Gogol. D'après tout ce que j'entends dire, elle est tout simplement une sirène nageant dans les vagues transparentes de la
séduction (1). »

Aksakov notera, de son côté : « Il aimait passionnément
Mme Smirnov, peut-être parce qu'il voyait en elle une Made-
leine repentante et se considérait comme le sauveur de son
âme. A mon humble avis, Gogol, malgré son élévation et sa
pureté morales, n'était pas insensible à Mme Smirnov, dont
l'esprit brillant et les manières vives étaient encore charmants
à cette époque-là (2). »

Intrigué par les échos qui lui parvenaient de Nice, Danilevsky se hasarda à solliciter des explications, par lettre, de
son ami. Dans sa réponse, Gogol le prit de très haut :

« Tu me demandes pourquoi je suis à Nice et échafaudes
des suppositions au sujet de mes faiblesses de cœur. Je pense
que tu dis cela par plaisanterie, car tu me connais assez de
ce côté-là. D'ailleurs, même si tu ne me connaissais pas, en
additionnant toutes les données du problème tu trouverais
toi-même la solution (3). »

Cette solution, quelqu'un la cherchait avec angoisse, à Moscou : la vieille Mme Chérémétiev, qui se considérait comme la
mère spirituelle de Gogol. En entendant parler de son inclination pour Mme Smirnov, elle le vit perdu pour la religion.
Un homme de sa valeur, empêtré dans les filets d'une femme !
Quelle déchéance ! Elle se devait d'intervenir. Mais comment
faire pour lutter, à distance, contre une rivale aussi séduisante ? Après avoir couru d'église en église, elle s'enhardit à
préciser ses inquiétudes dans une lettre à Gogol :

« Vous voulez que je vous fasse part de mes craintes à
votre sujet : soit, ayant prié, je m'exécute. Sachez, mon ami —
je parle en ce moment comme devant Dieu qui, un jour ou
l'autre, nous fera tous comparaître — sachez que des bruits,
peut-être non fondés, courent sur votre compte. Ceux qui

---

(1) Lettre du 25 juin 1845.
(2) Aksakov : *Histoire de mes Relations avec Gogol.*
(3) Lettre du 13 avril-1ᵉʳ avril 1844.

reviennent de l'étranger et ceux qui écrivent de là-bas disent tous la même chose : que vous vous êtes consacré à une personne qui a mené une vie extrêmement mondaine et vient à peine d'y renoncer. Cette compagnie constante peut-elle être utile à votre âme ? Je crains que, dans cette société, vous ne vous écartiez du chemin que, par la grâce de Dieu, vous avez choisi (1)... »

Gogol, stupéfait, accusa sa correspondante de curiosité malsaine et la somma de lui nommer celle qui, soi-disant, l'avait détourné de Dieu. Mme Chérémétiev refusa d'en dire plus et se déclara pleinement rassurée par la réponse de son grand ami. Eût-elle continué à le mettre en garde, qu'il ne se fût pas davantage rendu à ses raisons.

Il était d'autant moins disposé à changer sa façon d'être, que Mme Smirnov n'était pas sa seule pénitente. En la quittant, il retrouvait, chez les Vielgorsky, d'autres visages féminins aux regards pleins d'admiration et de déférence. Il y avait là, autour d'une table servie pour le thé, la comtesse Louise Karlovna Vielgorsky, pieuse, hautaine, tourmentée, vivant dans le souvenir de son fils défunt, sa fille aînée, la douce et triste Sophie, délaissée par son mari le comte Sollogoub, un noceur impénitent, la jeune Anne enfin, âgée de dix-huit ans, dite Anoline, dite Nosi, fraîche, gracieuse, qui avait tant voyagé avec sa mère à l'étranger qu'elle avait de la peine à s'exprimer en russe. Parfois d'autres dames de la colonie russe de Nice se joignaient au groupe. Toutes avaient en commun le souci de leur âme et le goût de la littérature. La gloire de Gogol les attirait autant que sa réputation de conseiller spirituel. Désœuvrées, exaltées, elles l'entouraient de leurs chapeaux à fleurs et de leurs pépiements. Parmi elles, il prenait de plus en plus conscience de son rôle messianique. On le dévorait des yeux ; on buvait ses paroles ; on craignait ses colères. La plus touchante dans sa foi était encore, pensait-il, Anne Vielgorsky, la petite Nosi, dont le regard candide lui allait droit au cœur. Il comparait cette juvénile innocence à la beauté épanouie de Mme Smirnov et trouvait que l'une complétait l'autre mystérieusement.

_____

(1) Cf. Chenrok : *Matériaux,* tome IV

Peut-être son vrai destin n'était-il pas d'écrire des romans mais d'édifier ses contemporains par sa parole et par ses lettres ? Certains soirs, après une conversation à cœur ouvert avec telle ou telle de ses admiratrices, il se disait que Dieu l'avait placé sur terre pour expliquer aux autres le sens de la vie et les aider à surmonter leurs malheurs. Du reste il avait des recettes pieuses pour lutter contre toutes les infortunes imaginables. Il fallait savoir se servir des Livres saints comme de livres de cuisine et préparer son avenir à la façon d'un bon plat. Ce fut dans cet esprit qu'il adressa ses recommandations à Aksakov, Chévyrev et Pogodine, dans une lettre commune, au début de l'année 1844 :

« Je sens que vous avez souvent l'âme tourmentée... Dans ce cas, il faut une aide fraternelle réciproque. Je vous adresse mon conseil. Consacrez une heure par jour à une méditation sur vous-mêmes. Vivez cette heure-là d'une manière intérieure, concentrée. Un livre d'une haute valeur spirituelle peut vous amener à cet état. Je vous envoie l'*Imitation de Jésus-Christ* (de Thomas a Kempis). Lisez-en chaque jour un chapitre, pas davantage. Si le chapitre est long, lisez-le en deux fois. Après lecture, méditez le texte. Tâchez de comprendre comment il peut être adapté à la vie, au milieu des bruits et des soucis du monde. Choisissez pour ces occupations spirituelles une heure libre et non chargée, qui serve de point de départ à votre journée. Le meilleur moment pour cela, c'est immédiatement après le thé ou le café, afin que l'appétit ne vous distraie pas. Gardez toujours la même heure et ne la consacrez à rien d'autre... Que Dieu vous aide (1) ! »

En vérité, il n'envoya même pas l'*Imitation de Jésus-Christ* à ses amis, car il manquait d'argent pour acheter le livre, mais chargea Chévyrev de se procurer, à la librairie française de Moscou, quatre exemplaires de l'ouvrage en les payant, bien entendu, de sa poche. « Ce sera mon cadeau de nouvel an », disait-il ingénument.

Après de longues hésitations, Aksakov, incapable de contenir son agacement, répondit :

_____

(1) Lettre de janvier 1844.

« J'ai cinquante-trois ans et j'avais lu Thomas a Kempis
avant que vous ne fussiez au monde... Je ne conteste aucune
conviction, chez personne, à condition que ces convictions
soient sincères... Mais voici que vous me contraignez, comme
un gamin, à la lecture de Thomas a Kempis, sans même
connaître mes opinions ; et encore vous m'indiquez un
moment précis pour le faire, après le café, vous me dites de
répartir cette lecture par chapitres, comme des leçons !... C'est
risible et pénible !... Je crains le mysticisme comme le feu, et
j'ai l'impression de le voir poindre chez vous. Je déteste les
recettes morales et tout ce qui ressemble à la foi en un talis-
man. Vous marchez sur la lame d'un couteau. J'ai peur que
l'artiste n'en pâtisse (1). »

Sans se troubler, Gogol continua de distribuer ses prescriptions par lettre et de vive voix. Il rédigea même, à l'intention
des dames Vielgorsky, une sorte de petit guide spirituel :
Règles pour vivre en Paix et *A propos de nos Défauts et des*
Dispositions d'Esprit qui produisent en nous le Trouble et
nous empêchent de demeurer en Paix (2).

Pour le nouvel an russe, il y eut un feu d'artifice, sur le
quai du Midi (3). Le carnaval passa gaiement avec ses confetti,
ses mirlitons et ses masques. Puis le calme revint. Gogol se
promenait au bord de la mer, à l'embouchure du Paillon, et
admirait le changement de couleur des montagnes, dans le
lointain. De nombreux touristes, anglais et russes pour la
plupart, déambulaient sur la route qui dominait la plage de
galets (4). Tout semblait facile dans ce pays de tiédeur, de
mesure et de clarté. Mais, au mois de mars, Mme Smirnov,
fatiguée de tant de douceur, quitta Nice pour se rendre à
Paris. Du coup, le soleil parut moins éclatant à Gogol. Ses
malaises le reprirent. Et aussi son besoin de changement. Il
résolut de retourner auprès de Joukovsky, à Francfort. Cependant ses ouailles pouvaient être rassurées : séparé d'elles, il
continuerait à les éclairer de loin, par ses messages. Avant

---

(1) Lettre d'avril 1844.
(2) Le manuscrit n'a été découvert et publié qu'en 1965.
(3) L'actuel quai des Etats-Unis.
(4) L'actuelle Promenade des Anglais.

même d'être arrivé à destination, il écrivit, de Strasbourg, à la comtesse Vielgorsky :

« Vous m'avez donné votre parole (vous et vos deux filles), chaque fois que vous vous trouveriez dans des circonstances amères et pénibles, de prier intérieurement avec ferveur et sincérité, et ensuite de lire les règles que je vous ai laissées (*Règles pour vivre en Paix*, etc...), vous pénétrant du sens de chaque mot, parce que chaque mot est lourd de sens et qu'il est impossible de comprendre le tout en une seule fois. Avez-vous tenu votre promesse ? Ce n'est pas par hasard que ces règles se trouvent entre vos mains. La volonté du Très-Haut en a décidé ainsi (1). »

Avec Mme Smirnov, il devait se montrer plus exigeant encore, car il la considérait plus proche de lui et comme façonnée de ses mains.

« Vous êtes encore trop disposée à vous laisser entraîner par la passion, ne l'oubliez pas, lui écrivait-il. Fuyez tout ce qui a une nuance de passion, gardez-vous d'en introduire jusque dans les pratiques religieuses. Dieu exige de nous une impassibilité absolue et ne Se dévoile que dans la sérénité (2). »

Et encore :

« Rappelez-vous que c'est très récemment que nous avons découvert un langage qui nous permette de nous comprendre ; rappelez-vous qu'il m'a fallu beaucoup de patience pour arriver à ce que nos relations soient ce qu'elles sont maintenant... Souvent vous m'avez confié, en grand mystère, des choses que vous racontiez ensuite à n'importe quel bavard, ou simplement à un homme du monde... Ce n'est encore qu'un léger reproche ; n'en prenez pas ombrage, car les grands reproches suivront. Il viendra un temps où votre âme aura soif, comme d'une eau fraîche, de reproches, de reproches et uniquement de reproches (3). »

Et, quelques jours plus tard :

« Dites-moi comment il se fait que, selon une opinion généralement répandue, il est impossible de traiter des sujets

_____

(1) Lettre du 26-14 mars 1844.
(2) Lettre du 7 avril-26 mars 1844.
(3) Lettre du 20-8 avril 1844.

voluptueux en votre présence sans que vous éprouviez le besoin
d'en parler aussi ?... Etudiez-vous avec attention et sévérité,
demandez-vous s'il ne vous est jamais arrivé d'attiser ces
propos au lieu d'y mettre un terme. N'incitiez-vous pas, même,
vos interlocuteurs à ce genre de conversation, ne leur disiez-
vous pas : « Hardi, en avant ! » J'ai été, par deux fois, témoin
de la façon dont vous jetiez de l'huile sur un feu près de
s'éteindre (1). »

Elle lui écrivait, de son coté, des lettres de tendresse et de
reconnaissance éperdue :

« Mon âme n'est ouverte à personne comme à vous. Vous
l'avez vue dans toute sa noire nudité. Dieu me préserve de
la montrer ainsi à d'autres (2). »

Ou bien :

« Priez pour la Russie, priez pour tous ceux qui ont besoin
de vos prières, priez pour moi, pécheresse, qui vous aime
tant et tant, avec une gratitude vivifiante. Vous m'avez rendu
la vie légère... Mais vous ai-je dit tous mes péchés ? Je ne
prie plus du tout, sauf le dimanche. Est-ce très mal, à votre
avis, car, par ailleurs, je me tourne constamment vers Dieu,
tantôt librement, tantôt par contrainte... ? Vous connaissez
bien les cœurs. Regardez dans le fond du mien et dites-moi
si vous n'y voyez pas quelque bassesse nichée sous les apparences d'une bonne action ou d'un bon sentiment... Je ne
suis encore que sur l'échelon le plus bas et ce n'est pas de sitôt que vous pourrez m'abandonner. Tout au contraire, vous
m'êtes nécessaire plus que jamais (3)... »

Et encore :

« Je m'ennuie, je suis triste. Je m'ennuie parce qu'il n'y
a personne auprès de moi devant qui je puisse penser et
sentir à haute voix comme devant vous. Je m'ennuie parce
que j'ai pris l'habitude d'avoir à mes côtés Nicolas Vassiliévitch (Gogol), qu'il n'y a pas ici un homme pareil et qu'il
est peu probable qu'on puisse trouver un autre Nicolas Vassiliévitch dans la vie (4). »

_____

(1) Lettre du 16-4 mai 1844.
(2) Phrase citée dans la lettre de Nicolas Gogol du 16-4 mai 1844.
(3) Lettre à Gogol du 26 novembre 1844.
(4) Lettre à Gogol du 12 décembre 1844.

Le chaste destinataire de ces lettres enflammées les lisait et les relisait avec un mélange d'orgueil, de gravité et de crainte. Les remerciements que lui adressaient ses correspondantes l'incitaient à élargir sa prédication. Maintenant il ne pouvait plus écrire à un ami sans glisser une recommandation pieuse dans sa lettre.

A peine installé chez Joukovsky, à Francfort, il reçut une nouvelle qui l'attrista : sa sœur aînée, Marie, venait de mourir à l'issue d'une longue maladie. Devant une nouvelle de cette importance, il se devait de prononcer une oraison funèbre à la Bossuet.

« Ma sœur a payé ses erreurs sur terre par la souffrance, écrivit-il froidement à sa mère, et Dieu lui a envoyé la souffrance dans sa vie afin qu'elle en soit allégée dans l'autre monde. Ainsi chassez tout regret de votre cœur. Sinon vous commettriez un péché. Priez pour elle et ne vous attristez pas. Je dis cela pour vous, maman. Et vous, mes sœurs, ne manquez pas de porter la défunte comme un être cher dans votre cœur et priez toujours pour elle. De plus n'oubliez jamais cet événement terrible, cette mort, qui a eu lieu précisément pendant que vous jeûniez. Le malheur ne nous frappe jamais sans raison. Il nous est envoyé pour que nous rentrions en nous-mêmes et nous observions attentivement... Soyez donc plus vigilantes envers vous-mêmes. Notre ennemi, notre tentateur, ne sommeille pas (1). »

L'épître continuait ainsi pendant des pages, sans que jamais, à travers cette rhétorique, perçât un accent de chagrin sincère. La mort de Marie était avant tout, pour Gogol, une occasion d'affirmer qu'elle avait mal vécu et que ses autres sœurs devaient se garder de prendre exemple sur elle. N'avait-elle pas, dans un moment d'agacement, osé prier son frère de ne plus lui écrire de lettres d'admonestation ! Depuis deux ans, il l'avait donc laissée sans directives. Voilà ce qui arrivait quand il se détournait d'une âme ! Ah ! pensait-il, le Seigneur savait bien sur qui il dirigeait ses coups. Dans sa hâte de

_____

(1) Lettre du 12 juin-31 mai 1844.

donner raison à Dieu, il en oubliait de demander des nouvelles
de l'orphelin, le petit Nicolas Trouchkovsky, âgé de onze
ans (1).

En ce qui le concernait personnellement, la Providence se
montrait, dans l'ensemble, conciliante. Habitant chez les
autres, il ne dépensait presque rien. Son hôte, Joukovsky,
prétendait maintenant, par une ruse amicale, lui devoir quatre
mille roubles, somme qu'il avait empruntée autrefois au prince
héritier et dont ce dernier refusait aujourd'hui le remboursement. Gogol commença par décliner le cadeau avec hauteur,
puis accepta que le paiement eût lieu en quatre annuités.
La petite maison de Joukovsky, dans la banlieue de Francfort,
était bien chauffée, silencieuse, confortable. Mais, malgré les
avantages de cette retraite, *les Ames mortes* marquaient le
pas. L'auteur en accusait tour à tour son insuffisance morale,
sa mauvaise santé, les nouvelles politiques qui troublaient
ses méditations. De tous côtés, en Europe, des esprits exaltés
appelaient les foules à la révolte, des ouvriers se mettaient
en grève, on oubliait que l'ordre social était voulu par
Dieu. Au mois de juin, un rayon de soleil : l'arrivée inopinée
de Mme Smirnov, venue passer deux semaines auprès de son
directeur de conscience. Elle était toujours aussi désarmée,
capricieuse et charmante. Il la combla de conseils et la vit
partir avec regret.

Depuis quelques jours, il se sentait les nerfs à fleur de
peau, une étrange pesanteur sur la poitrine. Un médecin lui
recommanda les bains de mer, à Ostende. Il s'y précipita.
La ville était à demi déserte. Quelques rares touristes s'aven-
turaient sur la plage. Les vagues déferlaient aux pieds de
Gogol qui grelottait, ses genoux nus et osseux serrés l'un
contre l'autre, le nez au vent, les cheveux défaits. Quand il
se trempa, pour la première fois, dans le flot furieux, il crut
mourir de saisissement.

« Mais après, écrivait-il, toute la peau brûle. A peine est-on
sorti de l'eau, que l'on a chaud comme dans une étuve. Il ne

---

(1) Nicolas Trouchkovsky (1833-1865), deviendra le premier éditeur
des œuvres complètes de Nicolas Gogol, après la mort de ce dernier.

faut pas rester dans l'eau plus de cinq minutes... Plus le temps
est mauvais, plus l'eau est froide, plus les vents soufflent et
plus la tempête fait rage, mieux cela vaut... Moi-même, qui
craignais le contact de l'eau froide et portais un maillot de
flanelle sur la peau, je me suis comporté avec courage (1). »

De retour à Francfort, il prétendit que cette cure l'avait
revigoré. Mais, assis devant sa table, c'était moins aux *Ames
mortes* qu'il travaillait qu'à ses lettres aux amis. A son insu,
elles devenaient de plus en plus longues, de plus en plus
solennelles, de plus en plus comminatoires. En les écrivant,
il avait l'impression de s'adresser, par-dessus la tête des destinataires, au pays tout entier. Oui, plus il y réfléchissait, plus
il lui semblait que ces épîtres, mises bout à bout, pouvaient
constituer une œuvre d'art et de morale d'une importance
inégalée. Il choisissait ses thèmes, il soignait son style, il
gardait ses brouillons. Infatigablement il admonestait sa mère,
ses sœurs, Alexandra Ossipovna Smirnov, la comtesse Vielgorsky et ses deux filles, Danilevsky, Annenkov, Iasykov, Mme
Chérémétiev, Plétnev, Chévyrev, Aksakov... Comme ce dernier
regimbait devant cette manie sermonnaire, il lui conseilla de
se méfier du diable :

« Tout votre trouble n'est rien de plus que l'œuvre du
diable. Tapez-lui sur le museau, à cette sale bête, et ne vous
tourmentez pas. Il est pareil à un fonctionnaire de bas étage
qui s'est introduit dans la ville sous prétexte d'inspection.
Il jette de la poudre aux yeux, il vitupère, il criaille. Qu'on
se laisse intimider, qu'on recule d'un pas, et cela suffit pour
qu'il reprenne courage. Mais qu'on aille droit à lui, et le
voilà la queue basse. Nous faisons de lui un géant, et il n'est
en fait que « le diable sait quoi »... Sa tactique est connue :
voyant qu'il ne peut vous incliner à quelque mauvaise action,
il se sauve au pas de course, puis revient par un autre côté,
sous un autre aspect, pour tâcher de vous démoraliser... Quant
à moi, je n'ai jamais varié, intérieurement, dans mes positions
principales. Depuis l'âge de douze ans peut-être, je suis le
même chemin qu'à présent... J'appelle le diable diable, je ne
lui donne pas un magnifique costume à la Byron, je sais qu'il

_____

(1) Lettre à Iasykov, de 1844.

se pavane dans un frac de merde et qu'il convient d'emmerder une bonne fois son orgueil (1). »

Ce même diable de « bas étage », il en dénonçait les manœuvres sournoises à sa mère et à ses sœurs :

« Il est d'autant plus redoutable qu'il passe inaperçu. Il ne vous tentera pas d'emblée, ne vous poussera pas à commettre quelque action mauvaise et criminelle, sachant que votre âme n'est pas encore pervertie et que vous pouvez, en un clin d'œil, le reconnaître et le chasser. Non, son calcul est plus sûr : il s'ouvrira le chemin de votre cœur en faisant appel à vos petites faiblesses : la paresse, l'inaction ; si bien qu'au début vous n'aurez pas l'idée de vous dominer et que vous direz : « C'est mon caractère, je n'y puis rien ! » ou bien : « Ce doit être quelque chose de maladif, d'involontaire que je porte en moi ! »... Je vois en vous des faiblesses qui pourraient très bien ouvrir la voie de votre âme à l'esprit malin... (2) »

Tout en prêchant son entourage, Gogol reconnaissait ses propres imperfections. Elles l'aidaient, pensait-il, à mieux comprendre ses semblables. Le service qu'il leur rendait en les houspillant, il eût souhaité qu'ils le lui rendissent en désignant ses défauts. C'était en se fustigeant l'un l'autre qu'on avait le plus de chance de chasser le diable. Comme aux étuves russes. Mais il fallait procéder avec méthode. Chévyrev, Aksakov et Pogodine devaient, disait-il, au nom de leur amitié, tenir une sorte de journal où ils consigneraient ses erreurs.

« Chaque fois que vous penserez à moi, notez, séance tenante, en quelques mots rapides, l'idée qui vous sera venue, écrivait-il à Chévyrev. Tout simplement, sous forme de journal : le jour, le quantième, le mois. « Aujourd'hui, tu m'es apparu sous tel aspect. » Le jour, le quantième, le mois. « Aujourd'hui, j'ai été furieux contre toi pour telle raison. » Le jour, le quantième, le mois. « Voici ce qui m'a semblé inexplicable dans ton caractère ou dans ta conduite. » Le jour, le quantième, le mois. « Les bruits suivants courent ici sur

---

(1) Lettre du 16-4 mai 1844.
(2) Lettre déjà citée du 12 juin-31 mai 1844.

ton compte, mais un doute m'est venu à leur sujet. » Le jour, le quantième, le mois. « J'ai, dans le fond de mon âme, des griefs contre toi pour tel et tel motif, etc. » Lorsque vous aurez rempli ne serait-ce qu'un demi-feuillet de ces observations, envoyez-le moi dans votre lettre. En le faisant, vous me rendrez un service plus grand que tous les services précédents. Aidez-moi maintenant, et moi, devenu plus solide et plus intelligent, je vous aiderai à mon tour (1). »

Cette franchise, qu'il réclamait de ses amis moscovites, il voulut l'imposer aussi à Plétnev dans leurs rapports épistolaires. Mais, ce qu'il considérait comme une rude hygiène morale, parut à ce dernier un jeu malsain. Agacé par l'insistance de Gogol, il lui écrivit d'une plume pointue :

« Ce que tu es ? En tant qu'homme, tu es un être dissimulé, égoïste, arrogant, méfiant et qui sacrifie tout à la gloire. En tant qu'ami, qu'es-tu ? Et peux-tu avoir des amis ? Si tu en avais, il y a longtemps qu'ils t'auraient déballé ce que tu lis à présent sous ma plume... Tes amis sont de deux sortes : les uns t'aiment sincèrement pour ton talent et n'ont encore rien déchiffré dans la profondeur de ton âme. Tels sont Joukovsky, les Balabine, Mme Smirnov, tel était Pouchkine. Les autres — c'est la confrérie de Moscou (Chévyrev, Pogodine, Aksakov, les slavophiles, etc.) Ce sont des schismatiques, heureux d'avoir réussi à annexer à leur secte un homme de génie en le saoulant, dans leur grande taverne, d'un breuvage de flatteries. Ils ne sont pas seulement des schismatiques, qui ont la haine de la vérité et des lumières, mais aussi des hommes d'affaires, embourbés dans la construction de maisons, l'achat de villages et la plantation de vergers. C'est à eux que tu crois, jugeant de tout sur des phrases, et non sur la vie et sur les actes. C'est pour eux que tu m'as trahi, quand, au lieu d'une sympathie muette et d'une pure affection, ont retenti autour de toi de grandiloquentes exclamations et une insipide publicité. Tu descendais chez moi comme à un relais, tu te rendais chez eux comme dans ta propre maison. Mais voyons ce que tu es comme homme de lettres. Un individu

_____

(1) Lettre du 12 mars-28 février 1844.

doué d'une géniale faculté de création, qui devine d'instinct les secrets de la langue, les secrets de l'art même, le premier comique de notre temps par sa façon de regarder l'homme, la nature, et par son talent d'en tirer les aspects et les situations les plus drôles ; mais un écrivain monotone, qui dédaigne les efforts indispensables pour acquérir une maîtrise consciente de tous les trésors de la langue et de tous les trésors de l'art, incorrect jusqu'au mauvais goût et pompeux jusqu'au ridicule, quand son bon plaisir le fait passer du comique au sérieux. Tu n'es qu'un génie autodidacte, qui étonne par sa faculté de création, et qui inspire de la pitié par son analphabétisme et son ignorance dans le domaine de l'art (1). »

Cette volée de bois vert, Gogol la reçut avec une volupté mêlée de douleur, une gratitude chargée d'indignation. Sa réponse à Plétnev fut humble. Il remerciait pour le « cadeau ». Mais, tout en reconnaissant qu'il était plein de défauts atroces, il répliquait point par point à son détracteur. D'une ligne à l'autre, son *mea culpa* se transformait en plaidoyer *pro domo sua*. Oubliant qu'il distribuait lui-même des conseils à tort et à travers, il écrivait : « Comment peut-on dire à quelqu'un (comme moi) : « Tu agis mal » ? Une bête malade cherche l'herbe qui lui convient, la trouve, et cette médication lui est plus salutaire que celle que lui auraient prescrite les plus savants médecins. Ami, j'ai eu raison de m'éloigner pour un temps d'un lieu où je ne pouvais vivre. Tu vois toi-même qu'il m'a suffi d'un contact prématuré avec le monde pour que se déclenche un remue-ménage... Pourquoi, ayant reconnu que j'étais un homme bizarre, un original, a-t-on exigé de moi la même conduite que des autres ? Pourquoi avant de porter une conclusion sur mon compte, d'après deux ou trois de mes actions, mon juge, pris de doute, ne s'est-il pas dit : « Je vois en cet homme tel et tel signe. Chez les autres, ces signes prouvent ceci et cela. Mais cet homme ne ressemble pas aux autres, sa vie n'est pas celle des autres, en outre il est dissimulé. Peut-être — Dieu sait ! — les médecins les

---

(1) Lettre du 27 octobre 1844.

plus savants se sont-ils trompés en se fondant sur ces signes et ont-ils pris une maladie pour une autre (1) ?... »

Ainsi il exigeait qu'on l'attaquât et, dès qu'on l'attaquait, il se découvrait des excuses. Pareil à ces citoyens ombrageux qui critiquent leur patrie avec véhémence, mais ne tolèrent pas que des étrangers expriment la moindre réserve à son sujet, il voulait bien se dénigrer lui-même, mais protestait devant les reproches des autres, tout en les remerciant de lui porter de si rudes coups.

Dans cette même lettre à Plétnev, Gogol, après s'être justifié, abordait un autre problème. Puisqu'il avait causé tant de tourment à ses amis, il devait, disait-il, subir une pénitence. Aussi, dès à présent, renonçait-il à tous les revenus de ses livres :

« Je me punis par la privation de toutes les sommes qui doivent me revenir sur la vente des exemplaires de mes œuvres. Mon âme exige cette privation, car elle est juste, légale, et que, sans elle, je serais gravement affligé. Chaque rouble, chaque kopeck représente les mécontentements et les offenses de mes amis, et, comme il n'y a pas un homme que je n'aie blessé, cet argent pèserait trop lourd sur ma conscience. Pour cette raison, à Moscou comme à Saint-Pétersbourg, j'abandonne cet argent en faveur des étudiants pauvres et méritants. Cet argent ne devra pas leur être distribué sans discernement, mais en récompense de leurs travaux... Ni toi ni Prokopovitch ne devez révéler cela à personne..., ni de mon vivant ni après ma mort. De même, je ne dois pas, moi, savoir à qui, et pour quelle raison, vous avez remis cet argent. Tu pourras dire que ces dons viennent d'un homme riche et indiquer à l'empereur qu'il s'agit d'un personnage désirant garder l'anonymat (2). »

Le même jour, il adressait des instructions identiques, presque mot pour mot, à Chévyrev et à Aksakov, à Moscou. D'eux aussi, il exigeait le serment de ne révéler ni le nom du donateur au bénéficiaire ni celui du bénéficiaire au donateur.

« Bien que ces dispositions puissent vous paraître étranges,

---

(1) Lettre du 14-2 décembre 1844.
(2) Ibid.

écrivait-il, vous devez comprendre que *la volonté d'un ami est sacrée* et ne répondre à cette demande de ma part... que par un seul mot : oui. »

Pas une seconde, l'idée ne l'effleura qu'il devait des sommes considérables à ceux-là mêmes dont il exigeait qu'ils distri-buassent ses revenus aux étudiants « pauvres et méritants ». Il ne se soucia guère non plus de l'aide qu'il aurait pu appor-ter, avec cet argent, à sa mère et à ses sœurs. Quant à ses dépenses personnelles, il comptait toujours que ses amis y pourvoiraient. Avec une inconséquence grandiose, il faisait des largesses tout en demandant aux autres de l'entretenir ; il s'octroyait le bénéfice d'une bonne action en puisant dans la poche du voisin ; il se rendait aimable à Dieu sans bourse délier. Un tour de passe-passe. Une escroquerie morale digne de Tchitchikov. Dix jours après avoir pathétiquement renoncé aux revenus de ses livres, il écrivit à Mme Smirnov pour solliciter d'elle un secours. Elle était, entre temps, retournée en Russie. Elle était riche. Et elle avait tant d'obligation à Gogol pour ses bons conseils ! Après de longues pages de dissertation religieuse, le bienfaiteur des étudiants abordait carrément la question qui lui tenait à cœur :

« Comme vous m'avez souvent parlé d'argent, je me décide à m'adresser à vous. Puisqu'il vous est si agréable de me rendre service et de m'aider, je vais vous faire un emprunt. J'aurais besoin de trois à six mille roubles l'année prochaine. Si vous le pouvez, envoyez trois mille roubles par lettre de change à Francfort, soit au nom du banquier Betman, soit à celui de Joukovsky et au mien. Les autres trois mille roubles devront m'être envoyés à la fin de 1845 (1). »

Cette affaire réglée, il attendit avec confiance les congratu-lations de ses amis pour l'initiative qu'il avait prise en faveur de la jeunesse studieuse. A son grand étonnement, de Moscou comme de Saint-Pétersbourg il ne reçut que des reproches. Chévyrev refusait d'obtempérer, tant que Gogol n'aurait pas au moins remboursé sa dette à Aksakov, présentement dans le besoin, et déclarait que toute la combinaison lui paraissait contraire à la plus élémentaire justice ; Plétnev lui rappelait

_____

(1) Lettre du 24-12 décembre 1844.

qu'il devait penser à sa mère et à ses sœurs avant de jouer
au philanthrope ; enfin l'un et l'autre, malgré les recommandations de leur commettant, avaient ébruité l'affaire. Plétnev
notamment avait mis Mme Smirnov au courant des intentions
de son directeur de conscience, qui, par ailleurs, la relançait
pour un prêt à long terme. Elle s'était armée de courage pour
lui écrire :

« Vous avez sur les bras votre vieille mère et vos sœurs.
Vous aviez cru assurer leur subsistance, mais que faire si,
par leur inconséquence ou par quelque circonstance imprévisible, elles sont encore à votre charge. Votre devoir est,
dès réception des comptes de Prokopovitch, et sans vous
préoccuper d'aucune aide aux étudiants pauvres, de tirer votre
mère d'embarras. Aussi avons-nous décidé avec Plétnev d'agir
de cette façon, si toutefois Prokopovitch dispose de quelque
argent vous revenant (1). »

En lisant cette lettre, Gogol se sentit atteint dans sa majesté
sacerdotale. Depuis quand les pénitentes adressaient-elles des
reproches à leur confesseur ? C'étaient les rôles renversés !
Saisissant sa plume, il répondit vertement :

« Plétnev a mal agi en vous racontant ce qui devait rester
secret au nom de l'amitié. Vous avez mal agi en acceptant
d'entendre ce que vous n'aviez pas à entendre... Vous avez
même eu l'audace de prendre des décisions dans cette affaire,
de me déclarer que je commettais une sottise, qu'il fallait
agir plutôt de telle et telle façon et que, sans même vous
soucier de mon accord, vous alliez donner à tout cela un
autre tour et prendre des dispositions en conséquence... Vos
reproches et vos remarques relatifs au fait que j'ai une mère
et des sœurs, et que je devrais penser à elles au lieu de songer
à aider des étrangers, m'ont paru également injustes, cruels
et amers à mon cœur. Avec les sommes que je leur ai versées,
elles auraient pu mener une vie décente... Mais, bien que ma
mère soit la meilleure des femmes et que nous ayons l'un
pour l'autre une amitié qui s'approfondit avec les années, je
dois dire qu'elle est assez mauvaise ménagère... J'ai pu constater nettement que ce n'était pas de subsides qu'elle avait

_____

(1) Lettre du 18 décembre 1844.

besoin et que tout l'argent que je lui donnerais serait jeté
dans un tonneau sans fond, impossible à remplir... L'argent
dont il s'agit (celui provenant de la vente des livres) a été
gagné par la souffrance et porte un caractère sacré ; ce serait
péché de l'employer à quoi que ce soit d'autre (que la dona-
tion aux étudiants). Si ma bonne maman savait quelles tortures morales toute cette affaire coûte à son fils, sa main ne
toucherait pas à un kopeck des fonds récoltés ; tout au
contraire, elle vendrait quelque bien lui appartenant pour
ajouter à la somme... Encore une fois, je prie et j'exige, au
nom de l'amitié, que ma demande soit exaucée... Plétnev n'a
qu'à tirer deux mille roubles de sa poche et les envoyer à
ma mère ; je réglerai plus tard mes comptes avec lui (1). »

Malgré ces adjurations, les amis de Saint-Pétersbourg et
de Moscou restèrent sur leurs positions, les étudiants famé-
liques se passèrent de subsides, et Gogol lui-même oublia,
pour un temps, sa rage de libéralités.

Une autre affaire le tourmentait maintenant. Au mois de
novembre 1843, dans le numéro 11 de sa revue *le Moscovite*,
Pogodine avait publié une lithographie représentant l'auteur
des *Ames mortes* d'après le portrait d'Ivanov. Gogol, qui avait
fait cadeau de la toile à son hôte, à Moscou, en gage d'amitié,
s'étrangla de colère en constatant que celui-ci en avait disposé
sans son autorisation. Dans son esprit, ce portrait devait rester
secret pour tous jusqu'à l'achèvement de son œuvre principale.
Le livrer dès à présent à la foule, c'était trahir et ridiculiser
l'écrivain. D'autant qu'Ivanov l'avait peint en robe de chambre
et les cheveux mal peignés. Aveuglé de hargne, l'injure au
bout de la plume, Gogol écrivit à Iasykov :

« Aucun homme au monde, je pense, depuis le début des
temps, n'a encore été victime d'un pareil manque de flair,
de sens des convenances, d'une absence aussi totale de délicatesse. Avez-vous écrit dans votre jeunesse n'importe quelle
saloperie, qu'il ne vous serait jamais venu à l'esprit de publier,
à peine l'a-t-il aperçue, que hop ! il (Pogodine) vous la flanque
dans sa revue, sans rime ni raison, sans qu'on l'en prie, sans
demander l'autorisation. On dirait un jeune cochon, qui ne

_____

(1) Lettre du 28-16 décembre 1844.

laisse même pas ch... un honnête homme : dès qu'il le voit s'accroupir au pied d'une palissade, il lui fourre la gueule sous le c..., pour s'emparer de la première m... qui tombera. Vous prenez une pierre et la lui flanquez sur le groin, ça ne lui fait ni chaud ni froid. Un petit éternuement et il vous refourre le groin sous le c... (1) »

Et, un peu plus tard, à Chévyrev :

« Pense un peu : quelle utilité y a-t-il à me représenter aux yeux du monde entier en robe de chambre, négligé de ma personne, cheveux et moustache longs et hérissés ? Ne saurais-tu point, par hasard, quelle signification l'on va donner à tout cela ? Mais ce n'est pas tant pour moi que je m'afflige d'avoir été représenté comme un noceur. Car, mon ami, je sais bien qu'on va découper mon portrait dans la revue. Crois-moi, la jeunesse est sotte. Beaucoup de jeunes gens ont des aspirations pures, mais tous ils éprouvent le besoin de se créer des idoles (2). »

Or, pensait Gogol, on n'a jamais vu d'« idole » figurée, pour la postérité, à son désavantage. Au lieu de le hausser sur un piédestal, Pogodine l'avait précipité dans la boue. Raisonnablement, il eût préféré qu'on publiât le portrait édulcoré et léché de Moller plutôt que le portrait d'Ivanov, peint avec un rude souci de vérité.

A point nommé pour lui changer les idées, le comte Alexandre Pétrovitch Tolstoï et la comtesse Vielgorsky l'invitèrent à passer quelques jours à Paris, tous frais payés. Le Dr Kopp, consulté, lui recommanda le voyage pour sa santé, et Joukovsky, peut-être fatigué de lui, le poussa à profiter de l'occasion. Il partit, « nerveusement irrité » et le corps « complètement rompu », dans les premiers jours de janvier 1845. A Paris, l'attendait une chambre douillette et bien chauffée, à l'hôtel Westminster, 9 rue de la Paix, où logeait également la famille du comte Tolstoï. Gogol, qui avait fait la connaissance du comte à Nice, pendant l'hiver 1843-1844, avait une profonde estime pour ce haut personnage de l'administration impériale. Après de brillants débuts comme officier dans la garde,

---

(1) Lettre du 26-14 octobre 1844.
(2) Lettre du 14-2 décembre 1844.

Alexandre Pétrovitch Tolstoï avait tâté de la diplomatie dans les ambassades de Paris et de Constantinople, s'était même transformé en agent secret dans le Proche-Orient, avait été nommé gouverneur de Tver, puis gouverneur militaire d'Odessa et avait pris sa retraite, en 1840, pour se consacrer à l'étude des questions religieuses. Sa connaissance des Livres saints faisait l'admiration de son entourage. Il recevait souvent des prêtres russes et grecs, avec lesquels il s'entretenait dans l'une ou l'autre langue indifféremment. Sec, élégant, l'allure militaire et le regard sombre, ce farouche défenseur de l'Eglise et du trône condamnait les idées libérales qui troublaient la jeunesse européenne et menaçaient de gagner la jeunesse russe. Gogol lui donnait entièrement raison sur ce point. En débarquant à Paris, il avait retrouvé cette atmosphère de désordre, de revendication et de moquerie qu'il n'aimait pas. La vie avait augmenté, les gens, dans les cafés, lançaient des plaisanteries inconvenantes contre Louis-Philippe et Guizot, les journaux étaient pleins de caricatures et d'articles de polémique, toute la France, débraillée et hargneuse, paraissait souffrir de démangeaisons. Incontestablement ce peuple portait en lui les germes de l'anarchie. Il eût fallu l'entourer d'un cordon de quarantaine.

« Paris, écrira Gogol à Mme Smirnov, ou plutôt l'air de Paris, ou plutôt les exhalaisons des habitants de Paris, qui, ici, tiennent lieu d'air, ne m'ont guère fait de bien et ont même détruit les effets salutaires de mon voyage (1). »

Et à Iasykov :

« De Paris, je te dirai seulement que je n'ai pas du tout vu Paris. Autrefois déjà je n'avais guère de sympathie pour cette ville. C'est pire maintenant. En disant cela, je fais allusion aux choses matérielles et aux commodités de la vie : c'est un endroit malpropre et l'air y est à couper au couteau. Je n'ai vu personne, sauf les êtres proches de mon cœur, c'est-à-dire les comtesses Vielgorsky et le comte Alexandre Pétrovitch Tolstoï (2)... »

Oui, il n'était plus question pour lui de courir les restau-

---

(1) Lettre du 24-12 février 1845.
(2) Lettre du 12 février-31 janvier 1845.

rants et les théâtres, de flâner dans les Tuileries, de visiter les musées, comme lors de sa première visite à Paris. Un abattement léthargique le retenait de se mêler au courant de la vie. Son seul plaisir était de prêcher la comtesse Viel-gorsky et la petite Nosi, au regard si vif, ou de discuter quel-que passage des saintes Ecritures avec le comte Tolstoï. La plupart du temps, confiné dans sa chambre, il lisait pêle-mêle, en les annotant, saint Jean-Chrysostome, saint Basile, Bossuet, des traités de théologie anciens, des ouvrages litur-giques modernes. Derrière sa fenêtre, il entendait le roulement des voitures, le tapotement des sabots sur le pavé, des cris de camelots, toute une rumeur joyeuse et insupportable.

Lorsqu'il était obligé de sortir, c'était avec répugnance qu'il coudoyait, dans la rue, tous ces Français. Pas une fois l'idée ne lui était venue d'entrer en conversation avec l'un d'eux. Même leur cuisine ne l'intéressait plus. En revanche, chaque jour ou presque, il se rendait à l'église russe de Paris, 4 rue Neuve-de-Berri (1), pour assister à l'office. Le prêtre, Dmitri Stépanovitch Verchinsky, l'avait pris en affection et lui prêtait des livres pieux. Plongé dans ses hautes méditations, il apprit avec indifférence qu'il venait d'être élu membre d'honneur de l'Université de Moscou, en même temps que Pogodine. Il ne se doutait pas qu'à cette même époque un certain Louis Viardot, littérateur français, directeur du Théâtre-Italien de Paris et mari de la célèbre cantatrice Pauline Garcia-Viardot, était en train de traduire quelques-uns de ses récits en vue de leur publication, sous le titre : *les Nouvelles russes* (2). S'il l'avait su, il n'aurait certes pas cherché à rencontrer le traducteur. Son incognito lui était trop précieux. Passer inaperçu de tous et être pourtant admiré de tous, tel était son rêve. Bientôt il se fatigua de Paris et reprit la diligence pour Francfort.

Quatre jours et trois nuits de route. A douze heures de

---

(1) Actuellement N° 12 rue de Berri. Emplacement, depuis 1820, d'une chapelle russe qui fut remplacée, en 1881, par l'église russe de la rue Daru.

(2) Le volume devait comprendre : *Tarass Boulba, les Mémoires d'un Fou, la Calèche, un Ménage d'autrefois, le Roi des Gnomes* (c'est-à-dire *Vii*). Il fut publié durant l'été 1845.

Paris, il trouva la neige. « C'est mon nez seul qui est arrivé
à Francfort, écrira-t-il aux comtesses Vielgorsky, ainsi que
quelques os cousus ensemble, à grands points, par des muscles
filiformes (1). »

En le revoyant, les Joukovsky s'inquiétèrent de sa maigreur
et de sa nervosité. Un squelette ambulant aux longs cheveux
et au regard triste. Il se disait las de vivre aux crochets de
ses amis. Joukovsky écrivit à Mme Smirnov pour qu'elle fît
une démarche auprès de l'empereur en faveur d'un écrivain
qui était la gloire de la Russie. Connaissant le tsar, elle décida
d'attendre, pour s'adresser à lui, un jour où il serait visiblement de bonne humeur. L'occasion se présenta enfin, lors
d'une soirée au palais. Mme Smirnov, parfumée et souriante,
aborda Nicolas 1er et lui exposa la requête de Joukovsky au
sujet de Gogol. « — Gogol a un grand talent comme homme
de théâtre, dit le monarque, mais je ne puis lui pardonner
des expressions grossières et basses. » — « Avez-vous lu *les
Ames mortes* ? » demanda-t-elle. Il s'étonna : — « Est-ce donc
de lui ? Je croyais que c'était de Sollogoub ! » Mme Smirnov
lui conseilla de lire le livre, dont de nombreuses pages étaient,
disait-elle, inspirées par un patriotisme ardent. Il la regardait
plus qu'il ne l'écoutait et finit par promettre une aide à
l'auteur impécunieux, par égard pour celle qui assumait si
gracieusement sa défense. Immédiatement elle se précipita
vers le chef des gendarmes, Orlov, pour l'informer de la décision impériale. — « Qu'est-ce que c'est que ce Gogol ? »
grogna Orlov méfiant. — « Vous devriez avoir honte d'être
Russe et de ne pas savoir qui est Gogol ! » s'écria-t-elle avec
dépit. — « Quelle drôle d'idée vous avez de vous occuper de
ces poètes nus ! » Suffoquée d'indignation, Mme Smirnov cherchait une réponse cinglante, lorsque l'empereur, s'étant rapproché d'elle, lui enlaça familièrement les épaules de son
grand bras et dit à Orlov : « Je suis seul coupable. J'ai oublié
de te prévenir qu'il faut verser une pension à Gogol (2). »

Peu après, le ministre de l'Instruction publique, Ouvarov,

---

(1) Lettre du 5 mars-21 février 1845.
(2) Scène rapportée par Mme Smirnov dans son *Journal* (11 mars
1845), dans son *Autobiographie,* et dans les *Mémoires* de Lorer.

soumettait à la signature de l'empereur une résolution octroyant à l'écrivain Nicolas Vassiliévitch Gogol, « dont l'état de santé nécessitait, d'après les médecins, un séjour à l'étranger, dans un climat tempéré, et l'usage des eaux minérales », une gratification de trois mille roubles argent (soit dix mille roubles assignats) payable en trois fois, à raison de mille roubles argent par an.

L'horizon s'éclairait pour Gogol. Touché par la sollicitude impériale, il voulut témoigner sa gratitude à Ouvarov. Mais, comme toujours, la plume à la main, il exagéra ses sentiments.

« Je ne puis exprimer ma gratitude (à l'empereur) qu'en priant pour lui, écrivait-il à Ouvarov. A vous, je dirai seulement qu'après votre lettre je me suis senti triste. Triste..., parce que tout ce que j'ai produit jusqu'à présent ne mérite guère d'attention. Bien qu'une pensée louable ait présidé à l'élaboration de mes écrits, tout ce que j'y ai exprimé l'a été de façon si irréfléchie, si mauvaise, si médiocre, si inadéquate, que c'est avec juste raison que la plupart des lecteurs trouvent à mes livres une signification plus nocive que bonne... Je le jure, je n'avais nullement l'intention de demander quoi que ce fût à l'empereur. Je préparais dans le silence une œuvre qui aurait été bien plus utile à mes compatriotes que mes gribouillages précédents... Je voudrais vous remercier, vous, de tout ce que vous avez fait pour la science, pour l'étude du passé de la patrie, et, qui plus est, pour l'introduction dans l'esprit de notre instruction publique d'un principe de base fermement russe (1). »

Cette lettre, Ouvarov la montra fièrement à diverses personnes, qui en divulguèrent le contenu. Dans les milieux libéraux, on racontait que Gogol était prêt à se vendre au pouvoir pour un morceau de sucre. Le censeur Nikitenko notait dans son journal : « Quel triste dénigrement de soi-même de la part de Gogol. C'est pourtant un homme qui a assumé le rôle de dénoncer les plaies de notre société et qui les a, en effet, mises en lumière, non seulement avec justesse et précision, mais avec le tact et le talent d'un peintre génial.

_____

(1) Lettre de la fin avril 1845.

Dommage, dommage ! Cela arrange fort Ouvarov et quelques autres (1). »

Cependant, à Francfort, Gogol, ignorant les rumeurs soulevées par sa lettre, ne pensait qu'à sa maladie. Ses crises de dépression nerveuse se succédaient à des intervalles de plus en plus rapprochés. Il entrecoupait ses épîtres pastorales de longs gémissements sur sa misère physique, qui le détournait de la création. En remerciant Mme Smirnov, qui venait de lui envoyer de l'argent sur sa demande, il répondait qu'elle ne devait plus s'inquiéter de ses besoins matériels mais de sa santé :

« Je tremble de tout le corps, j'éprouve un froid continuel, rien ne peut me réchauffer. Sans parler du fait que je suis devenu maigre comme un copeau, je me sens à bout de forces, et j'ai grand peur de mourir avant mon voyage en Terre sainte (2). »

Un peu plus tard, c'était le comte Tolstoï qui recevait de lui ce cri d'alarme :

« Ma santé va de mal en pis. Les symptômes apparus disent qu'il est temps enfin de savoir ce qui se doit, et, en remerciant Dieu pour toute chose, de céder peut-être la place aux vivants (3). »

Au cours d'une brève rémission, il analysa son mal à l'intention du même correspondant :

« Mon visage était devenu tout jaune, mes mains, gonflées et noires, n'étaient plus qu'un morceau de glace ; j'avais peur, rien qu'à sentir leur contact (4). »

Et, presque en même temps, il confiait à Mme Smirnov :

« Dieu m'a ôté pour longtemps la faculté de créer... Je sens trop que, tant que je ne serai pas allé à Jérusalem, je serai incapable de rien dire de consolant en revoyant qui que ce soit en Russie (5). »

Puis, comme Mme Smirnov lui répondait avec mélancolie, il laissa éclater sa tendresse pour elle :

(1) Nikitenko : *Journal,* 8 mai 1845.
(2) Lettre du 15-3 mars 1845.
(3) Lettre écrite entre le 20 et le 28 mars 1845, calendrier grégorien.
(4) Lettre du 28-16 mars 1845.
(5) Lettre du 2 avril-21 mars 1845.

« Mon amie, mon âme, ne vous attristez pas. Plus qu'un an, et je serai auprès de vous et vous ne souffrirez plus de la solitude. Quand la vie vous sera trop amère, trop dure, je volerai à travers tous les espaces, j'apparaîtrai devant vous et vous serez consolée, car un troisième personnage sera à nos côtés : le Christ (1). »

Après une nouvelle accalmie, ses douleurs le reprirent, et ses angoisses, et la sensation d'une onde froide qui coulait dans ses veines et se rapprochait de son cœur. Croyant sa dernière heure venue, il rédigea son testament (2) :

« 1 — Je demande qu'on n'ensevelisse pas mon corps avant qu'il ne donne des signes manifestes de décomposition...

« 2 — Je demande qu'on n'érige aucun monument sur ma tombe...

« 3 — Je demande que, d'une façon générale, personne ne me pleure...

« 4 — Je lègue à tous mes compatriotes... ce que ma plume a produit de meilleur... O mes compatriotes, j'ai peur ! Mon âme se meurt d'épouvante au seul pressentiment de la majesté de l'au-delà...

« 5 — Je demande qu'après ma mort on ne se hâte ni de louer ni de condamner mes œuvres dans les journaux et les revues... »

Dans le paragraphe suivant, il adjurait sa mère et ses sœurs de partager avec les pauvres le revenu que pourrait produire la vente de ses livres. Ayant ainsi exprimé ses dernières volontés, il griffonna un billet à l'intention du Père Bazarov, supérieur des églises orthodoxes d'Allemagne : « Venez vite me voir pour me donner la communion, je me meurs. »

Le prêtre fit atteler sa calèche, se rendit en hâte auprès du moribond et le trouva debout. Etonné, il lui demanda quelle était sa maladie. « Regardez ! répondit Gogol en tendant ses deux mains. Elles sont toutes froides. » Et il insista pour recevoir les derniers sacrements. Le Père Bazarov refusa. « Je

---

(1) Lettre du 11 mai-29 avril 1845.
(2) Il placera ce testament en tête de ses *Passages choisis de ma Correspondance avec mes Amis.*

réussis à le persuader qu'il n'était pas malade au point de devoir communier à domicile, écrira-t-il dans ses *Mémoires*, et je lui conseillai de se rendre à Wiesbaden, pour y faire ses dévotions pendant le carême. »

Docile, Gogol se rendit à Wiesbaden, avec Joukovsky, jeûna, écouta la messe de Pâques dans l'église orthodoxe de l'endroit, et revint à Francfort plus désemparé qu'avant son voyage. Les médecins lui recommandaient maintenant une cure à Hombourg. C'était à deux pas. Il s'y traîna. Une petite ville élégante, des gens désœuvrés, partageant leur journée entre les eaux et la roulette, un orchestre jouant dans un kiosque, le soleil, les pâtisseries allemandes, la vie facile, et lui, au milieu de tout cela, rongé par la noire obsession du néant. A Aksakov, qui perdait peu à peu la vue, il conseillait la résignation, au nom de ses propres maux :

« Vous êtes malade, je suis malade. Soumettons-nous à Celui qui sait mieux que nous ce qui nous est nécessaire et ce qui vaut mieux pour nous... Quand il nous retire la vue des *sens*, il nous donne la vue de l'*esprit* et nous fait voir des choses au prix desquelles celles de la terre ne sont que poussière (1).»

A Mme Chérémétiev il confiait :

« Ma santé est tout à fait mauvaise, mes forces s'éteignent, je n'attends plus rien des médecins ni de l'art, car c'est physiquement impossible, mais tout est possible à Dieu (2). »

Et à Danilevsky :

« Seul un miracle de Dieu peut me sauver... De toute façon, ma vie sur terre ne pouvait pas être bien longue. Mon père était également de faible constitution et est mort tôt ; il s'est éteint par suite de son manque de forces et non sous les coups d'une maladie quelconque. Je maigris, je fonds, non plus de jour en jour, mais d'heure en heure ; mes mains ne se réchauffent plus et sont gonflées avec de l'eau dans les tissus (3). »

Maintenant, trop fatigué pour écrire, il relisait les quelques

---

(1) Lettre du 2 mai-20 avril 1845.
(2) Lettre du 5 juin-24 mai 1845.
(3) Lettre du 5 juin-24 mai 1845.

chapitres de la suite des *Ames mortes* qu'il avait rédigés, à
grand-peine, ces dernières années, et s'étonnait de leur médiocrité. Ses nouveaux personnages, le noble penseur Tentetnikov,
le propriétaire foncier idéal Kostanjoglo, le pieux et généreux
fermier des eaux de vie Mourazov, lui semblaient pâles et
conventionnels. Tchitchikov lui-même manquait de couleur
dans sa seconde incarnation. Tout cela était indigne du grand
dessein de l'auteur, qui était de séduire ses compatriotes par
la peinture des beaux sentiments. Une seule solution, comme
pour *Hans Küchelgarten* : l'autodafé. Par une calme journée
du mois de juillet 1845, il jeta au feu son manuscrit et le
regarda flamber, comme s'il assistait à une naissance.

« Ce fut dur de brûler le travail de cinq années, réalisé au
prix d'une telle tension maladive, dont chaque ligne m'a coûté
un ébranlement et qui contenait nombre des meilleures méditations de mon âme, écrira-t-il peu après. Mais tout fut brûlé,
et ce à une heure où, voyant la mort en face, je désirais tant
laisser au moins quelque chose qui donnât une meilleure idée
de moi. Je remercie Dieu, qui m'a donné la force d'accomplir
cela. Dès que la flamme eut emporté le dernier feuillet de
mon livre, son contenu ressuscita sous une forme lumineuse
et épurée, tel le phénix hors du bûcher, et je vis tout à
coup dans quel désordre se trouvait ce que j'avais cru ordonné
et harmonieux. La publication du second volume, dans l'état
où il se trouvait, eût fait plus de mal que de bien... Je n'ai
aucune raison de me hâter ; que d'autres le fassent. Je brûle
quand il faut brûler, et à coup sûr. J'agis comme il le faut,
car je n'entreprends rien sans prier. Quant aux appréhensions
que vous cause ma mauvaise santé, elles sont vaines. Mon
corps est infirme, non mon âme. Au contraire, tout dans mon
âme acquiert force et fermeté. Mon corps se renforcera lui
aussi. J'ai la conviction que, le moment venu, il me suffira
de quelques semaines pour achever ce qui m'a coûté cinq
années de maladie (1). »

Cette destruction par le feu l'affligea d'autant moins, qu'un
autre projet, plus facile à réaliser et plus utile, selon lui,

_____

(1) *Passages choisis de ma Correspondance avec mes Amis.*
Ch. XVIII.

à la Russie, l'occupait depuis peu tout entier. Les lettres-
fleuves, qu'il avait expédiées dans toutes les directions, méritaient, pensait-il, d'être réunies en volume et complétées. Dès
le 2 avril 1845, il écrivait à Mme Smirnov :

« Priez Dieu pour qu'il m'envoie la possibilité de préparer
ce que je dois préparer avant mon départ (pour Jérusalem).
Ce sera une œuvre de petite dimension, au titre peu tapa-
geur par rapport au monde présent, mais nécessaire pour
beaucoup de gens, et qui me rapportera en surabondance
l'argent indispensable pour le voyage. »

Cette œuvre « de petite dimension » avait l'avantage de
s'écrire toute seule, en quelque sorte. Une création sans effort.
Elle prendrait la relève des *Ames mortes* défaillantes. Quel
repos pour l'auteur ! Mais voici que sa correspondance même
l'épuisait. Il fallait changer de ville d'eaux. Les médecins
locaux n'étaient pas d'accord sur les cures à recommander.
Le mieux était d'aller consulter le fameux Dr Schoenlein,
à Berlin. Gogol s'y rendit avec le comte Tolstoï. A tout hasard,
en cours de route, on s'arrêta à Halle pour solliciter les
lumières du Dr Krukkenberg. Celui-ci, ayant examiné le patient
de la tête aux pieds, décréta qu'il souffrait d'un grave dérangement du système nerveux et lui recommanda un séjour de
trois mois sur l'île Helgoland, au climat vivifiant. Sceptique,
Gogol voulut avoir l'avis du Dr Schoenlein avant de se décider. Mais, quand il arriva à Berlin, le Dr Schoenlein venait
d'en partir. Après quelques jours d'hésitation, il se rabattit
sur le Dr Carus, à Dresde. Questionné, palpé, ausculté par
cette autre sommité médicale, il s'entendit affirmer que ses
nerfs n'étaient nullement responsables de son état. C'était
le foie, le foie seul qu'il fallait incriminer, le foie, qui, ayant
pris trop de volume, comprimait les poumons, d'où un désé-
quilibre nerveux et une mauvaise oxygénation du sang. Dans
une pareille conjoncture, le seul remède consistait en une
cure prolongée à Carlsbad.

Gogol obéit. Un établissement thermal chassait l'autre, dans
sa vie. Véritable dégustateur en eaux, il avalait verre après
verre, comparaît les sources, interrogeait son corps aux tres-
saillements et aux bourdonnements mystérieux, avec l'espoir
d'y déceler un symptôme d'amélioration. Mais, malgré le soin

avec lequel il observait les prescriptions médicales, sa faiblesse augmentait. Carlsbad ne lui valait rien. Sa seule joie fut d'y recevoir une lettre de Mme Smirnov, lui annonçant que son mari avait été nommé gouverneur à Kalouga. Du coup, le professeur de morale se réveilla en lui et il adressa à sa pénitente des instructions sur la façon dont devait se comporter une épouse de gouverneur consciente de ses devoirs :

« Arrangez-vous pour être toujours habillée simplement ; ayez le moins de robes possible ; répétez souvent autour de vous que l'impératrice et la cour sont modestement vêtues... Dès que vous entendrez dire qu'une dame de la société est tombée malade, ou qu'elle est triste, ou qu'elle a eu quelque désagrément, ou simplement qu'il lui est arrivé quelque chose, rendez-vous immédiatement auprès d'elle... Portez votre attention sur le travail et les devoirs de votre mari, afin de savoir exactement ce qu'est un gouverneur, quelles réalisations on attend de lui, quelle est la limite de son pouvoir. Relisez cette lettre et méditez, en temps opportun, tout ce qu'elle contient, même si cela vous paraît de peu d'importance (1). »

Persuadé d'avoir la science infuse, il ne doutait pas que, grâce à ses conseils, Mme Smirnov inciterait son mari à remplir ses fonctions officielles pour le bien général et la gloire de Dieu. Peut-être le nouveau gouverneur de Kalouga deviendrait-il un exemple pour tous les gouverneurs de Russie ? Peut-être la régénération spirituelle du pays commencerait-elle par ce coin de province ? Alors l'œuvre de Gogol n'aurait pas été tout à fait vaine. Ah ! si les médecins avaient su soigner son corps aussi bien qu'il soignait l'âme de ses amis !... Mais aucun de ces praticiens germaniques n'était capable de le comprendre.

L'eau tiède, sulfatée et sodique de Carlsbad l'écœurait sans le soulager. Faible, nauséeux et frileux, il décida de tenter sa chance à Graefenberg, en Silésie, où officiait le Dr Vincent Priessnitz, partisan des traitements énergiques à l'eau froide. Ce médecin, fort à la mode, remontait, disait-on, ses malades en quelques séances. Bien qu'impatient d'essayer sur lui-même les effets d'une nouvelle thérapeutique, Gogol s'arrêta, chemin

---

(1) Lettre du 28-16 juillet 1845.

faisant, à Prague. Ebloui par la beauté de la vieille ville, il
oublia sa fatigue, courut admirer le Palais royal, la cathédrale
Saint-Veit, l'église de l'Assomption, l'horloge astronomique, le
pont sur la Vltava et ses statues de saints, le musée national,
dont le conservateur, Ganka, le reçut avec enthousiasme.
Quand il remonta dans la diligence, son oppression et ses
frissons le ressaisirent. A Graefenberg, il fut pris en main
rudement par les assistants du Dr Priessnitz. La discipline
hydrothérapique lui laissait à peine le temps de souffler.

« Je n'ai pas une minute, ici, pour penser à quoi que ce
soit ni écrire une lettre de deux lignes, confiait-il à Joukovsky.
Je vis comme dans un rêve, tantôt enveloppé dans des draps
humides, tantôt fourré dans une baignoire, tantôt frictionné,
tantôt aspergé, tantôt courant, de façon convulsive, pour me
réchauffer. Je ne sens que le contact de l'eau froide sur ma
peau et suis incapable de rien éprouver ni de rien connaître
d'autre (1). »

Au début, il lui sembla que le traitement lui réussissait.
Ses extrémités se réchauffaient, il dormait mieux, il respirait
plus à l'aise. Mais il n'eut pas le courage de mener jusqu'au
bout cette cure fastidieuse. Dégoûté de l'eau, il repartit pour
Berlin, où, disait-on, le Dr Schoenlein venait de rentrer lui-
même. L'illustre praticien le reçut, éclata de rire en apprenant
que son confrère Carus avait diagnostiqué une hypertrophie
du foie, et déclara que le malade, souffrant d'une affection
nerveuse de l'appareil digestif, devait, dès que la saison le
permettrait, se soigner par des bains de mer. En attendant,
il lui recommandait des pilules, des gouttes homéopathiques
et des frictions à l'eau froide. Une nourriture à base de viande
et de légumes. Du café plutôt que du lait...

Nanti de ces nouvelles prescriptions, Gogol se rendit à Rome
dont, affirmait-il, le climat l'avait toujours « vivifié ». Sur sa
demande, Ivanov lui avait loué un petit appartement via della
Croce, n° 81, près de la piazza di Spagna. La compagnie des
peintres, dès l'abord, le déçut. Ivanov lui parut moins sincèrement religieux que par le passé. Comment cet homme pouvait-il continuer à peindre l'*Apparition du Christ au Peuple*

---

(1) Lettre du 12 septembre-31 août 1845.

sans fréquenter l'église ? Souvent, Gogol allait à la chapelle orthodoxe de l'ambassade pour ses dévotions. Il y rencontrait des compatriotes dont l'assiduité était réconfortante, entre autres l'écrivain piétiste Alexandre Stourdza et la comtesse Sophie Apraxine, sœur du comte Tolstoï. Vers la fin de l'année, tout ce petit monde fut agité par la visite de l'empereur Nicolas 1er à Rome. Le tsar venait négocier avec le pape un concordat réglant le statut du clergé catholique en Russie et tâcher d'obtenir sa bénédiction, dans le cas d'un mariage « mixte » entre la grande-duchesse Olga et l'archiduc Etienne, fils de l'archiduc Joseph, palatin de Hongrie. Depuis la répression du soulèvement de la Pologne en 1830-1831, auquel le clergé catholique polonais avait pris une part active, Nicolas 1er passait pour un ennemi déclaré du catholicisme. L'entourage du souverain pontife considérait d'un mauvais œil cette entrée du chef de l'Eglise orthodoxe dans les murs sacrés du Vatican. Les cardinaux conseillèrent même, disait-on, à Grégoire XVI de se prétendre malade pour esquiver une visite aussi embarrassante. Il n'en fit rien, reçut Nicolas 1er avec amabilité et discuta avec lui les termes d'un accord. Dans la colonie russe, on laissait entendre que le tsar s'était montré très ferme, dénonçant l'indiscipline du clergé catholique de Russie, dont la plupart des membres, oublieux du caractère apostolique de leur mission, prêchaient la rébellion contre le pouvoir établi. Dans les milieux ecclésiastiques italiens, en revanche, on affirmait que le pape avait su dominer son interlocuteur et le convaincre (1).

Nicolas 1er refusa d'accorder une réception au corps diplomatique et à la noblesse romaine et consacra ses loisirs aux monuments, aux basiliques, aux ruines, aux musées. Il rendit visite également, en coup de vent, aux ateliers des artistes russes, admira le grand tableau d'Ivanov et passa quelques commandes de copies d'antiques à des sculpteurs. Gogol aurait certes pu se faire présenter à lui. Mais sa timidité le paralysait. Comme il n'avait rien écrit d'important depuis des années, il craignait de passer pour un paresseux ou un ingrat aux

_____

(1) Le concordat, dont les bases furent jetées en décembre 1845, fut effectivement signé le 3 août 1847 et dénoncé en 1866.

yeux de celui qui l'avait récemment honoré d'une subvention.
Mêlé à la foule anonyme, il vit avec émotion le monarque
rouler en calèche sur la route du Monte Pincio. Le visage de
Nicolas 1er lui parut « inspiré ». Il se sentit fier d'être Russe.

« Comme tout le monde ici, je n'ai vu l'empereur que trois
fois, le temps d'un clin d'œil, écrivait-il à sa mère. Il n'est
resté à Rome que quatre jours et il a été trop occupé pour
recevoir le menu fretin dont je fais partie. J'ai été heureux
de le savoir en bonne santé et de bonne humeur, et j'ai prié
pour lui sincèrement (1). »

De même que le tsar était son bienfaiteur, de même il
désirait, de plus en plus ardemment, être le bienfaiteur de
quelqu'un. Le manque d'argent ne devait pas être un obstacle.
On pouvait, à la limite, donner ce que l'on n'avait pas. Il
revint à son idée de gratification aux étudiants pauvres et
méritants. Puisque Chévyrev refusait d'exécuter ses volontés,
ce serait Aksakov, déjà à demi aveugle, qui prendrait l'affaire
en main. « Que pas un kopeck de cette somme ne soit
employé à quelque autre chose, écrivait-il à ce dernier. Que
tout l'argent soit rassemblé et gardé comme un dépôt sacré ;
j'en ai fait le serment devant Dieu (2). »

Tout en réitérant ses injonctions, Gogol n'avait pas grand
espoir de les voir aboutir de son vivant. Ses amis s'arrange-
raient toujours, pensait-il, pour bloquer l'argent dans leurs
tiroirs. Quel malheur de ne pouvoir, en toute chose, se passer
d'eux ! Son état maladif le mettait à leur merci (3).

« Ma santé, bien qu'elle se soit un peu améliorée, refuse
toujours de se rétablir définitivement, écrivait-il à Aksakov.
J'éprouve une grande faiblesse et, ce qui est plus incompréhensible, une telle sensation de froid, que je ne puis rester
assis dans ma chambre. Je dois, à chaque instant, courir pour
me réchauffer ; à peine me suis-je réchauffé et suis-je revenu
chez moi, que, de nouveau, je sens le froid, bien que la chambre soit tiède ; et, derechef, il me faut sortir et courir. Tout

_____

(1) Lettre du 8 décembre-26 novembre 1845.
(2) Lettre du 25-13 novembre 1845.
(3) Finalement ce sera Chévyrev qui s'occupera de l'affaire à Moscou et Plétnev à Saint-Pétersbourg.

le jour passe en ces courses continuelles et je n'ai même plus le temps d'écrire une lettre... Mais à quoi bon parler de ses misères physiques ? C'est même péché de le faire : si elles nous sont données, c'est pour notre bien (1). »

A Joukovsky, trois jours plus tard :

« Déjà maintenant, mon faible esprit voit le grand profit que je peux tirer de toutes ces maladies : en fin de compte, elles font mûrir les idées et ce qui semble ralentir l'ouvrage ne fait en réalité que l'accélérer. J'aiguise ma plume. Priez Dieu pour moi fermement (2). »

Et à Plétnev, à la même date :

« Bénie soit, dans les siècles des siècles, la volonté de Celui qui m'a envoyé ces peines... Sans elles, mon âme n'aurait pas été éduquée comme il le faut pour la tâche qui m'attend. Mort et froid serait tout ce qui doit être vivant comme la vie même, beau et vrai comme la *vérité* même (3). »

Cette *vérité*, vers laquelle il tendait de toutes ses forces, il lui semblait qu'il l'avait trahie dans ses œuvres précédentes, par manque de métier et par manque de cœur.

« Mon amie, écrivait-il à Mme Smirnov, je n'aime pas les ouvrages que j'ai publiés jusqu'à présent, et surtout pas *les Ames morte*s. Mais vous seriez injuste d'en blâmer l'auteur sous prétexte qu'il s'est moqué de la province en la carica-turant, de même que vous étiez injuste autrefois en le louant. Ce n'est pas la province, ni quelques affreux propriétaires fonciers, ni ce qu'on leur impute, qui forme le sujet des *Ames mortes*. C'est encore pour le moment un secret, qui devra tout à coup, à la stupéfaction générale (car pas un lecteur ne l'a deviné !) être dévoilé dans les tomes suivants, s'il plaît à Dieu de prolonger ma vie et de bénir mon travail. Je vous le répète, c'est un secret, dont la clef est encore dans l'âme de l'auteur seul (4). »

Il eût souhaité, par moments, que personne autour de lui ne parlât de ses anciens livres. S'il se trouvait bien à l'étran-

---

(1) Lettre du 25-13 novembre 1845.
(2) Lettre du 28-16 novembre 1845.
(3) Lettre du 28-16 novembre 1845.
(4) Lettre du 25-13 juillet 1845.

ger, c'était, en partie, parce qu'il y était inconnu. Mais voici
qu'à Paris, Sainte-Beuve publiait, dans *la Revue des Deux Mondes* de décembre 1845, une critique élogieuse sur la traduction
des *Nouvelles russes* de Nicolas Gogol, par Louis Viardot (1) :
« En somme le nom de M. Gogol va devoir à cette publication
de M. Viardot d'être connu en France comme celui d'un
homme de vrai talent, observateur sagace et inexorable de la
nature humaine. » Un autre article, dans *l'Illustration*. Un
autre encore, dans *les Débats*. A Leipzig, paraissait en librairie
une traduction allemande des *Ames mortes*. Où donc fallait-il
fuir pour se mettre à l'abri de la notoriété ? Comme si les
sarcasmes et les louanges absurdes du public russe ne suffisaient pas !... Voilà maintenant qu'il fallait s'attendre aux
criailleries des Français, des Allemands, demain, peut-être, des
Anglais et des Italiens ! La paix ! La paix ! Il ne tenait nullement à être un écrivain international. Par-dessus tout, il craignait de donner à l'étranger une idée désobligeante de la
Russie.

« La nouvelle de la traduction des *Ames mortes* en allemand
m'a été désagréable, écrivait-il à Iasykov. Outre que je ne
tiens pas en général à ce que les Européens sachent quoi
que ce soit de moi avant un certain temps, j'estime qu'il n'est
pas bon que cette œuvre paraisse en traduction tant qu'elle
n'est pas terminée. Je ne voudrais pas qu'en la lisant les
étrangers tombassent dans l'erreur où sont tombés la plupart
de mes compatriotes qui ont pris *les Ames mortes* pour le
portrait de la Russie. J'ai déjà lu quelque chose en français
au sujet de mes nouvelles dans *la Revue des Deux Mondes*
et *les Débats*. Ce n'est encore rien. Cela sombrera dans le
Léthé, avec les annonces des journaux au sujet des pilules
ou de la pommade récemment découverte pour teindre les
cheveux, et on n'en parlera plus (2). »

A l'approche du nouvel an 1846, il dressa, comme d'habitude, le bilan de ses activités, et, comme d'habitude, s'effraya
du peu qu'il avait fait au regard de tout ce qui lui restait

_____

(1) Pour cette traduction, Louis Viardot s'était fait aider par
I.S. Tourguéniev.
(2) Lettre du 8 janvier 1846-27 décembre 1845.

à faire. Sans l'aide de Dieu, il ne parviendrait jamais à ses fins. Mais Dieu était là, derrière son dos. Il devinait Sa présence jusque dans ses douleurs, jusque dans ses vertiges. Une oraison jaculatoire montait dans sa tête fiévreuse. Il saisit son carnet et écrivit d'une main tremblante :

« Seigneur, bénissez-moi à l'aube de cette nouvelle année. Faites que je l'emploie tout entière à un travail fécond et bienfaisant, que je la consacre tout entière à Votre service et au salut des âmes... Que le Saint-Esprit descende sur moi, qu'Il parle par mes lèvres, qu'Il sanctifie mon être en détruisant mes impuretés, mes vices, mes ignominies et le transforme en un temple digne de Votre présence, Seigneur ! Mon Dieu, mon Dieu, ne vous éloignez pas de moi ! Mon Dieu, mon Dieu, souvenez-vous de Votre ancien amour ! Bénissez-moi, mon Dieu ! Donnez-moi la force de Vous aimer, de Vous célébrer, de Vous exalter et d'amener mon prochain à glorifier Votre Saint Nom ! »

Après un tel élan, le visage baigné de larmes, il se sentait de taille à écrire, au choix, la suite des *Ames mortes* ou un recueil de lettres magistrales à ses amis.

II

PASSAGES CHOISIS DE MA CORRESPONDANCE
AVEC MES AMIS

Malgré le grand désir de renouveau dont témoignait l'invocation à Dieu qu'il avait jetée sur le papier dans la nuit du 31 décembre 1845, rien ne changea pour Gogol au début de l'année suivante. Toujours Rome, le froid soleil de l'hiver, les frissons, les angoisses, les crampes d'estomac et la difficulté de travailler aux *Ames mortes*. Pour calmer ses scrupules, il se persuadait qu'une entreprise plus importante et plus urgente l'attendait maintenant : la mise au point des *Passages choisis* de sa correspondance.

« A propos de mes lettres, garde-les, écrivait-il à Iasykov. Ayant examiné tout ce que j'ai écrit ces derniers temps à diverses personnes, en particulier à celles qui avaient besoin de secours spirituel et me demandaient de le leur procurer, je vois que, de tout cela, peut sortir un livre utile aux hommes qui souffrent en diverses carrières. Les souffrances que j'ai moi-même endurées m'ont été profitables et, grâce à elles, j'ai pu venir en aide aux autres... Je tâcherai d'éditer cet ensemble en y ajoutant quelques considérations générales sur la littérature (1). »

Tandis qu'il se préparait ainsi à transformer sa correspondance privée en correspondance publique, de Russie lui parvenaient les échos d'une vie littéraire mouvementée. De jeunes

_____

(1) Lettre du 21-9 avril 1846.

auteurs imposaient leur nom aux lecteurs, comme il l'avait
fait jadis. On eût dit que la vague qui l'avait porté très haut
déclinait lentement, chassée par le flot des nouveaux venus.
« A Saint-Pétersbourg, d'après *les Annales de la Patrie*, vient
d'apparaître un nouveau génie, un certain Dostoïevsky (1) »,
lui écrivait Iasykov. « Bélinsky et Kraïevsky se démènent à
propos d'un dénommé Dostoïevsky (2) », renchérissait Plétnev.
Certains considéraient cet inconnu comme « un second Gogol ».
Son premier livre, *les Pauvres Gens*, n'était-il pas, comme *le
Manteau*, un hommage à la vie des humbles ? Gogol voulut
en avoir le cœur net. Ayant parcouru le roman, il écrivit à
Anne Vielgorsky :

« L'auteur des *Pauvres Gens* fait preuve de talent, le choix
de ses sujets témoigne de ses qualités d'âme, mais on voit
également qu'il est encore jeune. Beaucoup de verbiage et
peu de concentration intérieure. Tout cela m'aurait paru plus
vivant et plus fort, si le texte avait été plus resserré (3). »

Dans la même lettre, il ordonnait à sa correspondante de
prier Dieu pour lui, car il avait besoin, « au milieu de ses
tourments », de quelques « minutes claires », afin de dire
tout ce qu'il avait sur le cœur. Ces « minutes claires », que
Rome lui refusait inexplicablement, il décida soudain d'aller
les chercher à Paris, auprès du comte Tolstoï.

Installé de nouveau à l'hôtel Westminster, rue de la Paix,
il ne s'intéressa pas davantage à la vie intellectuelle et politique française. Paris était en fête. Le roi Louis-Philippe recevait Ibrahim-Pacha. Alexandre Dumas publiait *Monte-Cristo*
et George Sand *la Mare au Diable*. Rien de marquant dans
tout cela. Annenkov, ayant rendu visite à Gogol, le trouva
vieilli, pâli. « Un profond travail intérieur avait imprimé à
son visage les signes de l'usure et de la fatigue, mais son
expression générale me parut plus claire et plus sereine que
par le passé, écrira-t-il. C'était le visage d'un philosophe (4). »

Quelques jours plus tard, le même Annenkov, ayant quitté

---

(1) Lettre de Iasykov du 18 février 1846.
(2) Lettre de Plétnev du 4 mars 1846.
(3) Lettre du 14-2 mai 1846.
(4) Annenkov : *Gogol à Rome*.

Paris pour Bamberg, en Bavière, fut très surpris d'y rencontrer, au cours d'une promenade, un personnage au nez trop long et au manteau trop court, qui ressemblait, trait pour trait, à l'auteur des *Ames mortes*. Gogol, en route pour Ostende, était descendu de diligence avec les autres voyageurs, afin de se dégourdir les jambes. La voiture ne repartait que dans une heure. Les deux amis visitèrent la fameuse basilique de l'endroit, datant du XIIIe siècle, et Gogol étala, à cette occasion, ses connaissances architecturales. En sortant de l'église, il confia à Annenkov qu'il comptait publier bientôt les *Passages choisis* et que ce livre serait comme un coup de vent purificateur parmi les miasmes de la vie moderne. Son regard avait l'éclat intransigeant de la certitude. Tout à trac, il enjoignit à son interlocuteur de passer l'hiver à Naples. « J'y serai moi-même, lui dit-il. Vous entendrez à Naples des choses auxquelles vous ne vous attendez pas... Je vous dirai ce qui vous concerne... oui, ce qui vous concerne personnellement... L'homme ne peut prévoir où il trouvera l'aide nécessaire... Je vous le dis, allez à Naples et, là, je vous révélerai un secret pour lequel vous me remercierez. » Puis il passa à l'évocation des troubles qui secouaient l'Europe : « On se met à craindre chez nous les désordres européens, le prolétariat... On se demande si l'on ne pourrait pas transformer les moujiks en fermiers allemands... Pourquoi cela ?... Peut-on séparer le moujik de la terre ?... Quel prolétariat voyez-vous là ?... Songez que notre moujik pleure de joie en voyant la terre. Certains se couchent sur la terre et la couvrent de baisers comme une femme aimée. Cela signifie quelque chose !... » Il parlait avec une passion contenue, le regard fixé au sol, sans rien voir du paysage ni des passants.

« Gogol était persuadé, notera Annenkov, que le monde russe constituait une sphère à part, soumise à des lois particulières, dont on n'avait aucune idée en Europe (1). »

Quand ils revinrent à la diligence, le postillon sonnait déjà de la trompe. Gogol grimpa dans le coupé, se coinça de biais contre l'épaule d'un vieil Allemand replet et dit à Annenkov : « Au revoir... Rappelez-vous mes paroles... Pensez à Naples... »

---

(1) Annenkov : *Gogol à Rome*.

L'instant d'après, il roulait, perdu dans ses méditations, sur une route dont il n'attendait aucune surprise.

Après une nouvelle cure d'eau froide à Graefenberg, selon la méthode du Dr Priessnitz, il rejoignit les Joukovsky à Schwalbach. Entre-temps, aux étapes, dans des chambres d'hôtel, il avait rédigé les premiers cahiers des *Passages choisis de ma Correspondance avec mes Amis*. Contrairement à son habitude, il n'avait éprouvé aucune difficulté à écrire ces textes inspirés par des idées qui lui étaient chères et qu'il avait eu si souvent l'occasion de développer dans ses lettres ou au cours de ses conversations. L'aisance même de la composition lui donnait une impression d'excellence. Seule l'approbation divine pouvait expliquer cette course facile de la plume sur le papier. Le 30 juillet 1846 (1), il expédia les six premiers chapitres, en un cahier manuscrit de sa main, à Plétnev, avec des recommandations péremptoires :

« Enfin voici ma requête ! Tu dois y obéir comme l'ami le plus fidèle obéit à la demande de son ami. Laisse toutes tes affaires et occupe-toi de l'impression de ce livre, sous le titre : *Passages choisis de ma Correspondance avec mes Amis*. Ce livre est nécessaire, trop nécessaire à tous, voilà ce que je peux dire pour l'instant ; le reste, le livre te l'expliquera par lui-même. A la fin de son impression, tout deviendra clair et les malentendus qui te tourmentent disparaîtront aussitôt... L'impression doit s'opérer en silence. Il faut qu'à part le censeur et toi personne ne soit au courant. Comme censeur, choisis Nikitenko. Il est mieux disposé que les autres à mon égard. Je lui écrirai deux mots... Prépare dès maintenant du papier pour une deuxième édition, je suis convaincu qu'elle suivra immédiatement. Ce livre s'enlèvera mieux que toutes mes œuvres précédentes, car c'est mon seul livre sensé (2). »

Le surlendemain, il écrivait au censeur Nikitenko :

« Je ne me fais aucun souci, assuré d'une part de votre bienveillance, et, d'autre part, de l'innocence de l'ouvrage, que j'ai rédigé en étant pour moi-même le plus sévère des

---

(1) 18 juillet selon le calendrier julien.
(2) Lettre du 30-18 juillet 1846.

censeurs. A supposer même qu'il se rencontre quelque expression qui vous arrêterait au premier abord, je suis persuadé que la fin du livre vous en expliquera plus parfaitement le sens et que vous en reconnaîtrez, tout simplement, la nécessité (1). »

Cette lettre à peine expédiée, il se rendit à Ostende, pour se fortifier la santé par des bains de mer, pendant la saison chaude. Après s'être trempé en frissonnant dans les vagues, il s'enfermait dans sa chambre d'hôtel et, la plume à la main, donnait des leçons de morale, de religion, de littérature, d'administration, d'économie politique, de justice, de patriotisme à ses contemporains. Encore trois cahiers partirent d'Ostende, par la poste, à l'adresse de Plétnev. Le cinquième et dernier cahier fut expédié de Francfort. Gogol y était revenu au début du mois d'octobre et s'était de nouveau installé chez Joukovsky. Cependant le censeur Nikitenko ne semblait guère pressé de donner son avis.

« Pour l'amour du ciel, emploie toutes tes forces, tous tes moyens pour hâter l'impression du livre, écrivait Gogol à Plétnev. Il le faut pour moi et pour les autres, il le faut, en un mot, pour le bien de tous... Dès la publication de l'ouvrage, prépare les exemplaires nécessaires et offre-les à tous les membres de la famille impériale, sans exception, y compris les enfants mineurs — à tous les grands-ducs. Mais n'accepte de cadeaux de personne... Toutefois, si quelqu'un te propose de l'argent pour l'aide aux nombreux pèlerins qu'il m'arrivera de rencontrer sur la route des Lieux saints, prends-le sans hésiter (2). »

En attendant la publication des *Passages choisis*, une autre idée édifiante s'implantait dans l'esprit de Gogol. A l'occasion d'une nouvelle représentation du *Révizor*, à Saint-Pétersbourg et à Moscou, il méditait d'adjoindre à la pièce un acte intitulé *le Dénouement du Révizor*. Cet acte figurerait dans une quatrième édition de la comédie et le bénéfice de la vente du livre serait distribué aux pauvres, par les soins d'un comité de bienfaisance désigné dans un avertissement de l'auteur :

---

(1) Lettre du 1ᵉʳ août-20 juillet 1846.
(2) Lettre du 20-8 octobre 1846.

la princesse Odoïevsky, la comtesse Vielgorsky, la comtesse Dachkov, Arkady Rosset, frère de Mme Smirnov, Mme Aksakov, Mme Elaguine, Alexis Khomiakov, Pierre Kiréevsky, etc. Quant au thème du *Dénouement*, il était des plus simples : il s'agissait, pour Gogol, de démontrer que sa comédie n'était pas une simple satire psychologique et sociale, mais qu'elle comportait une signification mystique, dont nul — pas même lui sans doute ! — ne s'était avisé d'abord. Au lever du rideau, on voyait « le premier acteur comique », Chtchépkine, couronné de lauriers, sur scène, par les autres acteurs, pour avoir bien servi l'art. Mais ceux qui lui exprimaient ainsi leur admiration se demandaient quel était le sens profond de cette pièce, *le Révizor*, où il venait, une fois de plus, de triompher. Sans doute l'auteur n'avait-il cherché qu'à se moquer de ses contemporains ! A cette troupe aveugle, Chtchépkine donnait la clef de la comédie.

« Considérez bien la ville qui nous est montrée dans la pièce, disait-il. Tout le monde convient qu'une telle ville n'existe pas en Russie... Et si c'était la ville de notre âme, si elle s'étendait à l'intérieur de chacun de nous ?... Examinons-nous, si possible, avec les yeux de Celui qui appellera tous les hommes à comparaître, devant lequel même les meilleurs d'entre nous, ne l'oubliez pas, baisseront les regards de honte... Quoi qu'on en puisse dire, il est effrayant, ce *révizor* qui nous attend à la porte de la tombe. Vous prétendez ne pas savoir qui est ce *révizor* ? Pourquoi feindre ? Ce *révizor* est notre conscience réveillée, qui nous oblige soudain, et d'un seul coup, à nous voir tels que nous sommes. Devant ce *révizor*-là, rien ne pourra être caché, car il est envoyé sur ordre nominatif supérieur, et il ne se fera annoncer qu'au moment où le moindre pas en arrière sera devenu impossible. Et alors brusquement vous découvrirez en vous de telles horreurs, que les cheveux se dresseront sur votre tête... Dès le début de notre vie, nous devons engager un *révizor* et examiner avec lui, la main dans la main, tout ce qu'il y a en nous — un vrai *révizor*, non pas un faux, non pas un Khléstakov. Khléstakov est un esbroufeur, Khléstakov c'est la conscience mondaine... Je vous le jure, la ville de votre âme vaut la peine que vous vous en occupiez comme un bon roi s'occupe de son royaume. Et de même qu'il chasse les concussionnaires hors de ses terres, de même, noblement et sévèrement, chassons nos concussionnaires intérieurs. Il y a un moyen, un fouet, grâce auquel nous pouvons les chasser. Le rire, mes généreux compatriotes ! Le rire que craignent tant nos basses passions ! Le rire qui a été créé pour se moquer de tout ce qui dégrade la véritable beauté de l'homme ! »

De toute évidence, Gogol cherchait à se persuader, après coup, que le *Révizor* était la transposition sur scène d'un drame intérieur. Derrière le symbolisme amusant ,des personpages, il voulait voir le drame de chacun d'entre nous en lutte contre ses passions, sous le regard du Juge. Cette idée lui était devenue chère depuis la révélation qu'il avait eue en écrivant *les Ames mortes*. Sa préoccupation morale était si forte, qu'il eût souhaité réduire toutes ses œuvres passées à un conflit allégorique entre le vice et la vertu. Décharger les héros de leur chair. En faire les éléments abstraits d'une démonstration éthique.

Sans supposer une seconde que cette interprétation désincarnée du *Révizor* pouvait n'être pas du goût des acteurs, il envoya *le Dénouement* à Chtchépkine (Moscou) et à Sosnitsky (Saint-Pétersbourg) en leur enjoignant de le jouer à la suite de la comédie. Selon ses directives, les deux hommes devaient, chacun dans sa ville, se faire couronner sur scène, à l'issue d'une représentation donnée à leur bénéfice, et ensuite expliquer l'œuvre au public reconnaissant. Avertis de cette nouvelle lubie, les amis de Gogol s'affolèrent.

« Je me tourne vers ce nouveau *Dénouement du Révizor*, lui écrivit Aksakov. Je ne parle même pas du fait qu'il n'y a là aucun dénouement et qu'il n'existe aucune nécessité d'en prévoir un. Mais avez-vous pensé à la façon dont Chtchépkine, jouant *le Révizor* à son bénéfice, se couronnerait lui-même de je ne sais quels lauriers offerts par les autres acteurs ? Vous avez oublié toute modestie humaine... Mais ce n'est pas tout. Dites-moi, en posant la main sur le cœur, est-il possible que vos explications du *Révizor* soient sincères ? Est-il possible qu'effrayé par les commentaires absurdes des ignorants et des imbéciles vous commettiez le sacrilège de défigurer vos propres créations en les traitant de personnages allégoriques ? Est-il possible que vous ne voyiez pas à quel point cette allégorie de la ville intérieure ne colle pas, à quel point l'appellation de « conscience mondaine » pour Khléstakov est dénuée de sens (1) ? »

De son côté, Guédéonov, directeur des théâtres impériaux, refusait de faire jouer *le Dénouement*, parce que « les règlements en vigueur excluent toute expression d'approbation par les acteurs à l'égard d'autres acteurs, et, à plus forte raison, le couronnement de l'un d'eux sur scène (2) ».

Quant à Chtchépkine, il devait écrire, quelques mois plus tard, à Gogol :

« Après avoir lu votre *Dénouement du Révizor*, j'ai été pris de rage contre moi-même, contre ma myopie, car j'avais jusqu'à présent étudié tous les héros du *Révizor* comme des êtres vivants. Tout ce que j'ai vu en eux m'est si familier, si cher, je me suis tellement attaché au gouverneur, à Bobtchinsky et Dobtchinsky, en les fréquentant pendant dix ans, que me les arracher serait un acte malhonnête. Par quoi me les remplacerez-vous ? Laissez-les moi tels qu'ils sont. Je les aime, je les aime avec toutes leurs faiblesses. Ne venez pas me raconter que ce ne sont pas des fonctionnaires mais des passions. Non, je ne veux pas de ce remaniement-là. Ce sont de vrais hommes, des hommes vivants, parmi lesquels j'ai grandi et presque vieilli... Non, je ne vous les rendrai pas. Je ne vous les rendrai pas tant que je serai vivant. Après moi, faites-en des boucs, si cela vous chante. Mais, jusque-là, je ne vous céderai même pas Derjimorda (le sergent de ville) parce que, lui aussi, m'est cher (3). »

Devant ce concert de protestations, Gogol renonça à publier et à faire jouer *le Dénouement* (4). « Le temps n'est pas encore venu », écrira-t-il à Anne Vielgorsky (5). Au vrai, ce petit projet théâtral ne comptait guère, dans son esprit, en regard des *Passages choisis*, dont les censeurs achevaient l'examen. Entre-temps, il s'était transporté à Nice, à Florence,

---

(1) Lettre d'Aksakov du 9 décembre 1846.
(2) Lettre de Guédéonov à Plétnev de novembre 1846.
(3) Lettre de Chtchépkine du 22 mai 1847.
(4) *Le Dénouement* ne fut publié qu'après la mort de Nicolas Gogol.
(5) Lettre du 8 décembre-26 novembre 1846.

à Rome. La Ville éternelle n'était plus la même. On disait que le nouveau pape, Pie IX avait des idées libérales. Le climat semblait s'être détérioré. Il faisait froid sous un ciel bleu. Les vieilles pierres n'avaient plus d'âme. Cherchant la chaleur du soleil autant que celle de l'amitié, Gogol partit pour Naples où l'appelait Sophie Pétrovna Apraxine, sœur du comte Tolstoï, veuve pieuse, soupirante et pleine d'onction.

A l'intérieur de la villa des Apraxine, dans la pénombre, brillaient les flammes de dizaines de veilleuses allumées sous les icônes. A l'extérieur, s'étalait un paysage éblouissant, la baie de Naples, le Vésuve, les bateaux dans la rade, les rues tortueuses pavoisées de linges multicolores.

« Naples est admirable, écrivait Gogol à Joukovsky, mais je sens que la ville ne m'aurait jamais paru aussi belle si Dieu n'avait préparé mon âme à accueillir les impressions que produit sur moi sa beauté (1). »

Et, ce même jour, à Mme Smirnov :

« Ma santé s'est subitement améliorée, contrairement aux prévisions des docteurs les plus expérimentés... Je ressuscite, mon âme et tout mon être connaissent une nouvelle fraîcheur. Devant moi, s'étend Naples, la magnifique ! L'air y est doux et apaisant. Je me suis arrêté ici comme à un admirable carrefour, en attendant le vent de la volonté divine qui m'emportera vers la Terre sainte (2). »

A Saint-Pétersbourg cependant, Plétnev bataillait toujours pour arracher l'autorisation de publier les *Passages choisis*. Certaines lettres du recueil ayant trait à l'Eglise orthodoxe, il fallut passer par la censure ecclésiastique et aller jusqu'au procureur général du Saint-Synode, qui finit par donner l'*imprimatur*. Restait la censure ordinaire qui se montrait revêche, bien que l'ensemble du texte fût inspiré par un profond respect du gouvernement. Harcelé par Gogol, Plétnev soumit l'affaire au grand-duc héritier Alexandre Nicolaïevitch (3). Celui-ci tomba d'accord avec le censeur Nikitenko,

_____

(1) Lettre du 24-12 novembre 1846.
(2) Lettre du 24-12 novembre 1846.
(3) Le futur tsar Alexandre II.

qui suggérait d'importantes coupures malgré « l'excellent esprit » qui animait l'auteur.

Ce fut avec stupeur que Gogol apprit les mutilations imposées à son livre. Plusieurs de ses lettres avaient été supprimées, d'autres corrigées et écourtées impitoyablement. N'avait-on pas compris, en haut lieu, que ses intentions étaient pures ? Non, il y avait quelque manigance là-dessous. Sa première idée fut que Nikitenko, de connivence avec les libéraux, avait résolu de défigurer un ouvrage dont les tendances conservatrices le heurtaient.

« Un tiers seulement de mon livre a été imprimé, et encore sous une forme tronquée et embrouillée ; c'est une espèce d'étrange trognon et non un livre, écrivait-il à Mme Smirnov avec quelque exagération. Les passages les plus importants, qui devaient constituer l'essentiel du volume, n'y sont pas entrés, des lettres qui visaient justement à mieux faire connaître les maux qui viennent de nous-mêmes, en Russie, et les moyens de redresser bien des choses, des lettres par lesquelles je pensais rendre un honnête service au souverain et à tous mes compatriotes ! Je viens d'écrire à Vielgorsky en le priant et le suppliant de présenter ces lettres au jugement de l'empereur. Mon cœur me dit qu'il les honorera de son attention et les fera imprimer (1). »

Mais Plétnev renonça à solliciter l'arbitrage du monarque et s'en expliqua ainsi dans une lettre à son impétueux commettant :

« Il ne faut même pas songer à la possibilité de soumettre à l'empereur le texte de ton livre intégralement recopié. Autrement, de quel air pourrais-je rencontrer le grand-duc (Alexandre Nicolaïevitch) qui m'a conseillé lui-même de ne pas publier les passages interdits par le censeur ; je donnerais l'impression de vouloir le narguer en grimpant plus haut (2). »

Ainsi l'empereur et son entourage se méfiaient de leur trop zélé défenseur. Dans un pays de monarchie absolue, il était toujours dangereux de laisser un écrivain agiter des questions

---

(1) Lettre du 30-18 janvier 1847.
(2) Lettre de Plétnev du 17 janvier 1847.

politiques, sociales et religieuses. Même en se déclarant partisan de l'ordre établi, il risquait d'attirer l'attention des esprits
mal disposés sur tel ou tel défaut du régime. Un loyal sujet
ne devait pas s'occuper de la marche des affaires publiques,
fût-ce pour l'approuver. En guise de consolation, Gogol se
disait que, même élagués par Nikitenko, les *Passages choisis*
apporteraient au monde une somme de vérités qui agirait
comme un levain sur la pâte molle des âmes. Pour la première fois de sa vie sans doute, en ce mois de janvier 1847,
il avait le sentiment de publier une œuvre dont il pouvait
être fier. « Je voulais par cet acte racheter l'inutilité de tout
ce que j'avais publié jusqu'à ce jour, écrivait-il dans sa *Préface ;* ce sont mes lettres, de l'aveu des personnes à qui elles
étaient écrites, qui, bien plus que mes œuvres, contiennent
tout ce dont l'homme a besoin... Je demande à ceux de mes
compatriotes qui sont à leur aise d'acheter plusieurs exemplaires de ce livre et de les donner à ceux qui ne peuvent
l'acheter... Je demande à tous les habitants de la Russie de
prier pour moi, à commencer par les pontifes de notre Eglise
dont toute la vie n'est déjà que prière. »

Parmi les trente-deux lettres qui figuraient, à l'origine, dans
les *Passages choisis*, certaines avaient été spécialement écrites
pour le livre, d'autres s'inspiraient de missives authentiques,
mais modifiées, retravaillées, refondues. Ainsi le chapitre :
Ce qu'est une Femme de Gouverneur reproduisait, presque
mot pour mot, les conseils que Gogol avait adressés jadis
à Mme Smirnov ; son discours *A un Personnage occupant un
Poste important* et celui sur *l'Eglise et le Clergé* étaient destinés primitivement au comte A.P. Tolstoï ; des passages
de ses admonestations à sa mère, à ses sœurs, à Danilevsky,
se retrouvaient, cousus bout à bout, dans son étude sur *le
Propriétaire foncier.*

Le dessein de l'auteur était vaste. Il voulait régénérer la
Russie. Mais en respectant les institutions. A force de réfléchir
sur le problème du bien et du mal, il en était venu à cette
conviction que le salut du monde dépendait des individus
et non du gouvernement. C'était dans la mesure où chacun
amenderait son âme, sans chercher à sortir de sa condition,
que l'humanité entière se rapprocherait de Dieu. Ainsi tout

gouverneur devait s'évertuer à être le modèle des gouverneurs,
toute femme du monde le modèle des femmes du monde, tout
serf le modèle des serfs. Et pour devenir meilleur, à tous les
échelons de la hiérarchie, la règle était la même : écouter
les enseignements de l'Eglise et exercer une bonne influence
sur son prochain. Si chaque être acceptait de servir le Christ
à la place qui lui était assignée, la société entière ferait un
pas en avant. En somme, l'auteur s'opposait au christianisme
de méditation et d'ascèse pour prôner un christianisme social,
concret, incarné, présent dans tous les instants de la vie
courante. Pour lui, il n'y avait pas de geste, si banal fût-il,
qui ne dût être accompli avec foi. La religion bouillait dans
l'eau du samovar, moussait dans le savon à barbe, tintait
dans les pièces de monnaie jetées sur un comptoir. Le
royaume céleste pénétrait le royaume terrestre. D'où, dans
la prédication gogolienne, ce mélange d'envolées mystiques
et de recettes religieuses utilitaires, bonnes pour la cuisine
de tous les jours. Des années plus tard, Léon Tolstoï reprendra
cette théorie, selon laquelle le seul remède aux maux de
l'univers est la réforme spirituelle des individus. Mais, pour
Léon Tolstoï, la réforme spirituelle aboutira à la négation
de l'Etat et de l'Eglise. Une fois posé le principe de la per-
fectibilité humaine, il refusera le tsar, les tribunaux, l'armée,
le clergé, la police, toutes les manifestations du pouvoir de
quelques hommes sur d'autres hommes. Gogol, lui, s'accom-
modait fort bien de la Russie qu'il avait sous les yeux. Son
but n'était pas de créer un ordre nouveau, mais d'apprendre
à ses compatriotes le meilleur moyen de servir l'ordre exis-
tant. Il se faisait fort, appuyé sur les Evangiles, d'inciter les
fonctionnaires grands et petits à l'honnêteté, les gens du
monde à la charité, les artistes à la saine compréhension
de leur art, les paysans à l'amour du travail sous l'autorité
éclairée du seigneur, propriétaire de leur personne et du sol
qu'ils cultivaient. Dans cet Etat orthodoxe idéal, chacun
accomplirait son devoir avec joie, la vertu fleurirait dans les
cœurs les plus secs, les rouages administratifs tourneraient
dans l'huile, mais, paradoxalement, il y aurait toujours une
police, des juges, des prisons, des gens riches, des gens
pauvres et des serfs que l'on vendrait avec la terre. Nicolas Ier

dut éprouver quelque satisfaction à lire, sous la plume de l'auteur, des phrases telles que celle-ci :

« Un Etat sans monarque absolu est un orchestre sans chef d'orchestre (1). »

Ou bien :

« Il faut que chacun, tout en faisant le salut de son âme sans quitter l'Etat, se sauve lui-même au cœur de l'Etat... Encore quelques dizaines d'années, et vous verrez que l'Europe viendra nous acheter non du chanvre ou du suif, mais de la sagesse, denrée que les marchés européens ne vendent déjà plus (2). »

Ou encore :

« Plus on se plonge dans l'examen de l'organisme adminis-tratif, plus on admire la sagesse de ses fondateurs : on sent que c'est Dieu lui-même, invisible, qui l'a construit par la main des souverains... Tout est parfait, tout se suffit à soi-même... Je n'arrive même pas à imaginer à quoi pourrait servir un fonctionnaire de plus (3). »

Ebloui par l'excellence quasi divine de l'administration impériale, Gogol n'en montrait que plus d'assurance dans ses instructions familières à telle ou telle catégorie de lecteurs. Non content d'être pour eux un prophète annonçant une nou-velle civilisation religieuse, il prétendait encore résoudre leurs menus problèmes personnels. Le fait qu'il eût vécu les trois quarts de son temps hors de Russie, en célibataire, en pique-assiette, courant les routes, mendiant des subsides auprès d'un ami ou d'un grand-duc, ne s'occupant jamais directement ni de ses moujiks ni de ses terres, ignorant tout des pro-blèmes de l'économie domestique et de ceux de la haute administration, ne l'empêchait pas de se croire appelé à inculquer des règles de conduite aux époux, aux femmes du monde, aux gouverneurs, aux propriétaires fonciers, aux paysans, aux artistes, aux prêtres, aux juges. Son autorité en la matière lui venait, pensait-il, non de l'expérience, mais de

---

(1) Chapitre X.
(2) Chapitre XXVI.
(3) Chapitre XXVIII.

la méditation. Un homme comme lui, inspiré par Dieu, n'avait pas besoin d'apprendre pour savoir ni de savoir pour enseigner. C'était même dans la mesure où il se tenait à l'écart de la société, qu'il pouvait la diriger avec plus d'aisance. De ses conseils à ses contemporains, il ressortait que quiconque s'enrichissait moralement était à peu près sûr de s'enrichir aussi matériellement. L'argent était la récompense normale de la piété. La propriété n'était pas le vol, mais l'antichambre du paradis. « Dans un village que visite la vie chrétienne, les paysans ramassent l'argent à la pelle (1) », écrivait l'auteur. Et il ordonnait au propriétaire foncier de ne jamais oublier qu'il détenait son pouvoir de Dieu :

« Réunis tes paysans et explique-leur qui tu es et qui ils sont. Que si tu es leur propriétaire, et placé au-dessus d'eux, ce n'est pas parce que tu avais envie de commander et de devenir un propriétaire, mais parce que tu es propriétaire, que tu es né propriétaire, que Dieu te demanderait des comptes si tu troquais cette condition pour une autre, car tout homme doit servir Dieu à sa place et non à la place d'autrui, de même qu'eux, nés sous le pouvoir d'un maître, doivent se soumettre à ce pouvoir... Ensuite dis-leur que, si tu les fais travailler et peiner, ce n'est nullement que tu aies besoin d'argent pour tes plaisirs — et, en guise de preuve, brûle sur-le-champ, en leur présence, des billets de banque, pour qu'ils voient bien que l'argent ne t'est rien —, mais que, si tu les fais peiner, c'est que Dieu lui-même a voulu que l'homme gagnât son pain par le travail et à la sueur de son front (2). »

Si un serf se montrait ivrogne ou paresseux, son maître ne devait pas le battre personnellement, mais en charger « le commissaire de canton ou le staroste du village ». On pouvait également admonester le coupable devant les paysans assemblés, «de façon à faire rire de lui tous les gens ». Dans ce cas-là, le mieux était de le traiter publiquement de « trogne mal lavée ». Quant à l'instruction populaire, quelle sottise ! « Il est absurde, écrivait Gogol, d'apprendre à un paysan à lire et à écrire pour lui donner la possibilité de lire les

_____

(1) Chapitre XXII.
(2) Ibid.

bouquins de rien du tout que les philanthropes européens publient pour le peuple ! »

Ses recommandations à une femme mariée et consciente de ses devoirs étaient pour le moins aussi étranges. Il lui enjoignait de diviser son argent en « sept tas à peu près égaux », le premier étant réservé aux dépenses de la maison et le septième aux pauvres. Mais la soif de charité ne devait jamais prévaloir sur la sagesse comptable : « Même s'il se trouvait nécessaire de venir en aide à un pauvre, vous ne pouvez employer à cela plus d'argent qu'il ne s'en trouve dans le tas prévu à cette fin. Seriez-vous témoin d'un malheur déchirant, verriez-vous qu'une aide financière serait utile, même alors gardez-vous de toucher aux autres tas (1) ».

Quant à l'épouse du gouverneur, elle était tenue, par vocation, de sauver les âmes des fonctionnaires renvoyés par son mari. « N'abandonnez jamais un fonctionnaire mis à pied, quelque mauvais qu'il soit : il est malheureux. Il devra passer des mains de votre époux dans les vôtres ; il est à vous (2). »

Au passage, l'auteur donnait un coup de chapeau à la noblesse russe, dont la valeur s'était illustrée en 1812, encensait le tsar, représentant de Dieu sur la terre, plaçait l'Eglise orthodoxe au-dessus de toutes les autres, affirmait que Pouchkine avait toujours vénéré le pouvoir, ridiculisait son ami Pogodine « agité comme une fourmi », vilipendait « les revues mensongères paraissant en Europe », jetait l'anathème sur « les décembristes » qui, quelque vingt ans auparavant, avaient osé se révolter au nom de prétendues idées libérales (« Mais, grâce à Dieu, il est passé le temps où quelques écervelés pouvaient troubler l'Etat tout entier (3) ! ») et, oubliant ce qu'il avait souffert lui-même de la censure, proclamait dans une lettre sur Karamzine : « Le premier il a affirmé solennellement que la censure ne saurait gêner un écrivain et que, si l'écrivain est animé du plus pur désir de faire le bien, au point que, ce désir s'emparant de toute son âme devienne sa chair et sa nourriture, alors aucune censure ne lui est

---

(1) Chapitre XXIV.
(2) Chapitre XXI.
(3) Chapitre XXVIII.

sévère et il est à son aise partout !... Comme ils sont ridicules
après cela, ceux d'entre nous qui prétendent qu'en Russie il
est impossible de dire la vérité pleine et entière et qu'elle
ne peut que blesser (1) ! »

Certes il y avait aussi, dans les *Passages choisis*, des pages
admirables sur la littérature russe. Les œuvres de Joukovsky,
de Batiouchkov, de Griboïédov, de Pouchkine, de Lermontov
y étaient analysées avec pénétration. Mais le ton dominant du
livre était lourdement moralisateur. Gogol en l'écrivant avait
voulu se montrer d'une sincérité absolue. Lui le renfermé, le
dissimulateur, le menteur, avait retourné ses poches les plus
secrètes. Après cet effort de franchise, il était persuadé que
ses contemporains, enfin éclairés sur lui et sur eux-mêmes,
le remercieraient de s'être dévoué à leur instruction.

En effet, au lendemain de la publication des *Passages choisis*, quelques lettres encourageantes lui parvinrent.

« Ce livre n'affirmera ton influence que sur une élite, les
autres n'y trouveront pas leur pitance, lui écrivit Plétnev.
Mais, à mon avis, c'est le vrai commencement de la littérature
russe. Tout, avant lui, n'était qu'essais d'écolier d'après des
thèmes choisis dans une chrestomathie. Tu es le premier à
avoir tiré des idées des profondeurs pour les porter à la
lumière. Quoi qu'en disent les autres, suis ton chemin. Dans
le petit groupe où je vis depuis six ans, tu es considéré maintenant comme un génie de la pensée et de l'action (2). »

Mme Smirnov, transportée d'enthousiasme, achetait vingt
exemplaires du livre pour les distribuer aux proches collaborateurs de son mari et écrivait à l'auteur :

« Votre livre est sorti en librairie pour la nouvelle année
(1847). Je vous félicite de cette parution, et aussi la Russie
du trésor dont vous la gratifiez. Tout ce que vous avez écrit
jusqu'à ce jour, même *les Ames mortes*, a pâli à mes yeux
en le lisant (3). »

Mais très vite ces éloges se perdirent dans un concert d'imprécations. Les attaques contre les *Passages choisis* venaient

---

(1) Chapitre XIII.
(2) Lettre du 13-1ᵉʳ janvier 1847.
(3) Lettre à Gogol du 11 janvier 1847.

de tous les côtés à la fois. Les libéraux accusaient Gogol d'avoir fait l'apologie d'un absolutisme anachronique et brutal, les conservateurs d'avoir osé conseiller les grands de ce monde sur la façon de mieux remplir leurs fonctions, les modérés de s'être aplati devant les autorités dans l'espoir d'obtenir une pension de l'empereur. Ses amis les plus proches étaient atterrés. Etait-ce de sa part un coup de folie, une manœuvre hypocrite, un accès de bêtise ? Un mot courait les salons : « Ce n'est pas Nicolas Vassiliévitch (Gogol) qu'il devrait s'appeler, mais Tartufe Vassiliévitch (1). » Bélinsky disait de lui : « C'est Talleyrand, c'est le cardinal Fesch, qui a trompé Dieu toute sa vie et, au moment de mourir, a trompé Satan (2). » Aksakov, consterné, écrivait à son fils :

« Hélas ! Cela dépasse tous les joyeux espoirs des ennemis de Gogol, toutes les douloureuses craintes de ses amis. Ce qu'on peut en dire de mieux, c'est de traiter Gogol de fou. »

Et encore :

« Tout son livre est imprégné de servilité et d'un effrayant orgueil sous le couvert de l'humilité. Il flatte la femme et sa beauté, il flatte Joukovsky, il flatte le pouvoir. Il n'a pas eu honte d'écrire que nulle part on ne pouvait aussi librement que chez nous dire la vérité. Peut-il y avoir fierté plus insensée que celle qui l'a poussé à exiger qu'après sa mort son testament fût immédiatement imprimé dans tous les journaux..., qu'on ne lui élevât pas de statue..., que chacun s'efforçât de devenir meilleur par amour de lui (3) ? »

Quelques jours plus tard, incapable de dominer son dépit, sa colère, sa tristesse, Aksakov s'adressa directement à Gogol :

« Mon ami, si vous avez voulu faire du bruit, si vous avez voulu que se manifestent vos partisans et vos adversaires, qui du reste maintenant ont échangé leurs places, vous avez pleinement atteint votre but. Si cette publication était de votre part une farce, le succès dépasse les espérances les plus hardies : tout le monde est mystifié... Mais hélas ! je ne puis me leurrer : vous avez pensé sincèrement que votre vocation était

---

(1) Lettre de Sverbéev à Aksakov du 16 février 1847.
(2) Lettre de Bélinsky à Botkine du 28 février 1847.
(3) Lettre d'Aksakov à son fils du 16 janvier 1847.

d'annoncer aux hommes de hautes vérités morales sous forme
de méditations et de sermons... Vous vous êtes grossièrement
et pitoyablement trompé. Vous vous êtes fourvoyé, embrouillé,
vous vous êtes contredit à tout bout de champ et, croyant
servir le ciel et l'humanité, vous avez offensé Dieu et l'homme...
Malheureux furent le jour et l'heure où vous avez imaginé
d'aller à l'étranger, dans cette Rome, perdition des esprits et
des talents russes. Ils auront à répondre devant Dieu, vos
amis fanatiques et aveugles, espèces de Manilov de haut rang,
qui vous ont non seulement laissé faire mais encouragé à
vous prendre aux pièges de votre propre esprit, de l'orgueil
diabolique que vous tenez pour de l'humilité chrétienne... Je
ne puis taire ce qui me chagrine et m'irrite le plus : vos
attaques méchantes contre Pogodine. Je ne croyais pas mes
yeux en constatant comment... vous aviez moqué et déshonoré
un homme que vous appeliez votre ami et qui effectivement
fut votre ami, à sa façon. Pogodine fut d'abord profondément
blessé, on me dit même qu'il pleura (1). »

Chévyrev renchérissait dans le reproche :
« Tu as été gâté par toute la Russie. En t'offrant la gloire,
elle a nourri ton orgueil. Cet orgueil s'est exprimé dans ton
livre de façon colossale et, par endroits, hideuse. L'orgueil
n'est jamais aussi hideux que lorsqu'il s'allie à la foi. Dans
la foi, l'orgueil est monstrueux (2). »

Même le Père Mathieu Konstantinovsky, archiprêtre de Rjev,
directeur de conscience du comte A.P. Tolstoï, que celui-ci
avait recommandé à Gogol, accusait l'auteur d'avoir écrit un
livre néfaste, dont le résultat serait d'éloigner les gens de
l'Eglise pour les attirer vers les fallacieux plaisirs du théâtre
et de la poésie. Chaque jour le courrier apportait à l'écrivain
quelque lettre d'indignation ou de surprise attristée. Et,
comme d'habitude, plus les coups pleuvaient dru sur lui,
plus il en redemandait.

« N'oublie pas de me communiquer tous les avis..., les tiens
et ceux des tiers, écrivait-il à Chévyrev. Charge aussi les autres
de s'informer de ce qu'on dit de mon ouvrage dans toutes

_____

(1) Lettre d'Aksakov du 27 janvier 1847.
(2) Lettre de Chévyrev du 22 mars 1847.

les couches de la société, sans en exclure même les domestiques, et, pour cette raison, prie les gens enclins à la bienfaisance d'acheter le livre et d'en faire don aux gens simples et dénués de moyens (1). »

Quant à ses réactions devant les critiques, elles étaient, comme toujours, empreintes d'un mélange d'humilité et d'orgueil. Dans un premier temps, il reconnaissait avoir fait fausse route. Et aussitôt après, il se justifiait. Ce double mouvement de plat regret et de fière riposte lui était si naturel, qu'une même lettre, commencée sur le ton de la contrition, s'achevait sur le ton du prêche.

« L'apparition de mon livre a retenti comme une espèce de gifle, écrivait-il à Joukovsky. Gifle au public, gifle à mes amis, gifle encore plus forte à moi-même. Après l'avoir reçue, je me suis retrouvé comme après un rêve, sentant, tel un écolier fautif, que j'avais commis plus de bêtises que je n'en avais eu l'intention. J'ai fait dans ce livre des moulinets à la manière d'un Khléstakov, au point que je n'ai plus le courage de jeter un regard sur ces pages. N'importe, elles resteront désormais sur ma table comme un fidèle miroir où il convient que je me regarde pour voir toute ma malpropreté et pour pécher moins, à l'avenir... »

Et, à la ligne suivante : « Néanmoins c'est un livre utile. En une semaine, tous les exemplaires ont été vendus (et pourtant j'avais fait imprimer deux éditions)... Par lui-même, il ne constitue pas une œuvre capitale de notre littérature, mais il peut susciter de nombreuses œuvres capitales (2). »

Le même jour, il répondait à Aksakov, qui l'avait violemment pris à partie :

« Merci, mon bon et honnête ami, pour vos reproches. Ils m'ont fait éternuer, mais éternuer pour ma santé. »

Et, aussitôt après :

« Je vous ferai seulement remarquer... qu'un homme qui cherche avec tant d'avidité à tout savoir sur lui-même, qui recueille tous les jugements et attache tant de prix aux observations des gens intelligents, même lorsqu'elles sont dures et

---

(1) Lettre du 11 février-30 janvier 1847.
(2) Lettre du 6 mars-22 février 1847.

cruelles, un tel homme ne peut être frappé de *plein* et *total* aveuglement sur lui-même (1). »

Même attitude en face d'Anne Vielgorsky, qui lui rapportait à regret certains commentaires suscités, à Saint-Pétersbourg, par les *Passages choisis* :

« Je sais qu'on répand dans la société des jugemens défavorables sur mon compte..., sur la duplicité de mon caractère, l'hypocrisie de mes principes, les mobiles d'intérêt personnel ou de complaisance envers certains, qui me font agir. Tout cela, j'ai besoin de le savoir, et aussi de savoir qui m'a jugé et en quels termes... Croyez-moi, mes livres suivants recueilleront une approbation aussi unanime que celui-ci a suscité de propos contradictoires. Mais pour cela je devais d'abord devenir plus intelligent. Et pour devenir plus intelligent il me fallait absolument publier le présent ouvrage et écouter les commentaires de tous à son sujet, et particulièrement les commentaires hostiles (2)... »

Le prince Vladimir Vladimirovitch Lvov ayant écrit à Gogol une lettre mélancolique pour lui reprocher d'avoir cédé à « l'esprit d'orgueil », celui-ci tenta d'expliquer d'où lui venait cet orgueil et pourquoi il était à la fois fier et honteux d'avoir publié son livre :

« Quand je songe à l'inconvenance et à la suffisance dont témoignent de nombreux passages de mon livre, je brûle de honte... Cette honte m'est utile. Si mon livre n'avait pas été publié, je ne connaîtrais pas la moitié de mon état d'âme, je n'aurais pas découvert dans leur nudité tous ces défauts qui vous ont sauté aux yeux, car il n'y aurait eu personne pour me les indiquer. Les gens que je fréquente actuellement sont sérieusement convaincus de ma perfection. Où, dans ces conditions, pouvais-je trouver une voix qui me condamnât ? Sans la publication de ce livre, je serais resté aveugle à l'égard de moi-même (3). »

Au critique Nicolas Pavlov, il donnera plus tard une autre version de la genèse de l'œuvre :

_____

(1) Lettre du 6 mars-22 février 1847.
(2) Lettre du 16-4 mars 1847.
(3) Lettre du 20-8 mars 1847.

« Je n'avais pas alors auprès de moi (à l'étranger) un ami
qui pût m'arrêter. Mais je crois que même l'ami le plus
proche, s'il avait été près de moi, je ne l'aurais pas écouté,
tant j'étais persuadé d'être au sommet de mon développement et de bien voir les choses. Je n'ai même pas montré
certaines de ces lettres à Joukovsky, lequel aurait pu me
faire des objections (1). »

Ainsi, tout en courbant l'échine sous le flot des reproches,
Gogol demeurait convaincu de trois choses : premièrement,
son livre, même imparfait, était utile aux autres et à lui-
même ; deuxièmement, s'il l'avait écrit, c'était que Dieu l'avait
voulu ; troisièmement, son expérience passée, ses longues
méditations et sa disposition naturelle à la pédagogie l'autorisaient à enseigner ses semblables. Ce qu'il n'osait dire à
certains correspondants sourcilleux, il l'écrivait à Mme Smirnov dont l'admiration lui était acquise :

« Dieu est miséricordieux. N'est-ce pas Lui qui m'a inspiré
le désir de Le servir par mon travail ? Qui donc aurait pu
le faire, sinon Lui ? Ou bien m'est-il interdit de glorifier Son
nom, alors que toute créature le glorifie ?... On me fait reproche d'avoir osé parler de Dieu ; on prétend que je n'avais pas
le droit de le faire, étant donné que je suis affligé d'un amour-
propre, d'un orgueil insensés. Que faire si, en dépit de ces
défauts, j'ai tout de même envie de parler de Dieu ? Comment pourrais-je me taire, alors que les pierres même sont
prêtes à hurler le nom de Dieu ? Non, messieurs les sages,
vous ne me troublerez pas en affirmant que je ne suis pas
digne, que je n'ai pas le droit, que ce n'est pas mon affaire...
Chacun de nous, jusqu'au dernier, possède ce droit et doit
faire la leçon à son prochain en lui indiquant le bon chemin,
selon la volonté du Christ et des Apôtres (2). »

Le courrier venant de Russie n'apportait pas seulement des
lettres. Parfois, au guichet de la poste restante de Naples,
Gogol trouvait un journal, une revue, avec, coché au crayon,
un article le concernant. Hormis quelques textes de complaisance, le ton de la presse était, lui aussi, très sévère. Chef de

---

(1) Lettre de l'été 1848.
(2) Lettre du 20-8 avril 1847.

file des occidentalistes, Bélinsky se déchaînait dans *le Contemporain* : « Gogol enseigne, édifie, stigmatise, vitupère, pardonne... Il se prend lui-même pour une sorte de *curé de village* (1), voire de pape de son petit monde catholique. »

De toute évidence, Bélinsky en voulait d'autant plus à Gogol, qu'il l'avait longtemps considéré comme un grand écrivain réaliste, appelé à dénoncer la misère des humbles. Pour lui, ce livre emphatique, servile et fleurant l'encens, était plus qu'un échec — une trahison. Ulcéré d'être si mal compris par celui qui naguère exaltait son talent, Gogol répondit au critique :

« J'ai lu avec chagrin votre article sur moi dans le deuxième numéro du *Contemporain*. Cela non parce que j'étais affligé de l'abaissement auquel vous vouliez me soumettre devant tous, mais parce qu'à travers ces lignes j'ai deviné la voix d'un homme en colère contre moi... Je n'ai voulu, en aucun passage de mon livre, vous faire de la peine. Comment se fait-il que tous, sans exception, soient fâchés contre moi, en Russie ? Je ne puis encore le comprendre : orientalistes, occidentalistes, neutralistes, tous sont indignés... Vous avez lu mon livre avec les yeux d'un homme furieux, et c'est pourquoi vous l'avez pris en mauvaise part... Croyez qu'il n'est pas facile de juger un ouvrage tout pétri de la vie intérieure d'un être très différent des autres, et, qui plus est, d'un être renfermé, ayant longtemps vécu replié sur lui-même et souffrant d'incapacité à s'exprimer... Ecrivez les critiques les plus dures, choisissez les mots les plus propres à humilier un individu, contribuez à me ridiculiser aux yeux de vos lecteurs sans ménager les fibres les plus sensibles d'un cœur exceptionnellement tendre — tout cela je le supporterai, bien qu'avec douleur. Mais il m'est pénible, très pénible, je vous le dis sincèrement, de constater que quelqu'un nourrit à mon égard un ressentiment personnel, même s'il s'agit d'un homme méchant, et je vous croyais un homme bon (2). »

Cette lettre, que Gogol avait adressée à Saint-Pétersbourg,

---

(1) En français dans le texte.
(2) Lettre du 20-8 juin 1847.

Bélinsky la reçut à Salzbrunn, en Silésie, où il se trouvait en traitement. Rongé par la tuberculose et conscient de sa fin prochaine (1), il attachait plus d'importance que jamais aux idées qu'il avait défendues toute sa vie durant : haine du despotisme, méfiance envers l'Eglise, espoir d'un progrès scientifique et social aboutissant à l'égalité de tous les citoyens dans une république heureuse. Les justifications épistolaires de Gogol ravivèrent l'irritation que le critique avait éprouvée à la lecture du livre. A cause de la censure, il n'avait pu dire dans son article la dixième partie de ce qu'il pensait. Quelle merveilleuse occasion lui était offerte de se rattraper ! — « Ah ! Gogol ne comprend pas pourquoi les gens sont en colère contre lui ! dit-il à Annenkov qui partageait son appartement. Eh bien ! Il faut le lui expliquer ! Je vais lui répondre ! »

Il avait un visage blafard, aux joues creuses et au regard étincelant de haine. Un plaid couvrait ses épaules. Séance tenante, il s'installa devant une table ronde et se mit à noter des idées, au crayon, sur des bouts de papier. Puis il passa à la rédaction de la lettre proprement dite. Il y travailla trois jours. Lorsqu'il l'eut terminée, il la lut à Annenkov. Etonné par l'aigreur de la diatribe, celui-ci le supplia de ne pas l'envoyer. Mais Bélinsky s'obstina, disant : « — Il faut, par tous les moyens, protéger les gens contre un homme frappé de folie, cet homme frappé de folie fût-il Homère en personne. En ce qui concerne l'offense que j'infligerai ainsi à Gogol, jamais je ne pourrai l'offenser aussi violemment qu'il m'a offensé, moi, dans mon âme et dans ma foi en lui (2). »

La lettre partit donc : un lourd paquet de pages, couvertes d'une écriture serrée. Gogol reçut l'envoi à Ostende, où il s'était rendu, entre temps, pour suivre une cure de bains de mer. Dès les premières lignes, il éprouva un sentiment de vertige. Sous la violence du choc, le sang refluait de sa tête. Ce fut à travers un voile de larmes qu'il poursuivit se lecture, sautant des phrases pour arriver plus vite à la fin :

---

(1) Belinsky devait mourir un an plus tard.
(2) Annenkov : *Souvenirs littéraires.*

« Oui, je vous ai aimé avec toute la passion qu'un homme profondément attaché à sa patrie peut éprouver pour celui qui en fut l'espérance, l'honneur, la gloire, un de ses grands guides sur la voie de la connaissance, de l'évolution, du progrès... Je ne puis vous donner la moindre idée de la colère que votre livre a suscitée dans tous les cœurs nobles... Vous ne connaissez profondément la Russie que comme artiste, non comme penseur, rôle que vous vous êtes si malheureusement arrogé dans votre ouvrage insensé... Il y a longtemps que vous avez pris l'habitude de considérer la Russie de votre superbe éloignement ! Or, chacun sait que, de loin, il est facile de voir les objets comme on souhaite les voir... Ainsi n'avez-vous pas observé que la Russie ne voyait nullement son salut dans le mysticisme, l'ascétisme, le piétisme, mais dans les progrès de la civilisation, de l'instruction, de la compréhension humaine. Elle n'a pas besoin de sermons (elle en a assez entendus !), ni de prières (elle en a assez serinées !), mais de l'éveil parmi le peuple de la dignité humaine, perdue depuis tant de siècles dans la fange et le fumier... Les problèmes nationaux les plus brûlants, les plus actuels pour la Russie, sont l'abolition du servage, la suppression des châtiments corporels, la stricte observation, du moins, des lois existantes... Et c'est le moment que choisit un grand écrivain... pour se présenter avec un livre dans lequel, au nom du Christ et de l'Eglise, il enseigne à un propriétaire foncier barbare ce qu'il faut faire pour gagner plus d'argent sur le dos des moujiks et pour mieux les insulter... Si vous aviez attenté à ma vie, je ne vous aurais pas haï davantage que je ne le fais pour les lignes ignobles que vous avez écrites ! Et un pareil livre serait le résultat d'un difficile travail intérieur, d'une haute illumination de l'âme ? C'est impossible ! Ou bien vous êtes malade, et il faut vous soigner, ou bien... je n'ose exprimer ma pensée. Prédicateur du knout, apôtre de l'ignorance, champion de l'obscurantisme, panégyriste des mœurs tartares, que faites-vous ? Regardez à vos pieds. Vous vous tenez debout au bord d'un abîme... Comment vous, l'auteur du *Révizor* et des *Ames mortes*, avez-vous pu entonner un hymne à la gloire de l'infâme clergé russe, le plaçant bien plus haut que le clergé catholique ?... Je me rappelle encore que, dans votre livre, vous présentez comme une grande et inattaquable vérité l'idée que l'instruction n'est pas nécessaire au peuple et que même elle lui est nuisible... Que votre Dieu byzantin vous pardonne cette pensée byzantine !... A travers les exposés en apparence nonchalants de votre ouvrage, transparaît une conviction délibérée, et les hymnes au pouvoir arrangent fort bien la situation terrestre du pieux auteur. Voilà pourquoi le bruit s'est répandu à Saint-Pétersbourg que vous aviez écrit ce livre dans l'espoir d'être nommé précepteur de l'héritier du trône... Peut-on s'étonner dès lors que votre recueil vous ait déconsidéré aux yeux du public et comme écrivain et, plus encore, comme homme ?... C'est uniquement dans la littérature, en dépit d'une censure tartare, que l'on trouve encore chez nous de la vie et un mouvement en avant... Le public voit dans les écrivains russes ses seuls guides, ses seuls défenseurs, ses seuls sauveurs en face de l'autocratie et de l'orthodoxie russes. Voilà pourquoi il est toujours prêt à pardonner à un auteur un mauvais livre, mais il ne lui pardonnera jamais un livre pernicieux... Si vous aimez la Russie, vous devez vous réjouir avec moi de la chute de votre livre... On peut prier partout, et ceux-là seuls vont à Jérusalem chercher le Christ qui ne l'ont jamais porté dans leur cœur ou qui l'ont perdu... L'humilité que vous prêchez, d'abord n'est pas nouvelle, ensuite elle respire à la foi un effrayant orgueil et un ignominieux abaissement de votre propre dignité humaine... Un homme qui gifle son prochain suscite l'indignation, mais un homme qui se gifle lui-même soulève le mépris... Ce n'est pas la vérité de la doctrine chrétienne, c'est une maladive peur de la mort, du diable et de l'enfer qui se dégage de votre livre (1)... »

_____

(1) Lettre de Bélinsky à Gogol du 15-3 juillet 1847. Des copies manuscrites de cette lettre se répandirent bientôt dans le public. On se la passait en cachette. Elle devint une sorte de bréviaire libéral. Averti de son existence, le gouvernement en interdit non seulement la publication, mais encore la détention. Il fallut attendre vingt-cinq ans pour qu'une revue russe, _le Messager de l'Europe_, reçut l'autorisation d'en imprimer des extraits. Ce fut après 1905 seulement que la totalité du document put voir le jour, en Russie. Mais Herzen avait fait paraître le texte, dès 1855, dans sa revue _l'Etoile polaire_, éditée à Londres.

Pendant quelques jours, Gogol demeura étourdi par la correction. Lui qui avait cru se dévouer à la cause de ses semblables en leur parlant à cœur ouvert, voici qu'on le soupçonnait des pires vilenies. Son amour du tsar, son respect de l'Eglise, sa tendresse envers le peuple, son attachement aux traditions ancestrales, sa passion pour la terre russe, pour l'histoire russe, sa soif de charité, tout était interprété de travers. Couvert de crachats, il se demandait quelle attitude prendre. L'humilité chrétienne lui ordonnait d'accepter l'épreuve, mais son amour-propre d'auteur se révoltait sous tant d'injustice. A plusieurs reprises il griffonna des projets de réponse à Bélinsky. Des phrases acerbes tombaient de sa plume : « Pourquoi y a-t-il chez vous un tel esprit de haine ?... Ce n'est pas avec l'orgueilleuse suffisance et la légèreté des journalistes que l'on peut vraiment porter des jugements sur de tels sujets. » Non, ces protestations étaient indignes du pieux auteur des *Passages choisis*. Il finit par dominer sa rancœur et écrivit avec la triste sérénité qui convenait à un prophète bafoué :

« Mon âme est à bout, tout en moi est bouleversé... J'ai lu votre lettre dans un état de quasi-insensibilité... Que vous répondre ? Dieu sait, peut-être y a-t-il dans vos paroles une part de vérité ? Je vous dirai seulement que j'ai reçu près de cinquante lettres à propos de mon livre et qu'il n'y en a pas deux pareilles. Il n'existe pas deux hommes qui soient d'accord sur un même sujet. Ce que nie l'un, l'autre l'affirme. Et cependant des deux côtés se trouvent des gens honnêtes et intelligents. Ce qui me paraît une vérité irréfutable, c'est que je ne connais pas du tout la Russie, que bien des choses ont changé depuis que je n'y vis plus, qu'il me faut, à partir de presque rien, apprendre ce qu'on y trouve maintenant... Le siècle qui vient est un siècle de prise de conscience raisonnable... Croyez bien que vous et moi sommes également coupables devant ce siècle. Et vous et moi sommes tombés dans l'excès. Moi, du moins, je le reconnais, mais vous, le reconnaissez-vous ?... De même que je me suis trop *concentré* en moi-même, de même vous vous êtes trop *dispersé*. De même que j'ai besoin d'apprendre bien des choses que vous savez et que j'ignore, de même il vous convient d'apprendre au moins une fraction de ce que je sais et que vous méprisez à tort (1). »

Cette justification, dont il espérait qu'elle désarmerait Bélinsky, ne suffit pas à le soulager lui-même. La tristesse, le dégoût, le découragement pesaient sur sa poitrine. Peu après la publication des *Passages choisis*, il avait appris la mort de son ami Iasykov (2). Ce deuil, qui ne l'avait pas affecté outre mesure sur le moment, ajoutait à présent une note funèbre à la désillusion que lui causait la chute de son livre. Une plainte revenait dans ses lettres, monotone comme le gémissement d'un blessé.

« Comment la tête ne me tourne-t-elle pas, comment ne suis-je pas encore devenu fou dans ce tumulte insensé ? Je ne puis le comprendre, écrivait-il à Aksakov. Si vous vous mettiez à ma place, vous verriez que je suis plus malheureux que tous ceux que j'ai offensés... Il est pénible de se trouver dans cet ouragan de malentendus. Je vois qu'il va falloir que je renonce pour longtemps à la plume et que je m'éloigne de tout (3). »

Mais, Aksakov lui ayant écrit : « Vous vous êtes porté, par votre livre, un coup terrible, et c'est pourquoi je me suis jeté sur vous... comme je me serais jeté sur quiconque vous aurait porté un pareil coup », Gogol retrouva, pour un temps, sa superbe et répondit :

« Je n'ai jamais été particulièrement franc avec vous ; je ne vous ai à peu près jamais parlé de ce qui pouvait être cher à mon âme, en sorte que vous n'avez guère pu me connaître que comme écrivain, non comme homme... Oui, mon livre m'a porté un coup, mais c'était la volonté de Dieu... Sans ce coup, je ne serais pas revenu à moi et ne verrais pas si clairement ce qui me manque... Comment pouvez-vous répéter les sottises que certains individus à courte vue ont énoncées après la lecture de mon livre ?... Mon livre est dans la ligne normale et régulière de ma formation intérieure, nécessaire pour que je devienne un écrivain non pas superficiel et vide, mais pénétré de la sainteté de sa profession... Je vous le répète,

---

(1) Lettre du 10 août-29 juillet 1847.
(2) Iasykov était mort le 7 janvier 1847.
(3) Lettre du 10 juillet-28 juin 1847.

vous avez peut-être raison dans votre analyse de mon livre.
mais, en prononçant un jugement définitif à son égard, vous
témoignez d'un esprit d'orgueil (1). »

Plus tard, sentant croître son aigreur contre cet ami trop
franc et trop exigeant, il voulut l'éclairer sur la nature de sa
disposition envers lui. Quand il évoquait ses relations avec
le reste du monde, il devait convenir que seules l'intéressaient
les personnes qui pouvaient lui apporter un soutien matériel
ou moral. Il ne concevait pas de fréquenter quelqu'un qui ne
lui fût d'aucune utilité dans sa vie d'homme ou d'écrivain.
Aimant les êtres non pour eux-mêmes mais par rapport à lui,
il ne voyait en eux d'abord que les serviteurs de sa cause.
On pouvait d'ailleurs le servir de mille façons : en lui offrant
l'hospitalité, en lui ouvrant son âme, en lui donnant des sujets,
en exécutant ses commissions, en louant son œuvre et même
en le critiquant avec déférence.

« Je vous ai aimé bien moins que vous ne m'avez aimé,
écrivit-il froidement à Aksakov. Du reste j'ai toujours été
disposé, me semble-t-il, à aimer tout le monde, car je suis
incapable de haïr ; mais aimer quelqu'un particulièrement,
de préférence à d'autres, je ne le puis que *par intérêt* (2).
Si quelqu'un m'a apporté un *réel profit* (2) et que, grâce à
lui, ma tête s'est enrichie, s'il m'a suggéré de nouvelles observations, soit sur lui soit sur d'autres, en un mot si, par son
entremise, j'ai élargi mes connaissances, j'aime cette personne,
même si elle est moins digne d'amour que telle ou telle, et
même si elle m'aime moins. Que faire ? Vous voyez quelle
créature étrange est l'homme ; chez lui, ce qui compte d'abord,
c'est l'intérêt personnel. Comment savoir ? Peut-être vous
aurais-je bien plus aimé, si vous aviez fait quelque chose
pour ma tête, ne fût-ce qu'en écrivant des notes sur votre
vie, qui m'auraient indiqué quel genre de gens je ne devais
pas faire figurer dans mon œuvre et quels traits du caractère russe je devais immortaliser dans la mémoire du public.
Mais vous n'avez rien fait de tel pour moi. Que puis-je, dans

---

(1) Lettre du 28-16 août 1847.
(2) Souligné par Gogol.

ces conditions, si je ne vous aime pas autant qu'il faudrait vous aimer (1) ! »

Cet échange de lettres entraîna une sorte de rupture entre les deux hommes. Mais Gogol n'en ressentit pas d'amertume. Oui, il était incapable d'aimer Aksakov, malgré toute la dévotion que celui-ci lui avait témoignée naguère. Quand il se retournait sur son passé, il découvrait qu'il n'avait eu que trois passions dans sa vie : Pouchkine, le phénix, dont il admirait la poésie, Ivanov, l'ascète, dont il admirait la peinture, Joseph Vielgorsky, le bel adolescent, dont il admirait la jeunesse à jamais fixée dans la mort. Aksakov, qui n'avait encore rien écrit de marquant, ne pouvait se comparer à aucun de ces êtres étincelants (2). Il était, pour Gogol, un brave homme instruit et hospitalier. Un ami secourable. Un laudateur. Encore maintenant ce laudateur pactisait-il avec le clan adverse. D'étranges chassés-croisés s'étaient produits autour de lui, dans le monde des lettres : d'anciens détracteurs avaient salué son retour à de « saines idées », d'anciens admirateurs continuaient à lui crier leur réprobation. Après s'être défendu en répondant personnellement à ses nouveaux « ennemis», il résolut de se justifier, face au public, en écrivant sa *Confession d'un Auteur* (3). Dans ce plaidoyer abondant, il s'efforçait, une fois de plus, de se laver des reproches de servilité envers le pouvoir et de mépris envers le peuple.

« Ce livre (les *Passages choisis*) est le fidèle miroir de la nature humaine, écrivait-il. On y trouve ce qu'on trouve en tout homme. D'abord le désir du bien..., puis la conscience sincère de ses propres défauts, et, à côté de cela, une haute opinion de ses mérites ; le désir sincère d'apprendre, et, à côté de cela, la certitude d'être soi-même capable d'enseigner les autres ; l'humilité et, à côté de cela, l'orgueil, et, peut-être, l'orgueil jusque dans l'humilité... Bref, on trouve dans ce livre ce qu'il y a en chacun de nous, avec cette différence que tout cela y est exprimé sans nul souci des conventions et

(1) Lettre du 18-6 décembre 1847.
(2) Ce sera sur le tard, après la mort de Gogol, qu'Aksakov publiera l'essentiel de son œuvre.
(3) *La Confession d'un Auteur* (dont le titre n'appartient pas à Gogol) fut trouvée dans les papiers de l'écrivain après sa mort.

des convenances, et que tout ce que l'homme dissimule d'ordinaire y apparaît en pleine lumière, de façon d'autant plus éclatante et plus criante qu'il s'agit d'un écrivain... »

Ayant quelque peu calmé sa bile dans cet exercice de mise au point, Gogol abandonna le manuscrit dans un tiroir. A la réflexion, il craignait de ranimer une querelle pénible en le publiant. La sagesse était de laisser s'apaiser les remous. Ce fut vers la même époque qu'il rédigea ses *Méditations sur la divine Liturgie,* qui, dans son esprit, devaient aider les fidèles à comprendre les différentes phases des offices religieux. Mais ce texte non plus, il ne se résigna pas à l'éditer (1). Il sentait confusément qu'il ne devait plus se livrer, pour le moment du moins, à des travaux didactiques. Les lecteurs russes n'étaient pas mûrs pour comprendre ses raisonnements. L'abstraction les rebutait. Il leur fallait, comme aux enfants, des exemples concrets, une histoire. Le bien que l'auteur n'avait pas su leur faire par ses lettres, il le leur ferait par son prochain roman.

« Au lieu de parler à la société le langage des raisonnements les plus enflammés, disait-il, que l'écrivain lui parle le langage des images vivantes ! » Encore ces « images vivantes » devaient-elles correspondre, pour Gogol, à la réalité russe. Et, cette réalité russe, il confessait humblement la mal connaître. Il avait déjà, dans une préface à la réédition de la première partie des *Ames mortes,* adressé un appel à tous ses lecteurs pour obtenir d'eux des notes, des souvenirs, des traits de caractère, des descriptions d'événements spécifiquement russes :

« J'adresse une prière instante aux personnes qui voudront bien me communiquer leurs réflexions. Je les supplie de ne point songer qu'elles écrivent à un homme qui leur serait égal par l'instruction, les goûts, les pensées et qui serait capable de comprendre bien des choses sans explications, mais de se croire au contraire en présence d'un individu beaucoup moins instruit qu'elles, ou même totalement dénué d'instruction. »

_____

(1) Comme la *Confession d'un Auteur,* les *Méditations sur la divine Liturgie* ne furent publiées qu'après la mort de l'écrivain, en 1857.

A sa grande surprise, nul n'avait répondu à sa requête. Le public refusait de l'aider dans sa tâche. Or, aujourd'hui plus que jamais, il avait besoin de ces « détails et broutilles qui disent que le personnage considéré a effectivement vécu sur cette terre (1). » Décidé à remettre en chantier la suite du « poème », il rouvrit le dossier de ses héros. Aux amis de le fournir en informations et anecdotes. Chacun de ses correspondants pouvait prétendre à l'honneur d'être son collaborateur anonyme. Il n'accepterait pas d'excuses. Tout le monde au travail !

« Il ne vous en coûterait guère d'entreprendre une sorte de journal, écrivait-il à Arkady Rosset, et de prendre chaque jour des notes comme celle-ci : « Aujourd'hui, j'ai entendu telle opinion ; elle a été énoncée par Un tel ; son genre de vie, son caractère (en un mot, son portrait, dans les grandes lignes). » Si c'est un inconnu, vous écrirez : « Je ne sais comment il vit, mais je suppose que, etc. ; il a l'air d'un homme convenable (ou non) ; voici comment il tient ses mains, comment il se mouche, comment il prise du tabac... » Bref ne laissez rien passer, qu'il s'agisse de grandes choses ou de traits insignifiants. Croyez-moi, ce ne sera pas du tout une besogne ennuyeuse. Vous n'aurez pas besoin de faire de plan, ni de suivre un ordre. Simplement quelques lignes jetées sur le papier avant d'aller vous laver (2). »

A Mme Smirnov, sœur d'Arkady Rosset, il adressait des recommandations plus précises encore. Si elle avait foi en sa parole et en son talent, elle devait, dans chacune de ses lettres, lui tracer le portrait d'une personne de son entourage :

« Par exemple, aujourd'hui vous pourrez mettre en titre : *une Lionne de Province*, et, choisissant une femme qui vous paraît particulièrement représentative de toutes les lionnes de province, la décrire en m'indiquant le détail de ses manières, comment elle s'assied, comment elle parle, comment elle s'habille, à quel genre de lions elle tourne la tête... Demain, vous mettrez en titre : *une Femme incomprise* et me la peindrez de la même façon. Puis *une Dame patronesse* ; puis *un*

---

(1) *Confession d'un Auteur.*
(2) Lettre du 15-3 avril 1847.

honnête Prévaricateur ; puis *un Lion de District*. Bref tout
personnage qui vous semblera pouvoir donner une idée précise de la classe à laquelle il appartient... Je pense que cette
besogne vous sera agréable, car, en traçant ces portraits, vous
m'imaginerez devant vous et sentirez que vous le faites pour
moi (1). »

Dans son inconscience, il n'hésitait pas à charger du même
travail préparatoire la femme de son ami Danilevsky, qu'il
n'avait pourtant jamais vue :

« Dès que vous aurez quelque loisir dans votre maison,
je vous prie d'esquisser pour moi, de la façon la plus légère
et la plus cursive, de petits portraits de gens que vous avez
connus ou que vous fréquentez encore. N'allez pas croire
que ce soit difficile. Il suffit pour cela de se rappeler un
homme et de pouvoir se le représenter mentalement. Ne m'en
veuillez pas de vous importuner de la sorte avant même
d'avoir en rien mérité votre bienveillance. Mais j'ai grand
besoin de connaître l'homme russe, où qu'il se trouve et à
quelque société qu'il appartienne. Ces ébauches d'après nature
me sont aussi nécessaires que des études le sont à un peintre
sur le point d'entreprendre un grand tableau. Il n'introduit
pas ces études dans son œuvre définitive, mais il les a présentes à l'esprit et recourt à elles constamment, pour ne pas
s'embrouiller, ne pas tricher, ne pas s'éloigner de la réalité.
En outre, si Dieu vous a gratifiée d'un don particulier et si,
vous trouvant en société, vous êtes capable d'observer les
côtés grotesques ou insipides de votre entourage, vous pourriez créer pour moi des *types*, c'est-à-dire des personnages qui,
à eux seuls, représentent toute une catégorie de gens, comme,
par exemple, *le Lion de Kiev, une Femme incomprise de Province, un Fonctionnaire à la mode européenne, un Fonctionnaire Vieux-croyant*, etc. Et, si vous avez l'âme charitable
et compatissez à vos prochains, décrivez-moi les plaies et
les douleurs de votre société. Ce faisant vous accomplirez
un geste chrétien, car de tout cela, avec l'aide de Dieu,
j'espère tirer une œuvre de bien. Mon poème peut être une
chose très nécessaire, très utile, car aucune prédication ne

_____
(1) Lettre du 22-10 février 1847.

peut agir sur les esprits aussi sûrement qu'une galerie de *portraits vivants*, issus de la même terre et taillés dans la même chair que nous (1). »

Malgré ses appels répétés de semaine en semaine, les amis de Russie, paresseux ou distraits, tardaient à lui expédier les observations dont il avait besoin. On eût dit que personne, là-bas, ne prenait sa demande au sérieux. Or, privé de renseignements, il ne pouvait rien entreprendre. Du moins se donnait-il cette excuse pour se croiser les bras. Après un bref espoir de renouveau, il se remettait à douter de ses forces créatrices. Quelle grisaille dans son cerveau fatigué ! Serait-il encore de taille à nouer une intrigue, à manier des personnages ? Ne fallait-il pas voir dans son impuissance actuelle le signe d'une désaffection de Dieu à son égard ? Et, s'il en était ainsi, ne devait-il pas renoncer à la littérature ? Pour se rassurer, il écrivait au Père Mathieu Konstantinovsky :

« On peut accomplir aussi la loi du Christ dans la condition d'écrivain. Si un écrivain a reçu le talent, ce n'est sûrement pas pour rien, ni pour l'employer à mal... Un écrivain ne pourrait-il représenter dans un roman captivant des exemples vivants d'hommes meilleurs que ceux que représentent les autres écrivains ?... Les exemples sont plus efficaces que les raisonnements. Il faut seulement qu'au préalable l'écrivain lui-même ait su devenir bon et, par sa vie, complaire tant soit peu à Dieu... Quant à moi, ayant du talent et sachant représenter avec vivacité les êtres et la nature..., ne suis-je pas moralement obligé de peindre des gens bons, croyants et vivant selon la loi de Dieu ? Telle est la raison de mon état d'écrivain, et non le désir du gain ou de la gloire (2). »

Et à Joukovsky :

« Que l'écrivain, s'il est doué de cette force créatrice qui permet d'enfanter des images, fasse d'abord son éducation d'homme et de citoyen de son pays, et qu'ensuite seulement il prenne la plume... Une authentique œuvre d'art porte en elle quelque chose qui apaise et qui réconcilie. Pendant la lecture, l'âme s'emplit d'un acquiescement harmonieux, et,

---

(1) Lettre du 18-6 mars 1847.
(2) Lettre du 24-12 septembre 1847.

après la lecture, elle est satisfaite... L'art, c'est l'introduction dans l'âme de l'ordre et de l'harmonie, et non de l'émoi et du désordre... Si cette lettre te paraît digne d'attention, garde-la. On pourrait, lors de la réédition des *Passages choisis*, la mettre en tête du livre, à la place du *Testament* supprimé, et lui donner comme titre : *l'Art est réconciliation avec la Vie* (1). »

Perfection artistique et perfection morale étant devenues inséparables à ses yeux, il retourna, avec plus d'insistance encore, à son projet de départ pour Jérusalem. Autrefois il envisageait ce pèlerinage comme un remerciement à Dieu après l'achèvement du deuxième volume des *Ames mortes*. Ce deuxième volume étant encore à l'état d'ébauche, il songeait maintenant à se rendre sur le tombeau du Seigneur pour y chercher l'inspiration. L'action de grâce se transformait, à son insu, en appel à l'aide. C'était, lui semblait-il, le dernier recours dans l'incertitude où il se trouvait. Si, là-bas, le Christ consentait à bénir son œuvre, il serait sauvé. Sinon... La seule évocation d'un échec possible glaçait le sang dans ses veines. Il était partagé entre le désir de se mettre en route et la crainte de revenir déçu. Avec ça, il n'avait pu encore trouver un compagnon de voyage ! On disait que la traversée risquait d'être périlleuse. Il avait peur de la mer, peur de toutes ces villes orientales sordides où il lui faudrait loger vaille que vaille, peur enfin de rester froid devant le Saint-Sépulcre. En 1846, déjà, se croyant sur le point d'embarquer, il avait écrit à sa mère :

« Pendant tout le temps que je serai en route, je vous demande de ne pas quitter votre maison, de rester à Vassilievka. J'ai besoin que vous priiez pour moi précisément à Vassilievka, et non ailleurs. Quiconque veut vous voir n'a qu'à venir chez vous. Répondez à tous que vous ne jugez pas convenable de vous rendre en visite chez qui ce soit et de

_____

(1) Lettre du 10 janvier 1848-29 décembre 1847. Il est curieux de noter que Gogol avait exprimé cette idée, presque dans les mêmes termes, cinq ans auparavant, dans la deuxième version du *Portrait* (1842) : « C'est pour l'apaisement et la réconciliation de tous que descend sur la terre la haute création de l'art. Elle ne saurait faire sourdre dans les âmes le murmure de la révolte. »

vous distraire pendant que votre fils accomplit un pieux pèlerinage (1). »

. A présent il était plus inquiet encore. Pour retarder son départ, il invoquait sa mauvaise santé, le manque d'argent, quelques vagues travaux en cours. Puis soudain il se rendait à Paris, à Francfort, à Ems, à Ostende, revenait à Naples par Marseille, Nice, Gênes, Florence et Rome. Ces déplacements hâtifs et saccadés trompaient son attente de la grande aventure. Il eût voulu s'y préparer par la prière. Mais plus il priait, plus augmentait son trouble. Malgré ses efforts vers l'excellence, son âme refusait de s'élancer au ciel.

« Je vous l'avoue, écrivait-il à Mme Smirnov, mes prières sont sèches. Avant je croyais que je priais bien, que je savais prier. Et maintenant je vois que, si Celui que nous prions ne le veut pas, il est impossible de prier. Cependant je prononce mes pauvres paroles, si impuissantes qu'elles soient, si aride que soit mon âme, si paresseuse et lourde que soit ma langue (2). »

Et à Chévyrev :

« Je me demande souvent ce que je vais faire à Jérusalem... Si mon pèlerinage plaisait à Dieu, je serais enflammé du désir d'y aller, tout mon être n'aspirerait qu'à cela et je ne ferais aucune attention aux difficultés du voyage. Mais il n'y a dans mon âme qu'indifférence et sécheresse (3) ».

Et à Mme Chérémétiev :

« Je suis plus pusillanime que je ne pensais ; tout me fait peur. Peut-être cela vient-il uniquement de mes nerfs. Il va falloir que je parte absolument seul ; je n'ai pas auprès de moi un compagnon qui puisse me soutenir dans les moments pénibles... Je devrai m'embarquer à l'époque où la mer est agitée, et je suis sujet au mal de mer dès le moindre tangage. Tout cela trouble mon âme, et il en est ainsi, bien sûr, parce que mon zèle est sans force et que ma foi est faible (4). »

Renoncer au voyage ? Il y pensait parfois. Mais il en avait

---

(1) Lettre du 14-2 novembre 1846.
(2) Lettre du 20-8 novembre 1847.
(3) Lettre du 2 décembre-20 novembre 1847.
(4) Lettre de la fin novembre-début décembre 1847.

tellement parlé autour de lui, qu'il ne pouvait plus se dédire. Et puis le Très-Haut ne lui tiendrait-il pas rigueur de cette dérobade ? A mesure que les jours passaient, il se sentait moins sûr de ses relations personnelles avec les puissances célestes. Comme si Dieu ayant cessé d'avoir confiance en lui, il ne pouvait plus avoir confiance en Dieu. Comme s'il y avait eu la même rupture entre Dieu et lui qu'entre lui et les hommes. Un signe, il implorait un signe de la Providence. Sa solitude était totale, irrémédiable, effrayante. Solitude au-dedans du monde et solitude au-dedans de l'Eglise. Il s'était improvisé directeur de conscience sans en référer à aucune autorité spirituelle. Autodidacte en tout, il n'avait trouvé ses inspirations que dans des lectures désordonnées et des méditations silencieuses. Et voici que soudain il éprouvait le besoin de s'appuyer sur un maître. Le comte Tolstoï lui avait recommandé cet archiprêtre de Rjev, le Père Mathieu Konstantinovsky. Un ascète peu instruit, à la foi exigeante, étroite et inébranlable. Gogol ne le connaissait que par lettres. Mais la conviction brutale du Père Mathieu lui en imposait. Au plus fort de ses doutes, il se tourna de nouveau vers lui.

« Il est difficile de prier, lui écrivit-il. Comment prier si Dieu ne le veut pas ?... Oh ! mon ami, mon confesseur donné par Dieu ! Je brûle de honte et je ne sais où me cacher de la multitude infinie de mes faiblesses et de mes vices, dont je ne soupçonnais même pas l'existence... Il me semble même que je n'ai pas la foi. Si je reconnais l'Homme-Dieu dans le Christ, c'est ma raison, ce n'est pas ma foi qui me l'ordonne... Je n'ai pas la foi, mais je veux croire. Et malgré cela je vais partir pour adorer le Saint-Sépulcre ! Oh ! priez pour moi, priez pour que Dieu ne me frappe pas en punition de mon indignité et daigne me permettre de prier moi-même (1). »

Le « signe » qu'il attendait pour se mettre en route lui vint paradoxalement des insurgés italiens. Dans la plupart des grandes villes éclataient, comme par ordre, des manifestations de masses. Toute la partie de la péninsule qui n'était pas directement soumise à l'Autriche réclamait une « constitution ». Ce mot à la mode hérissait Gogol. A Naples même,

_____

(1) Lettre du 12 janvier 1848-31 décembre 1847.

les rues ne lui semblaient plus sûres. Il s'étonnait que le peuple le plus insouciant de la terre se laissât, à son tour, entraîner dans la politique. Tout compte fait, les tempêtes de la foule étaient, se disait-il, plus inquiétantes que les tempêtes de la mer. Par crainte de nouveaux désordres, il hâta les préparatifs du départ. Avant de quitter l'Italie, il composa une prière et l'envoya à sa mère et à ses amis en leur demandant de la lire eux-mêmes et de la faire lire par un prêtre au cours d'une série d'offices à son intention :

« Dieu, fais que son voyage soit sans danger, son séjour sur la Terre sainte bénéfique, son retour dans sa patrie heureux et sans encombre... Rétablis le calme sur les flots et apaise le souffle tempétueux des vents. Emplis son âme de hautes pensées pendant toute la durée du trajet... Aide-le à quitter le Saint-Sépulcre avec des forces renouvelées, du courage, de l'ardeur, et à revenir à son travail, pour le bien de sa terre natale, et pour l'élévation de nos cœurs à tous, qui célébrons Ton Saint Nom. »

Ayant pris toutes ces précautions, il s'embarqua, malade d'angoisse, sur un petit vapeur, le *Capri*, qui devait le conduire à Malte.

III

JÉRUSALEM

Bien que la mer fût peu agitée, le balancement monotone du navire finit par incommoder Gogol. Ses vomissements lui retournaient les entrailles. Une sueur glacée baignait son visage. « Les autres passagers, sans exception, m'exprimèrent leur compassion, disant qu'ils n'avaient jamais vu quelqu'un souffrir de la sorte », écrira-t-il au comte Tolstoï en débarquant à Malte (1). Ses jambes molles le portaient à peine dans les rues. Couché sans force dans une misérable chambre d'hôtel, plus petite et plus sale que sa cabine du *Capri*, il attendait avec terreur de reprendre la mer, cinq jours plus tard, sur un autre bateau. A tout hasard, il griffonna encore quelques lettres à des amis pour les avertir qu'il se mourait et leur recommander de choisir des prêtres particulièrement zélés afin de célébrer les offices propitiatoires nécessaires à la réussite de son voyage.

Le 27 janvier 1848, il partit de Malte pour Constantinople. A Constantinople, il embarqua sur un bateau du Lloyd autrichien pour Smyrne ; à Smyrne, nouveau transbordement sur un vapeur de la même compagnie : *l'Istamboul*, qui se dirigeait sur Beyrouth. Cette fois la mer était si calme, que Gogol ne ressentit aucun malaise. Sur le pont se pressait une foule de pèlerins de toutes nationalités, se rendant sur le

_____

(1) Lettre du 22-10 janvier 1848.

tombeau du Christ. Parmi eux, se trouvaient un général russe, Kroutov, sanglé dans un uniforme blanc et coiffé d'un fez rouge, et un petit pope timide et barbichu, le Père Pierre Soloviev. Gogol arborait un chapeau blanc à larges bords et une cape italienne. « Il était petit, notera le Père Pierre Soloviev, avec un long nez, de fines moustaches noires et de longs che-veux coiffés à l'artiste ; il se tenait un peu voûté ; il regardait toujours à ses pieds (1). » Ayant fait la connaissance du prêtre, il lui montra une petite icône de saint Nicolas-de-Myre, qu'il transportait dans ses bagages et qui était, d'après lui, la copie fidèle d'une ancienne miniature de l'évêque-martyr conservée à Bari. Saint Nicolas était, disait-il, à la fois son patron et le protecteur des voyageurs sur terre et sur mer. Après avoir quelque peu douté des vertus de l'image sainte entre Naples et Malte, il lui rendit toute sa confiance lorsque le navire arriva en vue de Beyrouth.

A Beyrouth, le consul général de Russie n'était autre qu'un de ses anciens condisciples au lycée de Niéjine : Constantin Bazili. Diplomate adroit, grand connaisseur du Proche-Orient, auteur d'ouvrages sur la Turquie et la Grèce, il était resté fidèle à ses amitiés de jeunesse. Il accueillit avec joie celui que ses camarades surnommaient jadis « le nain mystérieux » et lui offrit l'hospitalité dans sa maison. Pendant quelques jours, Gogol se reposa au consulat des fatigues de la traver-sée. Puis il se mit en route avec Bazili, qui voulait lui servir de guide, à travers les déserts de Syrie, vers Jérusalem.

Le voyage, lent et uniforme, endormait son esprit. Sa curio-sité s'émoussait d'une étape à l'autre. « J'ai vu cette terre comme à travers un songe », écrira-t-il (2). On se levait avant l'aube, on se hissait sur un mulet, et la caravane s'étirait, flanquée de guides à pied et à cheval, le long de la mer. D'un côté, les vagues bleues de la Méditerranée, de l'autre, les sables gris et, plus loin, les contreforts osseux des montagnes. A midi, une halte au bord d'un puits ombragé d'oliviers ou de sycomores poudreux. Et, de nouveau, le bercement des

---

(1) Père Pierre Soloviev : *Rencontre avec Gogol* (*Antiquité Russe*, 1883).
(2) Lettre à Joukovsky du 28-16 février 1850.

montures, la chaleur sèche du ciel, l'éblouissement du désert, le vert pâle des chardons, trois chameaux pelés agenouillés devant une tente. Ainsi jusqu'à l'heure où, « à l'horizon cuivré par le soleil couchant, apparaissent, se découpant sur les ténèbres irisées, cinq, six palmiers et une bourgade, pittoresque de loin, misérable à l'approche (1) ».

Grâce à Bazili, qui, en tant que représentant du « grand padischah » de Russie, jouissait de la considération des notables arabes, les gîtes d'étape étaient relativement confortables. Mais, dans les meilleures maisons, les coussins des divans recélaient des boisseaux de puces. Les moustiques vibraient par centaines. Le vent de sable desséchait le gosier, brûlait les yeux. Gogol passait des nuits blanches, pestait, et Bazili le suppliait de ne pas montrer sa mauvaise humeur. Ils traversèrent Sidon, dévorée de soleil, Tyr endormie dans ses remparts du Moyen Age, Saint-Jean-d'Acre aux bazars populeux, des dizaines de villages sans nom, frappés de mort. La piste s'éloignait de la mer. Le terrain aride se soulevait. Partout des pierres, une lumière crue, des plaques de mousse. On approchait de Jérusalem. Gogol, les reins moulus par la chevauchée, se préparait à la révélation. Du haut d'une colline, la ville sainte apparut, blanchâtre, émiettée, dans une transparence vaporeuse. Les voyageurs entrèrent par la porte de Jaffa et s'arrêtèrent dans la maison du patriarche orthodoxe de la cité.

Le lendemain matin, Gogol s'aventura dans les rues étroites, tortueuses, aux maisons basses, réunies par des voûtes, visita les marchés bruyants, se mêla à la foule épaisse et lente qui assiégeait les éventaires, coudoya des Juifs, des Turcs, des Arméniens, des Arabes, des Grecs, et revint de sa promenade ahuri par la saleté, l'abandon, le désordre qui régnaient en ce lieu sanctifié par le souvenir du Christ. Le fait que Jérusalem fût sous la domination ottomane lui paraissait une insulte à la mémoire du Sauveur.

Après avoir jeûné et prié, il se rendit au Saint-Sépulcre. Cinq ou six gardiens turcs, accroupis parmi des coussins sur une estrade recouverte d'un tapis, fumaient et jouaient aux

_____

(1) Ibid.

échecs en surveillant l'entrée. Les lourdes portes étaient ouvertes. Gogol franchit le seuil en se signant. D'abord il vit,
éclairée par des lampes et des cierges, une grande dalle de
marbre rosé, dite « la pierre de l'onction », sur laquelle, selon
la tradition, avait été embaumé le Christ après sa descente
de la croix. Sous l'abside centrale, se dressait le sanctuaire
entre tous révéré : le Saint-Tombeau, divisé en deux parties :
la première, une sorte de vestibule où s'était tenu l'ange de
la résurrection ; la seconde, où avait été déposé le corps du
Seigneur. Cette dernière pièce était si basse de plafond, qu'il
fallait se baisser pour y entrer, et si exiguë, qu'elle ne pouvait
contenir plus de trois personnes. Les murs en étaient revêtus
de marbre. Une table de marbre recouvrait la pierre tombale
et servait d'autel. Combien la crypte, dans sa sévère nudité,
la roche nue, le trou béant eussent été plus émouvants que
ce décor somptueux et lisse ! Gogol commanda un service
religieux à un prêtre orthodoxe. « J'étais seul, écrira-t-il.
Devant moi, il n'y avait que le prêtre qui célébrait le culte.
Le diacre qui appelait le peuple à la prière se trouvait derrière moi, au delà des murs du Sépulcre. J'entendais sa voix,
au loin. La voix du peuple et celle du chœur, répondant au
diacre, résonnaient plus loin encore. Le mélange du chant
des fidèles russes répétant « Seigneur, aie pitié de nous ! »
et des autres hymnes religieux parvenait à peine à mes oreilles, comme émanant d'un autre monde. Tout cela était merveilleux ! Mais je ne me rappelle pas si j'ai prié. Il me semble que je me réjouissais uniquement de me trouver en un
lieu si commode pour la prière, si propice à l'adoration ;
quant à prier, au vrai, je n'en eus pas le temps. Du moins
je le crois. La liturgie se déroulait si vite, que les prières les
plus ailées n'auraient pas été capables de la suivre au vol.
Avant que j'eusse pu reprendre mes esprits, je me trouvai
devant le calice que le prêtre était allé chercher et me présentait pour la communion, à moi indigne (1). »
    Au comte Tolstoï, il confirmera cette impression désolante :
    « Mes prières étaient non seulement incapables de s'élever
vers le ciel, mais même de s'arracher de ma poitrine. Jamais

---

(1) Lettre à Joukovsky du 6 avril-25 mars 1848.

encore je n'avais constaté aussi nettement mon insensibilité, ma sécheresse, ma dureté, comparables à celles du bois (1). »

Il quitta le Saint-Sépulcre dans un état de prostration complète. La sensation d'un horrible malentendu pesait sur son cœur. Celui qu'il était venu chercher de si loin à Jérusalem ne se trouvait pas au rendez-vous. Il se traîna, froid et taciturne, au jardin des Oliviers, clos de murs. Malgré un réel effort sur lui-même, il ne put imaginer ni le Christ ni les Apôtres à l'ombre de ces feuillages pâles qui tremblaient dans le vent. Ailleurs on lui montra, en creux dans une pierre, l'empreinte du pied de Jésus, qui s'était élancé de là pour monter au ciel. Et le palais de Pilate, transformé en caserne. Et la maison de Véronique. Le métropolite lui fit même don d'un petit fragment de la pierre tombale et d'un bout de bois provenant de la porte de l'église de la Résurrection, qui avait brûlé dans l'incendie de 1808. Ces reliques, il les reçut avec une fausse joie. Il parlait, il priait, il se signait, et, au-dedans de lui, régnait la solitude. Ses seules émotions lui venaient parfois du paysage. Ainsi admira-t-il, au passage, les bords de la mer Morte.

« Pas un arbre, pas un buisson, une steppe large et uniforme, dira-t-il. Au pied de cette steppe, ou plutôt de cette montagne, en bas, se voyait la mer Morte... Je ne puis décrire la beauté de cette mer au soleil couchant. L'eau n'en était pas bleue, ni verte, ni azurée, mais violette (2). »

En vérité, il n'attendait plus rien de son pèlerinage. Le temps avait effacé la trace des pas du Sauveur sur cette terre caillouteuse et brûlée de soleil. Sa vraie présence était dans les livres qu'Il avait inspirés et non sur le sol qu'Il avait foulé. Jérusalem, Bethléem, Nazareth, le mont des Oliviers, le Golgotha, le Jourdain, autant de noms qui enchantaient l'imagination du voyageur avant son arrivée, et qui maintenant, vidés de leur mystère, recouvraient à ses yeux une morne pouillerie orientale.

« Que peuvent nous dire, à présent, toutes ces stations

---

(1) Lettre du 25-13 avril 1848.
(2) *Gogol*, d'après les notes d'Arnoldi.

du chemin de croix de notre Sauveur, écrira-t-il à Joukovsky, le Saint-Sépulcre, le Golgotha, l'endroit où le Christ fut présenté par Ponce Pilate au peuple, la demeure du grand Prêtre où il fut conduit, l'emplacement de la sainte Croix, quand tous ces lieux ont été rassemblés sous le toit d'une seule église ?... Qu'est-ce que l'artiste, le poète peuvent trouver dans le paysage de la Judée, avec ses collines monotones qui évoquent les vagues grises d'une mer agitée par le vent ? Tout cela était sans doute pittoresque à l'époque du Sauveur, lorsque la Judée n'était qu'un jardin et que chaque Juif était assis à l'ombre de l'arbre qu'il avait planté lui-même ; mais aujourd'hui, alors qu'on rencontre à peine cinq ou six oliviers au flanc d'une montagne, aussi gris et poussiéreux que les rochers mêmes, alors qu'une mince pellicule de mousse et quelques touffes d'herbe verdoient au milieu d'une plaine nue et irrégulière, semée de pierres, alors qu'après cinq ou six heures de route on découvre quelque part, collée au versant d'une hauteur, la chaumine d'un arabe, plus semblable à un pot de terre cuite, à un four, à une tanière, qu'à une habitation humaine — comment reconnaître en ces lieux la contrée *du lait et du miel* ? Imagine, au milieu de ce désert, Jérusalem, Bethléem et toutes les villes orientales pareilles à des amoncellements de pierres et de briques mal agencées ; imagine le Jourdain comme un maigre cours d'eau parmi des montagnes dénudées avec, çà et là, quelques buissons de saules ; imagine, parmi la même désolation, au pied de Jérusalem, la vallée de Josaphat, avec quelques roches et quelques grottes que l'on prétend être les tombeaux des rois de Judée. Que peuvent te dire ces lieux si tu ne vois pas, avec les yeux de l'esprit, au-dessus de Bethléem — l'étoile ; au-dessus des flots du Jourdain — la colombe descendant des cieux béants ; dans les murs de Jérusalem — le jour terrible de la crucifixion, avec les ténèbres et le tremblement de terre, ou le jour lumineux de la Résurrection, dont l'éclat fait pâlir tout le reste dans le présent et dans le passé ?... Mon âme somnolente n'a pas retenu d'autres vues. Quelque part, en Samarie, j'ai cueilli une fleur des champs ; quelque part, en Galilée, une autre ; à Nazareth, surpris par la pluie, je suis resté deux jours, oubliant que je me trouvais à Nazareth, exactement comme si cela m'était arrivé dans un relais de poste, en Russie (1). »

Etait-il un mauvais chrétien ? Par moments il lui semblait que sa lucidité était diabolique. Le grand corrupteur guidait ses pas. C'était Tchitchikov en visite chez le Christ. Il était impatient de rebrousser chemin, comme s'il voulait échapper à un quiproquo embarrassant. Mais Bazili devait rester quelques jours encore à Jérusalem pour les affaires de sa charge. Gogol partit seul. En cours de route, il eut tout le loisir de ruminer sa déception. La conscience de son indignité le tourmenta jusqu'à son arrivée à Beyrouth. Là, Mme Bazili, frappée de son air morose, voulut le distraire en lui faisant connaître la haute société locale. Il refusa net. Pouvait-on se perdre en bavardages mondains après une expérience aussi troublante que celle qu'il avait vécue ?

Peu après, il prit le bateau pour Constantinople. Une lettre du Père Mathieu l'attendait dans cette ville, chez le conseiller de la Mission russe. Il y répondit avec franchise :

« Je vous dirai que je n'ai jamais été aussi peu satisfait de l'état de mon cœur qu'à Jérusalem et après Jérusalem. Le seul résultat, pour moi, a été de constater, avec plus d'évidence encore, ma sécheresse et mon égoïsme (2). »

Maintenant il était sûr que le Père Mathieu méritait d'être son directeur de conscience : un prêtre de moindre envergure n'aurait jamais poussé la sollicitude jusqu'à lui envoyer un message de paix à Constantinople. Pénétré de reconnaissance, Gogol écrivit au comte Tolstoï :

« Que vous dire de lui (le Père Mathieu) ? A mon avis, c'est l'homme le plus intelligent que j'aie jamais connu et, si je dois être sauvé, ce sera certainement grâce à ses préceptes (3). »

Un bateau, *le Chersonèse*, mouillé en rade de Constantinople, devait appareiller bientôt pour Odessa. Gogol s'embarqua dessus, avec le sentiment que la véritable Terre sainte, c'était peut-être, après tout, la Russie.

---

(1) Lettre du 28-16 février 1850.
(2) Lettre du 21 avril 1848.
(3) Lettre du 25-13 avril 1848.

IV

DERNIERS VOYAGES

L'accueil de la patrie fut désobligeant : tout passager venant de Constantinople devait subir une quarantaine de quinze jours en débarquant à Odessa. Ce fut à travers une double grille que les amis de Gogol purent l'apercevoir. Il paraissait en bonne santé, souriait de loin, derrière les barreaux, et égrenait un chapelet entre ses doigts. Une fois libéré, il rendit visite à quelques connaissances — la princesse Répnine, le vieux Stourdza, Léon Pouchkine, frère cadet du poète, André Trochtchinsky — et se remit en route. Parti le 7 mai 1848, il espérait célébrer sa fête patronymique, le 9 mai, dans la maison familiale de Vassilievka.

L'idée de revoir ces lieux où il avait rêvé de gloire, dans son enfance, lui serrait doucement le cœur. Voici près de vingt ans qu'il avait quitté sa mère et ses sœurs, pour s'élancer, plein d'ambition, vers la capitale. Vingt ans de luttes, de déceptions, de pauvreté, de voyages. Vingt ans dont il ne savait s'ils l'avaient rapproché ou éloigné du but. L'herbe des steppes était d'un vert tendre. Les chevaux allaient bon train. Avec un peu de chance, il arriverait juste à temps pour les congratulations d'usage. Il avait prévenu ses proches de son intention d'être parmi eux en ce grand jour. Tout devait être prêt, les gâteaux, les fleurs, le champagne... Le soleil déclinait, lorsque la voiture arriva en vue de la maison. Gogol ordonna au cocher d'arrêter l'attelage, sauta à terre et fit le reste du

chemin à pied. Il aimait autrefois suivre ce sentier qui
contournait l'église et s'enfonçait dans le sous-bois. Certains
arbres avaient grandi au point d'en être devenus méconnaissables. D'autres avaient été abattus. Revenir sur les lieux
du passé, c'était se condamner à la mélancolie des résurrec-
tions impossibles. « Tu me demandes l'impression que m'a
produit le spectacle de ces lieux depuis longtemps abandonnés,
dira Gogol à Danilevsky. C'était quelque peu triste, voilà
tout (1). »

Sa mère l'attendait sur le seuil de la maison. Elle l'embrassa
en pleurant. Comme il avait changé depuis leur dernière rencontre à Moscou : si maigre, si pâle, si grave ! Elle, en revanche, semblait avoir rajeuni. Pas un cheveu blanc, les joues
roses, les traits épais, le regard vif, une ombre de moustache
au-dessus de sa lèvre charnue. Il la félicita sur sa bonne
mine et examina ses sœurs : de grandes jeunes filles raides,
à l'allure provinciale et au regard fuyant. Elles s'approchè-
rent de lui timidement et lui baisèrent la main. On passa
à table. Quelques voisins s'étaient invités. La conversation
s'engageait mal. Aux questions qu'on lui posait sur Jérusalem,
le voyageur répondait à contre-cœur et sèchement. « Tant de
pèlerins divers ont déjà visité les Lieux saints, à différentes
époques, et on a tant écrit là-dessus, que je ne puis rien
vous dire de nouveau » grognait-il (2). De l'avis unanime, la
fête ne fut pas réussie. Le soir même, l'une des sœurs de
Gogol, Elisabeth, notait dans son journal :

« Comme il a changé ! Il est devenu si sérieux ! Rien, semble-t-il, ne peut l'égayer. Et comme il est indifférent et froid
à notre égard ! Cela m'a été bien douloureux (3). »

Et plus loin :

« 10 mai. De toute la matinée, nous n'avons pu voir notre
frère. C'est triste. Il y a six ans que nous ne nous sommes
pas vus, et il évite de rester avec nous.

« 11 mai. Ce matin, on a rassemblé tous les gens du vil-

---

(1) Lettre du 16 mai 1848.
(2) Pachtchenko, d'après les notes de V. Pachkov.
(3) Elisabeth Vassilievna Gogol. *Journal.* (Chenrok. *Matériaux.* Tome
IV.)

lage. On les a nourris. Ils ont bu à la santé de mon frère.
J'ai été très touchée de constater qu'ils étaient heureux de
le voir. Ils ont chanté et dansé dans la cour. Tous étaient
ivres...

« 13 mai. Chaque jour, nous avons des invités. Mon frère
est toujours aussi froid et sérieux. Il sourit rarement.
Aujourd'hui il a parlé davantage (1). »

Pour sauvegarder sa solitude, Gogol s'installa dans le petit
pavillon, à droite de la grande maison. La pièce qui lui servait de cabinet de travail était meublée d'un lit, de quelques
chaises et d'un haut pupitre en bois de poirier, sur lequel
il écrivait debout, selon son habitude. Entre les deux fenêtres,
une glace. Sur une table de jeu, des montagnes de livres.
Gogol se levait tôt, travaillait un peu, faisait un tour dans
le jardin et passait à table pour le déjeuner, sous l'œil
respectueux de sa mère et de ses sœurs. Après le repas, il se
rendait au salon, et là, en famille, énonçait des aphorismes
pieux et coloriait des gravures bibliques. Sa sœur Olga était
chargée de distribuer ces images aux moujiks en leur expliquant le sens des scènes représentées et la valeur morale du
cadeau. Une nouvelle promenade pour la digestion et la méditation. Et c'était le thé du soir. Après quoi, le frère mystérieux se retirait dans son pavillon, où l'attendaient les héros
du deuxième tome des *Ames mortes*. Pour lui complaire,
ses sœurs lui confectionnaient ses plats préférés. « Chaque
fois qu'il remarquait que je lui avais préparé quelque chose
qu'il aimait, il m'adressait un hochement de tête et un sourire, notera Olga, la cadette. Ce sourire me plongeait dans le
ravissement. Mon souhait, depuis toujours, était de tout faire
pour lui être agréable (2). »

Un peu écœuré, à la longue, par cette atmosphère d'adoration quiète, Gogol se rendit, pour quelques jours, à Kiev, où
vivait Danilevsky. Mais la rencontre entre les deux amis fut
décevante. Il faisait trop chaud et Danilevsky était trop
occupé. Une soirée avait été organisée en l'honneur de l'illustre écrivain chez le vice-curateur du district universitaire de

---

(1) Ibid.
(2) *Souvenirs* d'Olga Vassilievna Gogol.

Kiev. Tous les jeunes professeurs de l'Université de Kiev, boutonnés jusqu'au cou dans leurs uniformes neufs, attendaient avec émotion l'arrivée de l'auteur des *Ames mortes*. Il apparut enfin, vêtu d'une veste grenat et d'un gilet de velours vert foncé, moucheté de rouge et de jaune comme la peau d'une grenouille. Le nez long, le cheveu plat, l'œil opaque, il écouta les présentations en hochant la tête avec ennui. Les compliments que lui débitaient timidement les invités le laissèrent de glace. Comme il paraissait incommodé par la lumière trop vive du couchant, un jeune homme bondit, sur l'ordre du maître de maison, et se planta sur le balcon de façon à intercepter les rayons du soleil. Gogol ne le remercia même pas. On lui proposa du thé, une collation, et il refusa de s'approcher de la table. Tout le monde restait debout, dans l'indécision et la gêne. Soudain le grand homme dit à un professeur en le regardant sous le nez : « Je crois vous avoir vu un jour dans un restaurant. Vous mangiez une soupe à l'oignon. » Puis, faisant un salut général, il se dirigea vers la sortie. « Tout le monde se taisait, racontera un témoin de la scène, nous regardions partir l'écrivain, qui déplaçait ses jambes d'une manière bizarre, comme si elles avaient été légèrement paralysées, alors qu'elles étaient simplement emprisonnées dans des pantalons gris très étroits à larges sous-pieds (1). »

De retour à Vassilievka, Gogol trouva la famille en grand émoi. Une épidémie de choléra s'était déclarée dans la campagne. Cinq moujiks étaient morts au village. On ordonna des prières. Une chaleur atroce tombait du ciel inexorablement bleu. Même les nuits étaient torrides. La terre se craquelait, le blé ne levait pas, la moisson serait compromise. Hommes et bêtes, assoiffés et inquiets, se déplaçaient avec lenteur, dans un paysage maudit de lumière et de sécheresse.

« Je t'écris malade, à peine rétabli d'une diarrhée épuisante, qui, en trois jours, n'a laissé de moi qu'une ombre, mandait Gogol à Plétnev. En fait, grâce à Dieu, ce n'est pas le choléra, mais une simple diarrhée provoquée par une chaleur si atroce

---

(1) Iassinsky d'après le récit de Mikholsky. *Anecdote au sujet de Gogol* (*Le Messager historique*, juin 1891).

que même l'Afrique, je pense, n'en connaît pas de plus pénible (1)... »

Et à Aksakov :

« Quel temps mortellement malsain, quel air étouffant
jusqu'au malaise !... Des dérangements continuels dans l'estomac, dans la tête, dans les nerfs... Le choléra et toutes sortes
de diarrhées ne me laissent pas souffler. Je suis d'autant plus
triste, que ma tête est incapable du moindre travail intellectuel : la lecture la plus simple est au-dessus de mes forces (2). »

Maintenant il ne suffisait plus de distribuer des gravures
édifiantes aux moujiks pour les inciter à aimer les travaux des
champs. Gogol décida de leur rendre visite, « afin de voir
comment ils vivaient ». Il emmena sa sœur Olga en tournée
d'inspection. Dans la première isba où ils pénétrèrent, une
robuste paysanne les invita à s'asseoir et leur fit cuire une
omelette, qu'ils ne purent refuser de goûter. Cette hospitalité
plut à Gogol, car, pensait-il, elle exprimait la gratitude soumise et souriante qui doit caractériser les rapports d'un bon
serf envers un bon seigneur. A quelques pas de là, une autre
isba retint son attention par l'ordonnance et la propreté de
son intérieur. Il en félicita le moujik, chef de famille, et
conclut : « On voit qu'ici habitent des travailleurs. » La
troisième isba, en revanche, était sale, délabrée, et il observa
sévèrement : « Il faut travailler ; il faut prendre de la peine ;
c'est ainsi seulement que vous obtiendrez tout ce dont vous
avez besoin. » Là-dessus il jugea qu'il était temps de rentrer.
« Trois isbas lui avaient suffi pour voir comment vivaient
les moujiks », notera sa sœur avec émerveillement.

Un autre jour, il se rendit aux champs avec elle pour
assister au travail des paysans. Le blé avait si mal poussé,
par suite de la sécheresse, qu'il était impossible de le moissonner et qu'il fallait arracher les tiges, faibles et courtes,
avec la racine. Gogol descendit de calèche, sourit à ces hommes et à ces femmes cuits de soleil, et dit d'un ton enjoué :

---

(1) Lettre du 7 juillet 1848.
(2) Lettre du 12 juillet 1848.

— « C'est plus dur d'arracher que de moissonner, n'est-ce pas ? »

Les paysans lui montrèrent leurs mains noires, gonflées d'ampoules, et répondirent qu'en effet la besogne n'était pas facile.

— « Prenez de la peine pour mériter le royaume des cieux (1) ! » s'écria Gogol.

Il avait l'impression exaltante de vivre le chapitre de ses *Passages choisis*, intitulé : *un Propriétaire foncier en Russie*. Oui, le travail de la terre, le servage, les saintes Ecritures, tout cela se tenait. Et, au bout de cette sage expérience, il y avait la fortune pour le propriétaire, le bien-être pour le moujik. Gogol eût voulu en persuader sa mère. Mais elle ne savait pas gérer son domaine, s'endettait un peu plus chaque année et refusait de changer ses méthodes d'exploitation. Tout en l'aimant, il était las de ses jérémiades. Du reste il avait autre chose à faire dans la vie qu'à remettre en ordre les comptes de la propriété. Même l'éducation de ses sœurs ne le préoccupait plus autant depuis qu'il les avait sous les yeux. Elles avaient tellement peur de lui déplaire, qu'elles en devenaient idiotes ! Il s'irritait de leurs regards craintifs et de leurs chuchotements. Discussions vétilleuses, bruissements de robes, cancans de province, visites compassées des voisins — il pensait avec nostalgie à ses amis de Moscou : ceux qui lui étaient restés fidèles, comme Chévyrev, et ceux avec qui il était en froid, comme Pogodine et Aksakov. Auprès d'eux, il retrouverait le goût du travail. Dès la fin du mois d'août, il annonça à sa famille qu'il ne pouvait plus rester à Vassilievka.

« Toutes, nous avons pleuré, notait Elisabeth dans son journal à la date du 22 août. Une horrible tristesse. Comme je l'aime ! Bien qu'il soit souvent désagréable, je l'aime comme un père (2) ! »

*
**

---

(1) Olga Vassilievna Gogol : *Souvenirs*.
(2) Elisabeth Vassilievna Gogol. *Journal*. (Chenrok. *Matériaux*. Tome IV.)

Le 12 septembre 1848, Gogol arrivait à Moscou et se rendait d'abord chez Aksakov, avec qui il s'était, dans l'intervalle, réconcilié par lettre. On s'embrassa dans la joie des retrouvailles et l'oubli des offenses. Le temps de souffler, de faire brosser ses vêtements, d'écrire quelques lettres, et le voyageur impénitent repartait pour Saint-Pétersbourg. Là, il s'installa chez les Vielgorsky, courut voir Plétnev qui lui remit de l'argent provenant de la vente des *Ames mortes*, et renoua avec quelques amis, dont Annenkov, récemment arrivé de France. Ce dernier, qui s'était trouvé à Paris au moment des émeutes de juin 1848, lui raconta avec force détails les combats autour des barricades. C'était bien la peine, pensait Gogol, d'avoir, en février, proclamé, dans la poudre, la boue et le sang, cette honteuse République française ! Toute l'Europe, ivre de liberté, chancelait en brandissant des fusils et des proclamations. Ah ! comme on se sentait fier d'être Russe, devant la pourriture des nations occidentales !

« Tout ce qu'il raconte (Annenkov) en tant que témoin oculaire des événements de Paris est simplement terrifiant : une décomposition totale de la société, écrivait Gogol à Danilevsky. C'est d'autant plus désolant que personne, là-bas, ne voit aucune solution, aucune issue, et qu'on se rue follement au combat uniquement pour recevoir des coups. Nul n'est capable de supporter la terrible tristesse de cette époque de transition et chacun est entouré de nuit et de ténèbres. Aux lèvres de personne encore ne vient le mot : prière (1). »

Et à Joukovsky :

« Si révoltants que soient les événements qui se déroulent autour de nous, si capables qu'ils soient de nous ôter la paix et le silence nécessaires pour travailler, il nous faut néanmoins demeurer fidèles à notre tâche principale ; le reste, Dieu s'en occupera (2). »

Plus il condamnait l'agitation européenne, plus il souhaitait reprendre contact avec la vie intellectuelle de son pays. Il pria le professeur Alexandre Komarov, ami de feu Bélinsky, de réunir quelques nouveaux écrivains dont il désirait faire la

---

(1) Lettre du 24 septembre 1848.
(2) Lettre du 15 juin 1848.

connaissance. Komarov, enchanté, organisa un souper auquel
il convia la fleur de la jeune littérature russe. A neuf heures
du soir, se trouvaient déjà sur place le massif et lent Gontcharov, auteur d'*une simple Histoire*, l'élégant journaliste
Panaev, le jeune poète Nékrassov, l'aimable Grigorovitch, à
la tête bouclée, dont *le Village* et *Anton Goremyka* avaient
éveillé la compassion de tant de lecteurs pour les paysans
serfs, le critique Droujinine... A dix heures, le principal invité
ne se montrant toujours pas, le maître de maison fit servir
le thé. Une demi-heure plus tard enfin, Gogol apparut. Dès
l'abord, il se montra aussi emprunté devant ses jeunes
confrères que devant les professeurs de l'Université de Kiev.
Dédaignant d'avaler une goutte de thé, il s'affala sur un
canapé, à l'écart de la table. On l'entoura. Il ne savait que
dire. Ses admirateurs le considéraient en silence, avec une
consternation polie. Au bout d'un moment, avec effort, il leur
parla de leurs œuvres : « Mais il était net, notera Panaev,
qu'il ne les avait pas lues (1). » Puis, comme s'il eût craint
que quelqu'un ne l'attaquât sur les *Passages choisis*, il prit
les devants et affirma qu'il avait écrit ces textes dans un état
« quasi maladif » et qu'il regrettait maintenant de les avoir
publiés. « On eût dit qu'il cherchait à se justifier devant
nous. » (Panaev). Komarov profita d'un répit dans la conversation pour rappeler que le souper était servi. A la surprise
générale, Gogol refusa de rien absorber. Même pas une gorgée
de vin. « Que puis-je vous offrir, dans ces conditions ? »
gémit Komarov. Après avoir réfléchi, l'invité de marque déclara : « Eh bien ! je boirai un petit verre de malaga. » Or, il
y avait toutes les boissons possibles à la maison, sauf précisément celle-là. Il était plus d'une heure du matin. Les magasins étaient fermés. L'honneur de Komarov était en jeu. Il
envoya ses gens par la ville à la recherche du précieux breuvage. A peine furent-ils partis en expédition, que Gogol
annonça son intention de partir lui-même. — « Tout de suite...
tout de suite on servira du malaga ! balbutiait Komarov. Attendez au moins une minute ! » — « Non, je n'ai plus tellement
envie de boire, répliquait Gogol. Il est trop tard pour moi... »

_____

(1) Panaev : *Souvenirs*.

Néanmoins, devant le visage défait de son hôte, il consentit à rester. Peu après, un domestique revint, hors d'haleine, tenant à bout de bras une bouteille. Komarov versa du malaga dans un verre. Gogol y trempa les lèvres et, aussitôt après, empoignant son chapeau, se dirigea vers la porte. « Je ne sais ce qu'éprouvèrent les autres, écrira Panaev, mais, quant à moi, je respirai plus librement lorsqu'il fut parti (1). »

Sans doute, en quittant ses confrères éberlués, Gogol, lui aussi, respira-t-il plus librement. Comment avait-il pu vouloir se rapprocher de ces écrivains qui n'avaient rien de commun avec lui ? Sa route n'était pas la leur. Eux ne recherchaient que l'approbation de la foule, lui que l'approbation de Dieu. Eux ne rêvaient que d'accroître le nombre de leurs lecteurs, lui que de sauver des âmes. Hélas ! combien parmi ces âmes, dont il avait poursuivi l'édification pendant des années, fuyaient soudain à travers les mailles du filet et se replongeaient dans l'agitation du monde. Le cas le plus décevant était peut-être celui de Mme Smirnov, qui échappait de plus en plus à son influence, trop occupée qu'elle était par la carrière de son époux. En revanche, la toute fraîche Anne Vielgorsky s'abandonnait à lui avec une confiance bouleversante.

Auprès de cette jeune fille pure, droite, simple, spontanée, il éprouvait un sentiment complexe de tendresse et de domination. Retrouvait-il en elle le charme de son frère Joseph, dont il avait jadis, à Rome, veillé les derniers moments ? En la regardant, il croyait voir parfois affleurer sous sa peau diaphane le visage aimable du défunt. Comme autrefois au chevet de l'adolescent malade, il perdait contenance devant la douce interrogation d'un regard. Quel pouvoir avaient donc sur lui les membres de la famille Vielgorsky ? Le désir de guider une enfant docile, d'imprimer son pouce dans la terre glaise, le grisait soudain. Tantôt il s'inquiétait de la mauvaise santé d'Anne Vielgorsky, de ses doutes, de sa mélancolie, et tantôt il ne pouvait supporter l'idée qu'elle eût envie, à son âge, de sortir et de s'amuser. Il eût souhaité qu'elle fût plus laide pour que nul ne s'avisât de lui faire la cour. Et, en même

_____

(1) Ibid.

temps, il fondait de bonheur devant la grâce de ses mouvements. Comment la persuader qu'elle ne pouvait plaire à
personne d'autre qu'à lui ?

« Pour l'amour de Dieu ne restez pas assise à la même
place plus d'une heure et demie, ne vous penchez pas sur
une table : votre poitrine est faible, vous devez le savoir,
lui écrivait-il avec une sévère sollicitude. Efforcez-vous de
vous coucher au plus tard à onze heures. Ne dansez pas du
tout, particulièrement de ces danses effrénées ! Elles agitent
le sang mais ne procurent pas au corps le mouvement correct
dont il a besoin. Du reste cela ne vous va pas de danser ;
vous n'êtes ni assez bien faite ni assez légère. Vous n'êtes
pas jolie. Vous en rendez-vous compte avec certitude ? Vous
n'êtes jolie qu'au moment où votre visage témoigne d'un
sentiment élevé. De toute évidence, vos traits sont faits pour
exprimer la noblesse de votre âme ; sitôt que cette expression vous quitte, vous devenez laide. Renoncez donc à toute
sortie, même modeste, dans le monde. Vous voyez bien que
le monde ne vous apporte rien... Gardez votre innocence
d'enfant, cela vaut mieux que tout (1). »

Ces conseils, Gogol les prodiguait aussi bien de vive voix
que par lettre à son élève préférée. Etonnée par la violence
du sermon, elle tremblait d'admiration et de crainte devant
ce grand homme qui condescendait à s'occuper d'elle, alors
qu'elle n'avait rien fait pour mériter son attention. Elle le
sentait sûr de lui, violent, malheureux, désarmé, malade, solitaire, égoïste et débordant d'une sainte fureur. Elle le respec-
tait et elle le plaignait. Il était pour elle quelque chose comme
un médecin doublé d'un prêtre. Sur son ordre, elle lisait des
livres saints, l'Histoire de l'Eglise, les œuvres de Philarète
de Riga. Un jour, elle lui exprima le désir d'oublier son éducation européenne pour devenir plus profondément russe.
« Russe non seulement dans mon âme, disait-elle, mais par
la connaissance de la langue et du pays ». Son beau-frère,
le comte Sollogoub, avait décidé de l'initier à la richesse cul-
turelle de sa patrie en lui lisant des cours sur la littérature
contemporaine. Immédiatement Gogol s'offrit à en faire

_____

(1) Lettre du 29 octobre 1848.

autant. Mais, selon lui, ce genre de « russification » ne pouvait être que superficielle.

« Il est beaucoup plus facile de devenir russe par la connaissance de la langue et du pays que d'acquérir une âme russe, devait-il lui écrire. Qu'est-ce donc que devenir *un vrai Russe* ? En quoi réside l'attrait de notre race, que nous cultivons à présent avec tant de sollicitude, la débarrassant de tout ce qui est étranger, incongru, impropre. Quelle est notre qualité essentielle ?... Le plus haut mérite du peuple russe, c'est de savoir comprendre plus profondément que quiconque la sublime parole de l'Evangile, qui seule peut élever l'homme à la perfection. Les graines du Céleste Semeur ont été réparties avec une égale générosité partout ; mais les unes sont tombées sur la grande route et ont été picorées par les oiseaux ; d'autres sont tombées sur des pierres et se sont desséchées avant la moisson ; les troisièmes sont tombées parmi des buissons épineux, ont germé, mais ont été rapidement étouffées par les mauvaises herbes ; les quatrièmes enfin, ayant trouvé un sol fertile, ont porté des fruits. Ce sol fertile, c'est notre accueillante nature russe. Les graines du Christ, bien abritées dans notre cœur, ont donné ce qu'il y a de mieux dans le caractère russe. Ainsi, pour devenir russe, il faut se tourner vers la source (1)... »

Evidemment le meilleur moyen de révéler l'âme russe à la jeune fille, c'était encore, disait-il, de lui lire ce qu'il avait écrit sur le sujet : « J'aurais voulu commencer mes cours avec vous par le deuxième tome des *Ames mortes*. Après, il m'aurait été plus facile de vous parler de bien des choses (2). »

Les parents d'Anne finirent par s'inquiéter de ces lettres et de ces conciliabules. Sans mettre en doute la pureté des intentions de Gogol, ils estimèrent que son assiduité auprès de la jeune fille pouvait — en dépit de la différence d'âge — prêter à des propos malveillants. Leur disposition, à son égard, se refroidit. On n'insistait plus pour qu'il prolongeât son séjour. A table, au salon, la conversation languissait. Anne, sur

---

(1) Lettre du 30 mars 1849.
(2) Lettre du 29 octobre 1848.

l'ordre de sa mère, gardait souvent la chambre. Gogol se demandait, avec dépit, en quoi il avait mérité cette disgrâce. Mais il ne se hasardait pas à exiger des explications. Déçu, il repartit pour Moscou.

*
**

Là encore se posa, pour lui, le problème du logement. Chez qui allait-il se fixer aux approches de l'hiver ? Certes il n'avait pas ménagé son vieil ami Pogodine dans ses lettres, l'injuriant, le ridiculisant, dénigrant son hospitalité soi-disant « intéressée » ; il était même allé jusqu'à le prendre publiquement pour cible dans le chapitre IV de ses *Passages choisis*. « Toute sa vie, écrivait-il, P. (Pogodine) s'est dépêché, s'est hâté de communiquer à ses lecteurs tout ce qu'il avait accumulé en lui, sans examiner si son idée avait suffisamment mûri dans sa tête... Et qu'en est-il résulté ?... Les lecteurs n'ont remarqué en lui que négligence et malpropreté. » L'exemplaire des *Passages choisis* qu'il avait envoyé à Pogodine était, du reste, agrémenté de la dédicace suivante : « A Pogodine, âme malpropre et tout ébouriffée, qui ne se souvient de rien, ne remarque rien, inflige à chaque instant un affront aux autres sans même s'en rendre compte, à Thomas l'incrédule, ce livre est donné pour qu'il se rappelle éternellement ses péchés, par un homme aussi pécheur que lui et, a bien des égards, encore plus malpropre. » Pogodine avait découpé cette dédicace et l'avait collée sur une page de son journal intime. Après un jugement aussi sévère, la cause semblait entendue, la brouille consommée. Mais tout cela, estimait Gogol, appartenait au passé. La maison du champ des Vierges était de loin la plus confortable à sa connaissance. Il fallait y retourner, fût-ce au prix d'une réconciliation.

Le Russe aime ouvrir ses portes, élargir sa famille, partager son bien avec autrui. Pour lui, une offense n'est jamais définitive, un coupable peut toujours se racheter, le cœur prévaut sur la raison, la naïveté et la charité vont de pair. Pogodine, « l'égoïste », le « bourru », n'avait pas de rancune. Par lettre déjà, il était convenu avec Gogol d'oublier leur querelle. Il le reçut et l'installa dans les mêmes pièces qu'autrefois, au premier étage, sur la galerie. Mais, très vite, l'indélicatesse du visiteur raviva les anciennes blessures de son hôte. Décidément incorrigible, Gogol se conduisait comme si tout lui était dû. Ses amis étaient pour lui des serviteurs, leur maison, une auberge.

« J'ai pensé à Gogol, notait Pogodine, dès le 1ᵉʳ novembre 1848, dans son journal. Il est toujours le même. Seule la défroque a changé. Les gens ne lui sont rien. »

Et, le lendemain :

« Voici deux jours que Gogol ne se montre pas. Il ne lui vient même pas à l'idée de me demander comment je fais pour nourrir vingt-cinq personnes (1). »

Le jeune poète Berg, ayant rencontré Gogol à une soirée chez les Chévyrev, notera dans ses *Souvenirs* : « Il est difficile d'imaginer un homme de lettres plus gâté et plus prétentieux que ne l'était Gogol à cette époque. Ses amis moscovites (il serait plus juste de dire ses familiers, car Gogol n'eut pas de véritables amis toute sa vie durant) l'entouraient d'une incroyable vénération. Il trouvait toujours chez l'un d'eux, chaque fois qu'il venait à Moscou, tout ce qu'il fallait pour une vie tranquille et confortable : une table avec ses plats préférés, un lieu paisible et isolé pour son travail, des domestiques prêts à exécuter ses moindres volontés. Tous les amis du maître de maison, chez qui logeait Gogol, devaient savoir comment se comporter avec lui... On leur apprenait, entre autres, que Gogol avait horreur de parler de littérature, particulièrement de ses propres œuvres, et que, par conséquent, il ne fallait, sous aucun prétexte, l'ennuyer en lui posant des questions dans le genre de : « Qu'écrivez-vous maintenant ? » Il ne fallait pas davantage lui demander : « Où comptez-vous aller ? » ni : « D'où venez-vous ? » Cela non plus, il ne l'aimait pas. D'ailleurs de telles questions, dans une conversation avec lui, ne conduisaient, disait-on, à rien... S'il comptait se rendre en Ukraine, il disait : « Je pars pour Rome. » S'il comptait se rendre à Rome, il disait : « Je vais à la campagne, chez Un tel. »

Et Berg donnait de Gogol ce portrait saisi sur le vif : « Un homme de courte taille, en redingote noire et panta-

---

(1) Pogodine : *Journal.*

lons bouffants, les cheveux tombant de chaque côté du visage
en parenthèses, avec une petite moustache, des yeux sombres,
vifs et perçants, le teint pâle. Il marchait d'un coin à l'autre
du salon, les mains dans les poches, et parlait. Sa démarche
était originale, saccadée, irrégulière... Dans toute sa physionomie, il y avait quelque chose de contraint, de serré, de crispé
comme un poing. Aucun élan, rien d'ouvert, ni dans le geste
ni dans le regard. Tout au contraire, les coups d'œil qu'il
décochait à droite, à gauche, étaient jetés par en-dessous,
obliquement, à la dérobée, d'un air rusé, jamais face à son
interlocuteur (1). »

D'habitude, au cours de ces réunions mi-littéraires mi-mon-
daines, Gogol se montrait somnolent, taciturne, et proférait
des banalités ou des mensonges si évidents, que ses proches
en étaient gênés pour lui. En revanche, dans l'intimité, il posait
de plus en plus au prophète inspiré par Dieu. Le 19 novembre,
il fit célébrer une messe dans son appartement, au premier
étage. Le parfum de l'encens se répandit dans toutes les
pièces. Agacé par cet excès de piété, Pogodine nota dans
son journal : « L'orthodoxie et l'autocratie sont entrées dans
ma maison : Gogol vient de faire célébrer une messe. Serait-ce
pour monter sur le trône (2) ? »

A quelque temps de là, Gogol reçut la visite d'un autre
prêtre, son directeur de conscience, le Père Mathieu Konstantinovsky, de passage à Moscou. Ce fut avec émotion qu'il
vit, pour la première fois, celui auquel il avait si souvent
confié ses tourments par lettre. Tout à coup, l'encre et le
papier devenaient chair : un homme d'une soixantaine d'années, de taille moyenne, un peu voûté, la barbe et les cheveux roussâtres, striés de fils blancs, le nez large, les yeux
petits et gris, l'apparence et le maintien d'un paysan, malgré
sa soutane et sa croix pastorale scintillante (3). Dès les premiers mots, Gogol fut séduit par la brutale éloquence de
son visiteur. Le Père Mathieu n'y allait pas par quatre chemins : tout ce qui n'était pas la religion orthodoxe relevait

_____

(1) N.V. Berg : *Souvenirs relatifs à Gogol.*
(2) Pogodine : *Journal.*
(3) Cf. N. Barsoukov : *la vie et l'Œuvre de Pogodine.*

du diable. Il fallait, disait-il, suivre le Christ pas à pas, sans regarder à droite ni à gauche. L'art même était suspect à ses yeux. A Rjev et dans les environs, il pourchassait toutes les formes d'hérésie. Moujiks et propriétaires fonciers le craignaient. De temps à autre, il venait à Moscou pour confesser et éclairer son grand admirateur, le comte Tolstoï. Gogol répéta au prêtre qu'il avait décidé de mettre tout son talent au service de l'Eglise, que le deuxième tome des *Ames mortes* serait un hymne à la Russie orthodoxe, qu'il voulait devenir meilleur pour être digne de la tâche que Dieu lui avait assignée sur terre. Et il baisa la main robuste qui le bénissait. Le Père Mathieu promit de revenir.

Quand il fut parti, Gogol se demanda s'il devait se réjouir ou s'effrayer de la sombre tutelle qu'il avait acceptée pour le salut de son âme. Néanmoins, rencontrant, vers la même époque, l'archimandrite Théodore, il confirma devant lui la décision qu'il avait prise de soumettre son art aux impératifs de la religion. Interrogé par le saint homme sur le sort qu'il réservait à ses héros dans la deuxième partie des *Ames mortes*, il répondit que le poème se terminerait par la conversion de Tchitchikov à une vie de vertu, « avec la participation directe du tsar en personne à cette conversion (1) ».

Pogodine souffrait de voir Gogol tombé dans les mains des prêtres et le lui disait parfois sans ménagement. L'atmosphère entre les deux amis s'altéra de nouveau. Pas d'éclats, mais une tension épuisante pour les nerfs. En outre, affirmait Gogol, la maison était insuffisamment chauffée. Avec la venue des grands froids, il ne tint plus en place. Justement le comte Tolstoï lui offrait une hospitalité illimitée, avec tout le confort souhaitable, dans un milieu d'une piété exemplaire. Il n'y avait pas à hésiter. Pour les fêtes de Noël, Gogol transporta ses hardes et ses papiers chez le comte.

Les Tolstoï venaient de louer une maison à deux étages sur le boulevard Nikitsky, près de la porte de l'Arbat (2). C'était une vaste bâtisse, de style empire, datant du début du siècle. Le comte et la comtesse logeaient au premier étage.

---

(1) Archimandrite Théodore (A.M. Boukharev) *Trois lettres à Gogol.*
(2) Aujourd'hui, boulevard Souvorov, n° 7.

Gogol s'installa dans deux pièces, au rez-de-chaussée, à droite
de l'entrée. L'une de ces pièces servait de chambre à coucher,
l'autre de cabinet de travail. Dans cette dernière, la couleur
verte sautait aux yeux. Tapis vert sur le sol, écran de taffetas
vert devant le poêle de faïence, tissu vert drapant les deux
tables encombrées de livres. Deux canapés, poussés contre
le mur, complétaient l'ameublement. Une icône brillait dans
un coin, éclairée par la flamme d'une veilleuse.

Chez les Tolstoï régnait, d'après Aksakov, une ambiance
« de popes, de moines, de bigoterie, de superstition et de
mysticisme ». Jeûnes, prières, messes à domicile tous les
samedis, visites fréquentes de prêtres, lectures pieuses
commentées à table — après avoir souhaité une existence
baignée de religion, Gogol éprouvait une impression d'étouf-
fement et d'ennui, due sans doute à l'excès des manifestations
extérieures de la foi. Du moins n'avait-il plus de soucis matériels. Logé, nourri, blanchi, entretenu par le comte, il pouvait
enfin ne pas penser à l'argent. Rien ne s'opposait désormais
à ce que ses droits d'auteur, gérés par Plétnev à Saint-Pétersbourg et par Chévyrev à Moscou, fussent exclusivement consa-
crés à assister sa mère et à alimenter son fonds d'aide aux
étudiants. Son rêve se réalisait : il devenait généreux grâce
à la générosité d'un autre. Pourtant jamais il ne s'était senti
aussi peu disposé au travail. Victime d'une torpeur intellectuelle, il béait devant le papier blanc.

« Je ne puis comprendre pourquoi je suis incapable d'écrire
et pourquoi je n'ai envie de parler de rien, confessait-il à
Joukovsky. C'est une immobilité complète dans mes activités
littéraires (1). »

Chose étrange, à cette défaillance de ses facultés créatrices,
correspondait une nette amélioration de son état de santé.
Il dormait mieux et se plaignait moins de ses maux d'estomac.
En le serrant dans ses bras, Aksakov constatait qu'il avait
forci. « Je m'en réjouissais et remerciais Dieu », notera-t-il.

Le 9 mai 1849, pour le jour de sa fête, Gogol organisa,
comme d'habitude, une « garden-party » chez Pogodine. Mais
les amis qu'il avait invités semblaient se retrouver à contre-

---

(1) Lettre du 3 avril 1849.

cœur. Ce qui les unissait dans le passé les séparait aujourd'hui. Vieillis de visage et d'âme, ils étaient les caricatures d'eux-mêmes.

« Bien de l'eau avait coulé sous les ponts durant ces années, écrira Aksakov au lendemain de la réunion. Les gens en présence s'étaient presque tous brouillés entre-temps ; ils appartenaient à des bords différents ; ils avaient déjà manifesté leurs opinions en plusieurs circonstances... En un mot, le dîner fut triste, guindé, morne et ennuyeux. Quand, grâce au vin, le repas s'anima, certains convives échangèrent des injures (1). »

Cette rencontre avec les fantômes de sa jeunesse aggrava en Gogol le sentiment de la fuite des jours. « Le temps s'envole si vite que je ne puis m'en rendre compte, et presque rien n'est fait, écrivait-il à Danilevsky. Je suis moins distrait que jamais, je mène plus que jamais une vie solitaire, et, malgré cela, je n'ai jamais travaillé aussi peu qu'à présent (2). »

De nouveau il envisageait de recourir à un remède éprouvé : le voyage. Mais cette fois, il ne songeait pas à visiter des pays étrangers. Il voulait explorer la Russie, pour mieux la voir, la comprendre et la peindre. De passage à Moscou, Mme Smirnov lui présenta son frère utérin, le jeune Léon Arnoldi, et les invita tous deux à la rejoindre, au mois de juillet, dans sa propriété proche de Kalouga. Après le départ de son amie, Gogol s'étonna de ne plus pouvoir penser à elle qu'avec tristesse. Comme elle avait vieilli ! Desséchée et soucieuse, elle n'avait conservé de sa jeunesse que la lumière sombre du regard. Son demi-frère, Léon Arnoldi, était un garçon sympathique. Pénétré d'admiration pour l'auteur des *Ames mortes*, il savait cependant ne pas le contrarier par des compliments intempestifs ou des questions indiscrètes. Ensemble, ils se préparèrent au voyage. Un soir qu'Arnoldi raccompagnait son futur compagnon de route jusqu'à la maison des Tolstoï, ils croisèrent, sur le boulevard Nikitsky, des prostituées qui déambulaient, la hanche onduleuse et le regard

---

(1) Lettre d'Aksakov à Mme Smirnov du 16 mai 1849.
(2) Lettre du 1ᵉʳ juillet 1849.

provocant. Gogol agrippa le bras du jeune homme et murmura :

« Savez-vous ce qui m'est arrivé dernièrement ? Je marchais, tard, le soir, dans une ruelle écartée, lorsque j'entendis un chant religieux sortant du rez-de-chaussée d'une maison à l'aspect sordide. Les fenêtres étaient ouvertes, mais masquées par de légers rideaux de mousseline, comme on en voit généralement dans ce genre de demeures. Je m'arrêtai, jetai un regard par la croisée et découvris un horrible spectacle. Six ou sept jeunes femmes, dont on pouvait deviner la honteuse profession par le fard blanc et rose de leur visage, bouffies, usées, avec, à leurs côtés, une vieille à l'aspect ignoble, priaient Dieu devant une icône placée dans un coin sur une table branlante. La petite chambre, dont l'ameublement rappelait toutes les chambres de ce genre d'établissement, était vivement éclairée par quelques cierges. Un prêtre en vêtements sacerdotaux célébrait l'office religieux, un diacre chantait les versets. Les pécheresses se prosternaient avec ferveur. Je restai plus d'un quart d'heure à la fenêtre. Il n'y avait personne dans la rue, et je priai avec elles, jusqu'à la fin. Ce fut terrible, terrible... Cette chambre en désordre, avec sa destination particulière, son odeur particulière, ces poupées vicieuses et peintes, cette grosse vieille et, dans le même lieu, des icônes, un prêtre, l'Evangile, les chants religieux (1)... »

Cette vision de cauchemar, c'était aussi, bien sûr, la Russie. Mais Gogol ne parlerait pas de cette Russie-là dans le deuxième tome des *Ames mortes*. Sa Russie à lui serait celle de la vertu, de l'espoir, du travail, de la discipline, de la foi. Libre à d'autres écrivains d'exploiter la veine de la basse sensualité et de l'exaltation chrétienne confondues. Un Dostoïevsky, par exemple, eût été à son aise dans une scène de ce style-là. Mais, par malchance, il avait été arrêté, au mois d'avril dernier, pour participation à un complot politique et enfermé avec des dizaines d'autres conjurés à la forteresse Pierre et Paul. Une commission d'enquête étudiait le cas de ces malheureux, qui, sous la direction d'un nommé Pétra-

_____

(1) Arnoldi : *Mes Relations avec Gogol.*

chevsky, avaient cédé à la contagion des révolutionnaires européens. On chuchotait qu'ils risquaient le bagne. Le tsar voyait
en eux les descendants spirituels de ces « décembristes »
qu'il avait abattus vingt-cinq ans auparavant. Sûrement il
voudrait, en les châtiant, proposer un exemple à tous les
esprits malsains qui, sous prétexte de liberté, méditaient de
renverser le régime impérial. Et, sur ce point, Gogol ne pouvait
lui donner tort. Il plaignait les jeunes gens victimes de leurs
idées, parmi lesquels un écrivain plein de promesses, tel ce
Dostoïevsky ; mais une répression paternelle était parfois
nécessaire, pensait-il, pour sauvegarder la cohésion et la santé
de la grande famille russe. Du reste on parlait peu de cette
affaire dans les milieux qu'il fréquentait. Le cloisonnement de
la société était tel, que la vie continuait pour certains, quotidienne et douce, alors que d'autres, à deux pas de là, connaissaient les affres de l'angoisse.

Tandis que Dostoïevsky croupissait dans son cachot, à Saint-
Pétersbourg, Gogol s'apprêtait à quitter Moscou, écrasé de
chaleur. Le 6 juillet 1849 il se présenta chez Arnoldi avec sa
petite valise à soufflets et sa grosse serviette de cuir contenant
le manuscrit du deuxième tome des *Ames mortes*. « Cette
serviette, écrira Arnoldi, ne devait pas quitter Gogol de tout
le voyage. Aux relais, il la prenait dans sa chambre et, dans
le tarantass, il la plaçait toujours à côté de lui et s'appuyait
dessus avec sa main. » Le tarantass roulait vite, avec de rudes
embardées. Tressautant à chaque cahot, Gogol montrait une
humeur guillerette, parlait de littérature, évoquait le souvenir
de ses amis ou racontait des anecdotes scabreuses, qui faisaient rire son compagnon aux larmes. Il ne fut même pas
contrarié, lorsque la voiture se rompit, en arrivant à Malo-
Iaroslavets. Heureusement, le gouverneur de la ville, passant
par là, donna des ordres pour que la réparation fût exécutée
séance tenante. En apprenant que l'un des voyageurs était
Gogol, il eût pu s'offenser au nom de tous ses collègues mal-
traités en la personne du gouverneur Skvoznik-Dmoukha-
novsky dans *le Révizor*. Tout au contraire, il félicita l'auteur
d'avoir si bien raillé les défauts de l'administration et l'ennui
de la vie dans une bourgade provinciale. Encouragé par tant
de compréhension chez un fonctionnaire, Gogol le questionna

sur ses collaborateurs, sur les marchands, sur les propriétaires fonciers de la région, le suppliant de lui fournir le plus de détails possible. Penché vers son interlocuteur, il avait l'air, dira Arnoldi, d'une « sangsue », collée à la peau d'un patient et se nourrissant de son sang à petites gorgées. Il fût resté des heures à vider le gouverneur de sa substance, mais, le tarantass réparé, il fallut reprendre la route. Au relais suivant, sa curiosité se réveilla. Comme il l'avait fait pour le gouverneur, il se mit à interroger le surveillant et les garçons d'auberge sur les habitants du lieu, leurs goûts culinaires, leurs rapports avec l'administration, les derniers scandales dont on parlait, ce qui allait bien et ce qui allait mal dans le voisinage. Le carnet à la main, il notait toutes les informations avec une jubilation affamée. D'étape en étape, on arriva enfin à Beguitchévo, la propriété des Smirnov. Une bâtisse blanche, en pierre, un parc, un étang, la souriante Mme Smirnov. Après quatre jours de promenades, toute la famille quitta la campagne et se transporta à Kalouga. La maison du gouverneur se trouvait un peu en dehors de la ville, près d'une forêt de sapins, au-dessus de la rivière Iatchenka. Gogol et Arnoldi emménagèrent dans un pavillon où deux chambres communicantes avaient été mises à leur disposition.

Le matin, Gogol s'enfermait chez lui pour écrire ; puis il se promenait dans le parc et se présentait à ses hôtes vers l'heure du déjeuner, vêtu avec extravagance d'un pantalon de nankin jaune et d'un court gilet bleu turquoise. A table, il pérorait volontiers sur des sujets qui n'étaient pas de sa compétence, tranchant de tout avec hauteur. Parlait-on de la chasse ? et lui, qui ne l'avait jamais pratiquée, se permettait de contredire Smirnov, propriétaire d'une meute fameuse dans toute la Russie. La conversation roulait-elle sur l'agriculture ? et, bien qu'il ne se fût guère occupé de son propre domaine, il prétendait donner des conseils à son hôte, qui possédait cinq mille serfs et des terres immenses réparties dans six gouvernements.

« Il discourait d'un ton dictatorial, n'écoutant aucune objection, notera Arnoldi, et, en général, il me sembla pétri d'amour-propre, exagérément sûr de lui, vaniteux et même bête. A cette époque-là et plus tard, je remarquai en Gogol

une prétention à tout savoir mieux que les autres. Il est
vrai que, parfois, il interrogeait des spécialistes, mais il s'arrangeait alors pour que leurs précisions et leurs explications
fussent du côté qu'il souhaitait, de façon à confirmer l'idée
qu'il s'était forgée par avance sur le sujet: Il n'aimait pas
apprendre chez les autres (1). »

Et Mme Smirnov, qui pourtant admirait Gogol sans réserve,
disait de son côté :

« Quand quelqu'un dont il venait de faire la connaissance
l'intéressait, il l'écoutait avec attention, ou bien il lui enseignait des vérités premières... Il lui arrivait de proclamer de
haut de telles banalités, que ses auditeurs en étaient exaspé-
rés. Certains se fâchaient pour de bon contre celui qui leur
prodiguait des leçons qu'ils n'avaient pas demandées (2). »

Le dimanche, il aimait voir, à la table du gouverneur, les
principaux fonctionnaires invités par leur chef, tous tendus,
compassés, surveillant leurs propos. Cela lui donnait une saine
idée de la hiérarchie administrative et de la solidité de l'empire russe. Lui-même, à ces occasions, se mettait en frais :
redingote noire et chemise d'une blancheur de neige, avec
une grosse chaîne en or barrant le gilet. « Les jours de
fête, disait-il, tout doit se distinguer du quotidien. La crème
fraîche dans le café doit être particulièrement épaisse, le
dîner exceptionnellement bon, à table doivent se trouver des
présidents, des procureurs, toutes sortes de personnages
importants et l'expression des visages même doit être plus
solennelle que d'habitude (3). »

Un matin, il consentit à lire le premier chapitre du
deuxième tome des *Ames mortes* à Mme Smirnov et à Arnoldi.
La lecture finie, tous deux se déclarèrent bouleversés. Cependant Arnoldi fit observer à l'auteur que son personnage d'Oulenka, la pure jeune fille, paraissait bien conventionnel. « Peut-
être, murmura Gogol, mais, dans les chapitres suivants, elle

(1) Arnoldi : *Mes Relations avec Gogol.*
(2) Mme Smirnov. D'après les notes de Viskovaty. (*Antiquité russe*,
1902).
(3) Koulich, d'après le récit de Mme Smirnov : *Notes sur la vie
de Gogol.*

aura plus de relief (1). » Et il confirma à Mme Smirnov que
les Ames mortes étaient pour lui une commande de Dieu.
« Je suis sûr que, lorsque j'aurai accompli mon service et
terminé le travail auquel j'ai été appelé, je mourrai, dit-il.
Et, si je livre au monde une œuvre insuffisamment mûrie
ou imparfaite, je mourrai plus tôt, parce que je n'aurai pas
rempli la tâche pour laquelle j'ai été placé sur terre (2). »

En l'écoutant, tour à tour humble et orgueilleux, prêchant
les autres alors qu'il avait tant à apprendre lui-même, se
plaignant de mille maux et vivant aux crochets du voisin,
invoquant Dieu et se prenant pour le centre du monde, énon-
çant pêle-mêle des idées géniales et de plates imbécillités,
Arnoldi avait l'impression de se trouver devant dix personnages réunis à l'étroit dans un seul. « Mon frère, écrivait-il,
me fit une observation qui m'étonna sur le moment par sa
justesse... Il estimait qu'il y avait beaucoup de ressemblance
entre Gogol et Jean-Jacques Rousseau (3). »

A la fin du mois de juillet, Gogol fut repris par la bougeotte.
Apprenant que le prince Dmitri Obolensky, de passage à
Kalouga, se rendrait de là à Moscou, il voulut être du voyage.
Une fois installé dans la « dormeuse » du prince, il se préoccupa de trouver une place sûre pour la précieuse serviette
de cuir contenant son manuscrit. Il finit par la déposer à
ses pieds. Son regard ne la quittait pas. En somnolant, il la
tâtait du bout de sa chaussure. A l'aube, on s'arrêta à une
station pour prendre le thé. Gogol, en descendant de voiture,
emporta sa serviette. Il était d'excellente humeur et avait
grand faim. Le prince lui montra, dans le livre de réclamations
du relais, la plainte, assez drôle, d'un inconnu. Aussitôt l'œil
de Gogol brilla de malice. — « Et comment vous imaginez-
vous ce monsieur ? dit-il. Ses qualités, son caractère ?... — Je

---

(1) Arnoldi : *Mes Relations avec Gogol.*
(2) Mme Smirnov. D'après les notes de Viskovaty. (*Antiquité russe*,
1902).
(3) Arnoldi : *Mes Relations avec Gogol.*

ne sais, répondis-je. — Eh bien ! moi, je vais vous le dire !...
Et immédiatement il se mit à me décrire, de la façon la
plus comique et la plus originale, la physionomie dudit monsieur, puis il me raconta sa carrière de fonctionnaire, allant
jusqu'à mimer certains épisodes de sa vie. Je riais comme
un fou, alors qu'il poursuivait son exhibition avec le plus
grand sérieux (1). »

Arrivé à Moscou, Gogol décida qu'il ne pouvait rester en
ville pendant les grandes chaleurs. Mais quel toit choisir
maintenant ? L'hébergement aux frais d'autrui était devenu
pour lui si normal, qu'il écrivit, à peine débarqué, à Anne
Vielgorsky : « Pour mon entretien et les dépenses courantes,
je ne paie rien à personne. Je vis un jour chez l'un, le lendemain chez l'autre. Si je viens vous voir, je m'installerai chez
vous et j'y habiterai sans vous verser pour cela un seul
kopeck (2). »

Cependant ce ne fut pas chez les Vielgorsky qu'il se rendit,
mais chez les Chévyrev, à la campagne, puis à Abramtsevo,
la propriété des Aksakov, à soixante verstes de Moscou. Serge
Timoféïevitch Aksakov, à demi-aveugle, s'était installé là
pour continuer à rédiger, loin des bruits de la ville, ses *Notes
d'un Chasseur au Fusil*. Toute la famille accueillit l'invité avec
des transports de joie et le conduisit en procession à la
chambre qui lui était réservée, vaste et claire, au premier
étage, avec vue sur le jardin. Travail, promenades en groupe
dans les futaies, cueillette des champignons, longs bavardages sous la lampe ou lecture à haute voix des auteurs
anciens — le temps passait vite et Gogol se félicitait d'avoir
si bien choisi sa résidence d'été. Le 18 août, il proposa à
ses hôtes de leur lire un chapitre des *Ames mortes*. Croyant
qu'il parlait du premier tome, Constantin, le fils aîné d'Aksakov, se leva pour aller chercher le volume dans la bibliothèque. Mais Gogol le retint par la manche : c'était le début du
deuxième tome qu'il avait l'intention de lire. « Je ne puis
exprimer ce qui se passa en moi, racontera Aksakov. J'étais

---

(1) Prince D.A. Obolensky : *A propos de la première Edition des
Œuvres posthumes de Gogol.* (*Antiquité russe,* 1873).
(2) Lettre du 30 juillet 1849.

complètement abasourdi. Ce n'était pas de la joie que je
ressentais, mais la peur d'entendre quelque chose d'indigne
du Gogol d'autrefois (1). » Gogol tira un gros cahier de sa
poche, on fit cercle autour de lui et Tchitchikov rentra dans
la danse. Dès les premiers mots, les appréhensions d'Aksakov
s'évanouirent. Les idées mystiques de l'auteur n'avaient pas
étouffé son talent. En maints endroits de ce premier chapitre, sa verve éclatait comme au temps de sa jeunesse inven-
tive. Congratulé et embrassé, il refusa néanmoins de lire la
suite, qui, disait-il, n'était pas encore au point. Le lendemain,
il partit pour Moscou, en promettant de revenir.

Il tint parole. Au début du mois de janvier 1850, la famille
Aksakov réunie entendit une seconde lecture du premier chapitre remanié. Bien qu'il n'y eût plus d'effet de surprise, l'impression fut encore meilleure que la fois précédente. Enchanté
du résultat, Gogol déclara : « Vous voyez ce qui se produit,
lorsque l'artiste apporte une dernière retouche à son œuvre.
Les corrections semblent infimes — un mot supprimé par-ci,
un autre ajouté par-là, un troisième changé de place — et
tout prend un aspect différent. Je ne donnerai mon œuvre
à l'impression que lorsque tous les chapitres en auront été
corrigés de la sorte (2). »

Quelques jours plus tard, il pria Aksakov de lui lire un
passage de ses *Notes d'un Chasseur au Fusil*. Emu d'un si
subit intérêt pour son œuvre, le brave Aksakov demanda à
son fils Constantin de faire la lecture à sa place. Tandis que
Constantin s'exécutait, Gogol, planté au bord de sa chaise,
dominait mal son impatience. Lui eût-on récité la liste des
chefs-lieux de gouvernement en Russie, qu'il n'eût pas été
davantage distrait. L'œil vague, il palpait un gros cahier dans
sa poche. Dès que Constantin se fut tu, il s'écria : « Eh bien !
maintenant, c'est moi qui vais lire ! » Tout le monde comprit
la manœuvre : Gogol n'avait voulu entendre les *Notes d'un
Chasseur au Fusil* que pour mieux préparer l'auditoire à
entendre la suite des *Ames mortes*. Aksakov l'admirait trop
pour ne pas lui pardonner ces petites roueries. Le deuxième

---

(1) Récit d'Aksakov, recueilli par Koulich.
(2) Ibid.

chapitre des *Ames mortes* lui parut encore supérieur au premier. « A trois reprises, je ne pus retenir mes larmes, écrivit-il à son fils Ivan. Un art aussi élevé, qui consiste à montrer dans l'individu le plus vulgaire un aspect humain sublime, cela ne se trouve que chez Homère... A présent seulement, je suis convaincu que Gogol est capable d'accomplir la tâche dont il semblait parler avec tant d'assurance et d'outrecuidance dans le premier tome (1). » En recevant les félicitations de son vieil ami, Gogol prit un visage inspiré et dit, comme parlant d'un autre : « Oui, oui, que Dieu accorde à son serviteur la santé et la vigueur. Un grand bien doit sortir de tout cela, car l'homme ne peut se connaître sans l'aide de son prochain. » Il eût voulu lire le troisième chapitre, également terminé, mais ses forces le trahirent. Il n'avait plus de voix.

Malgré l'encouragement de ses amis, son travail avançait lentement. Au lendemain de sa triomphale lecture à Aksakov, il écrivit à Plétnev :

« Je ne comprends pas ce qui se passe en moi. Est-ce l'approche de la vieillesse qui nous incite à la faiblesse et à la fainéantise, est-ce mon état maladif, est-ce le climat ? mais je n'ai tout simplement le temps de rien faire. Je me lève tôt, je mets la main à la plume dès le matin, je ne laisse entrer personne, j'écarte toutes les affaires accessoires, je ne rédige même pas une lettre à mes proches, et, malgré tout, bien peu de lignes sortent de moi. Je crois avoir travaillé une heure à peine, je regarde ma montre, et il est temps de déjeuner. La fin de l'affaire, c'est-à-dire la fin des *Ames mortes*, n'est pas pour bientôt... Je ne comprends même pas qu'on puisse créer rapidement une œuvre d'art (2). »

Et il analysait ainsi ce qu'était pour lui le lent processus de la création :

« Pour commencer, il faut noter les idées comme elles viennent, n'importe comment, sans souci de la forme, mais sans en omettre aucune, et oublier jusqu'à l'existence de ce cahier. Au bout d'un mois ou deux (quelquefois davantage),

---

(1) Lettre de Serge Aksakov à son fils Ivan du 20 janvier 1850.
(2) Lettre du 21 janvier 1850.

vous reprenez vos notes et vous les relisez. Vous remarquerez
aussitôt qu'il y a beaucoup de choses inexactes, d'autres super-
flues, d'autres encore qui manquent. Corrigez le texte, prenez
des notes en marge et oubliez encore une fois votre cahier.
En le relisant de nouveau après quelque temps, faites d'autres
observations en marge et, si la place ne suffit plus, collez
une bande de papier au bout de la page. Quand tout aura
été gribouillé de la sorte, recopiez le cahier de votre propre
main. Il vous viendra de nouvelles idées, vous ferez des coupures, des additions, vous épurerez le style... Cela fait, oubliez
une fois de plus votre cahier. Voyagez, amusez-vous, ne faites
rien ou écrivez autre chose. Un jour viendra où vous vous
souviendrez de votre manuscrit. Reprenez-le, relisez-le, corri-
gez-le de la même manière et, lorsqu'il sera aussi sale que le
précédent, recopiez-le encore. Vous remarquerez alors que
votre main devient en quelque sorte plus ferme à mesure que
le style lui-même se raffermit et que les phrases se décantent.
C'est un travail qu'il faut faire, à mon avis, huit fois... A la
huitième fois enfin, l'œuvre, recopiée obligatoirement de la
main de l'auteur, devient, du point de vue artistique, achevée
et proche de la perfection. Des corrections et des révisions
ultérieures risquent de tout gâcher ; cela s'appelle, chez les
peintres, du fignolage. Bien sûr, on ne peut toujours suivre
ces règles à la lettre. Je parle d'un cas idéal. Il arrive qu'on
écrive plus vite. L'homme n'est pas une machine (1). »

Il se répétait cette dernière phrase pour excuser la stagna-
tion de son œuvre. En d'autres temps, il eût peut-être incri-
miné les conditions matérielles de son travail. Mais, dans la
maison du comte Tolstoï où il s'était réinstallé pour l'hiver,
tout semblait conçu afin de préserver sa tranquillité et de
sanctifier son âme. Une atmosphère de piété, une honnête
cuisine, des poêles bien chauds, un cabinet de travail confortable, des domestiques nombreux — que fallait-il de plus
pour l'éclosion des idées ? « Ici, racontera Berg, on soignait
Gogol comme un enfant, lui laissant une entière liberté en
tout. Il n'avait à se préoccuper de rien. Le déjeuner, le dîner,
le souper, le thé lui étaient servis là où il l'ordonnait. Son

_____
(1) N.V. Berg : *Souvenirs relatifs à Gogol.*

linge était lavé et rangé dans les commodes par d'invisibles mains. D'autres invisibles mains l'habillaient... Le silence de l'appartement était prodigieux. Gogol déambulait dans sa chambre d'un coin à l'autre, ou bien encore il écrivait en roulant des boulettes de pain blanc entre ses doigts : il affirmait à ses amis que cet exercice l'aidait à résoudre les problèmes les plus complexes et les plus difficiles... Quand son travail le fatiguait ou l'ennuyait, il montait chez le maître de maison ou bien enfilait une pelisse et allait se promener à pied sur le boulevard Nikitsky (1). »

Vers cette époque, il lui vint une idée étrange : sa production n'eût-elle pas été meilleure s'il s'était marié ? D'abord abasourdi par cette supposition, il y repensa par la suite et convint qu'elle n'était pas dénuée de fondement. Une épouse aimante, le calme d'un foyer chrétien, la douce fixité des habitudes conjugales, voilà ce qui lui avait manqué, toute sa vie durant, pour écrire un chef-d'œuvre. Il s'était lancé sur les routes, dévorant les distances, sautant les frontières, alors que la solution était peut-être ici, dans un tendre visage, éclairé par la flamme d'une veilleuse. Oh ! il n'entrait aucune pensée sensuelle dans son brusque désir d'union. Son âge (quarante et un ans !) le mettait, se disait-il, à l'abri des répugnants appétits de la chair. S'il songeait à un rapprochement possible avec un être du sexe opposé, c'était justement parce qu'il n'avait en vue que la communion des âmes. De même qu'il avait aimé Joseph Vielgorsky parce que le malheureux n'était plus tout à fait vivant, de même il aimait sa sœur, Anne Vielgorsky, parce qu'il savait qu'entre cette très jeune fille et lui il n'y aurait jamais le moindre contact physique, la moindre souillure. A force de lui écrire pour la diriger dans la vie, il en était arrivé à se sentir responsable d'elle comme d'une compagne que Dieu lui eût donnée. Cette alliance, qui existait entre eux dans le ciel, ne devrait-elle pas se manifester sur la terre ? Certes, la petite Anne aurait pu être sa fille. Certes, il était démuni d'argent. Certes, il n'avait aucun titre, alors que les Vielgorsky appartenaient à la haute aristocratie russe. Mais les mariages heureux ne se

_____
(1) Ibid.

fondent pas sur des raisons humaines. Ils sont décidés par le
Très-Haut pour des motifs qui nous échappent. Rencontres
pures et absurdes, inexplicables et foudroyantes, comme les
grands phénomènes naturels. Gogol rêva quelque temps à
son projet avec un mélange de bonheur et de crainte, et
finit par s'en ouvrir à Venévitinov, mari de la fille aînée des
Vielgorsky. Celui-ci, depuis longtemps averti par ses beaux-
parents du penchant de l'écrivain pour leur fille cadette, refusa
catégoriquement, en leur nom, une demande aussi déplacée.
Pour justifier cette rebuffade, il invoqua précisément les raisons que Gogol avait balayées de son esprit : la différence
d'âge et surtout la différence de condition sociale. Parlant
pour le comte et la comtesse Vielgorsky, il pria le prétendant
de ne plus leur rendre visite et de renoncer à toute correspondance avec la jeune fille.

Que se fût-il passé si le comte et la comtesse avaient dit
oui. Sans doute, affolé de son audace, effrayé de sa chance,
Gogol se fût-il enfui en sautant par la fenêtre, comme le
Podkoliossine d'*Hyménée*. Mais le ciel veillait sur lui. Après
cette fin de non-recevoir, il pouvait être malheureux en toute
tranquillité. Quelle tristesse ! Comment des gens qui l'avaient
accueilli chez eux avec tant de gentillesse pouvaient-ils lui
claquer la porte au nez sous prétexte qu'il aimait leur fille ?
Décidément, pensait-il, les préjugés de caste étaient plus forts
que l'esprit chrétien dans les grandes familles russes. Voulant
prendre Anne pour épouse, il l'avait perdue comme disciple
et comme pénitente ! Serait-elle seulement triste de cette
rupture ? Elle était si jeune, si vulnérable, si pieusement
soumise à ses parents ! Elle l'oublierait !... Dans son désarroi,
il lui adressa une lettre d'adieu, qu'il croyait claire et qui
reflétait l'extrême confusion de ses sentiments :

« Il m'avait paru indispensable de vous écrire, ne fût-ce
qu'une partie de ma confession. En commençant à l'écrire,
j'avais prié Dieu de m'aider à y exprimer la pure vérité.
J'écrivais, je corrigeais, je raturais, je recommençais à écrire
et je constatais qu'il fallait tout déchirer. Au fait, avez-vous
besoin de ma confession ? Vous considérez peut-être froidement ce qui est au fond de mon cœur, ou bien vous le considérez d'un autre point de vue, et alors tout peut apparaître

sous un aspect différent, et ce qui a été écrit pour éclaircir les choses ne peut que les obscurcir... Je ne vous dirai de cette confession que ceci : j'ai beaucoup souffert depuis que nous nous sommes séparés à Saint-Pétersbourg. J'ai langui de toute mon âme et mon état a été pénible, si pénible que je ne saurais vous le dire. Il était d'autant plus pénible que je n'avais personne à qui l'expliquer, personne à qui demander conseil ou sympathie. Je ne pouvais le confier à l'ami le plus proche, parce qu'ici intervenaient mes rapports avec votre famille, et tout ce qui touche à votre maison est pour moi sacré. Vous pécherez si vous continuez à m'en vouloir de vous avoir entourée d'un trouble nuage de malentendus. Il y a eu là quelque chose d'étrange, et je ne saurais pas encore vous expliquer comment cela s'est passé. Je crois que tout est arrivé parce que nous ne nous sommes pas assez connus l'un l'autre et que nous avons envisagé nombre de choses *très importantes* avec légèreté, du moins plus légèrement qu'il ne l'aurait fallu. Vous m'auriez tous mieux connu, s'il nous était advenu de vivre assez longtemps ensemble, quelque part, non point dans l'oisiveté mais occupés à un travail... Alors vous comme moi aurions vu avec évidence ce que je dois être par rapport à vous. Car enfin je dois bien être quelque chose pour vous ! Ce n'est pas pour rien que Dieu rapproche aussi miraculeusement des êtres. Peut-être ne dois-je être rien d'autre par rapport à vous qu'un chien fidèle chargé de garder, dans quelque coin, le bien de son maître... Tout de même nos rapports ne sont pas tels que vous ayez à me regarder comme un étranger (1)... »

Profondément affecté par cette brouille avec la famille Vielgorsky, Gogol se trouvait en état de moindre résistance, lorsqu'il apprit, le 11 mai, la mort de Mme Chérémétiev. Ce qui le bouleversa le plus dans cette disparition, ce fut que la vieille dame, qui vivait dans la hantise de sa fin prochaine, lui avait rendu visite, le jour même, inopinément. Ne l'ayant

_____

(1) Lettre datant du printemps de 1850.

pas trouvé à la maison, elle y était retournée en vain à
trois reprises et avait dit aux domestiques : « Transmettez
à Nicolas Vassiliévitch que j'étais venue lui dire adieu. »
Puis elle était rentrée chez elle, s'était couchée et avait rendu
le dernier soupir. « Je vivais l'âme dans l'âme avec elle,
disait Gogol. Sa mort laisse un grand vide dans ma vie (1). »

Ainsi, coup sur coup, deux êtres, l'un très jeune, l'autre
très vieux, s'éloignaient de lui pour toujours. Pourquoi Dieu
le frappait-il doublement ? Si encore il avait gagné sur le
plan de l'art ce qu'il perdait sur le plan de la vie. Mais le
Seigneur, dont il avait juré de servir les desseins dans son
œuvre, ne l'aidait plus à trouver ses mots. Dans son désarroi,
il cherchait un intercesseur auprès du Très-Haut. Et cet
intercesseur, il le voyait en la personne du Père Mathieu,
qui cependant, il le savait, était hostile à toute forme de
littérature. Au lieu de fuir ce moine fanatique, pour qui la
poésie était un piège du démon, il s'efforçait humblement de
le gagner à sa cause. Il lui semblait que, s'il savait le convaincre, les sources de l'inspiration, miraculeusement descellées,
jailliraient de nouveau dans sa tête.

« Jamais encore je n'ai ressenti à ce point mon impuissance, lui écrivait-il. J'ai tant de choses à dire, et il suffit
que je prenne la plume pour que rien ne vienne. J'attends
comme la manne une rosée rafraîchissante d'en haut. Dieu
m'est témoin que je ne veux rien exprimer d'autre que ce qui
pourrait glorifier son Saint Nom. Je voudrais montrer d'une
façon vivante, par des exemples vivants, à tous mes frères
obscurs qui peuplent le monde, que cette existence, qu'ils
traitent comme un jouet, n'est pas une plaisanterie. Il me
semble que tout est réfléchi, préparé, mais ma plume ne
bouge pas. Ce qui manque, c'est la fraîcheur d'esprit nécessaire. Je ne vous cacherai pas que cette impuissance devient
pour moi une souffrance secrète : c'est, en quelque sorte, ma
croix... Tout l'hiver, j'ai été malade. Notre climat froid ne
convient pas à mon tempérament frileux. Il me faut le
Midi (2). »

---

(1) Mme Smirnov. *Souvenirs.*
(2) Lettre datée de 1850.

De nouveau des projets de voyage l'assaillaient : Vassilievka, puis Odessa, et après la Grèce, peut-être Constantinople. Pour la partie russe de l'expédition, il estimait que le plus sage était de suivre de petites routes et de s'arrêter dans des monastères, afin de mieux voir le pays. Le philologue et ethnographe Maximovitch s'offrit à l'accompagner. Ils partirent le 13 juin 1850, après un déjeuner chez les Aksakov. Gogol avait commandé le menu par lettre : « Nous passerons chez vous avec Maximovitch, vers deux heures, c'est-à-dire pendant votre déjeuner, afin de manger un morceau avec vous : un plat, pas plus. Des croquettes de viande ou, peut-être, des oreillettes au fromage blanc, le tout arrosé de bouillon (1). » Après un arrêt à Podolsk, à Malo-Iaroslavets et à Kalouga, chez Mme Smirnov, les voyageurs atteignirent, le 19 juin, le célèbre ermitage d'Optina.

Emu à l'approche du saint lieu, Gogol descendit de voiture, avec Maximovitch, pour faire le reste du trajet à pied. Sur leur chemin, ils rencontrèrent une fillette, portant une jatte pleine de fraises. Ils voulurent les lui acheter, mais elle les leur donna avec le sourire, disant : « On ne peut prendre l'argent des voyageurs ! » « Cet ermitage répand la piété dans le peuple », observa Gogol (2).

Le monastère, avec ses murs blancs, ses chapelles aux coupoles dorées adossées à la forêt, ses prairies semées de fleurs, sa rivière, ses tintements de cloches, semblait un royaume de jouet. Dès les premiers pas, le nouveau venu avait l'impression que les soucis de la vie profane tombaient de ses épaules et que le temps s'arrêtait de couler. A quelque distance du bâtiment principal, se dressaient, perdues dans les arbres, les cellules des « staretz », sages entre les sages, auprès de qui les âmes en peine trouvaient conseil et réconfort. Le plus remarquable de ces êtres d'exception était le « staretz » Macaire, d'origine noble, excellent lettré, rayonnant d'humilité et de douceur. Jour et nuit, de la petite agglomération forestière, aux palissades ornées d'icônes, des prières montaient comme une fumée. Le visiteur le plus endurci

---

(1) Lettre du 13 juin 1850.
(2) Récit de Maximovitch à Koulich. *Notes sur la vie de Gogol.*

devait convenir qu'il régnait en cet endroit une paix surnaturelle. Comme si, à force de méditation, l'esprit des moines eût fini par dominer la matière. De la conversation qu'il eut avec certains d'entre eux, Gogol retira la conviction qu'ils étaient à mi-chemin entre la terre et le ciel.

« Je suis passé par l'ermitage d'Optina, écrira-t-il au comte Tolstoï, et en ai remporté un souvenir qui ne me quittera jamais. La grâce réside évidemment en ce lieu. Cela se sent jusque dans les manifestations extérieures du culte... Nulle part je n'ai vu de tels moines. A travers chacun d'entre eux, il me semblait converser avec tout le ciel. Je ne leur ai pas demandé comment ils vivaient : leur visage me disait tout. Même les servants m'ont étonné par leur air lumineux, affable, angélique et la simplicité radieuse de leurs manières ; et aussi les ouvriers dans le monastère, les paysans, les habitants des environs... Quelques verstes avant d'arriver à l'ermitage, on sent dans l'air le parfum de ses vertus : tout devient accueillant, les saluts se font plus profonds, la sollicitude envers le prochain apparaît plus grande (1). »

Et, le soir même de sa visite à l'ermitage d'Optina, il se dit que, si cette communauté de moines acceptait de prier pour lui, la somme de leurs oraisons finirait bien par toucher l'oreille du Seigneur. Dans un cas désespéré comme le sien, il fallait mobiliser toutes les âmes pieuses, mener grand bruit, gonfler la vague. Installé pour la nuit dans la propriété de son ami le slavophile Kiréevsky, à Dolbino, non loin du monastère, il écrivit au Père Philarète, prêtre-moine d'Optina :

« Au nom du Christ, priez pour moi, Père Philarète. Demandez à votre estimable prieur, demandez à toute votre confrérie, demandez à tous ceux qui, chez vous, prient avec le plus de ferveur et aiment le faire, de prier pour moi. Ma voie est difficile, mon œuvre est telle que, sans une aide manifeste de Dieu, à toute heure et à toute minute, ma plume ne peut se mouvoir... Montrez cette lettre au Père supérieur et suppliez-le d'élever ses prières pour moi, pécheur, afin que Dieu me juge digne, malgré mon indignité, de glorifier Son Nom. Il est de force, dans sa générosité, à tout obtenir, à me blan-

---

(1) Lettre du 10 juillet 1850.

chir, moi qui suis noir comme le charbon, à m'élever jusqu'à
la propreté que doit atteindre un écrivain assez hardi pour
prétendre parler de ce qui est saint et sublime. Au nom du
Christ, priez ! Il me faut, à tout instant, je vous le dis, être
au-dessus des mesquineries du monde et, en quelque lieu que.
m'entraînent mes voyages, me retrouver, par la pensée, à
l'ermitage d'Optina (1). »

Moins de deux semaines plus tard, Gogol atteignait le
village de Vassilievka, et, dès le 18 juillet, il écrivait à un
autre moine d'Optina, Pierre Grigorov (en religion Père Porphyre), en joignant dix roubles-argent à sa lettre « pour des
prières destinées à faciliter mon futur voyage et à préparer
l'heureux achèvement de mon œuvre ».

De nouveau en famille, il retrouva ses habitudes de travail
et d'oisiveté. Il écrivait le matin, dessinait, s'occupait de jardinage, lisait des livres pieux, rêvassait, se baignait, ou demandait à sa sœur Olga de lui jouer au piano des chansons ukrainiennes. Un jour, il convoqua même dans sa chambre des
mendiants de passage, et les écouta avec ravissement chanter
des rengaines populaires. La Russie, qu'il découvrait sur le
tard, devenait de plus en plus chère à son cœur. Il voyait en
elle une contrée jalousement aimée de Dieu. « Comme si cette
terre était la plus proche de notre patrie céleste », écrivait-il
à Stourdza. Mais il ajoutait aussitôt : « Malheureusement je
ne puis y séjourner, car c'est mauvais pour ma santé (2). »
Et, comme l'automne approchait, il se remit à ruminer des
plans de départ vers les rivages ensoleillés. Sur le conseil
de Mme Smirnov, il adressa même une lettre au comte Orlov,
chef des gendarmes, pour solliciter à la fois un passeport et
de l'argent. Sa santé et la bonne marche de son travail exigeaient, disait-il, qu'il passât les mois d'hiver dans les pays
chauds. Or ce travail était essentiel pour la Russie, puisqu'il
s'agissait de la suite des *Ames mortes*, « où l'homme russe
n'apparaît plus marqué par les traits mesquins de son caractère, mais dans toute la profondeur de sa nature et la riche
variété de ses forces intérieures ».

---

(1) Lettre du 19 juin 1850.
(2) Lettre du 15 septembre 1850.

« Pour toutes ces raisons, poursuivait Gogol, il me semble
que j'ai quelque droit de me ménager et de me préoccuper
de ma sécurité matérielle... Je n'ai aucune fortune, je ne reçois
aucun traitement, la petite pension que l'empereur m'avait
généreusement accordée durant mon séjour à l'étranger pour
raisons de santé a été supprimée dès mon retour en Russie.
Bien sûr, je pourrais gagner de l'argent si je me décidais
à publier mon œuvre sous une forme imparfaite et inachevée,
mais je ne me résignerai jamais à cela. Je sens trop, avec
l'âge, que, pour chaque mot prononcé *ici*, je devrai répondre
là-bas. »

Pour achever de convaincre son éminent correspondant,
Gogol ajoutait même qu'en plus du deuxième tome des *Ames
mortes* il envisageait d'écrire une géographie de la Russie,
d'un style « expressif et vivant », destinée à montrer aux
enfants, dès leur plus jeune âge, le magnifique visage de
leur pays et les « qualités et particularités du peuple
russe (1) ».

Il écrivit dans le même sens au grand-duc héritier et au
comte Olsoufiev, mais on ne sait si ces lettres parvinrent
à destination. En tout cas, il n'obtint aucune pension et le
passeport qu'il sollicitait ne lui fut accordé que pour les
provinces du Sud de la Russie. Entre-temps, il avait décidé
de passer l'hiver à Odessa. Vers la mi-octobre, il se mit en
route.

Un voyage interminable, sous un ciel crevant en cataractes.

« Avec de grandes difficultés, j'ai roulé, ou plutôt j'ai navigué jusqu'à Odessa, écrira Gogol à sa mère. Une pluie battante
m'a accompagné pendant tout le trajet. La route était insupportable. Je me suis traîné pendant une semaine, retenant
d'une main la portière de la voiture, dont le bois avait gonflé,
et, de l'autre, mon manteau déboutonné par le vent (2). »

Mais, peu après son arrivée, le temps se rétablit. Les rues
droites, les larges boulevards plantés d'arbres, le port grouil-

---

(1) Lettre datant de la deuxième quinzaine de juillet 1850.
(2) Lettre du 28 octobre 1850.

lant de monde, le soleil, la mer bleue le réconcilièrent avec
Odessa. La question du logement fut, comme toujours, promp-
tement résolue à sa convenance. On eût dit que, dans toutes
les villes de la terre, il y avait, par miracle, une maison prête
à le recevoir. Cette fois, il s'installa dans la demeure de ses
lointains parents Trochtchinsky, au delà du pont Sabanéev.
Justement ceux-ci se trouvaient absents d'Odessa. Il vivait
donc seul dans le pavillon qu'ils avaient mis à sa disposition.
Pour ses repas, il se rendait quotidiennement chez le prince
Répnine. Le prince avait même fait aménager pour lui un
cabinet de travail avec — suprême prévenance — un haut
pupitre pour qu'il pût travailler debout. Autre commodité :
la vieille princesse Répnine (mère du prince) possédait une
chapelle privée où Gogol aimait écouter la messe. Aux dires
des domestiques, il priait « comme un petit moujik », se
prosternant jusqu'à terre et « secouant ses cheveux » lorsqu'il
se relevait. Il portait toujours une veste marron foncé et un
gilet de teinte sombre à ramages. A son cou, il nouait, pour
sortir, une écharpe aux dessins voyants ou un foulard de
soie noire, dont il épinglait les pans, en croix, sur sa poitrine.
Son manteau, également marron, s'ornait d'un col de velours
et, les jours de grand froid, il s'enveloppait dans une pelisse
de raton. Un chapeau haut de forme et des gants noirs complétaient son habillement.

« Pâle, maigre, le nez long comme un bec d'oiseau, il produisait, par sa physionomie originale et ses manières excentriques, une étrange impression de croque-mitaine », dira un
étudiant du lycée Richelieu, après l'avoir rencontré pour la
première fois (1). Parmi ses amis d'Odessa, Gogol voyait de
préférence les Répnine, Stourdza, le piétiste réactionnaire,
Léon Pouchkine, le frère du poète, officier noceur, sympathique et léger, le prince Gagarine, les frères Orlaïev, les
Titov, Troïnitzky...

Il s'était également lié avec des acteurs de la troupe théâtrale de l'endroit, qu'il retrouvait souvent à dîner dans le
restaurant français de César Automne, autrefois fréquenté
par Pouchkine. A chacune de ses visites, César Automne, le

_____

(1) Lerner, d'après le récit de Demenitru. *Antiquité russe*, 1901.

ventre rebondi et le bonnet blanc sur la tête, voulait lui
suggérer quelque plat raffiné. Et invariablement Gogol lui
imposait son propre menu, robuste, simple, à base de viande.
Avant le repas, il buvait un verre de vodka, pendant le repas,
un verre de Xérès, après le repas, un peu de champagne.
Puis les acteurs lui demandaient de préparer du punch, à
sa façon. Il s'exécutait avec des mines de sorcier, penché sur
la flamme bleue de l'alcool. La conversation s'animait.
Réchauffé par l'enthousiasme de la petite troupe, Gogol se
laissait aller à des confidences. Ainsi, bien que se refusant
à parler de la littérature moderne, accepta-t-il de reconnaître
qu'un certain Ivan Tourguéniev, auteur de quelques contes
publiés par *le Contemporain,* avait un talent prometteur. Il
donnait des conseils aussi aux comédiens sur la façon d'ani-
mer un texte. Impressionnés par sa compétence, ils lui deman-
dèrent de leur lire la traduction en russe de *l'Ecole des Femmes* de Molière, dont les répétitions devaient commencer bientôt. Il le fit avec tant de verve et de simplicité, que ceux-là
même qui croyaient avoir compris leur rôle en découvrirent
subitement la véritable profondeur. « Sa lecture, dira l'un
des témoins, se distinguait nettement des habitudes théâtrales
admises à l'époque, par l'absence de tout effet, de toute tendance à la déclamation. Elle étonnait par sa simplicité, par
son manque d'artifice (1)... » Cédant aux prières des acteurs,
il accepta d'assister à une répétition de la pièce. Là encore,
il critiqua, conseilla, encouragea à bon escient. Mais il refusa
de se rendre à la représentation elle-même. Toujours sa crainte
de la foule !

S'il savait se montrer brillant parmi les comédiens, il se
renfrognait, le plus souvent, dans le monde. Son air torpide
et la banalité, parfois même la sottise, de ses propos affli-
geaient son entourage. Lors d'une conversation d'après dîner
sur les récentes découvertes de la science, il déplora l'usage
des lampes à huile. Une de ses admiratrices d'Odessa, qui
notait les moindres mots tombés de sa bouche, s'écria :
— « Que de nouveautés dans ma mémoire : la chaussée et les
diligences entre Moscou et Saint-Pétersbourg, la stéarine, le

---

(1) Toltchenov. *Gogol à Odessa.*

daguerréotype !... » — « Et à quoi tout cela sert-il ? marmonna Gogol dans un bâillement. Les gens en deviennent-ils meilleurs ? Non, pires ! » Interrogé par la même dame sur ses goûts en matière d'art, il soupira : — « Autrefois, j'aimais les couleurs, quand j'étais très jeune. » — « Oui, dit-elle, vous auriez pu être peintre. Et auparavant, qu'aimiez-vous ? » — « Auparavant, lorsque j'étais tout enfant, les cartes. » — « Cela signifie activité de l'esprit », minauda la dame désireuse d'élever le débat. — « Quelle activité de l'esprit ? bredouilla Gogol. La moitié de la Russie ne sait rien faire d'autre. C'est l'inactivité de l'esprit ! » Une autre dame se hasarda à lui demander quand paraîtrait en librairie le deuxième tome des *Ames mortes*. De nouveau il bâilla à se décrocher la mâchoire et dit d'une voix pâteuse : — « Dans un an, je pense. » — « Alors vous ne les avez pas brûlées ? » — « Si-i-i, mais le dé-é-but seulement ! » « Le dîner, au menu russe, l'avait rendu somnolent », notait la dame attendrie (1).

Mais cette somnolence n'était pas spécifiquement digestive. Même l'estomac libre, il arrivait, de plus en plus souvent, que Gogol se sentît à court d'inspiration. Une brume envahissait son cerveau et noyait tout dans la grisaille. La brume de l'ennui, de la mesquinerie et de la paresse. Tourner la tête à gauche, à droite. Pour quoi faire ? Sa curiosité était nulle. Ecrire ne représentait plus pour lui une libération, mais une obligation. La conséquence d'un engagement pris jadis à l'égard de Dieu. Coûte que coûte, il devait livrer sa copie au professeur qui l'attendait. Avec acharnement, il noircissait des pages. Les chapitres s'ajoutaient aux chapitres. Du point de vue de la quantité, il n'avait pas à se plaindre. Mais la qualité ? Un doute atroce lui poignait le cœur. Aussitôt après, il plastronnait : ses craintes étaient absurdes ; Dieu guidait sa main sur le papier ; il donnerait à la Russie le chef-d'œuvre qu'elle attendait de lui.

« Mes forces ne faiblissent pas, écrivait-il à Joukovsky. Mon travail avance régulièrement, comme par le passé ; il n'est pas terminé, mais la fin est proche... Quand l'écrivain est jeune, il écrit abondamment et rapidement. L'imagination

---

(1) *Journal d'une Inconnue. Archives russes*, 1902.

le pousse à tout moment. Il crée, il construit d'admirables châteaux aériens... ; mais, quand la vérité est devenue l'unique objet de son travail et qu'il s'agit pour lui d'évoquer avec précision la vie dans sa dignité la plus haute..., l'imagination ne peut guère mouvoir l'écrivain ; il doit lutter pour tirer de lui chaque trait (1). »

Et au peintre Ivanov :

« Il serait bon que votre tableau *(l'Apparition du Christ au Peuple)* et mon poème parussent en même temps dans le monde (2). »

Et à Mme Smirnov :

« En ce qui me concerne, je dirai que Dieu me garde et me donne la force de travailler. Je passe toute ma matinée à écrire, sans me hâter et en me relisant. La création artistique est la même en littérature qu'en peinture, pour un livre que pour un tableau. Il faut tantôt s'écarter, tantôt se rapprocher de l'œuvre, l'examiner à chaque instant, pour voir s'il n'y a pas en elle quelque chose qui ressort d'une manière brutale, si l'harmonie générale n'est pas compromise par un trait discordant. L'hiver est ici, en cette année, particulièrement agréable. Parfois le soleil brille gaiement, comme dans le Midi. Il m'arrive alors de me rappeler un coin de Nice (3). »

Au printemps, il résolut de retourner à Vassilievka pour y passer les fêtes de Pâques en famille. Avant son départ, ses amis lui offrirent un dîner d'adieu chez César Automne. Puis un autre au restaurant Matteo. On but du champagne à la santé de l'écrivain et à l'heureux achèvement de son œuvre. Ce bruyant hommage ne parvint pas à le dérider. Il se mit en route, le 27 mars 1851, à regret, comme si quelque force supérieure l'eût contraint à quitter la ville.

*
**

---

(1) Lettre du 16 décembre 1850.
(2) Lettre du 16 décembre 1850.
(3) Lettre du 23 décembre 1850.

Les premiers temps de son séjour à Vassilievka furent égayés par la présence de Danilevsky et de sa femme, lourdement enceinte. Les invités logeaient dans le même pavillon que lui, à droite de la maison principale. Une nuit, il fut éveillé par des cris horribles. Il crut à un assassinat. C'était Mme Danilevsky qui mettait son enfant au monde : un garçon. Comme de juste, on le prénomma Nicolas. Le baptême eut lieu à l'église du village. Pendant la cérémonie, le pope, légèrement éméché, éprouva de la difficulté à prononcer les paroles rituelles. Indignée, Marie Ivanovna chuchota à son fils : — « Comment peut-on tolérer qu'un prêtre officie dans cet état ? » — « Il serait étrange d'exiger d'un prêtre qu'il soit sobre le dimanche, répondit Gogol en souriant. Il faut l'excuser... »

Après le départ des Danilevsky, il retomba dans une mélancolie épaisse. Il était devenu un peu dur d'oreille. Souvent il soupirait, comme se parlant à lui-même : « Tout cela est absurde ! Tout cela ne rime à rien ! » Son entourage le décevait. Eclairées par ses conseils, sa mère, ses sœurs auraient dû former une famille chrétienne idéale. Or, à Vassilievka, il prêchait dans un désert. On l'écoutait respectueusement, on l'approuvait, et, dès qu'il avait le dos tourné, on retombait dans des habitudes futiles. Marie Ivanovna se plaignait à tout bout de champ, négligeait la gestion du domaine, empruntait de l'argent aux voisins sans savoir si elle pourrait le leur rendre ; ses filles n'avaient que fanfreluches et caprices en tête. Elles chuchotaient, se disputaient, rêvaient à des toilettes, à des « rencontres », assaillaient un marchand de passage, qui transportait dans sa carriole « de magnifiques étoffes pour presque rien ». Gogol essaya de les intéresser à des travaux utiles, comme le jardinage ou le tissage des tapis. C'était lui-même qui préparait les dessins à exécuter sur le métier. Il demanda également à ses sœurs de transcrire pour lui les chansons ukrainiennes qu'elles recueilleraient auprès des paysans. Elles en notèrent ainsi deux cent vingt-huit dans un cahier. « Ce fut, dira Koulich, le seul lien littéraire qui existât entre elles et leur frère. »

Le plus clair de ses journées, il le passait dans son cabinet de travail, devant son haut pupitre, sous l'image du Sauveur

qu'il avait rapportée d'Italie. Des mouches, ivres de chaleur,
entraient en bourdonnant par sa fenêtre ouverte. L'odeur
douce amère du jardin chatouillait ses narines. Il se sentait
dispos, mais les phrases s'ordonnaient mal sous sa plume.
Distrait, il griffonnait, en marge du manuscrit, des églises
hérissées de clochetons. Parfois, en revanche, un flot d'idées
le soulevait et il écrivait quelques pages d'affilée. Alors on
le voyait paraître plus gai que d'habitude à la table familiale.
Il souriait à ses sœurs et parlait à sa mère avec tendresse.
Mais même dans ces moments-là il semblait, en quelque sorte,
absent. De plus en plus, il se détachait des questions matérielles. Au milieu de ces quatre femmes, toutes pleines de
menus soucis quotidiens, il affectait la sérénité d'un apôtre
uniquement préoccupé de l'essentiel. « Autrefois, écrira sa
sœur Olga, lorsque mon frère arrivait au village, il s'arrangeait
toujours pour apporter quelque nouveauté dans l'organisation
du domaine : ou bien il plantait des arbres fruitiers, ou bien,
au contraire, des chênes, des frênes, des bouleaux ; souvent
il modifiait l'emploi du temps des serfs, goûtait leur pitance,
les aidait par ses conseils à organiser leur ménage. Maintenant
tout cela est relégué dans le passé. Mon frère ne s'occupe
plus de rien, et, quand ma mère se plaint des maigres revenus
de la propriété, il se borne à grimacer d'un air douloureux
et immédiatement oriente la conversation vers des sujets
religieux (1). »

Non, ce n'était pas à Vassilievka qu'il trouverait le repos.
Y rester tout l'été lui paraissait même au-dessus de ses forces.
Il n'aimait les femmes que dans la mesure où elles acceptaient
d'être ses élèves en religion. Or ni ses sœurs ni sa mère
n'étaient pour lui de vraies pénitentes. Ah ! comme il regrettait la douce soumission d'Anne Vielgorsky ! A plusieurs
reprises, il décida de partir, mais sa mère, en larmes, le
supplia de retarder son voyage. « Reste ! gémissait-elle. Qui
sait quand nous nous reverrons (2) ! » Enfin, le 22 mai 1851,
il eut le courage de boucler ses valises. Sa mère et sa sœur

_____

(1) *Souvenirs*, d'Olga Vassilievna Gogol.
(2) Chenrok, *Matériaux*, d'après le récit de Danilevsky.

cadette Olga l'accompagnèrent jusqu'à Poltava. Là ils descendirent chez leurs amis Skalon.

A peine avaient-ils posé leurs bagages que, de Vassilievka, par courrier exprès, leur parvenaient trois lettres : la première d'un certain Vladimir Ivanovitch Bykov, capitaine des sapeurs, qui demandait la main d'Elisabeth, la deuxième d'Elisabeth qui disait sa joie de cette proposition, et la troisième d'Anne qui approuvait sa sœur. De toute évidence, les intentions de Bykov étaient depuis longtemps connues des jeunes filles et elles avaient gardé ce projet secret durant la présence de leur frère à Vassilievka par crainte qu'il ne s'y opposât. Peut-être même Marie Ivanovna qui, devant son fils, affichait la plus grande surprise, avait-elle été tenue au courant de ces tractations matrimoniales. Comme on se méfiait de lui, dans la famille ! Un empêcheur de danser en rond, voilà ce qu'il était pour ses proches. Evidemment il ne pouvait empêcher le mariage. D'autant qu'Elisabeth avait vingt-huit ans ! Mais ce capitaine n'allait-il pas l'emmener dans une vie de bivouacs ? Un traîneur de sabre, sans fortune, sans espérances ! Quel besoin avaient-elles toutes de se jeter dans les bras d'un homme ? Les deux sœurs, chacune pour sa part, méritaient une semonce. Et d'abord Anne, la confidente. Gogol lui écrivit avec colère :

« Je ne sais si vous avez eu raison, toi et ta sœur, ayant arrangé cette affaire en secret, de ne point consulter notre mère, ou, du moins, de ne point me consulter moi. Pour ma part, je ne vois là encore aucune raison de me réjouir : ni lui (Bykov) ni elle (Elisabeth) n'ont d'argent. Certes la pauvreté ne serait pas un malheur si ma sœur Elisabeth était préparée à une vie active, laborieuse, si elle savait supporter, accepter, si, enfin, elle avait ce caractère égal et lumineux qui permet à un être de vivre heureux en quelque lieu que le sort le jette... Evidemment je puis me consoler en me disant que je ne serai responsable ni du bonheur ni du malheur de ma sœur, puisqu'on ne m'a pas demandé mon avis... Il (Bykov) nous est à peine connu. Tout ce que je puis dire, c'est que, les deux ou trois fois où je l'ai vu, je n'ai rien remarqué de mal en lui. Mais vous, vous n'êtes pas des juges... Allez à pied à Dikanka prier Dieu pour que ce mariage soit heureux. Que, durant tout le chemin, vos lèvres ne prononcent que des prières, et pas le moindre propos futile, pas la moindre parole de dispute (1). »

L'autre lettre était destinée à la principale intéressée, Elisabeth :

« Le pas que tu viens de franchir est effrayant : il te conduit soit au bonheur soit à l'abîme... Rends-toi à pied à l'église (de Dikanka), tombe à genoux devant l'effigie de Nicolas le Thaumaturge..., implore le Christ, notre Sauveur, afin que ce mariage que tu as conçu sans même prendre conseil de ta mère, sans réfléchir à l'avenir, sans considérer l'importance d'une telle décision, soit tout de même bénéfique... La seule pensée de la difficulté que tu éprouveras à être une bonne épouse, toute d'obéissance et de céleste douceur, emplit mon âme de terreur. Cela surtout lorsque je pense... que tu ne m'as jamais écouté, alors que je te donnais des conseils pour ton bien ; en effet, tandis que tes sœurs s'efforçaient, dans les limites de leurs moyens, d'exécuter ne fût-ce que la dixième partie de mes instructions, aucune exhortation ni aucune prière n'étaient capables de t'inciter, toi, à essayer tes forces (2). »

Quelques semaines plus tard, il jugera de son devoir d'enseigner à Bykov, son futur beau-frère, la meilleure façon de se conduire en ménage :

« Dans votre lettre à ma mère, vous écrivez que vous avez connu la gêne et que vous vous êtes habitué à une existence simple. Pour l'amour de Dieu, ne changez jamais ce genre de vie ; aimez plus que jamais la pauvreté et guidez votre femme dans cette voie, dès les premiers jours du mariage. Il faut battre le fer pendant qu'il est chaud : une épouse est, dans la première année du mariage, une cire molle que l'on peut modeler à sa guise. Si vous laissez passer ce délai, il sera trop tard ! (3) »

Après tout, peut-être ce militaire saurait-il dresser Elisabeth comme elle le méritait ? Cette pensée finit par réconcilier

(1) Lettre sans date, postérieure au 22 mai 1851.
(2) Lettre sans date, postérieure au 22 mai 1851.
(3) Lettre du 14 juillet 1851.

quelque peu Gogol avec l'idée du mariage. Il prit congé de sa mère et de sa sœur Olga qui retournaient à Vassilievka, alors qu'il devait continuer sa route vers Moscou. Encore des larmes, des baisers, des signes de croix sur le pas d'une porte. Il avait hâte de fuir ce marécage sentimental. Sa véritable famille, il ne la laissait pas derrière lui, il l'emportait dans sa serviette.

V

LA FIN DES AMES MORTES

A peine arrivé à Moscou, Gogol reçut une lettre d'Elisa-beth, l'invitant à son mariage, qui serait célébré à la fin de septembre ou au début d'octobre, et le priant d'acheter pour elle une voiture de voyage, du type « coach » : elle en avait grand besoin, disait-elle, pour suivre son mari dans ses déplacements. Cette prétention stupéfia Gogol. Le véhicule imaginé par sa sœur prit dans son cerveau les proportions fantastiques d'un carrosse de conte de fées. Comment osait-elle le charger d'une pareille commission sans se préoccuper de la dépense ?

« Rends-toi compte de mon état, écrivit-il à Elisabeth avec colère. Je te dis que, si je meurs, je ne laisserai pas, sans doute, assez d'argent pour payer mon enterrement... Visiblement Dieu désire que nous restions pauvres. J'avoue du reste qu'une pauvreté totale est préférable à une certaine aisance. Quand on est dans l'aisance, il vous vient à l'esprit toutes sortes de prétentions qui dépassent vos possibilités : une voiture de voyage du type « coach », un accès de dépit si on ne peut l'obtenir, et un nouveau désir à chaque pas. Quand on est pauvre, en revanche, on se dit : « Je ne puis me permettre cela », et on est tranquille. Chère sœur, aime la pauvreté. Quiconque aime la pauvreté n'est déjà plus pauvre, mais riche (1). »

_____

(1) Lettre du 14 juillet 1851.

Quant au mariage, il recommandait de le célébrer discrètement, dans l'intimité, pour éviter les frais. Inutile de penser au trousseau. Future femme d'officier, Elisabeth devait mépriser les toilettes, réduire son bagage au minimum et être prête à vivre n'importe où. « J'ai vu des comtesses qui, ayant épousé des militaires, n'emportaient avec elles qu'un balluchon et une cassette », affirmait-il dans sa lettre. Sa sœur n'aurait pas un kopeck de lui. Mais, le jour même où il lui adressait cette sévère leçon d'économie, il envoyait vingt-cinq roubles argent (1) à l'archimandrite du monastère d'Optina, en le priant de les utiliser pour l'aménagement de la sainte demeure des moines : « Avec insistance, je vous supplie de prier pour moi, pécheur (2) ! » Mieux valait placer de l'argent dans une œuvre pie que dans une voiture. On allait plus loin avec des prières qu'avec quatre roues.

Il faisait, à Moscou, une chaleur torride, poussiéreuse. Tous ceux qui le pouvaient désertaient la ville pour chercher un peu de fraîcheur à la campagne. Gogol accepta l'invitation de Mme Smirnov, qui l'appelait dans sa propriété de Spasskoïé, à soixante-dix verstes de la ville, au bord de la rivière Moskova. La maison de maîtres, avec ses fenêtres limpides, sa colonnade, ses pavillons reliés par une galerie, sa terrasse ornée de statues de marbre, se dressait, tel un palais en miniature, au sommet d'une colline. A droite, s'étalait un jardin à la française, ratissé et taillé ; à gauche, un jardin anglais, faussement sauvage, agrémenté de ruisseaux, de grottes et de ruines ; plus loin, les champs de blé, quelques villages, l'univers paisible et besogneux des moujiks. Dans ce décor heureux, un spectre attendait Gogol : usée, osseuse, le teint jaune, le regard inquiet, Mme Smirnov semblait à bout de résistance. — « Je suis anéantie, lui dit-elle. Les nerfs, les insomnies, les soucis... » — « Que faire ? répondit Gogol. J'ai moi-même des ennuis avec mes nerfs ! »

Elle lui raconta les graves désagréments que son mari avait subis dans sa carrière, les calomnies qui avaient circulé sur

---

(1) Soit 83,25 roubles assignats.
(2) Lettre de la mi-juillet 1851.

son compte, sa comparution devant une commission d'enquête du Sénat, l'obligation où il s'était trouvé d'offrir, récemment, sa démission de gouverneur de Kalouga. Gogol feignait de compatir à tant d'infortune, tout en pensant, à part soi, que ses propres tourments étaient autrement dignes d'intérêt. Mme Smirnov lui avait réservé deux pièces (une chambre à coucher et un cabinet de travail) dans un pavillon. Des domestiques étaient attachés à sa personne. Mais il refusait leur aide pour se laver et s'habiller. Levé à l'aube, il allait, un bréviaire à la main, se promener dans le jardin anglais. Puis il prenait son café et travaillait jusqu'à onze heures, debout devant un pupitre qu'il avait fait exhausser par des bûches. Quand Mme Smirnov lui rendait visite, il jetait un mouchoir sur son manuscrit, car il la savait curieuse et n'aimait pas laisser voir son texte avant les ultimes corrections.

Chaque jour, pour l'édifier, il lui lisait des pages de *la Vie des Saints*. L'après-midi, ils montaient côte à côte en calèche et roulaient, au petit trot, à travers les forêts et les plaines, en échangeant des souvenirs mélancoliques : Pouchkine, Rome, Nice... Toute la richesse de leur vie semblait appartenir au passé. Après tant d'heures lumineuses, pouvaient-ils encore espérer un peu de bonheur dans l'avenir ? Mme Smirnov ne le croyait pas. Et Gogol, tout en la contredisant, était, au fond, de son avis. Parfois, accablé de chaleur, il faisait arrêter la voiture au bord de la rivière, devant la cabane de bains. Plongé dans l'eau, il s'accroupissait, se relevait, sautillait, convaincu que cette gymnastique étrange consolidait son organisme. A la fin de ses promenades, il aimait voir rentrer le bétail, dans un nuage de poussière, au soleil couchant. Cela lui rappelait, disait-il, son Ukraine natale. De plus en plus souvent, il lui arrivait de sombrer dans une demi-léthargie. Mme Smirnov le surprenait parfois, affalé sur un divan, le regard perdu dans la brume de ses pensées, *la Vie des Saints* ouverte sur ses genoux : « — Que faites-vous là, Nicolas Vassiliévitch ? » Il tressaillait, comme éveillé en sursaut : — « Rien... rien... Je lisais la vie de saint Côme et de saint Damien (1)... »

_____
(1) *Notes*, de Mme Smirnov.

Un soir, il voulut lui lire quelques chapitres du deuxième tome des *Ames mortes*. Elle était si lasse, qu'elle refusa de l'entendre. Il en fut vexé mais domina sa mauvaise humeur. Assis l'un en face de l'autre, ils parlèrent de leurs malaises. « Il se plaignait de ses nerfs ébranlés, notera-t-elle, de son pouls trop lent, de son estomac paresseux... Plus de gaieté, plus de drôlerie dans ses propos... Il était entièrement plongé en lui-même. » A brûle-pourpoint, il lui demanda : « Pensez-vous à la mort ? » Elle lui répondit par l'affirmative. Il en fut satisfait et la bénit avec une icône. Mais cet acte sanctifiant ne suffit pas à la réconforter. En dépit des prières, elle se sentait de plus en plus faible. Vers la fin du mois de juillet, elle décida de retourner à Moscou pour se soigner.

Force fut à Gogol de renoncer, lui aussi, à la campagne. Pas pour longtemps. Justement les Chévyrev passaient l'été dans une villa, à vingt verstes de Moscou. Sans les prévenir — on ne va pas se gêner entre amis ! — Gogol loua une voiture, attelée de deux chevaux, et se mit en route. L'arrivée de ce voyageur inattendu, coiffé d'un large chapeau gris et les épaules couvertes d'une cape espagnole, étonna tout le monde. Immédiatement Chévyrev pria le jeune poète Berg, qui logeait dans un pavillon, de céder sa chambre au nouveau venu et de se transporter lui-même dans la maison principale. Les domestiques reçurent des consignes de discrétion et de silence. Toute la famille, pénétrée de respect, oublia la vie insouciante des vacances, pour adapter son emploi du temps aux exigences de l'écrivain.

Il travaillait dans sa maisonnette, entourée de grands sapins noirs. Le soir, Chévyrev se glissait comme une ombre par la porte entrebâillée, et Gogol, après s'être assuré que nul ne les espionnait dans leur tête-à-tête, lui lisait à haute voix ce qu'il avait écrit. « Cela se passait si mystérieusement, notera Berg, que l'on aurait pu croire... à une rencontre de conspirateurs cuisant les philtres de la révolution. » Gogol révéla ainsi à Chévyrev sept longs chapitres, dont certains étaient encore à l'état d'ébauche. Après chaque séance, il disait à son auditeur émerveillé : « Je te demande instamment de ne raconter à personne ce que tu as entendu, de ne faire aucune allusion aux plus petites scènes, de ne nommer aucun des héros (1). » Emu d'une telle confiance, Chévyrev promettait de se faire couper la langue plutôt que de trahir le secret ; ce deuxième tome était, à son avis, supérieur au premier ; il ne comprenait pas les doutes de l'auteur et souhaitait l'attirer de nouveau dans le courant de la vie. Mais même à table, parmi ses hôtes, Gogol se montrait apathique ou distant. Il mangeait à peine, avalait des pilules, buvait de l'eau. « Il souffrait de l'estomac, notera Berg ; il était ennuyeux ; il avait des gestes lents.; mais son visage n'était pas maigre ; il parlait peu, mollement et à contre-cœur ; rarement un sourire effleurait ses lèvres ; son regard avait perdu la flamme et la rapidité d'autrefois ; en un mot, ce n'était plus Gogol, mais une ruine de Gogol (2). »

Tout en écrivant, à grand peine, la suite des *Ames mortes*, Gogol préparait la réédition de ses « Œuvres réunies ». Pour gagner du temps, il avait confié la composition de chaque tome à une imprimerie différente. En attendant, les libraires répandaient le bruit que l'ouvrage serait interdit et vendaient au marché noir les rares volumes qui leur restaient de l'édition de 1842, à cent roubles pièce. Comme par un fait exprès, la censure de Moscou hésitait à autoriser la nouvelle publication. En désespoir de cause, Gogol supplia Plétnev de sacrifier son propre exemplaire des « Œuvres réunies » pour obtenir, du moins, le visa de la censure à Saint-Pétersbourg.

« Au début, je voulais rajouter quelques passages, apporter quelques modifications, lui écrivait-il, mais maintenant j'y renonce. Que tout reste comme c'était dans la première édition. Autrement on aurait encore des histoires avec les censeurs (3). »

L'hospitalité des Chévyrev était irréprochable, mais le goût du changement était si fort en Gogol, qu'il ne pouvait se contenter longtemps des mêmes visages. Brusquement il s'agita. Où aller pour renouveler sa vision du monde ? En vérité, il n'avait que l'embarras du choix. Quelques jours dans

---

(1) Lettre à Chevyrev, fin juillet 1851.
(2) N.V. Berg : *Souvenirs relatifs à Gogol*.
(3) Lettre du 15 juillet 1851.

la villa de l'acteur Chtchépkine, quelques jours à Abramtsévo, chez les Aksakov, et, aux premières pluies, retour à la maison des Tolstoï.

Ce fut là qu'il reçut la lettre d'un ami pétersbourgeois, M.S. Skouridine, l'avisant des attaques formulées contre lui par le publiciste exilé Herzen, dans sa brochure en français : *sur le Développement des Idées révolutionnaires en Russie.* Habitué aux injures de la presse libérale, Gogol n'en fut pas moins bouleversé par les accusations de cet homme supérieurement intelligent, qui lui reprochait d'avoir, dans les *Passages choisis*, renié les généreuses idées de sa jeunesse. Il sentait confusément qu'une partie de son public lui échappait, alors qu'il eût voulu rallier tout le monde à sa cause. Prêchant l'universel amour, comment pouvait-il être, pour certains, un objet de haine ? Sa sincérité absolue aurait dû, lui semblait-il, désarmer la critique.

Annenkov, lui ayant rendu visite, le trouva tout ensemble préoccupé des effets de son livre et ignorant des réalités politiques de l'heure. « Il ne savait pas ou ne voulait pas savoir ce qui se passait autour de lui, écrira-t-il. Il parlait des déportations et autres décisions administratives comme de mesures qui, par leur application modérée, témoignaient d'une bienveillante clémence à l'égard de nombreux condamnés... En m'accompagnant à la porte de l'appartement, il me dit sur le seuil, d'une voix émue : « Ne pensez pas de mal de moi et défendez-moi devant vos amis (occidentalistes et libéraux). Je tiens à leur opinion (1). »

A Vassilievka cependant, Marie Ivanovna et ses filles poussaient activement les préparatifs du mariage. Gogol avait promis d'y assiter mais hésitait à se mettre en route. Toute décision imposait à son esprit une épreuve déchirante. Il n'était à son aise que dans le flottement, la contradiction et la fuite. En outre il avait peur de ne pouvoir supporter les sottes prétentions de sa sœur Elisabeth. Mû par un sentiment d'alliance virile avec son futur beau-frère, il lui écrivit une nouvelle lettre de mise en garde :

---

(1) Annenkov : *Dernière rencontre avec Gogol.*

« Ma mère et mes sœurs se démènent comme des chattes folles, afin d'amasser le plus possible de linge et de chiffons pour la fiancée. Elles dépenseront ainsi beaucoup d'argent, si toutefois elles en trouvent quelque part, et vous, vous serez embarrassé de toute cette friperie. Je vous en prie, persuadez-les que vous devez mener une vie de bivouac, que vous ne sauriez que faire de ce fatras et qu'il sera bien temps de s'en occuper plus tard (1). »

Là-dessus, Gogol reçut une lettre de sa mère, qui se disait souffrante et le suppliait de venir à Vassilievka, tant pour la voir, elle, que pour bénir sa sœur au seuil d'une nouvelle vie. Il ne pouvait plus balancer.

« J'ai résolu de partir, écrivit-il à sa mère, mais ne retardez pas le jour du mariage et ne m'attendez pas pour le célébrer. Je ne puis rouler vite. Mes nerfs ont été tellement ébranlés par l'indécision où je me trouvais, ne sachant si je devais ou non aller vous rejoindre, que mon voyage sera lent ; je crains même qu'il ne ruine davantage ma santé. De toute façon, je ne ferai que vous voir rapidement et me hâterai de me rendre en Crimée ; aussi, je vous en prie, ne me retenez pas. Passer l'hiver en Ukraine serait plus pénible pour moi que de le passer à Moscou. Je tomberais dans la mélancolie et l'hypocondrie. Il me faut un climat tel que je puisse, chaque jour, me promener. A Moscou, du moins, les maisons sont vastes et bien chauffées, il y a des rues, des trottoirs (2). »

Parti de Moscou le 22 septembre 1851, il éprouva, en arrivant à Kalouga, une nouvelle crise de doute. Devait-il aller de l'avant ou faire demi-tour ? Son amour fraternel et filial entrait en conflit avec la répugnance que lui inspiraient toutes ces histoires de famille. Tantôt il se disait qu'il risquait de compromettre sa tranquillité dans un voyage absurde, tantôt que sa mère et ses sœurs l'attendaient avec impatience à Vassilievka et qu'il n'avait pas le droit de les décevoir. Malade de perplexité, il se rendit au monastère d'Optina, pour prendre l'avis d'un « staretz ». Le Père Macaire l'écouta avec bien-

_____

(1) Lettre du début septembre 1851.
(2) Lettre du 22 septembre 1851.

veillance et lui conseilla de poursuivre sa route. A demi
convaincu, Gogol revint le voir, le lendemain, pour lui expliquer les excellents motifs qu'il aurait eus de retourner plutôt
à Moscou. Après un regard incisif à son interlocuteur, le
moine reconnut que peut-être, en effet, cette solution était
la meilleure. Ces paroles conciliantes, au lieu d'apaiser Gogol,
augmentèrent son tourment. Il se présenta une troisième fois
devant le saint homme, pour lui parler de la peine qu'éprou-
verait sa famille s'il renonçait à la voir. Le Père Macaire,
agacé, le reçut sèchement, lui recommanda, dans ces conditions, d'assister au mariage et écourta l'entrevue. Immédiatement Gogol lui écrivit un billet pour exposer son angoisse
devant l'entreprise projetée :

« Mes nerfs sont dérangés, je crains fort que le voyage ne
m'ébranle. L'idée de me trouver malade au milieu d'une longue
route m'effraie un peu. Surtout lorsque je me dis que j'ai
quitté Moscou où l'on ne m'aurait pas laissé succomber à la
tristesse... Dites, votre cœur ne vous souffle-t-il pas que j'aurais
mieux fait de ne pas partir de Moscou (1) ? »

Le Père Macaire griffonna sa réponse au dos de la lettre :

« Je vous plains vivement de vous trouver dans une telle
indécision et un tel tourment. Bien sûr, si vous aviez pu le
prévoir, vous auriez mieux fait de ne pas partir de Moscou...
A présent, vous devez décider vous-même de votre voyage.
Si vous éprouvez une paix intérieure à l'idée de votre retour
à Moscou, cela signifiera que telle est la volonté de Dieu. »

Et il lui fit don d'une petite icône de saint Serge. En priant
devant elle, Gogol se persuada qu'il devait, en effet, rebrousser
chemin. Toutefois, au moment de mettre son projet à exécution, il fut pris de panique et se précipita de nouveau chez
le moine. Celui-ci, furieux, lui ordonna d'obéir à l'inspiration
qu'il avait reçue du Très-Haut et lui ferma la porte au nez (2).

Humilié et soulagé tout ensemble, Gogol revint à Moscou,
mais pour en repartir aussitôt et se rendre chez les Aksakov,

(1) Lettre du 25 septembre 1851.
(2) Lettre de Plétnev à Joukovsky du 24 février 1852 ; et Mme Smirnov : *Autobiographie*.

à Abramtsévo. Là, aux côtés de son vieil ami à la barbe grison-
nante, il rumina encore le remords d'avoir fait faux-bond à
sa famille. Pour s'alléger le cœur, il alla prier, le 1er octobre,
jour de la fête de sa mère, au couvent de la Trinité Saint-
Serge. Un Père surveillant de l'Académie religieuse le présenta
inopinément à des séminaristes. Face à ces jeunes gens en
soutane qui le considéraient avec admiration, il se troubla.
Enfin il dit : « Vous et moi accomplissons la même tâche,
avons le même but et servons le même maître. »

Le surlendemain, 3 octobre, il était de nouveau à Moscou,
chez les Tolstoï. Ce jour-là devait avoir lieu le mariage de
sa sœur Elisabeth. Il écrivit à sa mère pour expliquer les
raisons de son absence :

« Arrivé à Kalouga, je suis tombé malade et ai été obligé
de retourner sur mes pas. Mes nerfs sont tellement irrités
par toutes ces inquiétudes et incertitudes, que la route, qui
me fut toujours bienfaisante, m'est devenue maintenant malsaine. De toute évidence, Dieu désire que je reste cet hiver
à Moscou... Je regrette d'être dans une telle situation qu'il
me soit impossible d'envoyer le plus petit cadeau au nouveau
ménage (1). »

Quelques jours plus tard, exactement le 10 octobre, la censure autorisa la réédition, sans changement, des « Œuvres
réunies ». Ragaillardi par cette bonne nouvelle, Gogol accepta
d'accompagner Arnoldi, le 13 octobre, au théâtre, pour voir
le Révizor, avec Choumsky dans le rôle de Khléstakov et
Chtchépkine dans celui du gouverneur. Assis dans une loge, le
cou tendu, les traits crispés, il suivait avec angoisse le jeu des
acteurs. Dans l'ensemble, Choumsky lui parut un Khléstakov
acceptable. Mais d'autres comédiens n'avaient pas encore
compris leur personnage. Le rythme s'était ralenti. Le public
riait trop et à contretemps. Agacé, Gogol s'agitait dans son
fauteuil. Des spectateurs, l'ayant reconnu, braquaient déjà sur
lui leurs jumelles. Il craignit des applaudissements, un appel
à paraître sur la scène, et se glissa vers la porte. Arnoldi le

---

(1) Lettre du 3 octobre 1851.

retrouva chez Mme Smirnov, buvant, pour se remettre de ses émotions, du vin sucré coupé d'eau tiède.

Une semaine après cette représentation, Chtchépkine se rendit chez Gogol en compagnie d'un jeune auteur qui désirait ardemment le connaître : Ivan Serguéïévitch Tourguéniev.

« Nous arrivâmes avec Chtchépkine à une heure de l'après-ardemment le connaître : Ivan Serguéïevitch Tourguéniev. Gogol occupait une chambre à droite du vestibule. Nous entrâmes chez lui et le trouvâmes debout devant son pupitre, la plume à la main. Il portait un pardessus foncé, un gilet de velours vert et des pantalons marron... Je fus frappé du changement qui s'était opéré en lui depuis 1841. Je l'avais vu par deux fois, à cette époque, chez Avdotia Pétrovna Elaguine. C'était alors un Petit-Russien court et trapu ; maintenant j'avais devant moi un être maigre, aux traits tirés... Je ne sais quelle douleur secrète, quelle préoccupation, quelle inquiétude morose se mêlaient à l'expression toujours perspicace de son visage... Il vint à notre rencontre d'un air gai et me dit, en me serrant la main : « Il y a déjà longtemps que nous aurions dû nous connaître. » Je m'assis près de lui sur un large divan. Michel Semionovitch (Chtchépkine) prit place à côté de nous dans un fauteuil. Je considérai Gogol plus attentivement. Ses cheveux blonds qui tombaient tout droit, à la cosaque, avaient encore conservé la nuance de la jeunesse, mais ils étaient devenus clairsemés ; son front pâle et bombé respirait toujours l'intelligence ; ses petits yeux bruns étincelaient par moments de gaieté — je dis bien de gaieté et non d'ironie — mais d'ordinaire son regard était las. Son long nez pointu conférait à sa physionomie quelque chose de rusé qui faisait songer à un renard. Cette expression déplaisante se trouvait accentuée par ses lèvres molles et charnues sous une moustache coupée court : leur courbe imprécise révélait (à ce qu'il me sembla du moins sur le moment) ce qu'il y avait de ténébreux dans son caractère. Quand il parlait, elles s'entrouvraient d'une façon désagréable, découvrant de mauvaises dents. Son petit menton s'enfonçait dans une large cravate de velours noir. L'attitude de Gogol, ses gestes, évoquaient l'idée non d'un professeur, mais d'un instituteur, d'un maître d'école dans un établissement de province. « Quel être intelligent, étrange et malade ! » me disais-je en le regardant. Je me rappelle que nous nous étions rendus chez lui, avec Chtchépkine, comme chez un homme extraordinaire, génial, mais dont le cerveau était quelque peu dérangé. C'était l'opinion de tout le monde, à Moscou... Chtchépkine m'avait prévenu que Gogol était peu loquace. Or cette fois-ci, il parla beaucoup, avec animation, en détachant chaque mot, ce qui non seulement ne paraissait pas affecté, mais conférait à ses discours un poids, une signification particulière... Il parla de l'importance de la littérature, du rôle de l'écrivain, de la façon dont l'auteur devait considérer ses œuvres, de la physiologie, pour ainsi dire, de la création artistique, en s'exprimant toujours dans une langue originale... »

Toutefois l'enthousiasme de Tourguéniev se refroidit lorsque Gogol, emporté par son élan, se mit à défendre devant lui la nécessité de la censure. Cette institution obligeait l'écrivain, disait-il, à décanter ses idées, à peser ses mots, bref à ne livrer que le meilleur de lui-même.

« Dans ces réflexions et ces raisonnements, notera Tourguéniev, apparaissait nettement l'influence de ces personnages de haute volée, auxquels était dédiée la majeure partie des *Passages choisis*... Très vite je sentis qu'un abîme séparait ma conception du monde et celle de Gogol. Nous ne détestions pas les mêmes choses, nous n'aimions pas les mêmes choses. Mais, à cette minute, cela n'avait pas d'importance à mes yeux. Un grand poète, un grand artiste se tenait devant moi, et je l'écoutais avec vénération, même lorsque je n'étais pas d'accord avec lui. Sans doute connaissait-il mes relations avec Bélinsky et avec Iskander (pseudonyme de Herzen). Il ne souffla mot du premier ni de sa lettre (1) ; ce nom lui aurait brûlé les lèvres. Mais Iskander venait de publier à l'étranger un article où, à propos des *Passages choisis*, il accusait Gogol d'avoir trahi ses anciennes convictions. Gogol lui-même parla de cet article... On sait, d'après ses lettres, la blessure profonde qu'avait infligée à Gogol le fiasco complet de ses *Pas-*

---

(1) La lettre violente de Bélinsky au sujet des *Passages choisis*, dont il a été question plus haut : Troisième partie, chapitre II.

sages choisis. Nous pûmes nous rendre compte ce jour-là, avec Chtchépkine, à quel point cette blessure le faisait encore souffrir. D'une voix brusquement changée, haletante, il se mit à nous assurer qu'il ne comprenait pas ce qu'on pouvait lui reprocher, car il avait toujours été fidèle aux mêmes principes religieux et conservateurs, et qu'il était prêt à nous en donner la preuve en nous indiquant certains passages d'un de ses anciens livres... Ayant dit ces mots, il bondit du divan, avec une hâte juvénile, courut dans la pièce voisine... et revint en tenant à la main le volume des *Arabesques.* Il nous lut des extraits d'un des articles puérilement enflés et désespérément vides dont regorge ce recueil. Je me rappelle qu'il y était question de la nécessité d'un ordre sévère, d'une obéissance inconditionnelle au pouvoir, etc. « Vous voyez, répétait Gogol, j'ai toujours dit la même chose, je n'ai pas changé ! Comment peut-on m'accuser, moi, de trahison ? »... Et c'était l'auteur du *Révizor* qui disait cela, l'auteur d'une des œuvres les plus destructives qui eussent jamais paru sur la scène (1) ! »

Après cette flambée de protestation, Gogol, comme fatigué de se défendre, murmura encore : « Pourquoi Herzen se permet-il de m'insulter dans des journaux étrangers ? » Puis il reconnut que les *Passages choisis* étaient un livre manqué. « Je suis coupable, balbutia-t-il, coupable d'avoir écouté les amis qui m'entouraient alors. Si je pouvais revenir en arrière et reprendre ce que j'ai dit, je détruirais toute ma *Correspondance avec mes Amis.* Je la brûlerais (2) ! » Tourguéniev et Chtchépkine gardaient un silence gêné. Alors, changeant de conversation, Gogol parla de la dernière représentation du *Révizor* et en critiqua l'interprétation. Les acteurs, disait-il, avaient « perdu le ton ». Chtchépkine le persuada de leur lire la pièce, de bout en bout, pour les éclairer sur la psychologie des personnages.

Cette lecture eut lieu quinze jours plus tard, le 5 novembre 1851, et Tourguéniev y assista. A sa grande surprise, il

---

(1) I.S. Tourguéniev : *Souvenirs de Littérature et de Vie.*
(2) D'après les souvenirs de Chtchépkine.

constata que quelques comédiens, à l'humeur susceptible, refusant de recevoir une leçon de l'auteur, s'étaient abstenus de se rendre à l'invitation. Quant aux comédiennes, pas une n'avait jugé utile de se déplacer. Les auditeurs prirent place autour d'une table ronde. Gogol s'assit sur un divan. Son visage était figé dans une expression morose. Mais, dès qu'il eut lancé les premières répliques, une lumière brilla dans ses yeux, ses joues se colorèrent, comme sous l'effet d'une lampée de vin. « Gogol lisait admirablement, écrira Tourguéniev. Il me frappa par l'extrême simplicité du ton, par une sorte de sincérité à la fois grave et naïve, telle qu'il semblait se désintéresser complètement de la présence des auditeurs et de ce qu'ils pouvaient penser... L'effet était extraordinaire, en particulier dans les passages comiques, humoristiques. Il était impossible de ne pas éclater d'un bon rire sain (1). »

Un autre jeune écrivain, Grégoire Danilevsky (2), ayant rencontré Gogol vers la même époque, fut étonné de sa ressemblance avec ces cigognes que l'on voit en Ukraine, perchées sur une patte, au sommet d'un toit, « l'air attentif et songeur ». Gogol se plaignit devant Grégoire Danilevsky de la difficulté qu'il ressentait à écrire *les Ames mortes*. « Je dois arracher les mots de ma tête avec des tenailles ! » soupirait-il. A Mme Aksakov il déclara qu'il trouvait cette deuxième partie de son œuvre indigne de la première et qu'il devait la recommencer entièrement, ou même renoncer à son dessein. Mais, à d'autres, il disait que son travail avançait — onze chapitres terminés — et qu'il pourrait le publier vers l'été 1852, « peut-être même au début du printemps ».

Souvent, enfermé dans son cabinet de travail, il relisait son manuscrit à haute voix, pour lui-même. Etait-ce réellement la deuxième partie des *Ames mortes* ? Il en doutait parfois, tant il éprouvait de peine à suivre ses personnages dans leur nouvelle incarnation.

*
**

---

(1) Tourguéniev : *Souvenirs de Littérature et de Vie*.
(2) Aucun rapport avec l'ami d'enfance de Gogol : Alexandre Sémionovitch Danilevsky.

Les fragments de cette deuxième partie qui sont parvenus jusqu'à nous témoignent des efforts désespérés de Gogol pour mettre son talent en accord avec sa conscience. Persuadé que l'œuvre d'art, portée à un certain degré de perfection, avait un pouvoir moralisateur, il estimait que son devoir était d'utiliser toutes les ressources de son cerveau à régénérer ses semblables. Pour être digne de la tâche que Dieu lui avait assignée à sa naissance en le gratifiant du don de l'écriture, il fallait, pensait-il, qu'il rendît, dans ses livres, la vertu aimable et le vice hideux. Mais, s'il était à l'aise dans la peinture de la laideur physique et spirituelle, son génie le trahissait quand il essayait de créer une figure lumineuse. Merveilleusement habile dans l'art de capter les travers humains, de transformer les visages en mufles, de décomposer les gestes quotidiens en une gigue grotesque, il perdait tous ses moyens lorsqu'il se mêlait de représenter les hommes nouveaux, justes et actifs qui allaient « sauver la Russie ». Son imagination s'essoufflait dans la poursuite d'un rêve d'excellence, sa main, faite pour le trait rude et gras de la caricature, se crispait maladroitement pour tenter d'esquisser des profils au modelé suave. Travaillant contre sa vraie nature, il se torturait, s'échinait, priait Dieu de lui venir en aide, et seules des banalités onctueuses coulaient de sa plume. Il eût voulu être Raphaël, et il était Jérôme Bosch.

Certes dans cette deuxième partie des *Ames mortes* se dressent encore quelques personnages comiques apparentés à ceux de la première, mais leurs dimensions sont moindres et leurs couleurs plus pâles. Ce sont le paresseux, le lourd, le velléitaire Tentetnikov, propriétaire foncier à l'inactivité béate, à l'esprit fumeux ; le général Bétrichtchev, ambitieux et majestueux, aimant « l'encens et l'éclat » ; l'hospitalier Piétoukh, tout entier voué aux délices de la gourmandise ; Kochkarev, l'imbécile monumental, dont la grande idée est qu'il suffirait « de faire porter aux moujiks russes des pantalons à l'européenne pour que la science progressât, que le commerce fleurît et qu'un âge d'or commençât en Russie » ; Khlobouïev, le désordre russe incarné, offrant des dîners alors qu'il n'a pas un kopeck, priant au lieu de travailler et vivant sans vergogne aux dépens de ses amis... En face de ces êtres médiocres, s'aligne la cohorte des personnages clairs. Hôtes supposés du Purgatoire (tome II), ils ne sont pas « complètement vertueux » comme le seront ceux du Paradis (tome III), mais « importants ». Autrement dit, ils représentent, aux yeux de Gogol, les belles qualités du peuple russe. En tête de ces heureux mortels, se dresse Kostanjoglo, propriétaire terrien et industriel, qui possède à doses égales le sens pratique et le sens du devoir ; il enseigne à Tchitchikov comment s'enrichir en demeurant fidèle aux principes du christianisme.

En somme, ce que l'auteur a exposé de façon théorique dans les *Passages choisis*, il l'illustre par des « images vivantes » dans la suite des *Ames mortes*, à savoir que l'honnêteté conduit à la prospérité et la Bible au compte en banque. Comme si Kostanjoglo ne suffisait pas à cette démonstration, il campe devant nous un autre personnage édifiant, Mourazov, généreux fermier des eaux-de-vie, qui, parti de rien, a gagné des millions « sans passer par des voies tortueuses », et continue à s'enrichir parce que, toutes ses affaires, il les traite en pensant à Dieu. Troisième héros à citer en exemple au public russe, le gouverneur général, pour qui le titre d'Excellence prend toute sa signification, puisque ce haut fonctionnaire est à la fois intègre, ferme et clairvoyant. A côté de lui, brille l'honnête scribe, le jeune bureaucrate « étranger à l'ambition, à la cupidité, à l'esprit d'imitation, qui travaille seulement parce qu'il est persuadé qu'il doit être ici et non ailleurs, que la vie lui a été donnée pour cela ». A noter aussi la charmante Oulenka, vierge russe idéale, fantasque, si sincère et si pure, qu'en sa présence « le méchant se trouble », « le plus hardi en paroles ne sait que dire » et « le timide enfin peut causer (1) ».

De ces personnages-étoiles émanent des rayons qui, peu à peu, rendent Tchitchikov conscient de son indignité. Les discours d'un Mourazov, d'un Kostanjoglo et surtout du gouverneur général lui retournent l'âme comme un gant. Le châtiment dont il est menacé prépare sa résurrection morale, qui,

---

(1) Cette jeune fille idéale aurait eu pour modèle Anne Mikhaïlovna Vielgorsky, que Gogol avait, un moment, songé à épouser.

selon l'auteur, devrait justifier toute l'œuvre au regard de Dieu.

Malheureusement les héros « positifs » imaginés ici par Gogol sont d'un dessin si conventionnel, qu'au lieu de nous donner le goût de la vertu ils éveillent en nous la nostalgie du vice. Oui, avec leurs défauts profondément humains, ce sont les monstres grimaçants de la première partie qui font figure d'âmes vivantes, alors que les mannequins honorables de la deuxième partie apparaissent comme des âmes mortes. Seuls, de rares lambeaux subsistent de cette entreprise. Mais, ce que nous connaissons du plan d'ensemble, permet de croire que le Purgatoire et le Paradis de la trilogie auraient été de mièvres compositions d'atelier en comparaison de l'admirable Enfer qui nous est resté.

*
* *

Gogol se rendait compte de cet échec mais refusait d'en convenir. Ses amis, à qui il lisait de temps en temps un chapitre, l'encourageaient à poursuivre son œuvre. Au vrai, il leur semblait bien que ces personnages clairs n'étaient pas chez eux dans l'univers maléfique et grotesque de Tchitchikov, que le propriétaire vertueux, le fermier des eaux-de-vie débordant de nobles sentiments, l'angélique jeune fille, le gouverneur général juste comme Dieu le Père s'étaient trompés de livre, mais ils faisaient confiance au génie de l'auteur pour rectifier ces imperfections et donner du piment à l'ensemble. Certains même considéraient que ce deuxième tome, une fois mis au point, dépasserait le premier. Parallèlement à ce travail, Gogol achevait la rédaction de ses *Méditations sur la divine Liturgie* et corrigeait les épreuves de ses « Œuvres réunies ».

Vers la fin du mois de janvier 1852, il reçut la visite d'un de ses amis ukrainiens, le professeur d'histoire et de littérature Bodiansky. Celui-ci, le trouvant plongé dans ses papiers, lui demanda :

— « A quoi travaillez-vous, Nicolas Vassiliévitch ? » — « Je griffonne, répondit Gogol, et je revois les épreuves de mes œuvres anciennes, que l'on doit rééditer. » — « Va-t-on les rééditer toutes ? » — « Non, il est possible que je supprime quelques écrits de jeunesse. » — « Lesquels précisément ? » — « *Les Veillées du Hameau.* » — « Comment, s'écria Bodiansky, vous voulez porter atteinte à l'une de vos œuvres les plus fraîches ? » — « Cette œuvre-là contient bien des passages insuffisamment mûris. Je voudrais donner au public un recueil de mes œuvres dont je puisse être pleinement satisfait à la minute présente... Après ma mort, qu'on fasse ce qu'on voudra (1). »

Il prononça ces derniers mots avec une sorte de détachement funèbre et ajouta en hochant la tête : « Quel ennui dans ce monde, quand on jette un regard autour de soi ! Savez-vous que Joukovsky m'écrit qu'il est sur le point de devenir aveugle ?... » Le visage de Gogol s'était alourdi à cette idée. Soudain il s'anima de nouveau et proposa à Bodiansky de l'emmener le dimanche suivant chez les Aksakov, pour y entendre un récital de chants petits-russiens. Il semblait que seule la pensée de l'Ukraine, de ses chants, de ses coutumes, de sa cuisine, fût encore capable de l'égayer.

Mais la réunion chez les Aksakov ne put avoir lieu, en raison de la mort, survenue le 26 janvier 1852, après une courte maladie, de Catherine Mikhaïlovna Khomiakov, sœur du poète Iasykov. Gogol aimait cette jeune femme gracieuse et pleine d'entrain, qui lui rappelait l'ami et le confident disparu six ans plus tôt. En apprenant cette fin brutale, il se découvrit atteint dans sa propre chair. Ce n'était pas la première fois qu'il éprouvait l'impression d'être tiré par la manche vers le gouffre latéral. Pourtant jamais, jusqu'à ce jour, l'appel ne lui avait semblé aussi impérieux. Tout à coup il ne se sentait pas seulement averti, mais convoqué. Une prémonition glaçante paralysait son corps et endormait son esprit. Ayant vu la jeune femme dans son cercueil, il murmura : « Rien ne peut être plus solennel que la mort. La vie perdrait toute sa beauté, s'il n'y avait pas la mort. » Pendant le premier office funèbre, au domicile de la défunte, le courage lui man-.

---

(1) Conversation rapportée par Bodiansky à Koulich : *Notes au sujet de la Vie de Gogol* (Koulich).

qua. « Tout est terminé pour moi », dit-il. Hébété de fatigue et de chagrin, il resta à grand peine jusqu'à la fin de la cérémonie.

Le lendemain, 30 janvier, il renonça à se rendre aux obsèques de Mme Khomiakov, mais fit célébrer une messe pour le repos de l'âme de la défunte dans la chapelle particulière du comte Tolstoï. Le soir même, il déclarait chez les Aksakov :
— « Terrible est la minute de la mort ! » — « Pourquoi terrible.? rétorqua quelqu'un. Il suffit de croire à la miséricorde divine envers tout être qui souffre pour que la pensée de la mort devienne légère. » — « A cet égard, il faudrait interroger ceux qui sont passés par là ! » dit Gogol avec agacement (1).

Par réaction, il redoubla de soins et imagina de s'envelopper chaque matin dans un drap froid mouillé pour fortifier son organisme. Cette thérapeutique ne lui réussit guère. De jour en jour il ressemblait davantage à un cadavre galvanisé. L'ayant rencontré par hasard chez les Aksakov, le Dr Over prit Véra Serguéïevna Aksakov à part et chuchota : « Le pauvre ! » — « De qui parlez-vous ? » demanda Véra Serguéïevna. — « De Gogol » — « Pourquoi dites-vous de lui le pauvre ? » — « Parce que c'est un hypocondriaque. Dieu me préserve d'avoir à le soigner ! C'est horrible ! » — « Il a une consolation, dit la jeune fille, c'est un homme sincèrement croyant. » — « Cela ne l'empêche pas d'être malheureux ! » conclut le Dr Over en se dirigeant vers la porte.

Revenue auprès de Gogol, dans le salon, Véra Serguéïevna l'invita à rester déjeuner. Il refusa. Son visage était serein. Un froid soleil d'hiver illuminait la pièce.

— « Vous n'avez pas travaillé aujourd'hui ! lui dit Véra Serguéïevna. Vous vous êtes assez promené, il vous faut à présent vous remettre à l'ouvrage !

— « Il le faudrait, en effet, dit-il en souriant, mais je ne sais si ce sera possible. Mon travail est de telle sorte qu'il ne suffit pas de vouloir le faire pour y arriver (2). »

_____

(1) *Journal* de Véra Serguéïevna Aksakov (fille d'Aksakov).
(2) Ibid.

Il enfila sa pelisse et sortit dans la rue blanche et déserte. Maigre, voûté, crochu, il piétinait comme un corbeau dans la neige. Véra Serguéïevna le regarda s'éloigner avec un serrement de cœur.

« Demande à Dieu que mon travail soit consciencieux, écrivit-il le lendemain à Joukovsky, et que je sois jugé tant soit peu digne de chanter un hymne à la beauté céleste (1). »

Pour s'élever à cette « dignité », il multipliait les lectures pieuses et les prières, observait le jeûne et portait sur lui, dans une poche secrète, comme une relique, les dernières lettres du Père Mathieu.

« Je vous remercie beaucoup et beaucoup de me garder dans votre souvenir, écrivait-il au prêtre. La seule pensée que vous priez pour moi met dans mon âme l'espoir que Dieu me jugera digne de travailler pour Lui, mieux que je ne l'ai fait jusqu'à présent dans mon impuissance, ma paresse et ma faiblesse. Vos deux dernières lettres ne me quittent pas. Chaque fois que je les relis dans le calme, j'y trouve de nouvelles édifications et je remercie Dieu qui vous a aidé à les écrire. Ne m'oubliez pas, bonne âme, dans vos prières (2). »

Les lettres du Père Mathieu à Gogol ne nous ont pas été conservées, mais il est permis d'en imaginer le style d'après celles qu'il adressait à d'autres pénitents.

« Ne troque pas Dieu contre le diable et le royaume des cieux contre le monde d'ici-bas, écrivait-il à un veuf pressé de se remarier. Tu t'amuseras ici pendant une seconde et tu pleureras pendant l'éternité. N'entre pas en conflit avec Dieu, ne te remarie pas... Tu comprends bien que le Seigneur Lui-même exige que tu luttes contre la chair... Pense à la mort, et il te sera plus facile de vivre. Si tu oublies la mort, tu oublieras Dieu... Si tu ornes ton âme, en ce monde, par l'abstinence et le jeûne, elle apparaîtra pure dans l'au-delà. Tu sais également ce qu'il faut faire pour calmer les passions : mange peu et le moins souvent possible, évite la gourmandise,

_____

(1) Lettre du 2 février 1852.
(2) Lettre du 28 novembre 1851.

renonce au thé, bois plutôt de l'eau froide, accompagnée d'un bout de pain, et cela uniquement lorsque tu en éprouveras l'envie. Dors moins, parle moins et travaille davantage (1). »

Cette règle sévère, le Père Mathieu se l'imposait à lui-même : ni vin ni viande ; pas d'autres lectures que celles nécessaires au soutien de la foi ; une pauvreté farouche ; la haine de tous les plaisirs ; dans les villages soumis à son autorité sacerdotale, il avait, disait-on, à ce point terrorisé les fidèles par ses prédications, que, rentrés chez eux, ils n'osaient plus s'abandonner à la gaieté naturelle de leur caractère. Plus de rires ni de chants. Les enfants eux-mêmes avaient des visages tristes. Par obéissance aux conseils de l'archiprêtre, leurs parents ne les autorisaient à se divertir que si, tout en jouant, ils fredonnaient des psaumes (2).

Un certain Markov, propriétaire foncier, qui connaissait bien le Père Mathieu, voulut mettre Gogol en garde contre l'influence de l'archiprêtre de Rjev et lui écrivit à ce sujet :

« Comme homme, il mérite certainement le respect ; comme prédicateur, il est on ne peut plus remarquable ; mais, comme théologien, il est faible, n'ayant reçu aucune instruction. Je ne crois pas qu'il soit capable de résoudre vos problèmes, s'ils ont trait aux finesses de la théologie... Le Père Mathieu pourra discourir sur l'importance du jeûne, sur la nécessité de la pénitence, thèmes depuis longtemps rebattus, mais il évitera soigneusement toute discussion portant sur des sujets de pure philosophie religieuse (3)... »

Malgré cet avis lucide, Gogol refusa de rompre avec son directeur de conscience. Il lui semblait que la rudesse et la simplicité du Père Mathieu imposaient à son âme l'hygiène dont elle avait besoin pour s'élever. Car il n'était plus question que de cela : élever l'âme de façon que l'œuvre naissante ne fût plus seulement digne du créateur humain, mais du divin

---

(1) *Lettres du Père Mathieu Konstantinovsky.* Cf. Veressaïev : *Gogol dans la Vie.*
(2) Gréchichtchev. *Récit de la Vie du défunt Archiprêtre de Rjev : Mathieu Konstantinovsky.*
(3) Lettre de K.I. Markov à Gogol citée par Chenrok : *Matériaux.* Tome IV.

Créateur. Passer de la minuscule à la majuscule. Oublier le corps. Le mortifier par le jeûne. Ce fut avec un immense espoir qu'il apprit l'arrivée à Moscou du Père Mathieu, invité par le comte Tolstoï. Enfin, il allait pouvoir épancher son âme et retremper son courage auprès d'un homme de Dieu.

Il remit au prêtre quelques chapitres du deuxième tome des *Ames mortes*. Celui-ci, les ayant parcourus, les jugea décevants et conseilla à l'auteur d'éliminer les passages ayant trait à un « prêtre d'allure plus catholique qu'orthodoxe » et à « un gouverneur comme il n'en existe pas ». De tels portraits soulèveraient plus de railleries encore, disait-il, que les *Passages choisis*. Comment un homme qui se prétendait tourné vers Dieu pouvait-il perdre son temps en de pareils gribouillages ? Il fallait songer à se purifier le cœur et non à aligner des phrases sur le papier ! Devant Gogol épouvanté, le prêtre à la barbe roussâtre, au gros nez et à l'œil gris de fer, donnait de la voix comme à l'église. « La règle divine est écrite pour tous, disait-il. Tous doivent la suivre sans murmurer... L'affaiblissement du corps ne peut nous empêcher de jeûner. De quel travail nous soucions-nous ? Quel besoin avons-nous de nos forces ? Il y a beaucoup d'appelés et peu d'élus (1)... »

Comme Gogol s'efforçait de représenter à son interlocuteur que l'art et la sainteté n'étaient pas inconciliables, celui-ci, emporté par la fougue, lui ordonna de renoncer à son admiration pour Pouchkine. « Reniez Pouchkine ! lui criait-il. C'était un pécheur et un païen ! » Et il évoqua, devant son pénitent prosterné et sanglotant, la cérémonie terrible du jugement dernier. Dans son enfance déjà, Gogol avait été nerveusement ébranlé par la peinture que sa mère lui avait faite des tourments de l'enfer. Cette fois, il crut que sa tête allait éclater d'horreur. « Assez ! Je ne veux plus vous écouter ! gémissait-il. C'est trop épouvantable (2) ! » Il supplia le Père Mathieu de le laisser. Le prêtre, vexé, se retira. Le lendemain, 5 février 1852, il repartit pour Rjev. Gogol l'accom-

---

(1) *Les derniers Jours de la Vie de Gogol*, par Tarassenkov.
(2) Ibid.

pagna, tout contrit, à la station de chemin de fer. La séparation fut des plus sèches. Aussitôt après, dévoré de remords,
Gogol écrivit à son père spirituel :

« Hier déjà je vous ai écrit une lettre pour vous demander
pardon de vous avoir offensé. Mais soudain la grâce divine,
guidée par les prières de je ne sais qui, m'a illuminé, moi
dont le cœur est si sec, et j'ai eu envie de vous remercier
de toutes mes forces. Mais à quoi bon parler de cela ?... Je
vous dois une gratitude éternelle, ici-bas et par-delà le tombeau. Entièrement vôtre, Nicolas (1). »

En recevant cette lettre, le Père Mathieu put se dire que,
par son éloquence, il avait définitivement remporté la victoire.
La Russie avait peut-être perdu un grand écrivain, mais Dieu
avait sûrement gagné une belle âme. A quelque temps de
là, interrogé par le publiciste Philippov au sujet de sa dernière conversation avec Gogol, l'archiprêtre de Rjev expliqua
ainsi son attitude : — « Gogol cherchait l'apaisement et la
purification intérieure. » — « Pourquoi la purification intérieure ? » demanda Philippov. — « Il y avait en lui un côté
malpropre. » — « Quel côté malpropre ? » — « Un côté
malpropre, vous dis-je. Il essayait de s'en débarrasser et n'y
parvenait pas. Je l'ai aidé à se purifier... Qu'y a-t-il de mal à
ce que j'aie fait de Gogol un vrai chrétien ? » — « On vous
accuse de lui avoir, en tant que père spirituel, interdit d'écrire
des œuvres de caractère profane. » — « Ce n'est pas vrai !
Le talent de l'artiste est un don de Dieu. On ne peut jeter
l'interdit sur un don de Dieu... Certes, je lui ai conseillé de
décrire plutôt des êtres vertueux, c'est-à-dire de représenter
des caractères positifs, et non des caractères négatifs comme
il le faisait jusque-là avec tant de talent. Il l'a essayé, mais
sans succès... » Et, agacé par l'acharnement de tous ces littérateurs à le taxer d'obscurantisme, le prêtre ajouta dans un
grognement : « On ne peut accuser un médecin qui, décelant
une grave maladie, ordonne à son patient des remèdes violents (2) ! »

---

(1) Lettre du 6 février 1852.
(2) Propos rapportés par le moine Obraztsov qui assistait à
l'entretien.

Gogol, cependant, se remettait mal de sa discussion avec le Père Mathieu. Aussi longtemps qu'il avait été en bonne santé, il avait considéré le diable comme une sorte de charlatan grotesque, un jongleur de bas étage, un Khléstakov, un Tchitchikov, dont il suffisait de rire pour le désarmer. A présent, ses forces déclinant et son esprit s'emplissant de brume, il lui semblait que le diable ne se contentait pas d'induire en tentation les âmes veules et sans défense, mais que des entreprises en apparence sublimes, comme l'achèvement d'une œuvre d'art, pouvaient être inspirées à leur auteur par le génie du Mal. Peut-être, croyant travailler pour Dieu, avait-il, tout au long de sa carrière, travaillé pour le Tentateur ? Peut-être était-ce cela que le Père Mathieu avait voulu lui dire en le conviant à poser sa plume et à renier Pouchkine ? Peut-être n'avait-il que quelques jours devant lui pour réparer l'erreur de toute une vie ?

Le matin du Mardi gras, il se rendit chez un prêtre, à l'autre bout de la ville, et lui demanda quand il pouvait communier. Le prêtre lui conseilla d'abord de patienter jusqu'à la première semaine du carême. Puis, devant le désarroi de l'écrivain, il accepta de le recevoir à l'église le surlendemain.

Entre-temps, Gogol avait renoncé à toute activité littéraire. Entouré de livres pieux, il voulait s'imposer une discipline plus rigoureuse encore que celle prescrite par l'Eglise. Ainsi, dès la semaine des jours gras, il se soumit au jeûne. Luttant contre les exigences détestables de son estomac, il mangeait de moins en moins : quelques cuillerées de potage d'avoine ou de soupe aux choux, un morceau de pain bénit, un verre d'eau. Il vacillait sur ses jambes et se traitait encore de goinfre. La nuit, il s'efforçait de dormir le moins possible, pour ne pas céder à la diabolique tentation des rêves. Il écrivit à sa mère, afin de la supplier de prier pour lui : « Je ressens toujours une grande douceur dans les minutes où vous priez pour moi. Oh ! que de choses peut faire pour nous la prière d'une mère (1) ! »

---

(1) Lettre de la première décade de février 1852.

Le jeudi 7 février, il se présenta de très bonne heure à l'église, se confessa, communia, se prosterna, la face contre terre, et pleura. Chévyrev, lui ayant rendu visite peu après, le trouva si maigre et si abattu, qu'il l'implora, à genoux, de prendre quelque nourriture. Gogol prétendit qu'il n'avait pas faim. Puis, comme saisi d'une inspiration, il se fit transporter en fiacre à l'hôpital Préobrajensky pour y voir un innocent, un « fou du Christ », Ivan Koreïcha, qui jouissait de la confiance populaire. Arrivé à la porte de l'hôpital, il hésita à franchir le seuil, marcha de long en large dans la neige, s'immobilisa en plein vent, resta ainsi quelques minutes, remonta en voiture et revint chez lui. Qu'avait-il espéré entendre de la bouche de l'illuminé ? Une confirmation des exigences du Père Mathieu ? Ou un avis opposé, qui, le libérant de toute contrainte, l'eût rendu à la vie et à la littérature ?

A son retour, il avait l'air tellement égaré, que le comte Tolstoï le pria de recevoir le médecin de la famille, le docteur Inozemtsev. Celui-ci, perplexe, finit par diagnostiquer un catarrhe de l'intestin et conseilla au malade de se frictionner le ventre avec de l'alcool, de boire de l'eau de laurier-cerise et de prendre des pilules à base de rhubarbe pour combattre la constipation. Dédaigneux des remèdes matériels, Gogol préféra se soigner en multipliant les génuflexions devant les icônes, dont la maison du comte Tolstoï était abondamment pourvue.

Dans la nuit du vendredi 8 au samedi 9 février, il somnolait, à bout de forces, sur son divan, lorsqu'il entendit une voix d'outre-tombe. Les yeux grands ouverts sur la pénombre, il éprouva l'impression d'être déjà mort, poussa un cri horrible, réveilla son domestique et l'envoya chercher un prêtre, n'importe lequel. Quand le pope arriva, tout ensommeillé, Gogol lui expliqua qu'il souffrait de la même maladie que son père, qu'il se sentait sur le point de rendre le dernier soupir et qu'il voulait communier à nouveau, parce que sa précédente communion ne lui avait pas apporté la paix de l'âme. Le prêtre, constatant que le soi-disant moribond s'était levé pour le recevoir, l'assura qu'il s'inquiétait outre mesure et que le moment n'était pas encore venu pour lui de penser à sa fin. Momentanément rassuré, Gogol consentit à se recoucher et à s'assoupir. Mais, le dimanche 10 février, il appela le comte Tolstoï et le pria de confier ses œuvres, après sa mort, au métropolite de Moscou, Philarète, afin que cette haute autorité ecclésiastique décidât ce qui devait être publié et ce qui devait rester dans l'ombre : « Ce qu'il considère comme inutile, qu'il le biffe impitoyablement ! » Le comte refusa cette mission, pour éviter que le malade ne se crût gravement atteint.

Le lendemain, Gogol n'absorba, de toute la journée, que de l'eau rougie de vin. C'était le début du grand carême. La ville entrait dans une ère d'abstinence et de sévérité. Les cloches des églises ne sonnaient plus qu'à coups espacés et funèbres. Les prêtres officiaient en chasuble de deuil. Les théâtres impériaux avaient fermé leurs portes. Sur les marchés, régnaient tristement les champignons séchés, les cornichons salés, les choux aigres et les marinades. Dans certaines maisons pieuses, on recouvrait les meubles avec des housses et on voilait d'un drap les tableaux profanes. A travers les murs de sa chambre, Gogol devinait cette pénitence unanime. Sa pensée, constamment tournée vers les ténèbres, s'accordait avec l'humeur grave de la chrétienté. Quelques amis inquiets lui rendirent visite : Pogodine, Chévyrev, Chtchépkine. Il les reçut à contrecœur, allongé sur son divan, les écouta sans répondre et, au bout d'une minute, chuchota : « Pardonnez-moi, j'ai sommeil. »

« Considérant son état, notera Chévyrev en le quittant, il me sembla qu'il y entrait plus de tristesse que de maladie véritable. »

Le lundi 11 février, au soir, le comte Tolstoï fit célébrer une messe à son domicile. Gogol se traîna, allant d'une chaise à l'autre, jusqu'au premier rang de l'assistance. Puis il se dressa, dans un grand effort, et demeura debout, tout au long de l'office, marmonnant des prières, se signant et chancelant, les yeux brouillés de larmes.

Dans la nuit du lundi 11 au mardi 12 février, il pria encore, seul, dans sa chambre, devant les icônes. Il ne pouvait se résoudre à fermer les yeux. A trois heures du matin, il appela le jeune domestique ukrainien qui dormait, ramassé en chien

de fusil, derrière la cloison, et lui demanda s'il faisait chaud
dans les autres pièces de la maison.

— « Non, dit le jeune domestique. Il y fait froid.

— « Alors donne-moi ma cape. Il faut que j'aille là-bas,
pour régler certaines affaires. »

Sa cape sur les épaules, une bougie à la main, le dos rond,
la démarche hésitante, il se glissa dans la pièce voisine avec
des précautions de voleur. A chaque pas, il se signait. Son
ombre bossue se cassait aux angles du plafond. Parvenu
devant le poêle, il ordonna au gamin de l'ouvrir, en faisant
le moins de bruit possible, et de lui apporter sa serviette
de cuir. De la serviette, il tira une liasse de cahiers noués
ensemble par une ficelle : le manuscrit du deuxième tome
des *Ames mortes*, quelques chapitres du troisième tome, des
écrits de moindre importance. Le paquet pesait lourd dans
ses mains. Lourd comme un péché inexpiable. Il fallait s'en
débarrasser au plus tôt. Pour paraître pur devant Dieu. Il
jeta la masse de papiers dans le foyer et en approcha sa
bougie. La flamme mordilla les bords d'un feuillet, puis s'éleva,
claire, joyeuse, insolente.

— « Barine ! Que faites-vous là ? s'écria le gamin. Arrêtez !... Ces papiers peuvent encore peut-être servir !...

— « Ce n'est pas ton affaire, dit Gogol. Contente-toi de
prier ! »

Pressentant un drame, le gamin fondit en larmes et supplia encore son maître de retirer les papiers du feu. Gogol
refusa de l'entendre. Pensait-il, en cette seconde, au temps
lointain où il avait brûlé tous les exemplaires de *Hans Küchelgarten* ? Rien de tel que le feu pour effacer les traces d'une
faute ! Mais les pages, cette fois, étaient trop serrées. Après
avoir consumé le bord des cahiers, la flamme s'éteignit.
Mécontent, Gogol extirpa du foyer la liasse à demi calcinée
et toute piquée d'étincelles, dénoua la ficelle et disposa les
feuillets de manière à en faciliter la combustion. Puis, une
deuxième fois, il plongea la bougie dans le poêle et mit le
feu à ses manuscrits. Enfin, ils s'enflammèrent.

Une brusque lueur éblouit Gogol. Assis devant le trou, il
regardait se tordre et pâlir les lignes de son écriture. Tchitchikov retournait à l'enfer d'où il n'aurait jamais dû sortir.

Mais que d'années de travail anéanties en quelques minutes ! Dieu le voulait ainsi. A moins que ce ne fût le diable. Perdu dans ses pensées, Gogol demeura cloué sur sa chaise, l'œil fasciné, le nez bas, les mains sur les genoux, tel un oiseau aux ailes repliées, jusqu'au moment où il ne resta plus des cahiers qu'une masse charbonneuse. Alors il se signa, embrassa le petit domestique et se mit à pleurer (1). Un peu plus tard, il envoya chercher le comte Tolstoï et lui dit, d'une voix entrecoupée, en désignant le tas de cendres :

— « Voyez ce que j'ai fait ! Je voulais brûler certaines choses préparées à l'avance et j'ai tout brûlé ! Comme le Malin est puissant ! Voilà à quoi il m'a poussé !... Maintenant tout est perdu !

— « C'est bon signe, répondit le comte, qui ne songeait qu'à le consoler. Il vous est déjà arrivé plusieurs fois de brûler vos manuscrits pour faire mieux encore... D'ailleurs vous pouvez certainement vous rappeler ce que vous avez écrit !

— « Oui, dit Gogol en se touchant le front, je peux, je peux, j'ai tout cela dans ma tête (2). »

Il cessa de pleurer. Ses traits se raffermirent. Pourquoi avait-il menti au comte en lui affirmant qu'il avait brûlé ses manuscrits par erreur ? Il savait parfaitement ce que contenaient les cahiers qu'il jetait au feu. Mais il n'avait jamais pu se retenir de donner une version fausse de ses intentions et de ses actes. Chaque fois qu'il proférait une contre-vérité, il avait l'impression de se protéger contre le danger éblouissant de l'évidence.

De toute façon, après cet holocauste, le problème qui le tourmentait ne pouvait être résolu. Alors qu'il croyait avoir tranché les liens qui l'unissaient à ses semblables, les mêmes doutes tourbillonnaient dans son cerveau : avait-il obéi à

_____

(1) D'après le récit de Pogodine — *Le Moscovite.* N° 5. 1852. La seconde partie des *Ames mortes* n'est connue que par quelques fragments, brouillons, projets, retrouvés par Chévyrev dans les papiers de Gogol, et par le témoignage des rares amis à qui, en son temps, il avait lu des extraits de son œuvre.
(2) Récit de Tarassenkov : *les derniers Jours de la Vie de Gogol.*

Dieu en supprimant des paperasses inutiles, ou au diable en privant l'humanité d'une œuvre — même imparfaite — dont ses contemporains auraient pu s'inspirer pour échapper à leurs mauvais instincts ? N'était-ce pas insulter le Très-Haut que refuser le monde tel qu'Il l'avait fait, avec sa neige et sa boue ? Appelé sur terre pour témoigner par l'écriture, un chrétien avait-il le droit de renoncer à ce don divin par esprit d'ascétisme ? Qui répondrait à ces questions : ni le Père Mathieu, ni le métropolite Philarète, ni les « staretz » du monastère d'Optina n'étaient de taille à éclairer Gogol. Tiraillé de droite et de gauche, incapable de comprendre ce que Dieu attendait de lui, il ne voyait plus aucune raison de poursuivre son chemin parmi les hommes. La mort l'attirait ou l'effrayait selon les heures. Comme dans son enfance, il lui semblait parfois qu'une voix, venue de loin, l'appelait par son nom.

Les jours suivants, il sombra dans l'hébétude. Assis dans un fauteuil, les jambes allongées sur une chaise, les yeux clos, il se désintéressait de l'agitation charitable que ses amis entretenaient autour de lui. « Il faut mourir ; je suis prêt ; je mourrai », dit-il un soir à Khomiakov. Et, comme le comte Tolstoï lui parlait de sa mère, de ses sœurs, pour le distraire, il marmonna, d'un air indigné : « Que dites-vous là ? Peut-on parler de ces choses, alors que je me prépare à un événement aussi terrible. » Puis il vida ses poches et ordonna de distribuer une partie de cet argent aux pauvres et de consacrer l'autre partie à l'achat de cierges.

Le docteur Inozemtsev étant tombé malade, le comte Tolstoï appela en remplacement le docteur Tarassenkov, homme sensible, respectueux et cultivé, pour qui Gogol avait de la sympathie. « En le voyant, je fus effrayé, écrira Tarassenkov. Tout son corps avait maigri à l'extrême, ses yeux avaient terni et s'étaient enfoncés dans les orbites, ses traits s'étaient affaissés, ses joues s'étaient creusées, sa voix avait faibli, il avait de la peine à remuer sa langue dans sa bouche desséchée, l'expression de son visage était indécise, inexplicable. Au premier coup d'œil, il me parut mort. Il était assis, les jambes allongées ; sa tête, légèrement renversée en arrière, s'appuyait au dossier de son fauteuil. Quand je m'avançai

vers lui, il releva la tête mais ne put la tenir droite malgré
un effort évident... Il avait le regard d'un homme pour qui
tous les problèmes sont résolus, tous les sentiments émoussés,
toutes les paroles inutiles, et dont la résolution est inébranlable. »

Dans un moment de lucidité, Gogol accepta cependant de
répondre à quelques questions d'ordre intime que lui posait
le médecin. « Il y avait très longtemps qu'il n'avait eu aucun
rapport avec des femmes, écrira Tarassenkov. Du reste, il
reconnaissait lui-même qu'il n'en éprouvait nulle nécessité et
n'en avait jamais tiré le moindre plaisir ; il ne se livrait pas,
non plus, à l'onanisme (1). » Mais pouvait-on ajouter foi à
ce genre de confession venant d'un être aussi dissimulé que
Gogol ? L'interrogatoire terminé, il se laissa palper, ouvrit la
bouche pour montrer sa langue, écouta les adjurations de
Tarassenkov, qui lui conseillait de boire du bouillon et du
lait afin de soutenir ses forces, et brusquement, cédant à la
fatigue, pencha la tête sur sa poitrine.

Entre-temps, le métropolite Philarète, souffrant lui-même,
fit dire à Gogol qu'il devait se soumettre aux prescriptions
des médecins, « car le salut n'est pas dans le jeûne mais
dans l'obéissance ». Gogol répondit qu'il s'abandonnerait à
la volonté de Dieu. En vérité, il avait résolu de cesser le
combat. D'une main tremblante, il rédigea un brouillon de
testament :

« Au nom du Père, du Fils et du Saint-Esprit, je lègue tout
ce que je possède à ma mère et à mes sœurs. Je leur conseille
de vivre toutes ensemble, unies par l'amour, au village. Il
faut récompenser les domestiques qui m'ont servi. Affranchir
Iakim. Et également Simon. Je voudrais que notre village
devînt, après ma mort, le refuge de toutes les filles non
mariées qui se consacreraient à l'éducation des orphelins...
Cette éducation serait des plus simples : catéchisme et travaux en plein air... Avec le temps, notre maison pourrait être
transformée en monastère, si mes sœurs se décidaient à devenir religieuses. Je voudrais que mon corps fût enterré sinon

---

(1) Tarassenkov : *les derniers Jours de la Vie de Gogol.*

dans l'église du moins dans l'enclos qui l'entoure et que des messes funèbres fussent constamment célébrées à mon intention... Soyez des âmes vivantes et non des âmes mortes. Il n'y a d'autre porte que celle indiquée par Jésus-Christ. Celui qui veut s'introduire au ciel autrement n'est qu'un larron et un bandit. »

Puis, sur de longs bouts de papier, il écrivit encore :

« Si vous ne devenez pas comme des petits enfants, vous n'entrerez pas dans le Royaume des Cieux.

« Seigneur, enchaîne de nouveau Satan par la puissance de ta Croix !

« Comment faire pour conserver toujours avec gratitude en mon cœur le souvenir de la leçon que j'ai reçue ? »

Ses doigts gourds n'avaient plus la force de guider la plume d'oie. Il repoussa l'écritoire. Maintenant il était clair pour lui que plus jamais il ne pourrait s'atteler à aucun travail littéraire. Mais cela ne le troublait pas. Le monde visible avait enfin perdu toute importance. Il murmurait : « Laissez-moi. Je suis bien ainsi. » Enveloppé dans sa robe de chambre, il ne se lavait plus, ne peignait plus ses longs cheveux, qui pendaient de biais sur son front, ne coupait plus sa moustache. Pour l'inciter à se nourrir, le prêtre de la paroisse lui rendait visite chaque jour et, devant lui, mâchait des pruneaux, ou avalait de la bouillie d'un air engageant. Le malade, à contrecœur, l'imitait ; mais, dès les premières bouchées, il écartait l'assiette d'une main squelettique. « Quelle prière voulez-vous que je vous lise ? » demandait le prêtre. « Toutes sont bonnes, répondait-il dans un souffle. Lisez, lisez... » Le dimanche, le prêtre le persuada de prendre une cuillerée d'huile de ricin. L'ayant ingurgitée, Gogol fit la grimace et déclara que désormais il n'avalerait plus rien. Son entourage consterné avait l'impression d'assister non à une mort naturelle mais à un lent suicide. Et ce lent suicide, criminel au regard de la religion, le patient le commettait, soi-disant, pour obéir à la volonté de Dieu.

Le lundi de la seconde semaine du carême, le prêtre lui proposa de communier et de recevoir l'extrême-onction. Il accepta avec joie et écouta la lecture de l'Evangile d'un air avide. Il tenait un cierge allumé à la main et de grosses larmes coulaient de ses yeux. Le soir, on voulut lui faire prendre un médicament. « Laissez-moi ! cria-t-il. Pourquoi me torturez-vous ? » Quelques amis vinrent lui rendre visite. Il n'ouvrait pas les yeux à leur entrée mais leur demandait de l'aider à boire ou à changer de position dans son fauteuil. Tout en souhaitant la mort, il avait peur de s'aliter, car, disait-il, une fois couché il ne se relèverait plus. Cependant, comme ses forces diminuaient, il consentit enfin à s'allonger sur son lit. « Si Dieu désire que je vive, je vivrai ! » bredouilla-t-il en abandonnant sa tête sur l'oreiller.

Le mardi 19 février, le comte Tolstoï décida de donner le pas aux médecins sur les prêtres dans la lutte contre l'étrange maladie de Gogol. Des exorcismes de la religion orthodoxe on passait aux exorcismes de la science moderne, de l'idéalisme au positivisme, des prières aux potions. En arrivant chez le comte Tolstoï, le docteur Tarassenkov trouva dans l'antichambre une foule d'amis aux visages consternés. « Comment va Gogol ? » demanda-t-il. « Mal, dit le comte. Allez le voir. Maintenant on peut entrer chez lui directement. »

Gogol était couché, en robe de chambre, sur son divan, les bottes aux pieds, le nez contre le mur, les yeux clos. Entre ses doigts, pendait un chapelet. En face de lui, veillait une icône représentant la Sainte Vierge. Quand le docteur Tarassenkov prit le pouls du malade, celui-ci marmonna : « Ne me touchez pas, je vous en prie ! » Le pouls était faible, rapide, les mains froides, la respiration égale. Bientôt le docteur Tarassenkov fut rejoint par les docteurs Alfonsky et Over. Les nouveaux venus tombèrent d'accord sur la nécessité de soumettre le patient à des passes magnétiques, afin de vaincre sa répugnance pour la nourriture. Le soir même, un magnétiseur réputé, le docteur Sokologorsky, se dressa, superbe d'assurance et de concentration, au chevet du moribond. Il lui posa une main sur le front, une autre au creux de l'estomac, fronça les sourcils, mais le fluide ne passait pas. Agacé par les gestes mystérieux du praticien, Gogol s'agitait et geignait : « Laissez-moi ! » Vexé, le docteur Sokologorsky renonça à son expérience et céda la place à un confrère réputé pour sa ténacité, le docteur Klimentov. Partisan de la manière forte,

celui-ci se mit à crier au-dessus de Gogol, comme s'il se fût
adressé à un sourd :
    — « Avez-vous mal à la tête ?
    — « Non.
    — « A l'estomac ?
    — « Non... »
L'interrogatoire ne donna aucun résultat. Cependant les
médecins réussirent à faire avaler une tasse de bouillon au
malade et à lui introduire, malgré ses hurlements, un supposi-
toire au savon.

Le lendemain, 20 février, vers midi, ils se réunirent en
consultation chez le comte Tolstoï : le docteur Over, le docteur Evenius, le docteur Klimentov, le docteur Sokologorsky,
le docteur Tarassenkov, le docteur Vorvinsky. Les six sommi-
tés médicales, ayant évoqué les causes de la prostration où se
trouvait leur client (travail cérébral intense, alimentation nulle,
refus des médicaments), en vinrent à cette conclusion qu'il
n'avait probablement plus toute sa raison. Le docteur Over
posa la question d'une manière abrupte : « Devons-nous
renoncer à soigner le malade, ou le traiter comme un individu
irresponsable et l'empêcher de se laisser mourir ? » Le docteur
Evenius répliqua sans hésiter : « Oui ! il faut le nourrir de
force. » Sur ces mots, tous les médecins pénétrèrent en groupe
dans la chambre. Penchés sur Gogol, ils l'interrogeaient et le
palpaient à tour de rôle. « Son ventre était si mou et si vide,
écrira Tarassenkov, qu'à travers lui on pouvait sentir facilement les vertèbres » Tâté à pleines mains, assailli de questions
indiscrètes, percé de regards savants, le malheureux hurlait et
se tordait sur sa couche : « Ne me tourmentez plus, pour
l'amour de Dieu ! » Déjà autour de lui fleurissaient les for-
mules latines : *mania religiosa, gastro enteritis ex inanitione...*
Quelqu'un parla même de typhus. Un froncement de sourcils
doctoral. Une sonnaille de mots savants. Passé maître dans
l'art de pousser la laideur jusqu'au fantastique, Gogol assistait avec horreur à cet absurde ballet de médecins dans sa
chambre. Aurait-il pu imaginer, à l'époque lointaine où il
rédigeait *le Journal d'un Fou*, qu'il subirait, au déclin de sa
vie, les mêmes tortures que son pitoyable héros ? « Non, je
ne puis endurer cela, écrivait-il. Que font-ils de moi, mon

Dieu ? Ils me versent de l'eau froide sur la tête ! Ils ne m'écoutent pas, ne me voient pas, ne m'entendent pas ! Que leur ai-je fait ? Pourquoi me tourmentent-ils ? Que veulent-ils de moi, malheureux ? Que puis-je leur donner ? Je n'ai rien (1). »

Comme s'il avait obéi aux indications de l'auteur, le docteur Over, après consultation de ses confrères, prescrivit des sangsues et des bains tièdes avec aspersion d'eau froide sur le crâne. Puis les médecins se retirèrent gravement, laissant le plus énergique d'entre eux, le docteur Klimentov, veiller à la stricte exécution de leur ordonnance. Empoigné à bras le corps, Gogol fut plongé dans un baquet d'eau chaude, tandis qu'un domestique lui versait de l'eau glacée sur la tête. Après quoi, il fut mis au lit tout nu, et le docteur Klimentov lui appliqua sur le nez une demi-douzaine de sangsues. Ainsi ce nez, dont l'écrivain avait tant parlé dans ses livres, devenait le prétexte d'un nouveau cauchemar. De grasses bestioles, suspendues à ses narines, se gorgeaient de son sang. En se tortillant, elles effleuraient ses lèvres. Il glapissait : « Il ne faut pas !... Retirez les sangsues !... Débarrassez ma bouche des sangsues !... » Mais nul ne l'écoutait. On lui emprisonnait les mains pour l'empêcher d'arracher de son nez cette grappe de vers aux ventouses voraces.

Vers sept heures du soir, le docteur Over revint au chevet de Gogol et décida, approuvé par le docteur Klimentov, de lui placer des cataplasmes aux extrémités, un vésicatoire sur la nuque, de la glace sur la tête et de lui administrer une décoction de racine de guimauve, additionnée d'eau de laurier-cerise. Assistant à la scène, le docteur Tarassenkov était indigné par les manières brusques de ses confrères.

« Ils le traitaient à la façon d'un aliéné, écrira-t-il, criaient devant lui comme devant un cadavre. Klimentov ne le laissait pas en paix une seconde, le triturait, le retournait, lui versait sur la tête je ne sais quel alcool corrosif et, quand le malade gémissait, le médecin, tout en continuant à l'asperger, lui demandait : « Alors ! Cela fait mal, Nicolas Vassiliévitch ?

---

(1) *Le Journal d'un Fou.*

Hein ? Parlez donc ! » Mais l'autre geignait et ne répondait
pas (1). »

Enfin les docteurs Over et Klimentov partirent, laissant le
docteur Tarassenkov seul au chevet du mourant. Le pouls de
Gogol s'était affaibli, sa respiration s'engorgeait. Tourné sur
le flanc, incapable de bouger, il se plaignait humblement de
la brûlure des cataplasmes. L'introduction d'un nouveau sup-
positoire lui arracha un grognement de douleur. Puis il
demanda à boire. Une gorgée de bouillon. Sa tête retomba
presque aussitôt sur son épaule. Visiblement il n'avait plus
toute sa conscience. Vers onze heures du soir, il poussa un
grand cri :

— « L'échelle ! Vite ! Passez-moi l'échelle ! »

Dans le dernier chapitre de ses *Passages choisis de ma
Correspondance avec mes Amis*, Gogol avait écrit : « Dieu seul
le sait, mais peut-être, à cause de cet unique désir (l'amour
du prochain à travers le Seigneur), une échelle est-elle prête
à nous être lancée du haut des cieux, et une main se tend
vers nous pour nous aider à la gravir d'un bond. »

Cette échelle, cette main, il les cherchait avec angoisse dans
la lueur tremblante de la veilleuse. Mais il ne voyait qu'une
paire de lunettes penchées au-dessus de son épaule, la dorure
d'une icône, des fioles de médicaments sur une table. Puisque
l'échelle ne descendait pas jusqu'à lui, il fallait qu'il marchât
pour l'atteindre. Dans un effort déchirant, il tenta de se lever.
Ses jambes ne le portaient plus. Un vertige le saisit. Le
docteur Tarassenkov et un domestique l'assirent dans un fauteuil. Il ne pouvait plus tenir sa tête droite. Elle retombait
« comme celle d'un enfant nouveau-né », dira Tarassenkov.
On le recoucha, on lui enfila une chemise. Il perdit connaissance. Puis il revint à lui, mais sans rouvrir les yeux. Ses
pieds étaient glacés. Tarassenkov glissa une bouteille d'eau
chaude dans son lit. En vain : Gogol grelottait. Une sueur
froide recouvrait son visage émacié. Des cernes bleus apparurent sous ses yeux. A minuit, le docteur Klimentov releva le
docteur Tarassenkov. Pour soulager le moribond, il lui admi-

---

(1) Tarassenkov : *Les derniers Jours de la Vie de Gogol.*

nistra du calomel et entoura le corps avec des miches de pain chaud. Gogol se remit à geindre. Toute la nuit, il délira doucement. « Allez-y ! chuchotait-il. Soulevez, chargez, chargez le moulin ! » Puis ses forces déclinèrent encore, son visage se creusa et noircit, sa respiration devint imperceptible. Il parut se calmer ou, du moins, ne plus endurer de souffances. Le 21 février 1852, à huit heures du matin, il rendit le dernier soupir. Il avait quarante-trois ans (1).

*
**

Quand les premiers visiteurs se présentèrent, Gogol était couché sur la table, vêtu de son habituelle redingote ; dans son visage, amaigri par la souffrance, le nez aigu s'allongeait en lame de couteau ; sa moustache retombait sur une bouche au pli serein ; ses paupières, bombées et bistres, semblaient closes sur un sommeil réparateur ; une couronne de laurier reposait sur sa tête, aux longs cheveux. Un prêtre murmurait des prières, un sculpteur prenait un masque de la figure du défunt. Plus tard, le peintre Mamonov dessina ce petit cadavre desséché dans son cercueil.

Après l'avoir vu, Serge Timoféïevitch Aksakov écrira : « Gogol était si peu homme à mes yeux, que moi, qui avais très peur des morts dans ma jeunesse, je n'ai pu réveiller en moi ce sentiment tout au long de la nuit dernière (2). »

Que ressentit le Père Mathieu en apprenant la mort de Gogol ? Eut-il une pensée de pitié pour ce martyr déchiré entre l'art et la foi ? Regretta-t-il de l'avoir trop durement détourné de sa vocation terrestre ? Ou connut-il l'apaisante certitude d'avoir accompli, une fois de plus, son devoir ?

---

(1) Pour expliquer la mort de Nicolas Gogol, les médecins parlèrent de catarrhe de l'intestin, de typhus, de gastro-entérite... En vérité, il avait toujours été un névropathe. Son jeûne, compliqué d'anémie, l'avait conduit au dernier degré de la résistance physique. Selon le Dr Bajenov, « il aurait fallu lui prescrire un traitement exactement opposé à celui qu'on lui avait appliqué, autrement dit le nourrir de force, et, au lieu de le saigner, lui faire des injections hypodermiques de solution salée ». (Bajenov : la Maladie et la Mort de Gogol. Moscou, 1902).

(2) Lettre d'Aksakov à ses fils en date du 23 février 1852.

Il était dit que, jusqu'à la dernière minute, Gogol susciterait la discorde parmi ses amis. Réunis chez le comte Tolstoï, les slavophiles, avec Aksakov à leur tête, insistaient pour que la messe funèbre fût célébrée en l'église paroissiale où l'écrivain aimait faire ses dévotions ; le professeur Granovsky, occidentaliste, exigeait, en revanche, que la cérémonie eût lieu à l'église de l'Université, car, disait-il, le disparu était apparenté à la grande famille des enseignants. « Absolument pas, rétorquaient les slavophiles. Il n'a jamais appartenu à l'Université. Il appartient au peuple. Il faut donc que la messe funèbre soit célébrée dans l'église paroissiale où peut entrer un laquais, un cocher et tout homme qui voudrait rendre un dernier hommage au défunt, alors qu'on ne laisse pas entrer des individus pareils dans l'église de l'Université (1). »

La dispute s'envenimant, à deux pas du cercueil, ce fut le gouverneur général de Moscou, le comte Zakrevsky, qui trancha : le corps serait transféré à l'église de l'Université, et cette église serait, pour la circonstance, déclarée accessible à tous. Les slavophiles, furieux, décidèrent de bouder la cérémonie. Le 22 février, le cercueil, ouvert selon l'usage, fut porté par quelques hommes de lettres, dont Ostrovsky, jusqu'à l'église de l'Université. Pendant deux jours, les équipages eurent de la peine à se frayer un passage dans la rue Nikitskaïa, encombrée par la foule qui se pressait pour défiler devant la dépouille mortelle. Des gens de toute condition allaient s'incliner devant ce petit homme de cire, couronné de laurier, qui les avait tant fait rire autrefois. Gendarmes et policiers en civil veillaient au maintien de l'ordre : quel que soit l'écrivain, on ne sait jamais s'il n'y a pas un motif suspect dans l'admiration que lui porte la foule.

Le dimanche 24 février, le comte Zakrevsky, gouverneur général de Moscou, assista à la messe solennelle en grande tenue. Le cercueil était recouvert de camélias. Entre les mains du mort, reposait un bouquet d'immortelles. Ni la mère ni les

_____

(1) Rapport du comte Zakrevsky au chef des gendarmes Orlov, 29 février 1852.

sœurs de Gogol, tardivement averties dans leur lointaine Ukraine, n'avaient eu le temps de se rendre à Moscou pour les obsèques. Mais l'église était pleine. Au moment des adieux, la cohue des admirateurs faillit renverser le catafalque. Chacun voulait baiser la main du défunt, arracher une feuille de sa couronne. Pour couper court à ces effusions, les organisateurs appliquèrent de force le couvercle sur la bière, dérobant aux yeux de la multitude le visage indifférent du mort. Ce furent les professeurs Granovsky, Koudriavtsev, Anké, Morochkine et Soloviev qui prirent le cercueil sur leurs épaules. Dehors, des étudiants les relayèrent. Un cortège désordonné s'allongea dans la rue neigeuse. Les hommes marchaient à pied. Les dames suivaient dans des équipages. L'inhumation eut lieu dans le cimetière du monastère Saint-Daniel. Il faisait beau et froid. Le soleil brillait sur la neige. La fosse avait été creusée non loin des tombes de Iasykov et de Mme Khomiakov, morte deux semaines auparavant (1).

Dans l'inventaire des biens laissés par le défunt, figuraient la montre en or ayant appartenu jadis à Pouchkine, un manteau de drap noir à col de velours, deux vieilles redingotes de drap noir, trois vieux pantalons de toile, quatre vieilles cravates (deux en taffetas et deux en soie), deux caleçons et trois mouchoirs... Pas d'argent, pas de bijoux, pas de papiers importants. Un bagage de mendiant. Mais il y avait l'œuvre !

Comment devait-on la considérer du point de vue officiel ? Certes l'auteur n'avait jamais attaqué le pouvoir ni l'Eglise dans ses écrits. Mais il avait moqué les fonctionnaires, les propriétaires fonciers, les petits et les grands serviteurs du régime. On sait que la littérature en apparence la plus anodine est une soupe où nagent souvent les herbes de la subversion. La prudence commandait de mettre une sourdine aux lamentations de l'élite intellectuelle. La revue *le Moscovite*

----

(1) Le tombeau de Gogol devait être transféré au monastère des **Nouvelles-Vierges** le 31 mai 1931.

ayant consacré un article encadré de noir à la mort de Gogol s'attira, dans *l'Abeille du Nord*, une remarque acerbe du journaliste Boulgarine, payé par la police : « Les moindres détails de la maladie de cet homme nous sont communiqués là, comme s'il s'agissait d'un personnage important, d'un bienfaiteur de l'humanité ! »

Malgré cet avertissement, peu après les obsèques, Ivan Tourguéniev écrivit quelques lignes d'émotion et de louanges sur le disparu et les soumit à la censure de Saint-Pétersbourg, qui refusa de les laisser passer. Sans se démonter, l'auteur envoya son texte aux *Nouvelles moscovites*, et le censeur de Moscou, par négligence, accorda son visa.

« Gogol est mort, écrivait Tourguéniev. Quelle âme russe ne serait ébranlée par ces trois mots ? Il est mort. Notre perte est si cruelle, si subite, que nous ne pouvons encore y croire... Oui, il est mort, cet homme que nous avons maintenant le droit, amèrement, d'appeler un grand homme. Cet homme qui, par son nom, a marqué cette époque de notre histoire littéraire, cet homme dont nous sommes fiers comme de l'une de nos gloires. Il est mort, frappé dans la fleur de l'âge, dans la plénitude de ses forces, sans avoir terminé l'œuvre entreprise, tout comme les plus nobles de ses prédécesseurs (1)... »

La publication de cet article souleva la fureur du chef des gendarmes. Assimiler Gogol à Pouchkine, à Lermontov, à Griboïédov, c'était le rendre plus suspect encore aux autorités. Un fonctionnaire du IIIe Bureau rédigea un rapport sur les menées des littérateurs « qui sont, à notre époque, les agents actifs de tous les troubles observés dans l'empire ». Il était proposé de convoquer Tourguéniev pour une réprimande et d'instituer autour de lui une surveillance policière. La suggestion parut trop indulgente à Nicolas Ier. Ce Tourguéniev n'avait-il pas osé s'apitoyer sur le sort des serfs, dans une série de récits publiés par *le Contemporain* (2) ? Il méritait

---

(1) Allusion à Pouchkine, à Lermontov, à Griboïédov, morts, eux aussi, tragiquement dans leur jeunesse.
(2) Ces textes devaient être rassemblés et édités l'année même, sous le titre : *les Récits d'un Chasseur*.

une leçon. D'une main ferme, le tsar écrivit en marge du rapport : « Je considère que c'est insuffisant. Pour punir Tourguéniev de sa désobéissance, qu'on le mette aux arrêts pendant un mois, puis qu'il soit exilé dans ses terres. » La sentence était sans appel : incarcéré séance tenante, Tourguéniev fut, par la suite, expédié dans sa propriété héréditaire de Spasskoïé-Loutovinovo.

Un autre problème préoccupait maintenant l'administration impériale. Fallait-il autoriser la publication des « Œuvres réunies », déjà en cours d'impression, de cet auteur trop aimé du public ? Non, mieux valait surseoir à un pareil hommage. Les censeurs reçurent l'ordre d'opposer un barrage impitoyable à toute page portant la signature du défunt. Thuriféraire du pouvoir, il devenait, après sa mort, suspect à ceux-là même qu'il avait encensés. Dans un rapport sur « l'affaire », le chef de l'état--major des gendarmes, Doubelt, précisait : « Les censeurs ont relevé dans les œuvres déjà imprimées et les œuvres encore manuscrites de Gogol un grand nombre de passages — presque à chaque page —, qui, pris isolément, sont condamnables non parce qu'ils expriment des idées nocives, mais parce qu'ils peuvent être interprétés dans un mauvais sens par les lecteurs et donner lieu, par là même, à des déductions répréhensibles. » Il ne fallut pas moins de trois ans et demi de combat aux amis de Gogol pour arracher le visa de la censure (1).

Les journaux et les revues avaient beau observer une consigne de silence, à mesure que les mois passaient, la figure de Gogol, loin de glisser à l'oubli, prenait des proportions que même ses amis n'avaient pas prévues. Le nom et l'œuvre grandissaient tandis que le corps se désagrégeait dans la tombe. Les contemporains du disparu sentaient confusément que ce petit homme malade, dissimulé, tourmenté, vaniteux, menteur

---

(1) Le neveu de Nicolas Gogol, Trouchkovsky réédita les Œuvres complètes en 1855-1856. Les quatre premiers volumes (1855) reproduisaient l'édition de 1842, les deux suivants contenaient les œuvres ultérieures.

et outrecuidant n'était pas seulement l'extraordinaire auteur
du *Révizor* et des *Ames mortes*, mais qu'il avait donné à la
littérature de son pays une impulsion qui ne s'arrêterait
jamais. Oui, à l'origine du prodigieux essor de l'art du roman,
en Russie, au XIXᵉ siècle, il y a une note claire : Pouchkine,
et une note sombre : Gogol. Pouchkine et son réalisme concis,
limpide, poétique ; Gogol et son réalisme déformant, fantastique, satirique, funèbre. Pouchkine et sa mesure ; Gogol et
sa démesure. Tous les écrivains russes à venir seront une
combinaison, à doses différentes, de ces deux éléments pri-
mordiaux. Leurs inventions les plus hardies se trouveront en
germe chez les deux grands précurseurs. Au moment même
où ils croiront innover, ils puiseront, à leur insu, dans l'un
ou l'autre de ces vastes réservoirs d'idées et de caractères.
C'est de Gogol que vient ce sentiment de pitié envers les
humbles qui animera toute l'œuvre de Dostoïevsky et de
Tolstoï ; c'est de Pouchkine que vient ce sens de la narration
directe, objective, qui donnera le ton aux meilleures pages de
Guerre et Paix. Le Tentetnikov de la deuxième partie des *Ames
mortes* engendrera le Lévine d'*Anna Karénine*. Le Podkoliossine d'*Hyménée* se retrouvera dans l'Oblomov de Gontcharov.
Les héros de Tourguéniev, de Saltykov-Chtchédrine, de Leskov,
de Tchékhov, de Gorky, de Rémizov et de tant d'autres forme-
ront l'illustre descendance des personnages du *Révizor* et du
Manteau. Avant même que les livres de ces auteurs n'eussent vu
le jour, le public, par une mystérieuse prémonition, savait
gré à Gogol du renouveau que, grâce à lui, connaîtrait la
littérature russe. Lui qui s'était plaint d'être si mal aimé de
son vivant, voici qu'après sa mort il devenait doublement
cher à ses compatriotes : pour ce qu'il avait écrit et pour
ce que d'autres, inspirés par lui, écriraient à sa suite.

En mai 1852, deux mois et demi après la mort de Gogol, le
jeune Grégoire Danilevsky (1) se rendit en pèlerinage à Vassi-

---

(1) Ne pas confondre avec Alexandre Sémionovitch Danilevsky, ami
d'enfance de Nicolas Gogol.

lievka. A quelques verstes du village, il fit arrêter sa voiture pour demander son chemin à une paysanne qui tenait un enfant dans ses bras.

— « On raconte que Gogol est mort, dit-elle, mais ce n'est pas vrai. On a enterré un pieux « staretz » à sa place. Lui est allé, paraît-il, prier pour nous à Jérusalem. Il est parti, mais il reviendra (1). »

Grégoire Danilevsky remonta en voiture. Bientôt, avec un serrement de cœur, il aperçut, entre deux collines, une petite église à la coupole verte, des isbas blanchies à la chaux et enfin la maison familiale de l'auteur des *Ames mortes*, basse, en bois, avec un toit rouge. A droite, un pavillon, à gauche, les communs. Autour, de vieux arbres, un jardin, des étangs. Derrière, à l'infini, la steppe ukrainienne.

Soudain trois femmes vêtues de noir se dressèrent devant le voyageur. La mère de Gogol et deux de ses sœurs, Anne et Olga. La troisième sœur, Elisabeth, mariée à Bykov, habitait Kiev. Grégoire Danilevsky fut frappé par l'extraordinaire jeunesse de Marie Ivanovna Gogol : robuste, corpulente, pas une ride. Un visage rose et volontaire, sous un bonnet blanc. Le chagrin faisait trembler ses grosses lèvres surmontées d'un imperceptible duvet. Ayant introduit le visiteur dans le salon, elle lui parla de son fils avec une vénération exaltée.

— « Le tsar lui-même connaissait mon fils, dit-elle en essuyant les larmes qui coulaient de ses lourdes paupières. A cause de ses écrits, il le considérait comme étant à son service. Il lui a octroyé un traitement !... »

— « Votre fils a longtemps séjourné à l'étranger, dit Grégoire Danilevsky. »

— « Oui, près de dix-huit ans, mais même là-bas il servait la patrie par sa plume ! »

On montra à Grégoire Danilevsky le cabinet de travail du défunt, dans le pavillon, son pupitre en bois de poirier, haut sur pattes, son lit, ses icônes, ses livres rangés dans une armoire, on le promena dans le jardin, derrière l'église, au

_____

(1) G.P. Danilevsky : *mes Relations avec Gogol.*

bord de l'étang, sur les lieux mêmes où jadis Gogol rêvait à ses personnages.

Les trois robes de drap noir s'accrochaient aux herbes dentelées, Marie Ivanovna soupirait, pleurait. Mais, en même temps, elle avait l'air si heureuse de pouvoir parler de son fils à un monsieur venu de loin, que Grégoire Danilevsky ne se décidait pas à prendre congé d'elle (1).

---

(1) La mère de Gogol, Marie Ivanovna, mourut en 1868, à Vassilievka ; elle était âgée de soixante-dix-sept ans. Sa fille cadette, Olga (1825-1907), s'était mariée entre-temps avec le major en retraite Golovnia. Elle eut de lui deux fils et une fille. Anne (1821-1893) resta célibataire. Trouchkovsky, le fils de la sœur aînée de Gogol, Marie (morte en 1844), prit sur lui d'éditer les œuvres complètes de son oncle (1855-1856) et mourut fou en 1862.

Quant à un autre neveu de Gogol, le fils d'Elisabeth (mariée à Bykov, veuve en 1862, morte en 1864), par un étrange concours de circonstances, il épousa la petite-fille du poète Pouchkine, Marie Alexandrovna.

ANNEXES

BIBLIOGRAPHIE

La bibliographie de Gogol est si vaste, que je me suis borné à indiquer ici les principaux ouvrages consultés.

Tous les titres ci-dessous correspondent à des livres en russe, sauf indication contraire.

Gogol N.V. — *Œuvres complètes,* nouvelle édition de l'Académie des Sciences d'U.R.S.S., en 14 vol., 1940-1952.
Œuvres complètes (en français) Edition de la Pléiade. NRF. 1966.
Correspondance, présentée par Chenrok. 4 vol. Saint-Pétersbourg, 1902.

Aksakov S.T. — *Histoire de mes Relations avec Gogol.* Archives russes, 1890, et Moscou, 1960.

Aksakov Véra. — *Les derniers Jours de Gogol.* Moscou, 1918.

Annenkov P.V. — *Souvenirs littéraires.* Saint-Pétersbourg, 1909, et Moscou, 1960.

Barsoukov N.P. — *La Vie et les Travaux de M. P. Pogodine.* Saint-Pétersbourg, 1888-1910.

Bélinsky V.G. — *A propos de Gogol.* Moscou, 1949.

Botkine M.P. — *Ivanov, sa Vie et sa Correspondance.* Saint-Pétersbourg, 1880.

Boukharev. — *Trois lettres à Nicolas Gogol,* 1861.

Chenrok V.I. — *Matériaux pour une Biographie de Gogol.* 4 vol. Moscou, 1892-1897.

Ermilov V.V. — *Le Génie de Gogol.* Moscou, 1959.

Europe. — Revue. (En français). Numéro spécial consacré à Gogol. Paris, juillet 1952.

Evdokimov P. — *Gogol et Dostoïevsky, ou la descente aux Enfers.* (En français.) Ed. Desclée de Brouwer, Paris, 1961.

Gaïetsky I. — *Gogol.* Moscou, 1956.

Gerbel N.V. — *Le Gymnase des hautes Etudes du Prince Bezborodko.* Saint-Pétersbourg, 1881.

Gogol N.V. — *Matériaux et Etudes.* Léningrad, 1936.

Gogol N.V. — *Héritage littéraire.* Tome 58. Moscou, 1952.

Gogol N.V. — *Gogol dans les Souvenirs de ses Contemporains.* Moscou, 1952.

Gogol-Golovnia O.V. — *Chronique familiale de Gogol.* Kiev, 1909.

Goukovsky G. — *Le Réalisme de Gogol.* Moscou — Léningrad, 1959.

Gourfinkel Nina. — *Gogol.* Collection « Les grands dramaturges ». (En français.) Ed. L'Arche, Paris, 1956.

Gouss M. — *Gogol et la Russie à l'Epoque de Nicolas Ier.* Moscou, 1957.

Hippius V. — *Gogol.* Léningrad, 1924.

Hippius V. — *Gogol d'après les Souvenirs et les Documents.* Moscou, 1938.

Hofmann M. et R. — *Gogol, sa Vie, son Œuvre.* (En français.) Ed. Corréa, Paris, 1946.

Iofanov D. — *N.V. Gogol, Années d'Enfance et de Jeunesse.* Kiev, 1951.

Iordan F.I. — *Notes.* Moscou, 1918.

Khraptchenko M.B. — *L'Œuvre de Gogol.* Moscou, 1959.

Kirpitchnikov A.I. — *Canevas chronologique.* Moscou, 1902.

Kotliarevsky N.A. — *N.V. Gogol,* 4e Ed. Pétrograd, 1915.

Koulich P.A. — *Notes au sujet de la Vie de N.V. Gogol.* 2 vol. Saint-Pétersbourg, 1856.

Léger L. — *N. Gogol.* (En français.) Paris, 1914.

Machinsky S. — *Gogol.* Moscou, 1951.

Machinsky S. — *Gogol et l'Affaire de la libre Pensée.* Moscou, 1959.

Machinsky S. — *Gogol dans la Critique russe.* Moscou, 1952.

Machinsky S. — *Gogol et Bélinsky.* Moscou, 1952.

Machovtsev N.G. — *Gogol dans les Cercles artistiques.* Moscou, 1957.

Mandelstam I. — *Sur le caractère du Style gogolien.* Helsingfors, 1902.

Merejkovsky D. — *Gogol et le Diable.* Moscou, 1906 et, en français, éd. Gallimard, Paris, 1939.

Motchoulsky K. — *La Voie spirituelle de Gogol.* Paris, 1934.

Nabokov V. — *Nikolaï Gogol.* En anglais, à Londres, 1947. En français, aux éd. de la Table Ronde, Paris, 1953.

Nikitenko A.V. — *Notes et Journal.* Saint-Pétersbourg, 1905.

Ovsianiko-Koulikovsky. — *Gogol.* Moscou, 1902.

Panaev I.I. — *Souvenirs littéraires.* Œuvres complètes, tome VI. Saint-Pétersbourg, 1888.

Poltoratsky A. — *Gogol à Saint-Pétersbourg.* Moscou, 1962.

Pospélov G.N. — *L'Œuvre de Gogol.* Moscou, 1953.

Schick A. — *Nicolas Gogol.* En français, éd. S.E.I., Sceaux, 1949.

Schick A. — *Gogol à Nice.* Paris, 1946.

Schloezer B. de. — *Gogol.* En français, éd. Plon, Paris, 1932.

Smirnov Mme A.O. — *Autobiographie.* Moscou, 1931.

Smirnov Mme A.O. — *Notes, Journal, Souvenirs, Lettres.* Moscou, 1929.

Sollogoub V.A. — *Souvenirs.* Saint-Pétersbourg, 1887.

Stépanov N.L. — *Le Chemin créateur de Gogol.* Moscou, 1959, 2ᵉ éd.

Stépanov N.L. — *Gogol.* Moscou, 1961.

Tarassenkov Dr. A.T. — *Les derniers Jours de la Vie de Gogol.* Saint-Pétersbourg, 1857.

Veressaïev V. — *Gogol dans la Vie.* Moscou — Léningrad, 1933.

Veressaïev V. — *Comment travaillait Gogol.* Moscou, 1932.

Zemenkov V.S. — *Gogol à Moscou.* Moscou, 1954.

Zenkovsky V. — *N.V. Gogol.* Ymca Press, Paris, 1961.

BIBLIOGRAPHIE

CHRONOLOGIE

1809   *20 mars* : Naissance de Nicolas Gogol, fils de Vassili Afanassiévitch Gogol-Ianovsky et de Marie Ivanovna, née Kossiarovsky.

1811   Naissance de sa sœur Marie.

1812   Naissance de son frère Ivan.

1819   Nicolas Gogol est envoyé au gymnase de Poltava/Mort de son frère Ivan.

1821   Nicolas poursuit ses études au gymnase de Niéjine/ Naissance de sa sœur Anne.

1823   Naissance de sa sœur Elisabeth.

1825   Mort de Vassili Afanassiévitch Gogol/Naissance d'Olga, sœur de Nicolas.

1827   Enquête administrative au lycée de Niéjine contre quatre professeurs suspects de « libre pensée ».

1828   Il quitte le lycée, passe les vacances dans la propriété familiale de Vassilievka, puis va s'installer à Saint-Pétersbourg.

1829   *Juin* : Il publie à compte d'auteur sa première
œuvre : *Hans Küchelgarten/Juillet* : Départ de Gogol
pour Lübeck/*Septembre* : Retour à Saint-Pétersbourg/
Novembre : Il obtient un emploi au ministère de l'Intérieur.

1830   Il entre au Ministère de la Cour.

1831   *Janvier* : Fait paraître, dans *La Gazette littéraire*, son
premier texte signé Gogol/*Février* : Il est nommé professeur d'histoire à l'Institut patriotique/*Mai* : Première
rencontre avec Pouchkine/*Septembre* : Publication du
premier tome des *Veillées du Hameau*.

1832   *Mars* : Publication du second tome des *Veillées du
Hameau/Juin* : Voyage à Moscou/Vacances à Vassilievka.

1834   *Juillet* : Nommé professeur adjoint d'histoire à l'Université de Saint-Pétersbourg/*Septembre* : leçon d'ouverture à l'Université.

1835   *Janvier* : Publication d'*Arabesques/Mars* : Publication
de *Mirgorod*, deux volumes/*Septembre* : Gogol est
relevé de ses fonctions à l'Institut patriotique, puis il
démissionne de son poste à l'Université/Pouchkine lui
donne le sujet des *Ames mortes/Octobre* : Il commence
à écrire *Les Ames mortes/Décembre* : Il achève la
rédaction du *Révizor*, dont Pouchkine lui a également
donné le sujet.

1836   *19 avril* : Première représentation du *Révizor*, au
théâtre Alexandra de Saint-Pétersbourg/*25 mai* : Première représentation du *Révizor*, à Moscou, au théâtre
Maly/*Juin* : départ de Gogol pour l'étranger/Voyage à
travers l'Allemagne et la Suisse/*Novembre* : Arrivée à
Paris.

1837   *Février* : Gogol apprend la mort de Pouchkine/*Mars* :
Gogol quitte Paris pour se rendre en Italie/Installation
à Rome.

1838   Gogol vit à Rome/Fréquentation des artistes/Penchant pour le catholicisme/Amitié tendre pour Joseph Vielgorsky.

1839   *21 mai* : Joseph Vielgorsky meurt à Rome/*Juin-septembre* : Voyage de Gogol en France et en Allemagne/ *Septembre* : Départ de Gogol pour la Russie/*Fin octobre* : Après un séjour à Moscou, Gogol rejoint Saint-Pétersbourg/*Décembre* : Retour à Moscou.

1840   *Mai* : Gogol, en compagnie de Basile Panov, quitte Moscou pour regagner Rome/*Septembre* : Après un séjour à Vienne, il arrive à Venise. Puis, par Florence, il rejoint Rome.

1841   *Août* : Ayant achevé d'écrire le premier tome des *Ames mortes*, Gogol se met en route pour la Russie/ *Décembre* : Les censeurs de Moscou interdisent la publication des *Ames mortes*.

1842   *Avril* : Les censeurs de Saint-Pétersbourg autorisent la publication des *Ames mortes*/*Mai* : Mise en vente des *Ames mortes*/Gogol repart pour Rome et s'arrête à Gastein/*Septembre* : Arrivée à Rome/*9 décembre* : Première représentation, à Saint-Pétersbourg, d'*Hyménée*.

1843   *Février* : Reprise, à Moscou, d'*Hyménée* (avec, en lever de rideau, *Les Joueurs*)/Parution des *Œuvres réunies* de Gogol, en quatre volumes/*Mai-décembre* : Gogol séjourne en Allemagne, puis rejoint à Nice (Piémont) Mme Smirnov/*Novembre* : Il détruit la première version de la suite des *Ames mortes*.

1844   *Mars* : Il s'installe à Francfort chez son ami Joukovsky/Mort de sa sœur aînée, Marie.

1845   *Janvier* : Voyage à Paris/*Février* : Retour à Francfort/ *Juillet* : Il jette au feu la nouvelle version du deuxième volume des *Ames mortes*/Publication en France des *Nouvelles Russes*, traduites par Louis Viardot/*Octobre* : Gogol se rend à Rome.

1846   *Juillet* : Il expédie à Saint-Pétersbourg les six premiers
chapitres de ses *Passages choisis de ma Correspondance
avec mes Amis*/*Octobre* : Il est de nouveau installé à
Francfort/*Novembre* : retour en Italie.

1847   Publication des *Passages choisis*/Début des relations
avec le Père Mathieu Konstantinovsky, depuis dix ans
directeur de conscience du Comte A.P. Tolstoï/Gogol
rédige sa *Confession d'un auteur* et Les *Méditations sur
la divine Liturgie.*

1848   *Janvier* : Gogol se met en route pour Jérusalem/
Avril-mai : après un bref séjour en Terre-Sainte, il
regagne la mère patrie et s'installe dans la maison
familiale de Vassilievka/*Septembre* : Il regagne Saint-
Pétersbourg/*Octobre* : Gogol est à Moscou.

1849   *Juillet* : Gogol part en voyage à travers la Russie puis
revient à Moscou où il s'installe chez le Comte Tolstoï.
Il y travaille au second volume des *Ames mortes.*

1850   *Juin* : Départ de Gogol pour Vassilievka/*Octobre* :
Il se met en route pour Odessa, où il fera un long
séjour.

1851   *Hiver* : Séjour à Odessa/*Mars* : Retour à Vassilievka/
Mai : Gogol regagne Moscou/*3 octobre* : Mariage de sa
sœur Elisabeth/*10 octobre* : La Censure autorise la
réédition des *Œuvres réunies.*

1852   *4 février* : Dernière et éprouvante visite du Père
Mathieu/*11 février* : Gogol brûle la troisième version
du second tome des *Ames mortes*/*21 février* : Mort de
Nicolas Gogol/*24 février* : Obsèques de Gogol, à Moscou.

RÉPERTOIRE BIOGRAPHIQUE

Le lecteur trouvera ci-dessous de brèves indications biographiques sur certains personnages cités dans le présent volume.

AIVAZOVSKY - Ivan Constantinovitch (1817-1900). Célèbre peintre de marines.

AKSAKOV - Serge Timoféïevitch (1791-1859). Dans sa jeunesse, poète et critique dramatique, traducteur de Boileau et de Molière. Sur le tard, déjà à demi aveugle, il écrivit ses *Observations sur la Pêche* (1847), les *Souvenirs d'un Chasseur au Fusil* (1855), *Chronique d'une Famille* (1856) et *les Années d'Enfance du Petit-fils Bagrov* (1858), remarquables par l'évocation de la nature russe et la description de la vie des propriétaires terriens. Ces livres firent de lui un classique. Ses souvenirs sur Gogol sont le document le plus important que nous possédions sur ce dernier. Il fut un nationaliste ardent, attaché aux traditions patriarcales.

AKSAKOV - Constantin Serguéïevitch (1817-1860), fils aîné de S.T. Aksakov. Poète, historien, philologue, critique. Un des fondateurs du mouvement slavophile.

AKSAKOV - Ivan Serguéïevitch (1823-1886), frère du précédent. Poète et publiciste, champion de l'idée panslaviste. Fondateur du journal *La Russie*.

AKSAKOV - Olga Sémionovna (1793-1878), femme de S.T. Aksakov.

AKSAKOV - Véra Serguéïevna (1819-1864), fille de S.T. Aksakov.

AKSAKOV - Nadéjda Serguéïevna (1829-1869), fille de S.T. Aksakov.

ANNENKOV - Paul Vassiliévitch (1812-1887). Critique littéraire, auteur
de travaux biographiques sur Pouchkine, et surtout d'importants *Souvenirs* sur Bélinsky, sur Gogol, dont il fut le
secrétaire, à Rome... On lui doit la première édition critique
de Pouchkine. Fut un occidentaliste convaincu, appartenant
au cercle de Bélinsky.

APRAXINE - Sophie Pétrovna (1802-1886), née Tolstoï, sœur du
comte A.P. Tolstoï, ami de Gogol.

ARMFELD - Alexandre Ossipovitch (1806-1868), professeur d'histoire
de la Médecine à l'Université de Moscou.

ARNOLDI - Léon Ivanovitch (1822-1860), frère utérin de Mme Smirnov. Fut quelque temps collaborateur du mari de celle-ci,
à Kalouga.

BALABINE - Varvara Ossipovna, Française d'origine, épouse du
général en retraite Pierre Ivanovitch Balabine. Amie de
Gogol.

BALABINE - Marie Pétrovna, fille de la précédente. Elève de Gogol.
Il entretint avec elle une correspondance suivie.

BALABINE - Elisabeth Pétrovna, sœur aînée de la précédente, épouse
du prince Répnine, chez qui Gogol séjourna à Odessa.

BAZILI - Constantin Mikhaïlovitch (1809-1884). Camarade de Gogol
au lycée de Niéjine. Fonctionnaire au ministère des Affaires
étrangères de 1844 à 1853. Consul général de Russie en
Syrie et en Palestine. Auteur de travaux sur la Turquie
et la Grèce.

BÉLINSKY - Vissarion Grigoriévitch (1811-1848). Critique littéraire
célèbre, se fit connaître par ses articles des *Annales de
la Patrie*, puis du *Contemporain*. Il lutta pour imposer la
doctrine du réalisme en littérature. Sa philosophie, assez
confuse, le reliait au matérialisme, ses vues politiques, au
socialisme utopique. Il fit partie du mouvement occidentaliste. Ses idées influèrent sur la pensée russe du
XIXᵉ siècle.

BENKENDORF - Alexandre Christoforovitch (1783-1844). Depuis 1826, chef des gendarmes et directeur de la III° section ; il fit régner en Russie un impitoyable régime policier. Reçut en 1832 le titre de comte.

BERG - Nicolas Vassiliévitch (1823-1884). Poète et traducteur, membre du comité de rédaction du *Moscovite*. Slavophile convaincu.

BODIANSKY - Ossip Maximovitch (1808-1877). Professeur d'histoire et de littérature slave à l'Université de Moscou.

BOTKINE - Nicolas Pétrovitch (1813-1869). Il appartenait à une riche famille de marchands moscovites et se montra, toute sa vie durant, secourable aux artistes dans la gêne.

BOULGARINE - Thadée Venédictovitch (1789-1859). Publiciste et critique, rédacteur en chef de la revue *l'Abeille du Nord*. Appointé par la police, il joua le rôle de délateur dans le monde des lettres.

BYKOV - Vladimir Ivanovitch (— 1862) Officier des sapeurs, mari de la sœur de Gogol, Elisabeth.

CHÉRÉMÉTIEV - née Tioutchev, Nadéjda Nicolaevna (1775-1850). Femme pieuse, amie de Gogol, qui la considérait comme sa « mère spirituelle ». Il lui écrivit souvent. La mort de Mme Chérémétiev le frappa douloureusement à un moment où il pensait à sa propre mort. Elle était la tante du poète Tioutchev.

CHÉVYREV - Stéphane Pétrovitch (1806-1864). Critique slavophile et conservateur, professeur à l'Université de Moscou. Il fit la connaissance de Gogol à Rome, en 1838. Ami de Pogodine et collaborateur régulier du *Moscovite*, il était partisan des traditions patriarcales, du « populisme » russe, dénonçait la « pourriture » de l'Occident et haïssait Bélinsky. Admirant Gogol et toujours prêt à lui rendre service, il se chargea, pour lui, de mille commissions et s'occupa notamment de l'édition de ses œuvres.

CHTCHÉPKINE - Michel Semionovitch (1788-1863). Ancien serf. Acteur de génie attaché au théâtre de Moscou. Un des fondateurs du théâtre national. Fit la connaissance de Gogol en 1832, devint l'un de ses proches amis et interpréta ses pièces.

DANILEVSKY - Alexandre Semionovitch (1809-1888). Ami d'enfance de Gogol. A la fin de ses études au lycée de Niéjine, il entra à l'école des sous-officiers de la Garde, à Saint-Pétersbourg. Après un séjour au Caucase, il revint dans la capitale, fut employé au ministère des Affaires étrangères, mais démissionna pour accompagner Gogol à l'étranger. A quelque temps de là, sa mère étant morte, il regagna la Russie, se maria, occupa un poste dans l'administration provinciale, puis se consacra à l'exploitation de son domaine. Malgré son amitié pour Gogol, il résista de toutes ses forces aux prêches que celui-ci lui adressait par lettre.

DANILEVSKY - Grégoire Pétrovitch (1829-1890). Ecrivain, auteur de romans historiques très populaires, il était, dans les années 50, fonctionnaire au ministère de l'Instruction publique.

DELVIG - Anton Antonovitch (1798-1831). Ami intime de Pouchkine, il a laissé des *Poésies* d'inspiration romantique. Dirigea un almanach littéraire : *les Fleurs du Nord*, puis, de 1830 à sa mort, *la Gazette littéraire*.

DMITRIEV - Ivan Ivanovitch (1760-1837). Poète, auteur d'élégies dans le goût sentimental de l'époque, ainsi que de plusieurs recueils de fables. Fut ministre de la Justice de 1810 à 1814. Gogol fit sa connaissance en 1832, à Moscou.

DOSTOIEVSKY - Fédor Mikhaïlovitch (1821-1881). Marqué très jeune par la mort de son père, qui avait été assassiné par ses moujiks, il fit vaille que vaille ses études à l'école du Génie de Saint-Pétersbourg, et, dès 1845, connut un immense succès avec son roman *les Pauvres Gens*. Vers cette même époque, il entra dans un groupe de jeunes gens libéraux, qui, réunis autour de Pétrachevsky, critiquaient le régime tsariste et rêvaient à l'abolition du servage. Arrêté avec ses compagnons en 1849, sur dénonciation d'un agent double, jeté en prison, condamné à être fusillé, il fut conduit sur les lieux de l'exécution et, au moment d'être attaché au poteau, apprit que sa peine était commuée en quatre ans de travaux forcés en Sibérie. Au bagne, il subit ses premières crises d'épilepsie. Ce fut seulement en 1859 qu'il obtint le droit de rentrer en Russie. Rongé par la maladie, mais animé d'une volonté inébranlable, il publia coup sur coup *Humiliés et Offensés, Souvenirs de la Maison des Morts, Mémoires écrits dans un Souterrain, Crime et Châtiment, le Joueur.* Criblé de dettes, il se réfugia à l'étranger avec sa seconde femme, pour échapper à ses créanciers, et là, malgré les privations, la fatigue, la crainte du lendemain, écrivit ses plus étonnants chefs-d'œuvre : *l'Idiot, l'Eternel Mari, les Possédés.* Revenu en Russie à cinquante ans, il rédigea et édita son *Journal d'un Ecrivain,* dans lequel il prit position en nationaliste et en orthodoxe fervent devant les plus graves problèmes de l'heure. Ce labeur de géant ne l'empêcha pas de publier encore deux œuvres capitales : *l'Adolescent* et *les Frères Karamazov.* Le discours qu'il prononça lors de l'inauguration d'un monument à Pouchkine acheva de consacrer sa renommée. Il mourut peu après.

ELAGUINE - née Youchkov, Avdotia Pétrovna (1789-1877). Femme spirituelle et cultivée, dont le salon, à Moscou, était devenu un centre d'échanges intellectuels. Ses sympathies allaient aux slavophiles. Elle était la mère des frères Kiréevsky et la nièce de Joukovsky.

GOGOL - Vassili Afanassiévitch (1777-1825), père de Nicolas Gogol.

GOGOL - Marie Ivanovna, née Kossiarovsky (1791-1868), mère de Nicolas Gogol.

GOGOL - Marie Vassilievna (1811-1844). Sœur aînée de Nicolas Gogol. Mariée, en 1832, avec l'arpenteur Trouchkovsky. Veuve en 1836. Mère de Nicolas Trouchkovsky, futur éditeur des œuvres complètes de Gogol.

GOGOL - Anne Vassilievna (1821-1893). Sœur de Nicolas Gogol, resta vieille fille.

GOGOL - Elisabeth Vassilievna (1823-1864). Sœur de Nicolas Gogol. Epousa, en 1851, l'officier des sapeurs Bykov. Veuve en 1862. Son fils aîné, Nicolas, épousa la petite fille de Pouchkine.

GOGOL - Olga Vassilievna (1825-1907), sœur cadette de Nicolas Gogol. Epousera le major en retraite Golovnia.

GOGOL - Ivan Vassiliévitch (1812-1819), frère de Nicolas Gogol, mort à l'âge de sept ans.

GONTCHAROV - Ivan Alexandrovitch (1812-1891). Grand romancier russe, il débuta, en 1847, par un court roman psychologique : *Simple Histoire*, fit ensuite un voyage au Japon et, en 1859, donna son chef-d'œuvre : *Oblomov*. Dix ans plus tard, il publiait *le Ravin*. Gogol avait fait sa connaissance en 1848, à Saint-Pétersbourg. Gontcharov est un maître du roman réaliste dans son pays.

GRETCH - Nicolas Ivanovitch (1787-1867). Journaliste du clan de Boulgarine, éditeur du *Fils de la Patrie* et collaborateur de la revue *l'Abeille du Nord*. Ennemi déclaré de Gogol.

HERZEN - Alexandre Ivanovitch (1812-1870). Homme d'une vaste intelligence, d'une culture universelle et d'un grand talent littéraire ; philosophe et critique remarquable. Farouche opposant au régime tsariste, il était partisan d'un « socialisme agraire », spécifiquement russe. Après avoir été incarcéré et exilé en Russie, il gagna l'étranger en 1847, se fixa à Paris, puis à Londres, à Genève. Il fonda une imprimerie russe libre à l'étranger, édita les revues *l'Etoile polaire* et *la Cloche*, où il ne cessa d'attaquer l'autocratie. Il publia de nombreux ouvrages, dont un livre de souvenirs, œuvre capitale et inclassable : *Passé et Pensées*.

IASYKOV - Nicolas Mikhaïlovitch (1803-1846). Poète de talent, émule de Pouchkine. En 1837, malade du tabès, il quitta la Russie et s'installa à l'étranger pour se soigner. Il fit la connaissance de Gogol à Hanau et, en 1842, l'accompagna à Rome. En 1843, il revint à Moscou dans un état désespéré. Enfermé chez lui, ne recevant que des intimes, il s'éteignait doucement. Sa poésie avait pris un caractère mystique, patriotique et réactionnaire. Jusqu'à la fin, il encouragea le goût de Gogol pour la religion et l'ordre établi. Gogol prisait en lui et l'homme et le poète.

INNOCENT - Ivan Alexéïevitch Borissov (1800-1857). Evêque de Kharkov, puis (à partir de 1848) archevêque de Kherson et de la Tauride.

INOZEMTSEV - Fédor Ivanovitch (1802-1869). Professeur de chirurgie à l'Université de Moscou. L'un des médecins les plus fameux de son époque.

IORDAN - Fédor Ivanovitch (1800-1883). Graveur russe. Ayant achevé ses études à l'Académie des Beaux-Arts de Saint-Pétersbourg, se fixa à Rome et y travailla plus de douze ans à exécuter une gravure d'après *la Transfiguration* de Raphaël. Fut un ami de Gogol.

IVANOV - Alexandre Andréïevitch (1806-1858). Peintre, ami de Gogol. Envoyé à Rome en 1830 par l'Académie des Beaux-Arts de Saint-Pétersbourg, comme pensionnaire, pour trois ans, il devait rester vingt-sept ans en Italie. Ce fut en 1833 qu'il conçut l'idée de son grand tableau *l'Apparition du Christ au Peuple*. Après de nombreuses études préliminaires, il entreprit la réalisation du tableau en 1837. Il y consacra le reste de sa vie. Gogol se lia avec lui à Rome. Très vite le peintre et l'écrivain devinrent inséparables. Gogol considérait que *l'Apparition du Christ au Peuple* et *les Ames mortes* étaient deux œuvres tendant vers le même but et que l'une comme l'autre exigeaient le sacrifice total de leur créateur à l'idée poursuivie. Ce fut en 1858 seulement qu'Ivanov, son tableau enfin achevé, revint à Saint-Pétersbourg. Le tableau exposé connut un vif succès. Mais le peintre mourut, l'année même, du choléra. La toile représentant *l'Apparition du Christ au Peuple* se trouve actuellement à la galerie Trétiakov, à Moscou. Gogol figure dans ce tableau, mêlé à la foule.

JOUKOVSKY - Vassili Andréïevitch (1783-1852). Poète et traducteur de talent, il fut chargé par Nicolas Ier de l'éducation de l'héritier du trône, le grand-duc Alexandre, le futur Alexandre II. Installé au Palais d'Hiver en 1827, il s'occupa du tsarévitch jusqu'en 1837 et lui inculqua ses idées sur la justice, l'amélioration du sort des humbles et le respect de l'opinion publique. Son crédit à la cour lui permit d'intervenir souvent en faveur d'autres écrivains, tels Pouchkine et Gogol. En 1842, il épousa, à cinquante-huit ans, une jeune fille de dix-huit ans, la fille du peintre Von Reutern, et s'installa en Allemagne, à Düsseldorf, puis à Francfort. Toujours amicalement disposé envers Gogol, il ne lui ména-

gea ni son admiration, ni ses conseils, ni son hospitalité.
Dans les dernières années de sa vie, il s'orienta vers le
mysticisme. Il mourut peu après Gogol, en Allemagne, mais
sa dépouille fut transférée à Saint-Pétersbourg en grande
pompe. Ses traductions de Goethe, de Schiller, de Byron,
révélèrent la littérature européenne à ses compatriotes. Il
est considéré comme « le père des romantiques russes ».

KARAMZINE - André Nicolaïevitch (1814-1854). Fils de l'historien.
Officier d'artillerie. Tué dans un combat contre les Turcs.

KARATYGUINE - Pierre Andreïevitch (1805-1879). Acteur au théâtre
Alexandra, de Saint-Pétersbourg. Toujours mal disposé à
l'égard de Gogol. On lui doit une aquarelle représentant
l'auteur du *Révizor* à une répétition.

KHOMIAKOV - Alexis Stépanovitch (1804-1860). Poète, dramaturge,
théologien, philosophe. Remarquable orateur. L'une des plus
brillantes personnalités du milieu slavophile.

KHOMIAKOV - Catherine Mikhaïlovna (1817-1852). Femme du précédent. Elle était la sœur du poète Iasykov. La mort de
Mme Khomiakov, le 26 janvier 1852, impressionna gravement Gogol, qui y reconnut comme un appel de l'au-delà
pour lui-même.

KIRÉEVSKY - Ivan Vassiliévitch (1806-1856). Critique et publiciste.
Fit la connaissance de Gogol en 1832, à Moscou. Avec Khomiakov et les frères Aksakov, il fut l'un des créateurs du
mouvement slavophile.

KIRÉEVSKY - Pierre Vassiliévitch (1808-1856). Frère du précédent,
avec qui il participa à la création du mouvement slavophile.
Toute sa vie durant, il rassembla des chansons populaires et
des bylines russes.

KONSTANTINOVSKY - Mathieu Alexandrovitch (1791-1857). Le Père
Mathieu, archiprêtre de Rjev, ecclésiastique à l'éloquence
fougueuse et à l'esprit étroit. Il fit la connaissance de Gogol
par l'intermédiaire du comte A.P. Tolstoï, dont il était le
confesseur, et incita l'écrivain, sur la fin de sa vie, à pratiquer l'ascèse et à se méfier des tentations de l'art.

LERMONTOV - Michel Youriévitch (1814-1841). L'un des plus grands noms de la poésie russe. Officier de carrière, il fut exilé au Caucase pour avoir écrit, en 1837, une poésie (*la Mort du Poète*) exigeant le châtiment du meurtrier de Pouchkine. Rappelé d'exil en 1838, il fut de nouveau exilé, en 1840, pour un duel avec Ernest de Barante, fils de l'ambassadeur de France. L'année suivante, il fut tué en duel par son ancien condisciple, Martynov, pour une absurde querelle d'honneur. Il est l'auteur notamment des poèmes *le Démon*, *le Novice* et d'un roman en prose, *Un Héros de notre Temps*, d'une inspiration désenchantée et d'un style limpide.

LIOUBITCH-ROMANOVITCH - Vassili Ignatiévitch (1805-1888). Camarade de lycée de Gogol. Poète, traducteur (de Byron et de Mickiewicz) et historien.

MAXIMOVITCH - Michel Alexandrovitch (1804-1873). Botaniste, ethnographe et historien. D'abord professeur de botanique à l'Université de Moscou, puis professeur de littérature russe à l'Université de Kiev. En 1845, il abandonna ses cours et se retira dans sa propriété, au bord du Dniepr, pour y poursuivre ses travaux personnels. Auteur de nombreuses études sur la langue, les chansons, les mœurs et l'histoire de l'Ukraine. Témoigna une grande amitié à Gogol, jusqu'à la mort de ce dernier.

MICKIEWICZ - Adam (1798-1855). Grand poète et patriote polonais, auteur entre autres des *Aïeux*, de *Konrad Wallenrod*, de *Pan Tadeusz*. En 1823, il fut arrêté pour participation à un soulèvement d'étudiants polonais et envoyé en Russie. Vivant à Moscou et à Saint-Pétersbourg, il se lia avec de nombreux écrivains russes, dont Pouchkine. En 1829, il partit pour l'étranger. En 1839, il accepta une chaire de littérature latine à l'Université de Lausanne, puis, en 1840, fut chargé des cours de langue et littérature slaves au Collège de France, à Paris. Son enseignement fut marqué par le dangereux mysticisme du « prophète » et « magnétiseur » Towiansky. En 1845, son cours fut suspendu et il se retrouva conservateur de la Bibliothèque de l'Arsenal. En 1848, il organisa en Italie une légion polonaise. Gogol admirait et aimait Mickiewicz, bien qu'il ne partageât pas les idées nationalistes et révolutionnaires du poète polonais.

MOLLER - Fédor Antonovitch (1812-1875). Peintre d'histoire et portraitiste fameux. Installé à Rome depuis 1830. Ami de Gogol,
dont il fit le portrait.

NACHTCHOKINE - Paul Voïnovitch (1800-1854). Ami intime de Pouchkine. Homme intelligent, cultivé, mais incapable de se
conduire dans l'existence. Il dilapida sa fortune et mourut
dans la pauvreté. Gogol se serait, dit-on, inspiré de lui pour
créer le persónnage de Khlobouïev, dans la deuxième partie
des *Ames mortes*.

NADÉJDINE - Nicolas Ivanovitch (1804-1856). Journaliste, critique,
éditeur des revues *le Télescope* et *la Renommée*, professeur
à l'Université de Moscou.

NÉKRASSOV - Nicolas Alexéïevitch (1821-1877). Grand poète et publiciste fameux, il racheta, en 1846, la revue *le Contemporain*,
fondée par Pouchkine et Plétnev en 1836. Aidé d'Ivan Panaev,
il fit rapidement de ce périodique la première revue littéraire de Russie, de tendance progressiste et libérale. Les
autorités en arrêtèrent la publication en 1866. Esprit
positif, il décrivit dans ses œuvres les plus fameuses (*Ceux
qui ont la Vie belle en Russie, le Gel au Nez rouge, Femmes
russes*) la misère du peuple et ses aspirations, et contribua
à préparer l'opinion publique à l'idée de l'abolition du
servage.

NIKITENKO - Alexandre Vassiliévitch (1805-1877). Ecrivain et censeur. Professeur de littérature russe à l'Université de Saint-
Pétersbourg.

ODOÏEVSKY - prince Vladimir Fédorovitch (1803-1869). Grand ami
de Pouchkine. Ecrivain, journaliste, auteur de récits fantastiques dans le genre d'Hoffmann. Il fut le centre d'un cercle
littéraire, à Saint-Pétersbourg.

ORLOV - Alexis Fédorovitch (1787-1862). Après la mort de Benkendorf, en 1844, remplaça ce dernier comme chef des gendarmes et directeur de la III° section. En 1851, reçut le
titre de prince et fut nommé président du Conseil d'Empire
et du Comité des ministres.

OSTROVSKY - Alexandre Nicolaïevitch (1823-1886). Auteur dramatique, il écrivit plus de cinquante pièces, dont la plupart,
conçues comme des « tranches de vies », sont une satire
des mœurs de la bourgeoisie marchande.

OVER - Alexandre Ivanovitch (1804-1864). Médecin moscovite.

PACHTCHENKO - Ivan Grigoriévitch. Compagnon d'études de Gogol
au lycée de Niéjine. Fonctionnaire au ministère de la Justice.
Mourut en 1848.

PANAEV - Ivan Ivanovitch (1812-1862). Journaliste et romancier
mondain appartenant au cercle de Bélinsky. En 1847, il
devint, avec Nékrassov, éditeur du journal le Contemporain.

PANAEV - Avdotia Iakovlevna, née Briansky (1820-1893). Beauté
célèbre, épouse du précédent. Vécut ensuite maritalement
avec Nékrassov et écrivit avec lui quelques romans. Elle
rédigea également d'intéressants Souvenirs littéraires.

PANOV - Vassili Alexéïevitch (1819-1849). Compagnon de voyage de
Gogol en 1840. Membre du cercle slavophile de Moscou. Plus
tard, rédacteur en chef du Recueil moscovite.

PHILARÈTE - (Michel Vassiliévitch Drozdov). (1782-1867). Métropolite de Moscou. Homme d'une grande piété et d'un caractère autoritaire, partisan du régime impérial, du servage et
des châtiments corporels.

PLÉTNEV - Pierre Alexandrovitch (1792-1865). Critique et poète, ami
de Pouchkine et de Gogol. Alors qu'il était inspecteur à
l'Institut patriotique, obtint de la direction que Gogol fût
chargé de cours dans l'établissement. Professeur de littérature russe à l'Université de Saint-Pétersbourg, puis recteur
de la même université. Enseigna la littérature russe au
grand-duc héritier et à différents membres de la famille
impériale. Dirigea le Contemporain après la mort de
Pouchkine.

POGODINE - Michel Pétrovitch (1800-1875). Historien, archéologue,
journaliste. Professeur d'histoire à l'Université de Moscou.
Editeur des revues le Messager de Moscou et le Moscovite.
Défenseur convaincu de l'autocratie, du nationalisme russe

et des traditions patriarcales. Il rassembla une quantité considérable de manuscrits ayant trait à l'histoire de la Russie. Ami de Gogol, il l'hébergea à plusieurs reprises dans sa maison du champ des Vierges, mais exigea de lui des œuvres inédites en échange de son hospitalité. Leurs relations furent souvent traversées d'orages.

POLEVOÏ - Nicolas Alexéïevitch (1796-1846). Journaliste, éditeur, jusqu'en 1834, du *Télégraphe de Moscou*. D'abord favorablement disposé envers Gogol, rejoignit bientôt le clan de ses ennemis : Boulgarine, Gretch et Senkovsky.

POUCHKINE - Alexandre Serguéïevitch (1799-1837). Poète et prosateur de génie, il donna à la littérature russe, dans tous les domaines, des modèles rarement égalés de perfection formelle, d'harmonie, de mesure, de bon goût. Ses premières poésies, d'inspiration libérale, lui valurent d'être exilé par Alexandre Ier à Ekaterinoslav, à Kichinev, dans le Caucase, à Odessa. Après de nouvelles incartades, il fut mis en résidence surveillée (1824-1826) dans sa propriété de Mikhaïlovskoïé. Ce fut là qu'il écrivit la majeure partie de son roman en vers *Eugène Onéguine*. En 1825, il donna à la Russie un drame historique : *Boris Godounov*. Enfin autorisé à rentrer à Saint-Pétersbourg par le nouveau tsar Nicolas Ier, il connut un grand prestige et, sans renoncer tout à fait à ses idées libérales, s'abstint de s'opposer ouvertement au pouvoir. Ayant épousé, en 1831, une jeune beauté moscovite, Nathalie Nicolaevna Gontcharov, il partagea sa vie entre ses travaux littéraires et des obligations mondaines qui l'irritaient. Ses nouvelles œuvres, à l'exception du *Cavalier de Bronze*, furent composées en prose : *les Récits de Biélkine, la Dame de Pique, la Fille du Capitaine*... Un jeune officier d'origine française, au service de l'armée russe, Georges de Heeckeren d'Anthès, faisait à Nathalie Pouchkine une cour assidue. Des propos malveillants circulaient sur le compte des deux jeunes gens. Pouchkine reçut des lettres anonymes insultantes, provoqua d'Anthès en duel et fut mortellement blessé au cours de la rencontre. Gogol, qui lui vouait une véritable adoration, fut anéanti en apprenant cette fin tragique.

POUCHKINE - Léon Serguéïevitch (1805-1852). Frère du précédent.

Officier courageux et noceur. Il passa à Odessa les dernières années de sa vie comme fonctionnaire des douanes.

Prokopovitch - Nicolas Iakovlévitch (1810-1857). Compagnon d'études de Gogol. Poète et professeur de littérature russe au corps des cadets de Saint-Pétersbourg. Gogol le chargea de publier ses œuvres réunies, tâche dont Prokopovitch s'acquitta maladroitement.

Répnine - princesse Varvara Nicolaevna (1809-1891). Fit la connaissance de Gogol à Baden-Baden, en 1836, et resta toute sa vie en relations amicales avec lui.

Rosset - Alexandra Ossipovna. Voir Mme Smirnov.

Rosset - Arkady Ossipovitch (1811-1881). Frère de la précédente. Ami de Gogol, qui le chargea de nombreuses commissions ayant trait à la réédition du *Révizor* et à l'édition des *Passages choisis*. Devint plus tard un fonctionnaire important. Finit sénateur d'Empire.

Samarine - Youri Fédorovitch (1819-1876). Publiciste et critique. Slavophile convaincu, il fit la connaissance de Gogol dans les années 40. Gogol le tenait en haute estime.

Senkovsky - Ossip Ivanovitch (1800-1858). Courriériste et critique littéraire, professeur de langues orientales à l'Université de Saint-Pétersbourg, rédacteur en chef de la *Bibliothèque pour la Lecture,* membre du « triumvirat » (Boulgarine, Gretch, Senkovsky) qui régnait sur la presse russe. Il se montra toujours hostile à Gogol.

Smirdine - Alexandre Philippovitch (1795-1857). Libraire et éditeur de Saint-Pétersbourg.

Smirnov - Alexandra Ossipovna, née Rosset (1809-1882). Demoiselle d'honneur de l'impératrice, cette jeune fille gracieuse, cultivée, spirituelle, étincelante, charma tous les beaux esprits de son temps. Pouchkine et Lermontov la célébrèrent dans leurs poésies. En 1832, elle épousa un jeune et riche diplomate, N.M. Smirnov, sans amour, par convenances familiales. Gogol, qui l'avait connue à Saint-Pétersbourg, se lia

d'amitié avec elle à Paris, puis à Nice, pendant l'hiver 1842-
43. A ce moment-là, elle avait perdu l'éclat de la jeunesse
et traversait une grave crise morale. Gogol s'improvisa son
directeur de conscience. Elle écoutait ses prêches et suivait
ses conseils. En 1845, son mari fut nommé gouverneur de
Kalouga et elle s'installa dans cette ville. Elle y resta
jusqu'en 1851, date à laquelle son mari dut démissionner
de son poste. Puis elle se fixa de nouveau à Saint-Pétersbourg.
Elle mourut à Paris, à un âge avancé, rongée par la mélancolie et n'ayant plus toute sa raison.

SMIRNOV - Nicolas Mikhaïlovitch (1807-1870). Mari de la précédente.
Héritier d'une grande fortune, la dilapida sur le tard, par
ses largesses inconsidérées et sa passion des cartes et de
la roulette. Fit partie de plusieurs missions diplomatiques à
l'étranger, occupa le poste de gouverneur de Kalouga de
1845 à 1851, puis celui de gouverneur civil de Saint-
Pétersbourg, de 1855 à 1861.

SOLLOGOUB - Vladimir Alexandrovitch (1814-1882). Ecrivain mondain, auteur notamment du *Tarantass* (1845), récit de voyages
et étude de mœurs provinciales. Mari de Sophie Vielgorsky.

SOLLOGOUB - comtesse Sophie Mikhaïlovna. Epouse du précédent.
(Voir Vielgorsky).

SOSNITSKY - Ivan Ivanovitch (1794-1871). Acteur comique de Saint-
Pétersbourg, créateur, dans *le Révizor*, du rôle du gouverneur.

STOURDZA - Alexandre Skarlatovitch (1791-1854). Ecrivain d'inspiration religieuse et réactionnaire. A l'occasion du congrès
d'Aix-la-Chapelle (1818), il rédigea, à la demande d'Alexandre Ier, un rapport sur les universités allemandes, dans lequel
il démontrait qu'elles dispensaient un enseignement athéiste
et révolutionnaire dangereux pour l'avenir de l'Europe.
Après avoir servi quelque temps au ministère des Affaires
étrangères, il prit sa retraite et se fixa à Odessa. Gogol le
fréquenta assidûment lors des séjours qu'il fit dans cette
ville.

TARASSENKOV - Alexis Térentiévitch (1816-1873). Médecin réputé à
l'époque de Gogol. Auteur de quelques traités de médecine
et d'un récit : *les derniers Jours de la Vie de Gogol*.

TCHERTKOV - Elisabeth Grigorievna, née Tchernychev (1805-1858). Epouse de l'archéologue et numismate A.D. Tchertkov, fondateur de la bibliothèque Tchertkov. Femme cultivée et originale, qui reçut Gogol dans son salon, à Moscou.

TOLSTOÏ - comte Alexandre Pétrovitch (1801-1874). Proche ami de Gogol dans les dernières années de sa vie. Gouverneur de Tver en 1834, gouverneur militaire d'Odessa en 1837. Entre 1840 et 1855, il n'occupa aucune fonction officielle et vécut la plupart du temps à Moscou. Esprit religieux et réactionnaire. Il hébergea Gogol dans sa maison du boulevard Nikitsky (aujourd'hui 7, boulevard Souvorov). Ce fut la dernière demeure de l'écrivain.

TOLSTOÏ - comte Fédor Ivanovitch, surnommé « l'Américain » (1782-1846). Fameux joueur, bretteur et noceur qui défraya longtemps la chronique mondaine de Moscou et de Saint-Pétersbourg.

TOURGUÉNIEV - Ivan Serguéïevitch (1818-1883). Romancier célèbre. Il fit ses études à Moscou et à Saint-Pétersbourg, les acheva à Berlin et, dès ses premières nouvelles, publiées par *le Contemporain*, s'imposa au public comme un peintre de la nature et un défenseur des serfs. Ces nouvelles devaient être réunies par lui sous le titre *les Récits d'un Chasseur*. Après la mort de Gogol, qu'il avait rencontré à plusieurs reprises, il écrivit un article nécrologique émouvant. Cet article lui valut d'être emprisonné, puis exilé dans ses terres. Grâcié à partir de 1854, il passa la majeure partie de son temps à l'étranger, et notamment en France, dans l'intimité de la famille de Pauline Viardot-Garcia, sœur de la Malibran et elle-même cantatrice en renom. Le talent, l'esprit, la culture de Tourguéniev en firent l'ami de George Sand, de Mérimée, de Flaubert... Il devint une sorte d'ambassadeur de la littérature russe en France et de la littérature française en Russie. Ce fut lui qui fit traduire en France Gogol et Tolstoï. Tout en résidant hors de son pays, il ne cessa de l'évoquer dans ses romans, d'une grande finesse psychologique et d'une forme très achevée : *Roudine, Une nichée de Gentilshommes, Pères et Enfants, Fumée, Terres vierges*, etc.

TROCHTCHINSKY - Dmitri Prokofiévitch (1754-1829). Parent éloigné de Gogol. Ayant terminé ses études à l'Académie ecclésiastique de Kiev, il se mit au service de l'Etat, fut sénateur sous Paul Ier, membre du Conseil d'Empire et directeur des Postes sous Alexandre Ier, ministre des Apanages, puis maréchal de la noblesse du gouvernement de Poltava, enfin ministre de la Justice de 1814 à 1817. En 1817, il prit sa retraite et s'installa dans sa propriété de Kibintsy, où il vécut en despote opulent. Il recevait souvent les Gogol qui étaient ses obligés.

TROCHTCHINSKY - André Andréïevitch (1774-1852). Neveu et héritier du précédent. Général en retraite. Il aida Gogol matériellement, les premiers temps du séjour de ce dernier à Saint-Pétersbourg.

TROUCHKOVSKY - Nicolas Pavlovitch (1833-1862). Fils de la sœur aînée de Gogol, Marie. Editeur des œuvres complètes de Gogol, après la mort de celui-ci.

VIAZEMSKY - prince Pierre Andréïevitch (1792-1878). Poète, critique, esprit fin et cultivé, ami de Pouchkine (leur correspondance est d'un intérêt capital) et admirateur de Gogol. Après avoir professé des idées libérales dans sa jeunesse, passa, avec l'âge, dans le clan de la réaction et devint un ennemi acharné de Bélinsky et des occidentalistes.

VIELGORSKY - comte Michel Youriévitch (1788-1856). Courtisan riche et considéré, musicien dilettante de grand talent, ami d'un nombre important d'artistes et d'écrivains, parmi lesquels Pouchkine, Joukovsky, Gogol.

VIELGORSKY - Louise Karlovna (1791-1853). Sa femme. Autoritaire, fière et difficile dans le choix de ses relations, accepta Gogol comme directeur de conscience.

VIELGORSKY - Joseph Mikhaïlovitch (1817-1839). Fils des précédents. Jeune homme talentueux, compagnon d'études de l'héritier du trône, le grand-duc Alexandre, futur Alexandre II. Mourut de phtisie, à Rome, dans les bras de Gogol.

VIELGORSKY - Apolline Mikhaïlovna. Sœur du précédent. Epouse de Venévitinov, le frère du poète.

VIELGORSKY - Sophie Mikhaïlovna (1820-1878). Sœur de la précédente. Epousa, en 1840, l'écrivain Sollogoub, auteur du *Tarantass*. Malheureuse en ménage, par suite de l'inconduite de son mari, elle était d'un caractère tendre, modeste, et écoutait avec confiance les leçons de morale que lui prodiguait Gogol.

VIELGORSKY - Anne Mikhaïlovna, dite Anoline, dite Nosi (1823-1861). Sœur cadette de la précédente. Gogol, qui la traitait en pénitente, en fut, dit-on, amoureux et s'enhardit même à demander sa main. Elle épousa par la suite le prince A.I. Chakhovskoï.

VOLKONSKY - princesse Zénaïde Alexandrovna, née princesse Béloselsky-Bélozersky (1792-1862). Poétesse, musicienne, chanteuse, elle régna par son esprit et sa beauté sur les congrès où se construisait l'Europe, après la chute de Napoléon. Alexandre Iᵉʳ l'avait en haute estime. Elle fut l'amie de Pouchkine, de Mickiewicz, de Viazemsky, de Vénévitinov, de Tchaadaev, de Chévyrev, de Pogodine, etc. En 1829, elle s'était convertie au catholicisme et, devant la colère de Nicolas Iᵉʳ, avait dû quitter Moscou pour l'Italie. Elle tint longtemps, à Rome, un salon brillant et très fréquenté. Entièrement dévouée à sa nouvelle religion, elle chercha à convertir ses proches, s'adonna à des œuvres pies et mourut dans la gêne.

VYSSOTSKY - Guérassime Ivanovitch. Camarade de Gogol au lycée de Niéjine, acheva ses études deux ans avant lui, vécut comme fonctionnaire à Saint-Pétersbourg, puis se retira dans ses terres (gouvernement de Poltava) et y mourut vers 1870.

INDEX

TABLE DES MATIÈRES

TROISIÈME PARTIE

L'IMPRIMERIE HÉRISSEY
A ÉVREUX (EURE)
A IMPRIMÉ CET OUVRAGE
EN MARS 1971

Dépôt légal : 1er trimestre 1971
Nº d'éditeur : 7093
Nº d'imprimeur : 10686

Imprimé en France